文獻研究叢書・圖書文獻學叢刊

# 古籍知識手冊

# （三）

## 文化知識

高振鐸　主編

# 目　錄

# *1* 天文曆法

## 一、天文星象

### ㈠什麼是天文

　　天文是指日月星辰等在宇宙間的分布和運行規律。根據可信的考古資料，商殷時代的甲骨刻辭中就有了某些星名和日蝕、月蝕的記載。遠古時的人們就發現，北斗星的運轉、出沒與農業生產關係十分密切。先民要求掌握準確的農時季節，希望知道日月星辰運行所引起的自然現象的變化規律，所以觀測天象非常勤勉，積年累月，得到了大量的有關資料。爲了認識、傳授、記憶的方便，又把那些和農時季節、自然變化有關的若干亮星賦予特定的名稱，進一步又編成星表或製成星圖，以指導農事活動。

### ㈡星官的命名和數量

　　早在《詩經》中就記有：火、箕、斗、定、昴、參、畢、牛、女等星名。先民爲了方便觀測和記憶，逐漸把星劃分成羣，每羣星數多寡不等，多者幾十顆，少者一、二顆。又把一羣之內的星用假想的線條連接起來，可構成各種各樣圖形，它們多和生產、生活中所見所用的某些事物很相似，於是便賦予一個相應的名稱。如「北斗星」，它的形狀很似古人用的酒斗，又因爲在北方

# 天文圖

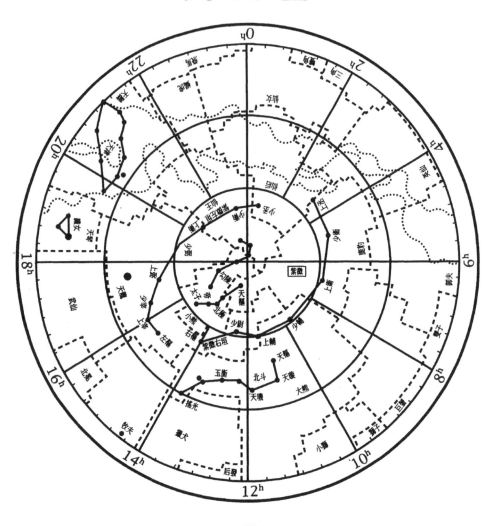

| - - - - - | 黃道 | ◯ | 二十八宿 |
|---|---|---|---|
| - - - - | 星座界線 | 織女 | 中名 |
| ....... | 銀河 | 天琴 | 西名 |
| 紫微 | 三垣 | ∴∴ | 星團 |

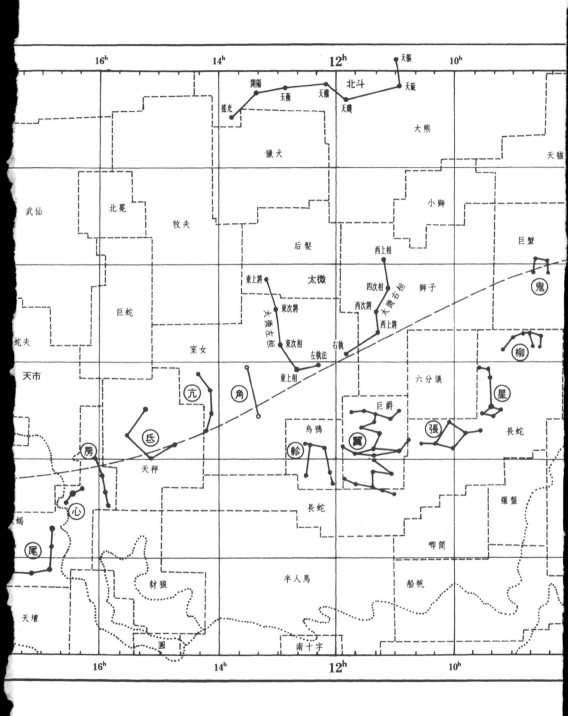

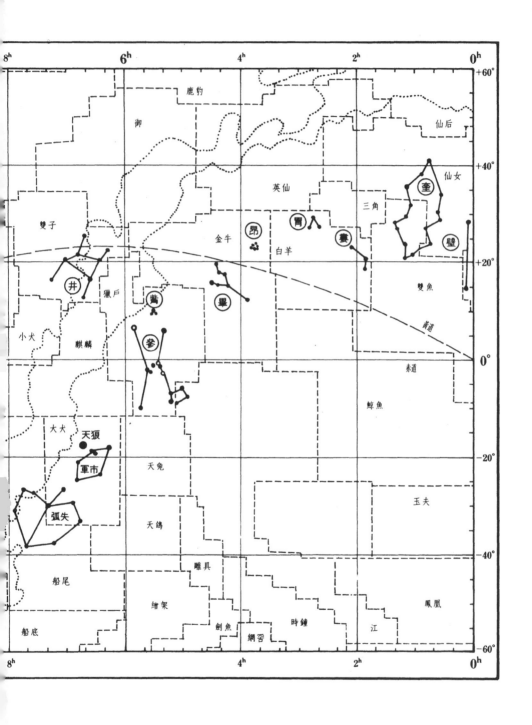

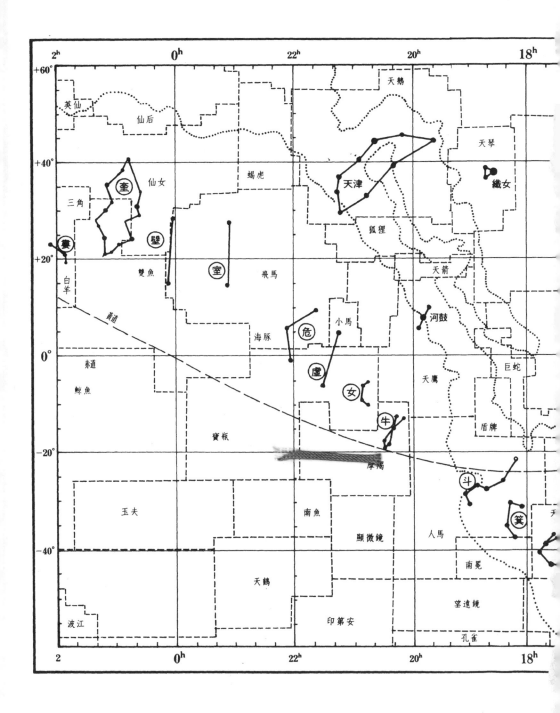

天空中，故命名曰「北斗」。又如「箕宿」四星，其狀似一個簸箕，故以「箕」名之。《詩‧小雅‧大東》中所說：「維南有箕，不可以簸揚；維北有斗，不可以挹酒漿」，就是對這些星羣的形象說明。

這些由若干星辰共同得名的星羣，古代稱之為「星官」，又稱「星宿」（相當於星座）。一般說來，早期命名的星官，大都和當時生產、生活中的事物有關。例如：箕、定之類以農具名之，弧矢、畢之類以獵具名之，車、船之類以交通運輸工具名之，斗之類以生活用具名之，鱉、狼之類以獸名之，牛郎、織女之類以人物名之等等。進入階級社會以後，統治階級為了宣傳其統治是上天的意志，於是把人間的國家機器和社會組織也搬上天，有些星辰被賦予了帝王將相、官府等名目，如「天牢」、「大理」之類的刑法機關，「羽林軍」之類的軍隊，「華蓋」等帝王使用的器物等都成了星名。但是民間仍保留著或繼續發展著對星官的命名，如「犁星」、「水車星」、「軲轆把星」等都是農民中長期流傳的；「南掛星」、「三枝槳星」等則是沿海漁民中流傳使用的。

中國古代星官（星宿）的命名系統，主要是在戰國到三國時期這五、六百年內完成定型的。據有關文獻統計，在先秦的著作中所載記的星官數量大約有 38 個，包括的星數有二百餘顆，實際遠不止此數。到漢代，司馬遷《史記‧天官書》中所記的星官共 91 個，包括星數五百餘顆；班固《漢書‧天文志》記：「凡天文在圖籍昭昭可知者，經星常宿中外官凡 118 名，積數 383 星。」漢張衡（78～139）在《靈憲》中說：「中外之官常明者一百二十四，可名者三百二十，為星二千五百，而海人之占未存焉。」此外，自戰國秦漢以來，許多星占家為了星占的需要，也命名了許多星官，形成許多流派，其中著名的有石氏、甘氏、巫咸、黃帝

（巫咸、黃帝之名顯係託古自重）等，各個流派所占的星官有許多不同。三是吳太史令陳卓綜合當時最重要星占家——石氏、甘氏、巫咸三派所占的星官，編成一個具有 283 個星官，1464 顆星的星表和星圖。其表、圖皆佚，但其綜合的 283 個星官經過《晉書‧天文志》和唐王希明《丹元子步天歌》的採納，此後就成了中國古代考察、觀測星象，繪製星圖的基礎，一直沿用了一千多年。

### (三)星空的區分與星圖

古人經過長期的探索，把所見到的恆星分成不同的星官，又依它們劃分出不同的天區。人們把已經認識、定名的恆星像繪製地圖一樣，按一定的方法記錄繪製出來，就是星圖。

對星空的區劃方法，文獻記載不盡一致，以把天空星辰分作 31 個大區，即「三垣」「二十八宿」的分區法影響最大，一直沿用到近代。這是中國獨特的觀測星象的體系。

### 1. 二十八宿

又稱舍，即指一羣星的區劃，是二十八個星官，它的起源是很早的，但作爲體系形成當在春秋時期。它最初是配合春、夏、秋、冬四季，把周天赤道分爲四個區段，選取一些亮星做標誌，然後逐步完善，最後形成二十八宿。至於二十八宿分作四方或四陸，每方七宿（星的位次）與四象相配：東方蒼龍，配以角、亢、氐、房、心、尾、箕；西方白虎，配以奎、婁、胃、昴、畢、觜、參；南方朱雀，配以井、鬼、柳、星、張、翼、軫；北方玄武，配以斗、牛、女、虛、危、室、壁等，一般學者認爲是秦漢之後的產物。二十八宿的用名，《禮記‧月令》、《史記‧律書》所記與上述還不完全相同。有的星官相同，名稱不

同，有的星官、名稱都不同。例如《史記・律書》中，不用斗、昴、畢、觜、井、鬼、柳之名，用建、留、濁、罰、狼、弧、主之名；又如星、張兩宿的位置互換等，這是因爲來源於不同的時代和不同的星象體系。

以二十八宿星官爲基礎，把周天赤道帶兩側的星空劃分爲 28 個區域，由於二十八宿星官在天上的分布疏密不均勻，所以 28 個區域的距離也相差很大。如「井宿」所占的赤經範圍達 30 度，而「觜宿」「鬼宿」只占 2 度左右。

### 2. 三垣

即紫微垣、太微垣、天市垣。「三垣」星官的名稱起源也是比較早的，但最後定型卻要比二十八宿晚；「三垣」之名見於唐初的《玄象詩》，把「三垣」作爲三個天區的主體，還要晚一些。「紫微垣」所在的天區是「北極」周圍，包括黃河流域一帶地區（地理緯度 36 度）常見不沒的天區。在二十八宿星區與紫微垣天區之間空隙較大的星空又劃出二垣：「太微垣」所占是星宿、張宿、翼宿、軫宿以北的天區；「天市垣」所占是房宿、心宿、尾宿、箕宿、斗宿等以北的天區（見 7 頁圖）。

三垣星區，每垣又各分左、右垣，它們各以左、右兩藩的星環繞成牆垣的樣子，自成區劃，因而得名「垣」。紫微左、右垣有星 15 顆，左 8 右 7；太微左、右垣有星 10 顆，左右各 5；天市左、右垣有星 22 顆，左右各 11，凡 47 星（各垣內星官尚不在其內）。但不同的文獻對三垣星數和名稱不盡相同，如《史記・天官書》稱記「紫宮」星數 12；「太微」星數 12；「天市」星數 4。《開元占經》卷 67 引「石氏曰」作：「紫微垣」星數 15，卷 66 引作「太微」10 星等（參見本節內「常見概念」中的「三垣」）。

## 3. 星圖

是觀測恆星的記錄和查找恆星及位置的工具。古代星圖大致可分二類。一類是示意性質的圖，往往以裝飾爲目的，常見於建築物或棺槨、墓圍、器物之上。一類是古代天文學家作爲認識和記錄星官位置、名稱而繪製的。唐以前的星圖幾乎沒有流傳下來，關於它的情況只能從文獻記錄中了解一些；唐及唐以後的星圖多有流傳，但內容差別是很大的。

我國古代歲星紀年法，還將一周天分爲十二等分，稱爲十二次。古人認爲木星十二年繞天一周，故稱「木星」爲歲星，把歲星行經的黃道附近一周天按由西向東的順時針方向分爲：星紀、玄枵、娵訾、降婁、大梁、實沈、鶉首、鶉火、鶉尾、壽星、大火、析木十二等次，每次都有二十八宿中某些星宿作爲標誌。如：星紀有斗、牛二宿，玄枵有女、虛、危三宿。十二星次是等分的，二十八宿的距離廣狹不一，所以十二次的起止不能和宿與宿的分界完全一致。如 1973 年長沙馬王堆三號漢墓出土的帛書中，有「歲星居維，宿星二」，「歲星居中，宿星三」的說法，即認爲歲星的每一次，有的含二宿，有的含三宿。據《漢書·律曆志》記載，宿、次在天空的對應天區是：（見 7 頁圖）

十二次名的來源：「星紀」表示歲星紀年以此爲首，戰國初期的實際天象爲冬至點在牛宿初度，正當星紀一次的中點。「玄枵」是傳說時代黃帝的兒子——玄囂的另一寫法。「娵訾」是傳說時代帝嚳的妻子，這一次有時也稱爲「豕韋」；是採用殷代一個方國的名稱。「降婁」就是奎、婁二宿，以宿名取名。「大梁」，是戰國時魏國後期的都城。「實沈」是傳說時代高辛氏的兒子。「鶉首」、「鶉火」、「鶉尾」三次，是把天區上的這一大片星羣聯想成一隻鳥形（即南方朱雀初爲鳳，或鳥，或鶉，後

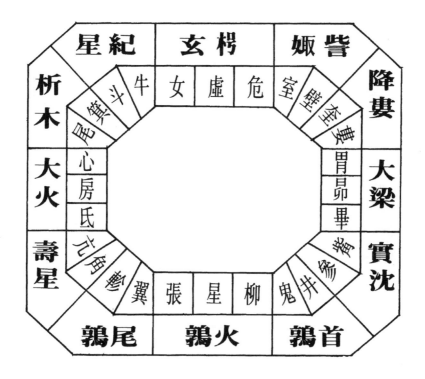

改為雀）的首、身、尾，這隻鳥又稱「南宮朱雀」。「壽星」是
傳說中的神仙名。「大火」是星名，即心宿二，移作「次」名。
「析木」是地名，屬燕國，在今遼寧省海城縣境內，那裡確有一
座古城，並流傳著關於燕太子丹的傳說。

　　從十二次名的來源可以說明它的形成是經歷了一個演變的歷
史時期。如「大梁」一名，恐怕是公元前362年魏國遷都大梁後
才出現的；「析木」的產生是在燕國的勢力擴展到遼河流域後，
可能較「大梁」一名的確定還要晚六、七十年。十二次名的全部
確定，似乎是在戰國時代，而歲星紀年法的產生，據文獻記載約
在春秋中期。

十二次開始是用來說明歲星每年運行所到的位置，並據以紀年；後來由於歲星紀年法的廢棄，開始用十二次紀月，以指示一年四季太陽所在的位置，說明節氣的更替。

### (四)星宿的分野

春秋時期，星占家又興起了一套星宿的分野說。所謂分野，即人們根據地上的區域來劃分天上的星宿，把天上的星宿分別配屬於地上的州、國，使天上的星與地上的政區互相對應。據《周禮・春官・保章氏》鄭注：「大界則曰九州，州中諸國中之封域，於星亦有分焉，……今其存可言者，十二次之分也。星紀，吳越也；玄枵，齊也；娵訾，衛也；降婁，魯也；大梁，趙也；實沈，晉也；鶉首，秦也；鶉火，周也；鶉尾，楚也；壽星，鄭也；大火，宋也；析木，燕也。」為什麼要這樣分配呢？《名義考》說：「古者封國，皆有分星，以觀妖祥，或繫之北斗，如魁主雍；或繫之二十八宿，如星紀主吳越；或繫之五星，如歲星主齊吳之類。有土南而星北，土東而星西，反相屬者，何耶？先儒以為受封之日，歲星所在之辰，其國屬焉，吳越同次者，以同日受封也。」這當然是附會穿鑿之言，意思是說分野主要是依據該國受封之日歲星在哪一次度來定，但至少有「大火，宋也」、「鶉火，周也」、「實沈，晉也」三個分野不是這樣來定的。

「大火，宋也」。春秋時代的宋，即被周滅了的商殷後裔，仍以「大火」為其分野，明為不忘先祖之意。可見殷人的族星為「大火」，在分野中也有所反映。「鶉火，周也」。周人沿襲殷人後期觀測「鶉火」以定農時的習慣，「大火」於是成了周的分野；一說是武王伐紂之年，歲星正在「鶉火」一次之中。「實沈，晉也」。實沈是夏族始祖，夏為商滅後，周成王封其弟於其舊址，稱唐叔虞，後來就是晉國。可見這三個分野實際上反映了

夏、商、周三個民族觀測星象的傳統方法，或者說不同民族各有自己的觀星習俗。其說見鄭文光《中國天文學源流》。

星宿的分野，一般按列國來分配的，後來又按州來分配。二十八宿和州、國，十二次和國的配屬分野關係：

## ◎十二次與國分野：

| 十二次 | 星紀 | 玄枵 | 娵訾 | 降婁 | 大梁 | 實沈 | 鶉首 | 鶉火 | 鶉尾 | 壽星 | 大火 | 析木 |
|---|---|---|---|---|---|---|---|---|---|---|---|---|
| 國 | 越吳 | 齊 | 衞 | 魯 | 趙 | 晉 | 秦 | 周 | 楚 | 鄭 | 宋 | 燕 |

注：據《周禮・春官・保章氏》。

## ◎二十八宿與國分野：

| 二十八宿 | 角亢 | 氐房心 | 尾箕 | 斗牛 | 女 | 虛危 | 室壁 | 奎婁 | 胃昴畢 | 觜參 | 井鬼 | 柳星張 | 翼軫 |
|---|---|---|---|---|---|---|---|---|---|---|---|---|---|
| 國 | 鄭 | 宋 | 燕 | 越 | 吳 | 齊 | 衞 | 魯 | 魏 | 趙 | 秦 | 周 | 楚 |

注：據《淮南子・天文訓》。《廣雅》記「觜」、「參」爲魏。

## ◎二十八宿與州分野：

| 二十八宿 | 角亢氐 | 房心 | 尾箕 | 斗 | 牛女 | 虛危 | 室壁 | 奎婁胃 | 昴畢 | 觜參 | 井鬼 | 柳星張 | 翼軫 |
|---|---|---|---|---|---|---|---|---|---|---|---|---|---|
| 州 | 兗州 | 豫州 | 幽州 | 江湖 | 揚州 | 青州 | 并州 | 徐州 | 冀州 | 益州 | 雍州 | 三河 | 荊州 |

注：據《淮南子・天文訓》。

記分野的文獻很多，也不盡相同，而且方法也不少。除上述外，還有按北斗七星分配的，有按五星分野的，有按「九野」與「九州」相配的等等。

古人分野的概念，在封建社會很長一段時間內，主要用於觀察所謂「吉祥」、「災禍」的天象，以占卜地上所配州、國的吉凶變化。例如《論衡·變虛篇》講到熒惑守心時說：「熒惑，天罰也。心，宋分野也，禍當君。」後來在古典文學作品中，多指代地區，如李白《蜀道難》有「捫參歷井仰脅息」。前者顯見是一種迷信，後者是寄情，但不管怎樣，分野問題在古籍文獻中多有反映，不可不知此法。

## (五)天文儀器

天文儀器是人類認識宇宙、研究天體運動規律的重要手段和工具。中國古代的天文儀器大概可分為三類：一類是測影的表，一類是測天體位置或仿天體運行的「儀象」，一類是計量時間的漏壺。

### 1.測影的表

表最初的形式只是一根直立在地表面上的竹桿或石柱，在太陽照耀下，投射在地上的影子，隨太陽的高低、轉行，影子的長短、方向也不斷變化。這種古老原始的天文儀器，在古書中有許多種稱謂，諸如：竿、槷、臬、髀、碑、椑等等。

表的作用：

### (1)是定方向

太陽東昇西落，運行的路徑對於觀測地的子午線來說，大體上是對稱的。因此，觀測太陽升起和降落時表影的方向，可以確定南北方或東西方。《考工記·匠人》記：「匠人建國，水地（平

地）以懸，置槷以懸，眡以景（影）爲規，識日出之景與日入之景。晝參諸日中之意，夜考之北極，以正朝夕。」由於日出、落時刻的表影模糊不清，後人又發明了使用多表來確定方向的辦法。這些方法僅限於測日出、落或日中時的方向，如取上午和下午兩次等長的表影，平分它們間夾角，也可以得到正確的南北線。元郭守敬就利用這一點，創造出一種定方向的儀器——正方案，並在今河南登封縣建造了觀星臺，有測影石圭長達一百多尺。

(2)**是定節氣**

表影的長度是在不斷變化的，一天之內，太陽在正南方時表影最短。一年之內每天太陽在正南方時的表影長度也有變化，冬至日的表影最長，夏至日的表影最短。根據這一變化規律便可以定節氣。大約最晚在春秋中期已用此法測定冬至日和夏至日。據《考工記・至人之事》中記載，測量影長的工具叫做「土圭」，後代對此器多有改進。到元朝郭守敬發明了「景（影）符」，是圭表技術中的重要進步，進一步又發明了「闚幾」，以測星、月的影長。

(3)**是定時刻**

由於地球的自轉，太陽每天在地球上不斷改變著位置和方向。很久以來，先民們就以太陽的位置做爲一天內時刻的標誌。立表測影是辨識太陽方位最簡易的方法，即測影移動的距離確定時間。這種測太陽射影以定時刻的儀器叫「日晷」。日晷又分赤道日晷、地平日晷二種。讓太陽的影子投射在地平面上的叫地平日晷，投射在平行於赤道平面上的叫赤道日晷。

---

| 2. 儀象 |
| --- |

儀是指測量天體在天球面上座標的儀器；象是演示天體在天

球面上作視運動的儀器。儀、象都是渾天家使用的儀器。儀主要有渾儀、簡儀、仰儀；象有渾象、渾天象等。儀、象歷代皆有發展改進，又因地域不同而有異。「儀」如東晉孔挺的「渾儀」，後魏太史侯的「鐵儀」，唐初李淳風的「渾天黃道儀」。北宋時製造的渾儀特別多，變化比較大，可說是達到渾儀製造中的高峯。「象」如漢張衡的「渾天象」（時稱「儀」），北宋太平興國 4 年（979）張思訓的「太平渾儀」。元祐 7 年（1092）吏部守當官韓公廉設計的「元祐渾天儀象」，是中國古代最宏大最複雜的一座儀器，包括渾儀、渾象、計時器三部分，後又製造出「假天儀」。元郭守敬曾製造一架「靈臺水渾儀」，表演的天象達到了十分複雜的程度。

### 3. 漏刻和其他計時器

漏，即漏壺；刻，即刻箭。漏刻是中國古代最重要的計時器之一。最初形式是在壺裡裝上水，底或側有一漏水孔，用一塊竹或木製的小托子浮在水面上（稱箭舟），給漏壺加上一個有孔的蓋，把有刻度的箭從蓋孔裡放進立於箭舟上。隨著水的流失，箭舟下落，箭桿隨降，觀察蓋口遮到那一刻度線，便可知道時間。這種方法叫沈箭法。此法因水多少而壓力不一，漏水快慢不均勻，大約西漢後期，又發明了「浮箭漏」，又稱二級漏壺。晉代記載有三級漏壺，唐代有四級漏壺，北京故宮博物院保存一套清代的四級漏壺。北京中國歷史博物館裡有一套元朝延祐 3 年（1316）的四級漏壺。

此外，還有北魏道士李蘭所作的「拜漏」，唐僧人發明的「盂漏」等。

機械計時器，最初是和其他天文儀器結合在一起的。如唐開元「水渾儀」，北宋「水運儀象臺」等。元郭守敬將其獨立出

來，製造了一個純粹水力計時器——大明殿燈漏，能自動報時；明朝詹希元創造了「五輪沙漏」。

## (六)常見概念

### 【二十八宿】

二十八宿，又稱二十八舍，或二十八星。古天文家爲了觀測天象及日、月、五星在天空中的運行，在黃道帶與天赤道帶的周天，選取了二十八組恆星羣（古稱星官）作爲觀測的標準，稱之爲二十八宿。它大致分東西南北四組，每組七宿，又與蒼龍、白虎、朱雀、玄武（龜，一說龜蛇）四種動物形象相配，稱爲四象。二十八宿以北斗斗柄所指的角宿爲起點，由西向東排列，與四象四方的關係是：東方蒼龍：角、亢、氐、房、心、尾、箕；北方玄武：斗、牛、女、虛、危、室、壁；西方白虎：奎、婁、胃、昴、畢、觜、參；南方朱雀：井、鬼、柳、星、張、翼、軫。二十八宿與三垣結合在一起，成爲中國古代劃分天區的主要標準（參見本節「(三)星空的區分與星圖」）。附表圖（14～17頁）

### 【三垣】

從公元七世紀隋末唐初之際的王希明《丹元子步天歌》開始，將天空分爲31個星區，即二十八宿和三垣。三垣即：太微垣、紫微垣、天市垣，又稱上垣、中垣、下垣。它既是星官名，也是天區名，每垣又分左、右。上垣太微有10星，左垣5星爲：東上將、東次將、東次相、東上相、左執法；右垣5星爲：西上相、西次相、西次將、西上將、右執法，它的天區在星、張、翼、軫四宿以北。中垣紫微有星15顆，左垣8星爲：

圖　《史記》以前的二十八宿表

| 書名 | 角 | 亢 | 氐 | 房 | 心 | 尾 | 箕 | 斗 | 牛 | 女 | 虛 | 危 | 室 | 壁 | 奎 | 婁 | 胃 | 昴 | 畢 | 觜 | 參 | 井 | 鬼 | 柳 | 星 | 張 | 翼 | 軫 |
|---|---|---|---|---|---|---|---|---|---|---|---|---|---|---|---|---|---|---|---|---|---|---|---|---|---|---|---|---|
| 《堯典》 |  |  |  |  | 火 |  |  |  |  |  | 虛 |  |  |  |  |  |  | 昴 |  |  |  |  |  |  | 鳥 |  |  |  |
| 《洪範》 |  |  |  |  |  |  | （好風） |  |  |  |  |  |  |  |  |  |  | 昴 | （好雨） |  | 參 |  |  |  |  |  |  |  |
| 《夏小正》 |  |  |  |  | 大火 |  |  |  |  | 織女 |  |  |  |  |  |  |  | 昴 |  |  | 參 |  |  |  |  |  |  |  |
| 《詩》 |  |  |  |  | 火 |  | 箕 |  | 牽牛 | 織女 |  |  | 定 |  |  |  |  | 昴 | 畢 |  | 參 |  |  |  |  |  |  |  |
| 《左傳》、《國語》 | 辰、角 | 天根、本 |  | 龍、農祥、天駟 | 火、大火 |  |  |  |  |  |  |  | 定、營室 |  |  |  |  |  |  |  |  |  |  | 味、鶉火 |  |  |  |  |
| 《爾雅》 | 角 | 亢 | 氐 | 房 | 心 | 尾 | 箕 | 斗 | 牽牛 | 織女 | 虛 |  | 營室 | 東壁 | 奎 | 婁 | 胃 | 昴 | 畢 | 觜 | 參 | 井 | 鬼 | 柳、咮 |  |  |  |  |
| 《月令》 | 角 | 亢 | 氐 | 房 | 心 | 尾 | 箕 | 斗、建星 | 牽牛 | 織女 | 虛 | 危 | 營室 | 東壁 | 奎 | 婁 | 胃 | 昴 | 畢 | 觜巂 | 參 | 弧、東井 |  | 柳 | 七星 | 張 | 翼 | 軫 |
| 《淮南子》 | 角 | 亢 | 氐 | 房 | 心 | 尾 | 箕 | 斗 | 牽牛 | 須女 | 虛 | 危 | 營室 | 東壁 | 奎 | 婁 | 胃 | 昴 | 畢 | 觜巂 | 參 | 東井 | 輿鬼 | 柳 | 七星 | 張 | 翼 | 軫 |
| 《史記》 | 角 | 亢 | 氐 | 房 | 心 | 尾 | 箕 | 建星 | 牽牛 | 婺女 | 虛 | 危 | 營室 | 東壁 | 奎 | 婁 | 胃 | 留 | 濁 | 罰 | 參 | 狼 | 弧 | 注 | 星 | 張 | 翼 | 軫 |

◉按近世所用二十八宿星數來統計得四維星數如下：

| 東方蒼龍 | 北方玄武 | 西方白虎 | 南方朱雀 | 共計 |
|---|---|---|---|---|
| 角 2 星 | 斗 6 星 | 奎 16 星 | 井 8 星 | |
| 亢 4 星 | 牛 6 星 | 婁 3 星 | 鬼 4 星 | |
| 氐 4 星 | 女 4 星 | 胃 3 星 | 柳 8 星 | |
| 房 4 星 | 虛 2 星 | 昴 7 星 | 星 7 星 | |
| 心 3 星 | 危 3 星 | 畢 6 星 | 張 6 星 | |
| 尾 9 星 | 室 2 星 | 觜 3 星 | 翼 22 星 | |
| 箕 4 星 | 壁 2 星 | 參 7 星 | 軫 4 星 | |
| 共 30 星 | 共 25 星 | 共 45 星 | 共 59 星 | 159 星 |

**昂首修尾的蒼龍**

蛇龜相纏的玄武

張牙舞爪的白虎

衙珠傲立的朱雀

少丞、少簡、上簡、少弼、上弼、少宰、上宰、左樞；右垣7星
爲：上丞、少簡、上簡、少輔、上輔、少尉、右樞，它的天區在
北極星周圍。下垣天市，有星 22 顆，左垣 11 星爲：宋、南海、
燕、東海、徐、吳越、齊、中山、九河、趙、魏；右垣 11 星
爲：韓、楚、梁、巴、蜀、秦、周、鄭、晉、河間、河中，它的
天區在房、心、尾、箕斗五宿以北（參見本節「㈢星空的區分與
星圖」）。


【黃道、赤道】

　　黃道是指太陽周年視運動的軌迹。地球沿著自己的軌道圍繞
太陽公轉，從地球軌道不同位置看太陽，太陽在天球上的投影位
置也不相同，這種視位置的移動叫視運動。太陽周年的視運動軌
道就是黃軌，即地球上的人看太陽於一年內在恆星之間所走的視
路徑，即地球的公轉軌道平面和天球相交的大圓。天球，是人們

為便於研究天體，假想的以空間任意點為中心，以無限長為半徑所成的球。通常把觀測者設想為天球中心，中心位於地面上的任何一點的天球，稱為「地面天球」。

赤道即天赤道，或稱天球赤道（非地球赤道）。它是地球赤道面和天球相交的大圓，即地球赤道在天球上的投影。

黃道和赤道成 23°27' 角，相交於春分點和秋分點，西方天文學家的赤道經度是以春分點算起的。

## 【十二次】

十二次又稱十二星次。中國古代為了量度木星的位置和運動，把天黃道分成十二個等分，叫做十二次。十二次名是：星紀、玄枵、娵訾、降婁、大梁、實沈、鶉首、鶉火、鶉尾、壽星、大火、析木（參見本節「3 星空的區分與星圖」）。最初用以紀年，後來十二次名目和二十四節氣相繫用以紀月，如「星紀」次的起點為大雪節氣，中點為冬至中氣，其餘依此類推（見《漢書・次度》）。各次起點在星空的位置，因受歲差影響而不斷改變。明末歐洲天文學傳入後，即以十二次名來翻譯西方的黃道十二宮，如稱「摩羯宮」為「星紀宮」等。西方古代把黃道南北各八度以內的空間叫「黃道帶」，認為這是日、月和行星運行所經過的空間地帶，也按照由西向東的方向把黃道帶分為十二等分，叫黃道十二宮。其用意和十二次相同，但起止界限稍有差異。

◎十二次與十二宮對應如下：

| 十　二　次 | 十　二　宮 |
|---|---|
| 星　　紀 | 摩　　羯（山羊） |
| 玄　　枵 | 寶　　瓶（水瓶） |
| 娵　　訾 | 雙　　魚 |
| 降　　婁 | 白　　羊（牡羊） |
| 大　　梁 | 金　　牛 |
| 實　　沈 | 雙　　子 |
| 鶉　　首 | 巨　　蟹 |
| 鶉　　火 | 獅　　子 |
| 鶉　　尾 | 室　　女（處女） |
| 壽　　星 | 天　　秤 |
| 大　　火 | 天　　蠍 |
| 析　　木 | 人　　馬（射手） |

　　十二次在古代主要用途有二：

　　一是指示一年四季太陽所在的位置，以說明節氣，據以紀月。

　　一是說明歲星（木星）每年運行所到的次度，據以紀年。

　　超次，古人以為歲星十二周年運行一周天，而實際上是11.8622年一周天，這樣每隔八十餘年就要發生歲星超次（官）的現象。實際天象和紀年不相同。


【七曜】

　　七曜是指日、月與金、木、水、火、土五大行星。「曜」，又作「耀」。東晉范寧《穀梁傳序》：「七曜為之盈縮。」唐楊士勛疏：「七曜者，日月五星皆照天下，故謂之七曜。」因日月五星的不停運轉，如同國家之政權一樣，故又稱為「七政」（見《史記‧五帝本紀》《集解》引鄭玄說）。

## 【參商】

二星官名。「參」即二十八宿之參宿，「商」是心宿的別名。二者在星空中是此出彼沒，彼出此沒，互不相見。因以喻人分離不得相見。如曹植《與吳季重書》：「面有逸景之速，別有參商之闊。」杜甫《贈衛八處士》詩：「人生不相見，動如參與商。」古代神話傳說，高辛氏二子不睦，因遷於兩地，分主參、商二星，永不相見，故又比喻兄弟不睦。

## 【北斗、北極】

北斗又稱「北斗七星」，或「指極星」，是星官名，指在北方天空排列成斗（或枸）形的七顆亮星。七顆星的名稱是：天樞、天璇（一作璿）、天璣、天權、玉衡、開陽、搖（一作瑤）光。先民把這七顆星聯繫起來想像成古斗形，故叫「北斗」。如屈原《九歌‧東君》：「操余弧兮反淪降，援北斗兮酌桂漿。」樞、璇、璣、權四星組成斗身，稱做「斗魁」，或稱「璇璣」；玉衡、開陽、搖光三星組成斗柄，稱做「枸」。它是北方的標誌，不同季節和夜晚不同的時刻，它的方位和指向也不同。所以古人又根據斗柄的指向來確定季節。《鶡冠子‧環流》：「斗柄東指，天下皆春；斗柄南指，天下皆夏；斗柄西指，天下皆秋；斗柄北指，天下皆冬」，反映的是比較古老的根據斗柄迴轉以定四時的習俗。如把月建、季節、斗柄、夜時相聯，情況如下：

| 月建 | 子 | 丑 | 寅 | 卯 | 辰 | 巳 | 午 | 未 | 申 | 酉 | 戌 | 亥 |
|---|---|---|---|---|---|---|---|---|---|---|---|---|
| 季節 | 冬至 | 大寒 | 雨水 | 春分 | 穀雨 | 小滿 | 夏至 | 大暑 | 處暑 | 秋分 | 霜降 | 小雪 |
| 斗柄 | 在下 | 下右 | 右下 | 右 | 右上 | 上右 | 上 | 上左 | 左上 | 左 | 左下 | 下左 |
| 時間 | 6 | 5 | 4 | 3 | 2 | 1 | 0 | 23 | 22 | 21 | 20 | 19 |

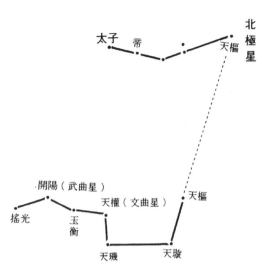

北極星，把天璇、天樞兩星連成直線並延長五倍的距離，就可以找到北極星（故又稱北斗為指極星）。在觀象授時時代的早期，對北極星是十分重視的。如「北極亦為大辰」，指的是夏代以前的傳說時代，以北極星為觀測羣星運動的標準星。《論語・為政》：「為政以德，譬如北辰，居其所而衆星共之」，《周禮・冬官・考工記》：「晝參諸日中之景（影），夜考之極星，以正朝夕。」北極星又稱「北辰」「天樞」。《晉書・天文志》：「北極五星，鉤陳六星，皆在紫宮（紫微垣）中。北極，北辰最尊者也；其細星，天之樞也。」孫詒讓《周禮正義》卷 82：「然則北極者，以天體言也；北辰者，以近極之星言也。」當今的北極星已不是古人所說的那樣，也在繞天極旋轉，只不過它的視運動軌迹圈很小罷了，《呂氏春秋・有始覽》：「極星與天俱游，而天極不移。」古人已發現，當時的北極星（應是帝星）不在北天極上。

## 【中星】

(1)從地球上看，二十八宿按一定的軌道運轉，順次每月在天中的星叫「中星」。如《禮記・月令》、《呂氏春秋》十二紀記載有：昏參中，旦尾中。清胡亶有《中星譜》，徐朝俊有《中星表》，張作楠有《中星圖表》。

(2)二十八宿分四方，每方七宿，居中的一宿叫中星。如：房

宿爲東方蒼龍之中星，虛宿爲北方玄武之中星，昴宿爲西方白虎之中星，星宿爲南方朱雀之中星。大致相當於《堯典》所記的四仲中星。《堯典》記「日中星鳥，以殷仲春」、「日永星火，以正仲夏」、「宵中星虛，以殷仲秋」、「日短星昴，以正仲冬」，「星鳥」即以南朱雀（又稱鳥）之形代南中星「星宿」，避「星星」之成詞；「星虛」、「星昴」同；只「星火」沒取東方中星「房宿」，而取了標誌最明顯的「大火」（即心宿二）。「大火」是商代以來選定的標準星，《堯典》襲其常，沒有改取近鄰的房宿（用張聞玉說）。

## 【太歲】

太歲，古代天文學家假設的一個與歲星運行方向相反相同的天體，又稱「歲陰」、「太陰」，用以紀年。太歲紀年法把地平圈分成十二等分，即十二辰，沿著地平線大圓以正北方爲子，向東、南、西依次爲：子丑寅卯辰巳午未申酉戌亥。太歲紀年產生於歲星紀年之後，二者之間有一個配合關係。漢杜子春《周禮注》中說：「歲星爲陽，右行於天；太歲爲陰，左行於地」，說的就是這種關係。

古人把「太歲」解釋爲是「歲星」的神靈。據《淮南子·天文訓》所說，歲星的神靈，即「天帝」的別稱，「北斗」是天帝巡幸所坐的帝車，所以歲星神的方向應和北斗運轉方向一致。把十二地支分配於天區十二方位，用來表示「斗柄」的視運行，次序和歲星運行正好相反；因而認爲有一個和歲星運行方向相反的神——歲陰存在。這種思想約產生在戰國到秦漢之間。

◙十二辰的別名——十二歲名：

| 地支 | 子 | 丑 | 寅 | 卯 | 辰 | 巳 | 午 | 未 | 申 | 酉 | 戌 | 亥 |
|---|---|---|---|---|---|---|---|---|---|---|---|---|
| 辰名 | 困敦 | 赤奮若 | 攝提格 | 單閼 | 執徐 | 大荒落 | 敦牂 | 協洽 | 涒灘 | 作鄂 | 閹茂 | 大淵獻 |

## 【十二辰】

（見「太歲」條，頁 22 ）。

## 【日蝕、月蝕】

　　**日蝕**，在朔日，月球運行到地球和太陽的中間，如月球掩蔽太陽，便發生日蝕。日蝕有全蝕、偏蝕、環蝕三種。中國對日蝕的記載在甲骨卜辭中已有，「貞翌己卯，乙卯不其易日，王占曰有祟，勿雨。乙卯允明，翟，三舀食日，大星。」（《殷虛文字乙編》6386 ）意思是說：乙卯天明時，有霧，三個火焰把太陽食掉，還看到大星（亮星）出現。古人還不知日蝕的道理，故把日蝕說成是太陽被火焰吃掉。

　　**月蝕**，在望日，地球運行到月球和太陽之間，如地球掩蔽住月球，便發生月蝕。月蝕只有「全蝕」「偏蝕」二種。


# 二、曆法紀時

## (一)什麼是曆法

　　時間是沒有起點和終點的，但是人類為了用語言、文字交流或記錄某一事件曾發生在什麼時候，某項事情要在什麼時候進行，以及任何兩件以上的事發生時刻之間有多長的時距等，便參

照時間的自然單位長度，如四季往復、日夜交替、日升日落、月缺月圓等，把沒有起迄的時間，分割成許許多多等長不等長的段落，每一段落標上一個號碼，構成一個完整的系統。這種把時間分段編號的方法，就叫曆法，所編的號碼就是時、日、月、年等紀時單位，每一個系統就是一種曆法。

時間的自然單位主要有三種：年、月、日，「日」是基本單位。所以，曆法也就是以年、月、日等計時單位，依一定的法則組合，供計算較長時間的系統。先人經過長期的觀察天象和自然變化──太陽的出沒、月亮的盈虧、星辰的運行、太陽的起沈，寒暑往復、雨霜露雪、花開花落、莊稼成熟，這些都是有規律的周期變化，因此以晝夜交替爲一日，以月相盈虧爲一月（朔望月），以禾穀成熟周期爲一年。穀物成熟周期與寒暑周期緊密相聯，恰好與地球繞太陽運行周期（回歸年，又叫太陽年）相同，也與月相變化的十二個周期相近。於是先人就總結出了以月亮、太陽運行周期爲計算單位的「年」和「月」，並建立了「陰陽曆」的計時體制。

## (二)曆法的確立與劃分

曆法的任務是判別節氣，記載時日，確定時間計算的標準。它的內容是說明每月的日數怎樣分配，每年月的安排和閏月、閏日的安插原則，節氣的安排方法等。世界上的曆法可分爲三類：陽曆、陰曆、陰陽曆。以太陽視運動的回歸年長度爲主要依據的曆法叫陽曆。以一個朔望月長度，即月亮運動所反映的月相爲主要依據的曆法叫陰曆。二者兼顧的曆法叫陰陽曆。中國古代的曆法，自有文字記載以來到清末，有一百餘種，大都是陰陽曆，只是在個別兄弟民族中使用純陰曆或純陽曆。

## 1. 回歸年、朔望月

**回歸年**，也稱為「太陽年」，即太陽視圓面中心相繼兩次過春分點所經歷的時間叫一回歸年，長為 365.2422 日，或 365 日 5 時 48 分 46 秒。我國古代的「歲」，指冬至與下一冬至之間的時間長度。

**朔望月**，也叫「會合月」，或「太陽月」，即月球相繼兩次具有相同月相所經歷的時間叫一朔望月，長度為 29.530588 日。

這是各種曆制中分割時間，安排年、月、日關係的主要依據。

## 2. 陽曆

陽曆，全稱是「太陽曆」，又稱「公曆」和「西曆」，是以回歸年為單位的曆法系統，年的長短依據天象，月的長短和月相無關。一回歸年為 365.2422 日，而現實的陽曆年平年 365 日，閏年 366 日，在四百年中要有 97 個閏年，303 個平年，才能使平均歷年的長度相當回歸年長度。陽曆的曆月是曆年的分割，與朔望月沒直接關係，但又不能使之與月相相去太遠，故分回歸年為十二個月，大月 31 日，小月 30 日；平年 5 大月 7 小月，閏年大小月各 6 月。但現在世界上最通行的陽曆——格里曆（即公曆）並未採用這種合理的辦法。它有 31 日、30 日、29 日、28 日等四種不同的曆月，每年有七個大月（31 日），四個小月（30 日），一個平月（29 日或 28 日），閏年平月為 29 日，平年為 28 日。中國採用格里曆是 1912 年（民國元年）。陽曆紀元以相傳的耶穌基督誕生之年為元年，相當於中國西漢平帝元始元年。陽曆紀元為世界多數國家所採用，故稱「公曆」。

中國古代傳統上是使用陰陽曆的，但在個別時期和部分少數民族地區，也曾提出或試用、使用過陽曆。如北宋沈括在《夢溪

《筆談》中提出一個十二氣曆，就屬純陽曆系統。太平天國時，曾經實行的「天曆」，是回歸年相當於 365 1/4 日的太陽曆。另據說西南地區的彝族，曾長期使用過一種別具特色的十月曆，也屬太陽曆系統。

### 3. 陰曆

陰曆，全稱為「太陰曆」，是以朔望月為單位的曆法系統。月的長短主要依據天象，曆月的平均長度相當於朔望月，曆年的長短只是曆月的整數倍，和回歸年沒有直接關係，但在平均曆月接近朔望月的前提下，也注意使平均曆年接近回歸年的長度。因為朔望月長為 29.53088 日，所以陰曆的曆月為大月 30 日，小月 29 日。曆年是十二個月，平均長是 354.367 日。閏年 355 日，七大月五小月；平年為 354 日，大、小月各六個。

人們最容易看見的天象變化是月相，所以世界各國的曆法大都是先有陰曆，後有陽曆。但隨著農牧業的發展，陰曆逐漸被淘汰，因為農牧業生產和月相關係不大。

回曆是世界流行最廣的太陰曆，又稱「伊斯蘭教曆」，在我國的伊斯蘭教徒中和伊斯蘭教徒集居地區也行用。

### 4. 陰陽曆

陰陽曆，又稱為「陰陽合曆」，中國俗稱為「陰曆」又叫「夏曆」、「農曆」，也稱「中曆」。它的特點是：既重視月相的變化，即曆月的平均值相當於一個朔望月的長度；又照顧寒暑節氣，即曆年的平均值相當於回歸年的長度。它的曆月和陰曆一樣，大月 30 日，小月 29 日；它的曆年為閏年十三個月（有一個閏月）平年十二個月。在這個曆法系統中，把地球繞太陽公轉軌道分成二十四等分，等分點的時刻叫「節氣」，順序、名稱和時

日為：

| 春季 | 1 立春<br>2 月 3-5 日交節 | 2 雨水<br>2 月 18-20 日交節 | 3 驚蟄<br>3 月 5-17 日交節 |
| :---: | :---: | :---: | :---: |
| | 4 春分<br>3 月 20-22 日交節 | 5 清明<br>4 月 4-6 日交節 | 6 穀雨<br>4 月 19-21 日交節 |
| 夏季 | 7 立夏<br>5 月 5-7 日交節 | 8 小滿<br>5 月 20-22 日交節 | 9 芒種<br>6 月 5-7 日交節 |
| | 10 夏至<br>6 月 21-22 日交節 | 11 小暑<br>7 月 6-8 日交節 | 12 大暑<br>7 月 22-24 日交節 |
| 秋季 | 13 立秋<br>8 月 7-9 日交節 | 14 處暑<br>8 月 22-24 日交節 | 15 白露<br>9 月 7-9 日交節 |
| | 16 秋分<br>9 月 22-24 日交節 | 17 寒露<br>10 月 8-9 日交節 | 18 霜降<br>10 月 23-24 日交節 |
| 冬季 | 19 立冬<br>11 月 7-8 日交節 | 20 小雪<br>11 月 22-23 日交節 | 21 大雪<br>12 月 6-8 日交節 |
| | 22 冬至<br>12 月 21-23 日交節 | 23 小寒<br>1 月 5-7 日交節 | 24 大寒<br>1 月 20-21 日交節 |

注：按公元月日計算

合稱為二十四節氣，其中單數的叫「節氣」，雙數的叫「中氣」，各十二。每一曆年中，必有十二個中氣，節氣可有十一個，也可有十二個，甚至可有十三個。中氣「雨水」所在的月為農曆（陰陽曆）正月，「大寒」所在的月是農曆十二月。相鄰兩個中氣的長是 30.4396 日，比朔望月長 0.9003 日。因此每一個農曆的曆月正常的有一個中氣，個別的卻沒有中氣，沒有中氣的月

是一年內額外的月，即「閏月」，這一年也就是「閏年」，爲十三個月。在 76 年中，閏年占 28 個。農曆（陰陽曆）的主要缺點是平年與閏年日差太大。

在中國古代的曆法中，占統治地位的始終是陰陽曆，現代爲與西曆、回曆相區別，也稱爲「中曆」。又因置二十四氣節和農業生產密切相關，又叫「農曆」。春秋後期，古人有建子爲正的曆法爲周曆、建丑爲正的爲殷曆、建寅爲正的爲夏曆之說，而戰國迄今的農曆正是寅正，故又稱農曆爲「夏曆」。至於閏月，中國早在殷代的曆法中就有了，一般多在年末，稱爲「十三月」，甚至有一年二閏的現象，稱爲「十四月」。到春秋時這種現象在曆法中已不存在了。漢武帝太初改曆，始行在無中氣月置閏。

### (三)古代歷朝的曆法

#### 1. 歲首與「三正」說

所謂歲首，即以哪一個月爲一年之首。歲首之月稱「正月」。如果把冬至所在的月稱爲「子月」，次爲丑月，寅、卯、辰……亥月。《春秋》所記魯國曆日，在文公、宣公以前，冬至大都在十二月，可知那時的曆法，是以「丑月」爲正月。宣公以後，冬至大都在正月，可知這時是以「子月」爲正月。與此同時，晉國地區所用的曆法則以「寅月」爲正月，所以《左傳》記晉國的史事日期，較《春秋》所載史事的日期大致要差兩個月。可見春秋戰國時的歲首是不統一的。

春秋時的晉國，是夏民族後裔，魯國屬周民族後裔，他們尊重夏、周王朝的制度。由於各自曆法制度歲首之月不同，後世出現了所謂「三正」說。「三正」是夏、商、周三朝行用三種不同歲首的曆法。夏曆以寅月（即冬至所在月的後二月，相當於現今農曆的正月）爲正月；商曆以丑月（即冬至月後一月，相當於現

今農曆十二月）爲正月；周曆以子月（即冬至月，相當於現今農曆的十一月）爲正月。由於三種曆制歲首之月建不同，四季也就隨之變動（詳見下表）。對「三正說」現代學者多不贊成，認爲「三正之說」起於周末，「是春秋戰國時期不同地域，不同時期的曆日制度，不應看作是三個王朝改正朔的故事」。三正說自不可信，但稱子正爲周曆、丑正爲殷曆、寅正爲夏曆的俗說卻沿用不廢。

　　三種曆制在先秦古籍文獻中並存。戰國中期，秦國又出現了一種以十月（建亥之月）爲歲首的顓頊曆。可見歲首與建正在先秦時期並不完全一致。所以，漢武帝元封七年（太初元年，前104），改以建寅之月爲歲首，實即行用夏曆，歲首與建正又趨一致。此後大約兩千年間，除王莽、三國魏明帝曹叡時曾一度用建丑之月爲歲首，和唐武后、肅宗曾一度用建子之月爲歲首之外，歷代王朝用的都是夏曆——建寅之月爲歲首。

### ◎附：三種曆制月建、四季表：

| 月　建 | 寅 | 卯 | 辰 | 巳 | 午 | 未 | 申 | 酉 | 戌 | 亥 | 子 | 丑 |
|---|---|---|---|---|---|---|---|---|---|---|---|---|
| 夏　曆 | 正 | 二 | 三 | 四 | 五 | 六 | 七 | 八 | 九 | 十 | 十一 | 十二 |
| | 春 | | | 夏 | | | 秋 | | | 冬 | | |
| 商　曆 | 二 | 三 | 四 | 五 | 六 | 七 | 八 | 九 | 十 | 十一 | 十二 | 正 |
| | 春 | | | 夏 | | | 秋 | | | 冬 | | 春 |
| 周　曆 | 三 | 四 | 五 | 六 | 七 | 八 | 九 | 十 | 十一 | 十二 | 正 | 二 |
| | 春 | 夏 | | | 秋 | | | 冬 | | | 春 | |

### 2.秦漢曆法

　　秦滅六國統一中國後，頒行了一套曆法——顓頊曆。漢朝自

建立至太初元年（前 206～前 104），依然行用秦顓頊曆；太初元年至元和二年（85）用太初曆；元和二年至東漢末（220）延及蜀漢，改用後漢四分曆。

### (1)顓頊曆

從秦始皇二十六年（前 221）到漢武帝元封七年（前 104）五月，共行用了 117 年。以建亥之月（相當夏曆十月）爲歲首，但仍稱十月，不稱正月。第四個月爲夏曆正月，秦爲避「嬴政」諱，改稱爲「端月」，最後一個月叫九月，歲終置閏，故閏年有「後九月」。如《史記‧秦始皇本紀》三十七年記事月序爲：十月癸丑出遊，十一月行至雲夢，七月丙寅始皇崩，九月葬驪山。十月、十一月（十二月→六月）七月（八月）、九月，可見是以十月爲歲首，九月爲歲末，所以記事用的是秦朝曆法，而月份之記仍沿用的是夏曆。《秦始皇本紀》從二十六年起，及《史記》高祖、呂太后、文帝、景帝各本紀，史事紀年、月，完全是按照冬、春、夏、秋的順序排列。

### (2)太初曆

秦顓頊曆和人們習慣通用的春、夏、秋、冬不合，不利農事，和天象也不符。至漢武帝時，於元封七年五月改曆，以建寅之月爲正月，行無中氣之月置閏的方法，廢除了以十月爲歲首、閏在後九月的顓頊曆法。後十餘年，又改「四分法」爲鄧平「八十一分法」，改元爲「太初」，以紀念改曆。太初曆從太初元年（前 104）到東漢章帝元和二年（85），共行用了 189 年。規定：一回歸年等於 $365 \frac{385}{1539}$ 日，一朔望月等於 $29 \frac{43}{81}$ 日，因爲一日爲 81 分，又稱爲「八十一分律曆」。

西漢末，劉歆曾在太初曆的基礎上，利用「四分術」編製「三統曆」，爲王莽篡權行用曆術做準備，並未行用，但經《漢書》記載，影響甚大。後世有人將三統曆與太初曆混爲一談，甚

至將並未實施的三統曆列爲三大名曆之首。

### (3)四分曆

四分曆是從東漢元和二年（85）至三國蜀炎興元年（263）間行用的曆法，共用了 179 年。由李梵等創制。規定：一回歸年等於 $365\frac{1}{4}$ 日（歲餘日四分，故名），一朔望月等於 $29\frac{499}{940}$ 日，19 年七閏。爲與戰國至漢初間行用的殷曆甲寅元四分曆相區別，後世也稱之爲「後漢四分曆」，或「東漢四分曆」。

### ◎附：中國曆法表 1

| 號數 | 曆　名 | 朝代 | 曆　家 | 行用年代 | 公　元 | 行用年數 | 備註 |
|---|---|---|---|---|---|---|---|
| 1 | 黃帝曆 | | | | | | |
| 2 | 顓頊曆 | | | | | | |
| 3 | 夏曆 | | | | | | |
| 4 | 殷曆 | | | | | | |
| 5 | 周曆 | | | | | | |
| 6 | 魯曆 | | | | | | ① |
| 7 | 太初曆 | 漢 | 鄧平、落下閎 | 漢太初元年～後漢元和元年 | 前 104～公元 84 | 188 | |
| 8 | 三統曆 | 漢 | 劉歆 | | | | ② |
| 9 | 四分曆 | 後漢 | 李梵、編訢 | 後漢元和二年～蜀炎興元年 | 85～263 | 179 | ③ |

注：①第 1～6 號曆即所謂古六曆。見《開元占經》。

②即太初曆；但太初曆以太初元年丁丑爲元，而三統曆則以漢綏和二年甲寅（公元前 7 年）爲元。見《漢書·律曆志》。

③從後漢元和二年（公元 85 年）起行用到後漢亡（公元 220 年），

蜀章武元年（公元 221 年）繼續使用到蜀後主亡（公元 263 年）。魏黃初元年（公元 220 年）用到青龍四年（公元 236 年）。見《後漢書・律曆志》。

### 3.三國兩晉南北朝曆法

三國鼎立，蜀承漢制，仍用四分曆；魏景初元年（237），始用「景初曆」；吳用「乾象曆」。晉統一後，沿用「景初曆」，後改稱為「泰始曆」。晉太元年間（376～396），後秦用「三紀曆」；義熙年間（405～418），北涼用「元始曆」。

南朝劉宋初年沿用晉「泰始曆」，但改名為「永初曆」；元嘉二十二年（445），改行「元嘉曆」。齊襲用「元嘉曆」，但改名為「建元曆」。梁初也襲用「元嘉曆」，至天監九年（510）正月，改行「大明曆」。北朝實施的新曆有 5 種。

這一時期，以「景初曆」影響最大。它以建丑之月（相當夏曆的十二月）為正月。

### ◎附：中國曆法表 2

| 號數 | 曆名 | 朝代 | 曆家 | 行用年代 | 公元 | 行用年數 | 備註 |
|---|---|---|---|---|---|---|---|
| 10 | 乾象曆 | 後漢 | 劉洪 | 吳黃武二年～天紀四年（吳亡） | 223～280 | 58 | ① |
| 11 | 黃初曆 | 魏 | 韓翊 | | | | ② |
| 12 | 太和曆 | 魏 | 高堂隆 | | | | ③ |
| 13 | 景初曆 | 魏 | 楊偉 | 魏景初元年～北魏正平元年 | 237～451 | 215 | ④ |
| 14 | 泰始曆 | | | | | | ⑤ |

| 15 | 劉智曆 | 晉 | 劉智 | | | | ⑥ |
| 16 | 乾度曆 | 晉 | 李修、卜顯依 | | | | ⑦ |
| 17 | 永和曆 | 晉 | 王朔之 | | | | ⑧ |
| 18 | 三紀曆 | 後秦 | 姜岌 | 後秦白雀元年～後秦亡 | 384～517 | 134 | ⑨ |
| 19 | 玄始曆 | 北涼 | 趙歐 | 北涼玄始元年～北魏正光三年 | 412～522 | 111 | ⑩ |
| 20 | 永初曆 | | | | | | ⑪ |
| 21 | 三宣元曆 | 北魏 | 崔浩 | 太平眞君初年 | | | |
| 22 | 旣往七曜曆 | 南朝宋 | 徐廣 | 元嘉初 | | | |
| 23 | 元嘉曆 | 南朝宋 | 何承天 | 元嘉二十二年～梁天監八年 | 445～509 | 65 | ⑫ |
| 24 | 建元曆 | | | | | | ⑬ |
| 25 | 大明曆 | 南朝宋 | 祖沖之 | 梁天監九年～陳亡 | 510～589 | 80 | ⑭ |
| 26 | 景明曆 | 北魏 | 公孫崇 | | | | ⑮ |
| 27 | 神龜曆 | 北魏 | 崔光 | | | | ⑯ |
| 28 | 正光曆 | 北魏 | 張龍翔 | 正光四年～北周保定五年 | 523～565 | 43 | ⑰ |
| 29 | 興和曆 | 東魏 | 李業興 | 興和二年～東魏亡 | 540～550 | 11 | ⑱ |
| 30 | 大同曆 | 梁 | 虞劇 | | | | ⑲ |
| 31 | 九宮行答曆 | 東魏 | 李業興 | | | | ⑳ |
| 32 | 天保曆 | 北齊 | 宋景業 | 天保二年～北齊亡 | 551～577 | 27 | ㉑ |

注：①以後漢建安十一年丙戌（公元 206 年）爲元。見《晉書·律曆志》。

②以魏黃初元年庚子（公元 220 年）爲元。

③魏黃初年間創作。

④以魏景初元年丁巳（公元 237 年）為元，使用到魏亡（公元 265 年）。晉泰始元年（公元 265 年）改景初曆為泰始曆，使用到晉亡（公元 420 年），南朝宋永初元年（公元 420 年）使用到元嘉二十一年（公元 444 年），北魏天興元年（公元 398 年）使用到正平元年（公元 451 年）。見《晉書·律曆志》、《宋書·曆志》。

⑤晉用景初曆，但改名為泰始曆。

⑥以泰始十年甲午（公元 274 年）為元；又稱正曆。

⑦以咸寧三年丁酉（公元 277 年）為元；

⑧以東晉永和八年壬子（公元 352 年）為元；又稱通曆。

⑨以後秦白雀元年甲申為元；見《晉書·律曆志》。朱文鑫《曆法通志》作公元 284 ～417 年。

⑩朱文鑫《曆法通志》作「元始」。從玄始元年用到北涼亡（公元 439 年）；從北魏興安元年（公元 452 年）用到正光三年（公元 522 年）。

⑪南朝宋改泰始曆為永初曆。

⑫以南朝宋元嘉二十年癸未（公元 443 年）為元。從元嘉二十二年用到南朝宋亡（公元 479 年），齊從建元元年（公元 479 年）用到齊亡（公元 503 年），梁從天監元年（公元 502 年）用到天監八年。見《宋書·曆志》。

⑬齊改元嘉曆為建元曆。

⑭以南朝宋大明七年癸卯（公元 463 年）為元；南朝宋沒有施行大明曆。梁從天監九年（公元 510 年）用到梁亡（公元 557 年），陳從永定元年（公元 557 年）用到陳亡（公元 589 年）。見《宋書·曆志》。

⑮以北魏景明元年庚辰（公元 500 年）為元

⑯以北魏神龜元年戊戌（公元 518 年）為元

⑰以北魏正光二年辛丑（公元 521 年）為元。從正光四年用到北魏亡

（公元 534 年），東魏從天平元年（公元 534 年）用到興和元年
（公元 539 年），西魏從大統元年（公元 535 年）用到西魏亡（公
元 556 年），北周從孝明帝元年（公元 557 年）用到保定五年（公
元 565 年）。藪內清《中國的天文曆法》作「北魏李業興張龍祥」。
⑱以東魏興和二年庚申（公元 540 年）爲元，用到東魏亡（公元
550），北齊也用了一年（公元 550 年）。見《魏書・律曆志》。
⑲以梁大同十年甲子（公元 544 年）爲元。見《隋書・律曆志》。
⑳以東魏武定五年丁卯（公元 547 年）爲元。
㉑以北齊天保元年庚午（公元 550 年）爲元。

### 4.隋唐五代曆法

隋初襲用北周「大象曆」，其後曾頒行過「開皇」、「大
業」二曆。唐朝 290 年間，頒行的曆法有 9 種：麟德、九執、大
衍、至德、五紀、正元、觀象、宣明、崇元。五代頒行 12 種曆
法，此不贅述（見附《中國曆法總表》）。這期間的曆法，以「大
衍曆」最有特點，受到後世的重視。

大衍曆是唐開元十七年至上元二年（729～761）間行用的曆
法。是僧一行在梁令瓚和南宮說觀測資料的基礎上編製的。準備
工作十分充分，這在當時是很少見的，因而後世稱之爲唐曆之
冠，成爲古代名曆之一。

### ◎附：中國曆法表 3

| 號數 | 曆名 | 朝代 | 曆家 | 行用年代 | 公元 | 行用年數 | 備注 |
|---|---|---|---|---|---|---|---|
| 33 | 靈憲曆 | 北齊 | 信都芳 | | | | |
| 34 | 天和曆 | 北周 | 甄鸞 | 天和元年～宣政元年 | 566～578 | 13 | |

| 35 | 孝孫曆 | 北齊 | 劉孝孫 | | | | ① |
| 36 | 甲寅元曆 | 北齊 | 董峻、鄭元偉 | | | | ② |
| 37 | 孟賓曆 | 北齊 | 張孟賓 | | | | |
| 38 | 大象曆 | 北周 | 馬顯 | 大象元年~隋開皇三年 | 579~583 | 5 | ③ |
| 39 | 開皇曆 | 隋 | 張賓 | 開皇四年~開皇十六年 | 584~596 | 13 | ④ |
| 40 | 皇極曆 | 隋 | 劉焯 | | | | ⑤ |
| 41 | 大業曆 | 隋 | 張冑玄 | 開皇十七年~隋亡 | 597~618 | 22 | ⑥ |
| 42 | 戊寅曆 | 唐 | 傅仁均、崔善爲 | 武德二年~麟德元年 | 619~664 | 45 | ⑦ |
| 43 | 符天曆 | 唐 | 曹士蒍 | | | | ⑧ |
| 44 | 麟德曆 | 唐 | 李淳風 | 麟德二年~開元十六年 | 665~728 | 64 | ⑨ |
| 45 | 經緯曆 | 唐 | 瞿曇羅 | | | | |
| 46 | 光宅曆 | 唐 | 瞿曇羅 | | | | |
| 47 | 神龍曆 | 唐 | 南宮說 | | | | ⑩ |
| 48 | 九執曆 | 唐 | 瞿曇悉達譯 | 開元六年 | | | ⑪ |
| 49 | 大衍曆 | 唐 | 一行 | 開元十七年~上元二年 | 729~761 | 43 | ⑫ |
| 50 | 千歲曆 | 唐 | 王勃 | | | | |
| 51 | 七曜曆 | 唐 | 吳伯善 | | | | |
| 52 | 至德曆 | 唐 | 韓穎 | 乾元元年~寶應元年 | 758~762 | 5 | ⑬ |
| 53 | 五紀曆 | 唐 | 郭獻之 | 廣德元年~建中四年 | 763~783 | 21 | ⑭ |

| 54 | 正元曆 | 唐 | 徐承嗣 | 興元元年～元和元年 | 784～806 | 23 | |
|---|---|---|---|---|---|---|---|
| 55 | 觀象曆 | 唐 | 徐昂 | 元和二年～長慶元年 | 807～821 | 15 | |
| 56 | 宣明曆 | 唐 | 徐昂 | 長慶二年～景福元年 | 822～892 | 71 | |
| 57 | 崇元曆 | 唐 | 邊岡 | 景福二年～後晉天福三年 | 893～938 | 46 | ⑮ |
| 58 | 萬分曆 | 五代 | | | | | |
| 59 | 永昌曆 | 後蜀 | 胡秀林 | | | | ⑯ |
| 60 | 正象曆 | 後蜀 | 胡秀林 | | | | ⑰ |
| 61 | 調元曆 | 後晉 | 馬重績 | 天福四年～遼統和十二年 | 939～994 | 56 | ⑱ |
| 62 | 中正曆 | 南唐 | 陳成勳 | | | | |
| 63 | 齊政曆 | 南唐 | | | | | ⑲ |
| 64 | 明元曆 | 後周 | 王處訥 | | | | ⑳ |
| 65 | 欽天曆 | 後周 | 王朴 | 顯德三年～宋乾德元年 | 956～963 | 8 | ㉑ |
| 66 | 應天曆 | 宋 | 王處訥 | 乾德二年～太平興國七年 | 964～982 | 19 | ㉒ |
| 67 | 乾元曆 | 宋 | 吳昭素 | 太平興國八年～咸平三年 | 983～1000 | 18 | ㉓ |
| 68 | 至道曆 | 後周 | 王睿 | | | | ㉔ |
| 69 | 儀天曆 | 後周 | 史序 | 咸平四年～天聖元年 | 1001～1023 | 23 | |
| 70 | 乾興曆 | 後周 | 張奎 | | | | ㉕ |
| 71 | 崇天曆 | 後周 | 楚衍、宋行古 | 天聖二年～治平元年 熙寧元年～熙寧七年 | 1024～1064 1068～1074 | 48 | |
| 72 | 明天曆 | 後周 | 周琮 | 治平二年～治平四年 | 1065～1067 | 3 | ㉖ |
| 73 | 奉元曆 | 後周 | 衛樸 | 熙寧八年～元祐八年 | 1075～1093 | 19 | ㉗ |

| 74 | 觀天曆 | 後周 | 黃居卿 | 紹聖元年～崇寧元年 | 1094～1102 | 9 | ㉘ |
| 75 | 占天曆 | 後周 | 姚舜輔 | 崇寧二年～崇寧四年 | 1103～1105 | 3 | ㉙ |
| 76 | 紀元曆 | 後周 | 姚舜輔 | 崇寧五年～南宋乾道二年 | 1106～1166 | 61 | ㉚ |

注：①以北齊武平七年丙申（公元 576 年）爲元。

②以北齊甲寅年爲元。

③從北周大象元年（公元 579 年）用到北周亡（公元 581 年），隋開皇元年（公元 581 年）用到開皇三年。

④朱文鑫《曆法通志》作「公元 590～607 年」（開皇十年～大業三年），共用十八年。見《隋書‧律曆志》。

⑤以隋仁壽四年甲子（公元 604 年）爲元。見《隋書‧律曆志》。

⑥以大業四年戊辰（公元 608 年）爲元。朱文鑫《曆法通志》作「公元 608～618 年」（大業四年～大業十四年），共用十一年。

⑦朱文鑫《曆法通志》作「公元 619～665 年」（武德二年～麟德二年），「共用四十七年」，亦誤。見新、舊《唐書》。

⑧以唐顯慶五年庚申（公元 660 年）爲元。

⑨朱文鑫《曆法通志》作「公元 666 年」（乾封元年）及「共用六十三年」，均誤。見新、舊《唐書》。

⑩以神龍元年乙巳（公元 705 年）爲元。見《開元占經》、《舊唐書‧律曆志》。

⑪譯自印度；開元六年（公元 718 年）。見《開元占經》。

⑫朱文鑫《曆法通志》作「公元 729～757 年」（開元十七年～至德二年）及「共用二十九年」，均誤。見新、舊《唐書》。

⑬以至德二年丁酉（公元 757 年）爲元。

⑭以寶應元年壬寅（公元 762 年）爲元。見《唐書‧曆志》。

⑮唐景福二年（公元 893 年）用到唐亡（公元 907 年），後梁從開平

元年（公元 907 年）用到龍德三年（公元 923 年），後唐從同光元
年（公元 923 年）用到清泰三年（公元 936 年），後晉從天福元年
（公元 936 年）用到天福三年（公元 938 年）。朱文鑫《曆法通志》
作「共用六十三年」，有誤。

⑯以後蜀永平元年己巳（公元 969 年）爲元。

⑰以後蜀延康元年壬申（公元 972 年）爲元。

⑱後晉天福四年（公元 939 年）用到天福八年（公元 943 年），遼大
同元年（公元 947 年）用到統和十二年（公元 994 年）。朱文鑫
《曆法通志》作「公元 939～943 年」和「共用五年」。

⑲公元 940 年到 975 年南唐用中正曆和齊政曆，共用三十六年。

⑳以後周廣順二年壬子（公元 952 年）爲元。

㉑後周顯德三年（公元 956 年）用到後周亡（公元 960 年），宋建隆
元年（公元 960 年）用到乾德元年（公元 963 年）。見《舊五代
史·曆志》及《新五代史·司天考》。

㉒以宋建隆三年壬戌（公元 962 年）爲元。見《宋史·律曆志》。

㉓以宋太平興國六年辛巳（公元 981 年）爲元。見《宋史·律曆志》。

㉔以宋至道元年乙未（公元 995 年）爲元。

㉕以宋乾興元年壬戌（公元 1022 年）爲元。

㉖以宋治平元年甲辰（公元 1064 年）爲元。

㉗以宋熙寧七年甲寅（公元 1074 年）爲元；見李銳《補修奉元術》。
朱文鑫《曆法通志》作「共用十八年」，有誤。

㉘以宋元祐七年壬申（公元 1092 年）爲元。見《宋史·律曆志》。

㉙見李銳《補修占天術》。

㉚朱文鑫《曆法通志》作「共用六十二年」。藪內清《中國の天文历法》
作「宋崇寧五年（公元 1106 年）用到北宋亡（公元 1127 年），南
宋紹興三年（公元 1133 年）用到紹興五年（公元 1135 年）」

## 5. 宋遼金元曆法

北宋從開國（960）至靖康二年（1127）168 年間，頒行了 9 種曆法；南宋從建炎二年（1128）至祥興二年（1279）152 年間，頒行了 10 種曆法。改曆之勤居歷代之首，但皆不出唐曆的範圍。以「紀元曆」行用最久（北宋崇寧五年～南宋乾道二年，1106～1166，共 61 年）以「統天曆」爲優。遼金 300 餘年間，遼頒行過「調元曆」和祖沖之的「大明曆」；金頒行過「知微曆」和楊級的「大明曆」。元初襲用金「大明曆」，至元十八年（1281）改用「授時曆」。

授時曆，元郭守敬等創制，從古語「敬授民時」而得名。從元代至元十八年（1281）到至正二十七年（1367）87 年間施行。以 365.2425 日爲一年，29.530593 日爲一月，推算節氣的方法是將一年的 $\frac{1}{24}$ 時間爲一氣，以沒有中氣月爲閏月。製曆的計算起點時間，取近世任意一年爲「曆元」，所定數據全憑實測，打破了古來曆制的習慣。明朝頒行的「大統曆」基本是「授時曆」，如把兩者看成是一種，可以說它是中國歷史施行最久的曆法，行時達 364 年。

### ◎附：中國曆法表 4

| 號數 | 曆名 | 朝代 | 曆家 | 行用年代 | 公元 | 行用年數 | 備註 |
|---|---|---|---|---|---|---|---|
| 77 | 大明曆 | 遼 | 賈俊 | 遼統和十三年～金天會十四年 | 995～1136 | 142 | ① |
| 78 | 大明曆 | 金 | 楊級 | 天會五年～大定廿一年 | 1127～1181 | 55 | ② |
| 79 | 統元曆 | 宋 | 陳得一 | 紹興六年～乾道三年 | 1136～1167 | 32 | ③ |

| 80 | 乾道曆 | 宋 | 劉孝榮 | 乾道四年～淳熙三年 | 1168～1176 | 9 | ④ |
| 81 | 淳熙曆 | 宋 | 劉孝榮 | 淳熙四年～紹熙元年 | 1177～1190 | 14 | ⑤ |
| 82 | 知微曆 | 金 | 趙知微 | 大定二十二年～元至元十七年 | 1182～1280 | 99 | ⑥ |
| 83 | 乙未元曆 | 金 | 耶律履 | | | | ⑦ |
| 84 | 五星再聚曆 | 宋 | 石萬 | | | | ⑧ |
| 85 | 會元曆 | 宋 | 劉孝榮 | 紹熙二年～慶元四年 | 1191～1198 | 8 | ⑨ |
| 86 | 統天曆 | 宋 | 楊忠輔 | 慶元五年～開禧三年 | 1199～1207 | 9 | ⑩ |
| 87 | 開禧曆 | 宋 | 鮑澣之 | 開禧四年～淳祐十一年 | 1208～1251 | 44 | ⑪ |
| 88 | 西征庚午元曆 | 元 | 耶律楚材 | | | | ⑫ |

注：①與祖沖之的大明曆同名異法。從遼統和十三年（公元995年）用到遼亡（保大五年，即公元1125年）；金天會元年（公元1123年）用到天會十四年（公元1136年）。朱文鑫《曆法通志》缺這個曆法。據藪內清《中国の天文历法》。

②與祖沖之大明曆同名異法。

③以南宋紹興五年乙卯（公元1135年）為元。朱文鑫《曆法通志》作「公元1136～1151年」，共用十六年。

④以南宋乾道三年丁亥（公元1167年）為元。

⑤以南宋淳熙三年丙申（公元1176年）為元。

⑥又稱重修大明曆。從金大定二十二年（公元1182年）用到天興三年（公元1234年），元太祖十年（公元1215年）用到至元十七年（公元1280年）。

⑦以金大定二十年庚子（公元1180年）為元。

⑧以南宋淳熙十四年丁未（公元1187年）為元。

⑨朱文鑫《曆法通志》作「公元1191～1207年」。

⑩朱文鑫《曆法通志》缺。

⑪朱文鑫《曆法通志》作「公元 1208～1250 年」，共用四十三年。

⑫以元太祖至元七年庚午（公元 1270 年）爲元，可能從至元十三年
丙子（公元 1276 年）始用，見《元史・曆志》。

### 6.明清曆法

明代是中西曆法過渡時期，但終明一代，實際上只用「大統
曆」，參用「回曆」。清初耶穌會士湯若望改明《崇禎曆書》呈
進，於順治二年（1645）頒行，稱「時憲曆」。咸豐元年
（1851）洪秀全建立太平天國，創行「天曆」，僅行用 14 年。

#### (1)大統曆

大統曆是明洪武元年（1368）至明亡（1644）277 年間行用
的曆法，它的一切天文數據和推步方法，皆依元代「授時曆」，
所以它實是「授時曆」的沿襲。

#### (2)時憲曆

明崇禎年間，徐光啓等以西法爲基礎，編製《崇禎曆書》，未
及頒行而明亡。崇禎十七年（1644）五月，清軍入京，耶穌會士
湯若望乘亂竊得，經刪改壓縮成 107 卷進呈清政府，被採用並定
名爲《西洋新法曆書》，據此編出的日用曆書爲「時憲曆」（乾隆
後改稱「時憲書」，以避「弘曆」之曆諱），從順至二年
（1645）頒行，康熙二十三年甲子（1684）編訂《曆象考成》，就
以這年的「甲子」爲元，故又稱「甲子元曆」。乾隆七年重修
「時憲書」，撰《曆象考成後編》，以雍正元年癸卯（1723）爲
元，故又叫「癸卯元曆」。

時憲曆對前代曆法作了兩點改革：一是，日、月有高卑行
度；二是以定氣注曆。現今所採用的中曆，可以說就是「時憲
曆」，一般叫做「夏曆」或「農曆」。辛亥革命以後，推算朔望

月、節氣、日月蝕，以及行星位置等，都參考新法，和「時憲曆」所用的方法略有不同。

### (3)天曆

天曆，是太平天國的曆法，全稱「太平天國曆」。自咸豐二年（1852）起在太平天國管轄的政區和軍隊中行用。它是一種陽曆，一年為 366 日，分 12 個月，單月 31 日，雙月 30 日，不置閏月，不計朔望，以干支紀日，星期順序依西法，其干支和星期分別比舊曆的干支和公曆的星期日提早一天。太平天國九年（1859），曾對「天曆」加以修訂，稱「太平新曆」，規定四十年為一斡年，斡年之月 28 日。天曆在長江流域一帶實行 14 年之久。

### ⊙附：中國曆法表 5

| 號數 | 曆　名 | 朝代 | 曆家 | 行　用　年　代 | 公　元 | 行用年數 | 備注 |
|---|---|---|---|---|---|---|---|
| 89 | 淳祐曆 | 宋 | 李德卿 | 淳祐十一年～淳祐十二年 | 1251～1252 | 2 | ① |
| 90 | 會天曆 | 宋 | 譚玉 | 寶祐元年～咸淳六年 | 1253～1270 | 18 | |
| 91 | 萬年曆 | 元 | 札馬魯丁 | | | | ② |
| 92 | 成天曆 | 宋 | 陳鼎 | 咸淳七年～景炎元年 | 1271～1276 | 6 | |
| 93 | 本天曆 | 宋 | 鄧光薦 | 景炎二年～祥興二年 | 1277～1279 | 3 | |
| 94 | 授時曆 | 元 | 郭守敬 | 至元十八年～至正二十七年 | 1281～1367 | 87 | |
| 95 | 回回曆 | 明 | | | | | ③ |
| 96 | 大統曆 | 明 | 劉基 | 洪武元年～明亡 | 1368～1644 | 277 | ④ |
| 97 | 聖壽萬年曆 | 明 | 朱載堉 | | | | ⑤ |

| 98 | 黃鍾曆 | 明 | 朱載堉 | | | | ⑥ |
|---|---|---|---|---|---|---|---|
| 99 | 新法曆 | 明 | 徐光啓 | | | | ⑦ |
| 100 | 曉庵曆 | 明 | 王錫闡 | | | | ⑧ |
| 101 | 時憲曆 | 清 | 湯若望 | 順治二年～乾隆六年 | 1645～1741 | 97 | ⑨ |
| 102 | 癸卯元曆 | 清 | 戴進賢 | 乾隆七年～清亡 | 1742～1911 | 170 | ⑩ |
| 103 | 天曆 | 清 | 洪秀全 | 太平天國元年～十四年 | 1851～1864 | 14 | ⑪ |
| 104 | 格列曆 | | | 中華民國元年～三十八年 | 1912～1949 | 38 | |

注：①以南宋淳祐十年庚戌（公元 1250 年）爲元。

②以元至元四年丁卯（公元 1267 年）爲元。

③明李狪、吳宗伯合譯。以明洪武十五年壬戌（公元 1382 年）爲元。

④從明洪武元年戊申（公元 1368 年）用到明亡（明崇禎十七年，公元 1644 年）。朱文鑫《曆法通志》作「洪武十七年甲子（公元 1384 年）」，當係錯誤。大統曆實係授時曆的改名，因而授時曆實際使用了三百六十四年（公元 1281～1644 年）。

⑤以明嘉靖三十三年甲寅（公元 1554 年）爲元。

⑥以明萬曆九年辛巳（公元 1581 年）爲元。見《圖書集成曆法典》。

⑦以明崇禎元年戊辰（公元 1628 年）爲元。見《新曆法書》。

⑧以明崇禎元年戊辰（公元 1628 年）爲元。見《曉庵法書》。

⑨以順治元年甲申（公元 1644 年）爲元，故又稱甲申元曆。見《曆法考成》。

⑩從乾隆七年壬戌（公元 1742 年）用到清亡（宣統三年，公元 1911 年）；即重修時憲曆，故時憲曆共用二百六十七年。見《曆法考成後編》。

⑪天曆以一年為三百六十六日，月各三十日或三十一日，沒有閏月閏
　年，而有所謂「斡年」；要知道天曆與中西曆月日的關係，頗為困
　難。今將郭廷以《太平天國曆法考訂》的《天曆與陰、陽曆對照簡表》
　轉錄於下：

### ◉天曆與陰、陽曆對照表

| 天　　曆 | 陰　　曆 | 陽　　曆 |
|---|---|---|
| 太平天國辛開元年正月初一日<br>庚寅（禮拜一） | 咸豐元年正月初二日己丑 | 1851 年 2 月 2 日<br>（星期日） |
| 太平天國壬子二年正月初一日<br>丙申（禮拜三） | 咸豐元年十二月十四日乙未 | 1852 年 2 月 3 日<br>（星期二） |
| 太平天國癸好三年正月初一日<br>壬寅（禮拜五） | 咸豐二年十二月二十六日辛丑 | 1853 年 2 月 3 日<br>（星期四） |
| 太平天國甲寅四年正月初一日<br>戊申（禮拜日） | 咸豐四年正月初七日丁未 | 1854 年 2 月 4 日<br>（星期六） |
| 太平天國乙榮五年正月初一日<br>甲寅（禮拜二） | 咸豐四年十二月十九日癸丑 | 1855 年 2 月 5 日<br>（星期一） |
| 太平天國丙辰六年正月初一日<br>庚申（禮拜四） | 咸豐六年正月初一日己未 | 1856 年 2 月 6 日<br>（星期三） |
| 太平天國丁巳七年正月初一日<br>丙寅（禮拜六） | 咸豐七年正月十二日乙丑 | 1857 年 2 月 7 日<br>（星期五） |
| 太平天國戊午八年正月初一日<br>壬申（禮拜一） | 咸豐七年十二月二十四日辛未 | 1858 年 2 月 7 日<br>（星期日） |
| 太平天國己未九年正月初一日<br>戊寅（禮拜三） | 咸豐九年正月初六日丁丑 | 1859 年 2 月 8 日<br>（星期二） |

| | | |
|---|---|---|
| 太平天國庚申十年正月初一日甲申（禮拜五） | 咸豐十年正月十八日癸未 | 1860 年 2 月 9 日（星期四） |
| 太平天國辛酉十一年正月初一日庚寅（禮拜日） | 咸豐十年十二月三十日己丑 | 1861 年 2 月 9 日（星期六） |
| 太平天國壬戌十二年正月初一日丙申（禮拜二） | 同治元年正月十二日乙未 | 1862 年 2 月 10 日（星期一） |
| 太平天國癸開十三年正月初一日壬寅（禮拜四） | 同治元年十二月二十四日辛丑 | 1863 年 2 月 11 日（星期三） |
| 太平天國甲子十四年正月初一日戊申（禮拜六） | 同治三年正月初五日丁未 | 1864 年 2 月 12 日（星期五） |

注：上表轉錄陳遵嬀《中國天文學史》。

### ㈣少數民族曆法

中國有五十多個少數民族，他們所用的曆法，有的比較成熟，有的還不夠成熟，但基本上和漢族使用的夏曆差不多。其中較成熟的有藏曆、回曆、傣曆、彝曆。

### 1.藏曆

藏曆是藏民族的曆法，基本上與夏曆同。公元十一世紀以前，西藏是以各代藏王在位年數，或年號數，或干支（以五行陰陽代十干，以十二生肖代地支）紀年。十一世紀後，在西藏歷史文獻中，改用「拉布瓊紀年法」，它以印度「星曆」傳入年——公元 1025 年為紀元元年，以六十年為一世紀，如公元 1985 年，相當藏曆「陽木牛年」，紀元 961 年。一年分四季，每季三個月，大月 30 日，小月 29 日。平年十二個月，大、小月各 6 個，354 日。閏年十三個月，大月 7 個，小月 6 個，384 日。初以數

序紀，到十一世紀末，也用二十八宿作月名，如：一月為水中月、二月為宿滿月、三月為角宿月……十二月為鬼宿月等。

### 2.回曆

回曆，也稱「回回曆」，即「伊斯蘭教曆」，為純陰曆。中國的回族也行用這種曆法。（ 參見「陰曆」。，26 頁 ）

### 3.傣曆

傣曆，是傣族集居地區使用的曆法，為陰陽曆。紀元起於公元 638 年 3 月 22 日，到 1977 年 4 月 14 日滿 1339 年。它計算的回歸年長為 365.25875 日，朔望月長為 29.530583 日。常以六月為歲首，正月相當於夏曆十月。平年十二個月，354 或 355 日；閏年十三個月，384 日，閏九月。單月 30 日，雙月 29 日，八月有時為 30 日，稱滿八月。傣曆還規定太陽進入金牛宮（即穀雨節）的那一天為潑水節（即傣曆新年），這一天常在傣曆的六月初或七月初之間。

### 4.彝曆

彝曆是四川涼山和雲南彝族、白族、哈尼族等少數民族通用的曆法，也屬陰陽曆。平年十二個月，閏年十三個月，閏月最初放在年終，後來採用漢族置閏法，把閏月叫「重某月」，或「雙某月」。紀年、月、日、時都採用十二生肖，十二生肖名稱和順序與漢族曆法同。傳說古代彝族曾統一以鼠為十二生肖之首，五行（木、火、土、鐵、水）加公、母，成十數（相當十干），和十二生肖（鼠、牛、虎……狗、豬）相配，成六十周期，用來紀年。記如：鼠年木公、牛年木母、虎年火公、兔年火母……（與十二地支與十天干相配同）。彝族歲首各地區多不一樣。

少數民族曆法，在民族古籍中都有一定的反映。但傣族、彝族的曆法文獻資料比較少，所以學者對此有一些爭議。

## (五)時間紀法

中國古代紀錄時間的方法很多，不少於二十種左右。其中以干支紀時法使用時間最長、最普遍，影響也最大。

### 1. 干支紀時法

用十天干、十二地支或搭配記錄年、月、日、時的方法，統稱為干支紀時法。

#### (1)干支

干，是十「天干」，古稱「十日」；支，是十二「地支」，古稱「十二辰」。

十干是：甲、乙、丙、丁、戊、己、庚、辛、壬、癸。

十二辰是：子、丑、寅、卯、辰、巳、午、未、申、酉、戌、亥。

十干和十二支依序相配，遂得六十甲子，循環往復不斷，成為中國古代獨具特色的記時方法。

### ◨六十甲子次序表：

| | | | | | |
|---|---|---|---|---|---|
| 1. 甲子 | 11. 甲戌 | 21. 甲申 | 31. 甲午 | 41. 甲辰 | 51. 甲寅 |
| 2. 乙丑 | 12. 乙亥 | 22. 乙酉 | 32. 乙未 | 42. 乙巳 | 52. 乙卯 |
| 3. 丙寅 | 13. 丙子 | 23. 丙戌 | 33. 丙申 | 43. 丙午 | 53. 丙辰 |
| 4. 丁卯 | 14. 丁丑 | 24. 丁亥 | 34. 丁酉 | 44. 丁未 | 54. 丁巳 |
| 5. 戊辰 | 15. 戊寅 | 25. 戊子 | 35. 戊戌 | 45. 戊申 | 55. 戊午 |
| 6. 己巳 | 16. 己卯 | 26. 己丑 | 36. 己亥 | 46. 己酉 | 56. 己未 |

| | | | | | |
|---|---|---|---|---|---|
| 7. 庚午 | 17. 庚辰 | 27. 庚寅 | 37. 庚子 | 47. 庚戌 | 57. 庚申 |
| 8. 辛未 | 18. 辛巳 | 28. 辛卯 | 38. 辛丑 | 48. 辛亥 | 58. 辛酉 |
| 9. 壬申 | 19. 壬午 | 29. 壬辰 | 39. 壬寅 | 49. 壬子 | 59. 壬戌 |
| 10. 癸酉 | 20. 癸未 | 30. 癸巳 | 40. 癸卯 | 50. 癸丑 | 60. 癸亥 |

### (2)干支紀年

干支紀年就是用六十甲子依序不斷紀錄年代的方法。文獻中明確記載的干支紀年，最早見於《淮南子・天文訓》（前 179～前 122），但西漢時這種方法尚不通用。一般認為，自東漢元和二年（85）行用「東漢四分曆」，政府才以法令的方式在全國推行用六十干支紀年，謂之青龍一周。自此以後，連續不斷，至今在「農曆」中仍然使用著。也有人認為，東漢建武三十年（54）已正式開始用六十干支的次序來紀年。事實上，戰國初期所用的四分術，已用干支別名紀年，應看做是干支紀年之始，或看做干支紀年的前身。這種方法關係固定，沒有奇偶的餘數，可前後依序推算，沒有多漏。但由於歷史的悠久，循環已幾十周，單純用干支紀年也易混淆，所以要和朝代年號相配合，才能準確具體標記歷史的年代。

古籍文獻中，多用干支紀年。如此宋蘇東坡《赤壁賦》「壬戌之秋，七月既望，蘇子與客泛舟，遊於赤壁之下」。又如《水調歌頭》：「丙辰中秋，歡飲達旦， 大醉， 作此篇兼懷子由。」北宋共 168 年，壬戌年有 3 個，丙辰年有 2 個，但蘇軾（1036～1101）在世的 66 年間，各只有 1 個，所以「壬戌之秋」為元豐五年（1082），「丙辰中秋」，為熙寧九年（1076）。近世以干支紀年表示事件的如「甲午戰爭」、「戊戌變法」、「庚子賠款」、「辛丑條約」、「辛亥革命」等，就是當代也有，如「丙

辰春紀事」（1976年「天安門事件」）。

(3)干支紀月

春秋時開始以十二地支紀月，叫月建。所謂月建是以地支和十二月相配，以地支代月，如夏曆：以冬至所在之月配子，稱爲「建子之月」（十一月），十二月爲「建丑之月」，第二年正月爲「建寅之月」，一直順序到來年十月，爲「建亥之月」，又稱「子月、丑月⋯⋯亥月」。庾信《哀江南賦序》：「粤以戊辰之年，建亥之月，大盜移國，金陵瓦解。」又有「建子、建丑⋯⋯建亥」等之類的稱呼，如《禮記・月令》：「仲春之月，日在奎，昏弧中，旦建星中，日月會於降婁，斗建卯。」

干支紀月，除十二支固定外，十干也是依次排列的，也有用以紀月，叫月干。干支紀年中的「干」和紀月的「干」有一個推算規律，關係如下：

年干爲甲或己，正月月干爲丙，

年干爲乙或庚，正月月干爲戊，

年干爲丙或辛，正月月干爲庚，

年干爲丁或壬，正月月干爲壬，

年干爲戊或癸，正月月干爲甲。

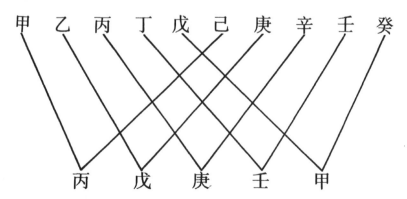

即正月月干前移兩位。民間歌訣是：

甲己之年丙作首，

乙庚之年戊爲頭；

丙辛必定尋庚起，

丁壬壬位順行流；

更有戊癸何方覺，

甲寅之上好追求。


這樣，只要知道某年的年干，其正月的月干也可推知，知道正月月干，其下月干可知。

至於干支相配紀月，相傳是從唐李虛中推人禍福生死時才開始的，顯然與迷信有關。

中國歷史上使用干支紀月的頻率不高。

### ⑷干支紀日

干支紀日的歷史最爲久遠，早在甲骨卜辭中已用干支紀日，已有數千年的歷史，自春秋以來從未間斷或錯亂，至遲從《春秋》所記魯隱公三年（前 720）二月己巳起至清宣統三年（1911）止，已有二千六百餘年的歷史。可堪稱爲世界最長的紀日法。如《左傳・隱公元年》：「五月辛丑，大叔出奔共」，《離騷》：「攝提貞於孟陬兮，惟庚寅吾以降」，《三國志・魏書・文帝紀》：「秋七月庚辰，令曰：……」等。銅器銘文、甲骨卜辭中更都是用干支紀日。干支紀日在古籍中比比可見，但將其換算成公曆日期卻比較麻煩。有些可借助「中西曆時對照表」一類的工具書解決，但仍有許多是因歷史久遠而難於解決的問題。

古人紀日有時只用天干不用地支，如《楚辭・九章・哀郢》中有：「出國門而軫懷兮，甲之朝吾以行」即是。也有時只記用地支不用天干，出現的比較晚，又大多限於記特定的日子，如《禮記・檀弓下》：「子、卯不樂。」

### (5)干支紀時辰

司馬遷《史記・曆書》已用十二支紀時，如「雞三號，平明，撫十二節，卒於丑」，意思是說：時刻從平明（即平旦，以午前三時爲起點）寅算起到丑爲止，共十二時辰，又稱十二辰。干支紀時除用十二辰外，也用十干。用十干紀時辰是隨日的干支而定，定時干的規定是：

日干爲甲或己
　　則當日子時時干爲甲，
日干爲乙或庚
　　則當日子時時干爲丙，
日干爲丙或辛
　　則當日子時時干爲戊，
日干爲丁或壬
　　則當日子時時干爲庚，
日干爲戊或癸
　　則當日子時時干爲壬。

通常只用十二辰紀時而不用干支紀時。算命先生批八字，第七、八兩字爲生辰時刻的干支，並編了一套歌訣記時干：

　　甲乙還生甲，乙庚丙作初；
　　丙辛從戊起，丁壬庚子居；
　　戊癸何方發？壬子是真途。

### 2.紀年法

紀年法，就是用什麼標記時間——年的方法。如：「歲在星紀」、「隱公二年」、「貞觀元年」等，都是中國歷史上曾出現過的不同紀年方法。古代紀年法，除干支紀年法外，還有：王公

即位年次紀年法、年號紀年法、歲星紀年法、太歲紀年法、十二生肖紀年法等。

### (1)王公即位年次紀年法

據傳說和考古資料，中國歷史上自奴隸社會的夏朝開始，統治集團的核心人物稱爲王，王位世代相傳，每個王在位年數不等。西周厲王以前，確切年代不可考，自周共和行政元年（前841）始有確切年代記載。與此同時，周屬各封國的公、侯、伯等也開始有記年，記年方法是「××王×年」，「××公×年」，以記在位的年數。這種記年方法，稱爲「王公即位年次紀年法」。如《左傳》僖公「三十三年春，秦師過周北門」，《史記·秦始皇本紀》始皇「以秦昭王四十八年正月生於邯鄲」。春秋以來，各諸侯國分立，自有紀年，因諸侯君即位年次不一，各國所紀年次也就不同。如前770年，爲周平王元年，魯國記爲魯孝公三十七年，齊國記爲齊莊公二十五年，秦國記爲秦襄公8年，宋國記爲宋戴公三十年，晉國記爲晉文侯十一年，曹國記爲曹惠伯二十六年等。這種紀年方法一直用到漢武帝以前。

### (2)年號紀年法

年號，是前140年漢武帝即位，首立年號爲「建元」，即位之年爲「建元元年」，自此中國歷史上開始正式使用年號。年號不僅正統王朝有，就是一些少數民族政權、割據政權、農民政權也有自己的年號。有的皇帝在位期間只立一個年號，如唐太宗李世民在位23年，只有「貞觀」一個；有的卻改用幾個年號或更多，史稱改元。如漢武帝劉徹在位55年，共改用11個年號，初爲六年一改，後爲四年一改。後世改元多無規律，如唐高宗在位34年，改用14個；武則天在位21年，改用17個年號。明太祖朱元璋制令子孫，每個皇帝只許用一個年號（只英宗時因故改元一次），清代沿其制。歷史不僅有多次改元現象存在，也有年號

前後使用重複現象，如「乾祐」，至少有：五代後漢、十國北漢、西夏三朝使用過。又如「紹興」，南宋高宗和西遼仁宗同時使用。

年號紀年在古籍文獻中使用極為普遍。如《三國志・魏文帝紀》：「文皇帝諱丕……改建安二十五年為延康元年」；唐白居易《琵琶行》：「元和十年，予左遷九江郡司馬」；宋范仲淹《岳陽樓記》：「慶曆四年春，滕子京謫守巴陵郡」。其中的「建安二十五年」、「延康元年」、「元和十年」、「慶曆四年」都是年號紀年。

(3)歲星紀年

歲星，即木星。古人認為木星十二年由西向東繞天一周，遂稱之為歲星，又把歲星運行軌迹兩側周天（天赤道）按十二地支依次分成十二次，標識歲星每年所在的位次，每次分別起一個專名，其專名及與十二支對應關係（依序）如下：

**回歲星十二次名序表**

| 星紀<br>丑 | 玄枵<br>子 | 娵訾<br>亥 | 降婁<br>戌 |
|---|---|---|---|
| 大梁<br>酉 | 實沈<br>申 | 鶉首<br>未 | 鶉火<br>午 |
| 鶉尾<br>巳 | 壽星<br>辰 | 大火<br>卯 | 析木<br>寅 |

用歲星十二次名紀年，稱為歲星紀年法。歲星運行到那一次，就記為「歲在××」。如《國語・周語》：「武王伐紂，歲在鶉火」潘安仁《西征賦》：「歲次玄枵，月旅蕤賓，丙丁統日，乙未御

辰」等，用的都是歲星紀年。

春秋戰國時期，各諸侯國都使用自己的紀年方法，交往頗為不便，因而就產生了紀年繫事法，也是十二次產生的原因之一，各國觀歲星位次以記事。學者們一般認為，歲星紀年法只在春秋中期後使用過不長一段時間。陳遵嬀先生則指出其具體使用年代是前 365 年（戰國周顯王姬扁四年），而郭沫若先生則認為殷周時代或在此之前就已經有了歲星紀年法，說法不盡一致。

實際上木星運行並非恰好十二年一周天，而在 11.8622 年一周天，每過八十年便發生歲星超次（官）的現象。一經超次，歲星紀年便告失靈，紀年和實際天相不符，所以又產生了太歲紀年法。《左傳·襄公二十八年》記有：「歲在星紀而淫於元（玄）枵」，這是古人發現歲星超次的可靠記錄，如把此記載看作是首次超次的話，歲星紀年法至遲產生於魯襄公二十八年（前 545）前的八十年（前 625），即公元前七世紀。

### (4)太歲紀年法

這是繼歲星紀年後產生的一種紀年法。由於歲星運行周期小於十二年，紀年不準，加之歲星運行的方向與古人熟悉的天體十二辰（以十二地支配二十八宿）劃分的方向正好相反，又造成實際運用不便，故假定一個與歲星運行方向相反的天體，與十二辰劃分方向順序相同，名之為「太歲」，讓它正好整十二年行經一周天以紀年。將地平圈十二等分，配十二辰，太歲一年經一辰，用子丑……戌亥十二支名之。如果拋開那個假設的天體，太歲紀年法就是十二地支紀年法。所以它是由歲星紀年向干支紀年的過渡，到春秋後期始告完成。

由於干支同時用以紀日、紀時、紀月，所以紀年干支便有意識迴避使用「子丑寅卯」等十二支字，而另起了一套別名，作為太歲紀年的名稱。這十二個別名在漢代不同的文獻中記載不盡相

同，見下表：

**十二辰別稱異同表**

| 別名異同文獻 ＼ 十二辰 | 寅 | 卯 | 辰 | 巳 | 午 | 未 | 申 | 酉 | 戌 | 亥 | 子 | 丑 |
|---|---|---|---|---|---|---|---|---|---|---|---|---|
| 《史記》天官書 | 攝提格 | 單閼 | 執徐 | 大荒駱 | 敦牂 | 叶洽 | 涒灘 | 作鄂 | 閹茂 | 大淵獻 | 困敦 | 赤奮若 |
| 《淮南子》天文訓 | | | | 大荒落 | | 協洽 | | 作噩 | | | | |
| 《漢書》天文志 | | | | | | | | 作詻 | 掩茂 | | | |
| 《爾雅》 | 《爾雅·釋天》與《淮南子》同 | | | | | | | | | | | |

　　如《離騷》：「攝提貞於孟陬兮，惟庚寅吾以降」，「攝提」即指「寅」年。《呂氏春秋·序意篇》：「維秦八年，歲在涒灘」，賈誼《鵩鳥賦》：「單閼之歲兮，四月孟夏」，用的都是太歲紀年法。

　　據《爾雅·釋天》、《史記·曆書》所載，另有與「十天干」相合以紀年的，叫「歲陽」，也另有一套別名，其名如下頁表：

　　這樣歲陽和歲陰相配紀年，與十天干和十二地支相配紀年完全統一，也成六十周期。所以有人認爲，其實際上就是干支紀年法的正式開始。歲陽、歲陰相合以紀年的現象在古籍文獻中也是不少見的。如：

起閼逢執徐，盡著雍涒灘，凡五年（見《資治通鑑・陳紀十》
注）。

**◎歲陽名表**

| 十 天 干 | | 甲 | 乙 | 丙 | 丁 | 戊 | 己 | 庚 | 辛 | 壬 | 癸 |
|---|---|---|---|---|---|---|---|---|---|---|---|
| 歲 陽 名 | 爾雅 | 閼逢 | 旃蒙 | 柔兆 | 強圉 | 著雍 | 屠維 | 上章 | 重光 | 玄黓 | 昭陽 |
| | 史記 | 焉逢 | 端蒙 | 游兆 | 強梧 | 徒維 | 祝犁 | 商橫 | 昭陽 | 橫艾 | 尚章 |

如推換成干支紀年是：從甲辰（乙巳、丙午、丁未）到戊申
共五年。和干支紀年層次、順序、完全一致。至此歲陰歲陽紀年
與干支紀年合途，直到近現代，仍有沿用。如魯迅先生《癸書神
文》一詩，題的寫作年代是「上章困敦」，即庚子年（1900）。

**(5)十二生肖紀年法**

古人又把十二辰解釋為十二肖獸，即把十二種動物與十二地
支相配，並用來紀年，這就是十二生肖紀年法。十二肖獸及其與
十二支的關係如下：

| 十二辰 | 子 | 丑 | 寅 | 卯 | 辰 | 巳 | 午 | 未 | 申 | 酉 | 戌 | 亥 |
|---|---|---|---|---|---|---|---|---|---|---|---|---|
| 十二肖獸 | 鼠 | 牛 | 虎 | 兔 | 龍 | 蛇 | 馬 | 羊 | 猴 | 雞 | 狗 | 豬 |

把十二肖獸解釋為十二辰，最早見於漢王充《論衡》。在敦煌
的卷子中，也有「馬年」、「兔年」等記載。十二肖獸紀年法對
邊疆少數民族的曆法紀年影響也是很大的。在彝族、藏族的曆法
紀年中都有所反映。至今民間仍保留著十二屬記人生年的習慣。

### (6)公元紀年法

中國正式使用公元紀年法是 1911 年辛亥革命後，現通行不贅述。

### 3. 紀月法

月球運行到太陽和地球之間時，月亮便跟太陽同時出沒，古代稱爲「毊」（也作「辰」），也叫「合朔」。古代四分曆一合朔周期是 $29\frac{499}{940}$ 日（即 29.53059 日），爲一個月。一年十二月，或十三月。古代紀月通常以數序，如：一月、二月、三月……十二月，閏年又有十三月，或「閏×月」、「後×月」等。歲首之月又叫作「正月」，秦代避秦始皇名「嬴政」諱，曾改爲「端月」。除用干支紀月外，也有不用數序的方法，而用一些專名來記月。如用十二律名紀月、季名紀月、花名紀月、十二生肖紀月等專名。列表如下：

| 月　序 | 正 | 二 | 三 | 四 | 五 | 六 | 七 | 八 | 九 | 十 | 十一 | 十二 |
|---|---|---|---|---|---|---|---|---|---|---|---|---|
| 夏曆月建 | 寅 | 卯 | 辰 | 巳 | 午 | 未 | 申 | 酉 | 戌 | 亥 | 子 | 丑 |
| 爾雅·釋天 | 陬 | 如 | 寎 | 余 | 皋 | 且 | 相 | 壯 | 玄 | 陽 | 辜 | 涂 |
| 十二律 | 太簇 | 夾鐘 | 姑洗 | 中呂 | 蕤賓 | 林鐘 | 夷則 | 南呂 | 天射 | 應鐘 | 黃鐘 | 大呂 |
| 季　月 | 孟春 | 仲春 | 季春 | 孟夏 | 仲夏 | 季夏 | 孟秋 | 仲秋 | 季秋 | 孟冬 | 仲冬 | 季冬 |
| 花　月 |  | 杏月 | 桃月 | 梅槐月 | 榴蒲月 | 荷月 | 蘭桐月 | 桂月 | 菊月 |  | 葭月 |  |
| 十二肖歌 | 虎 | 兔 | 龍 | 蛇 | 馬 | 羊 | 猴 | 雞 | 狗 | 豬 | 鼠 | 牛 |
| 藏　曆 | 水中月 | 宿滿月 | 角宿月 | 氐宿月 | 心宿月 | 箕月 | 牛宿月 | 室月 | 婁宿月 | 昴宿月 | 觜宿角 | 鬼、神 |

除表中所記之外，還有一些別名，多來自文人學士的筆下：

一月：月正、三之月、三微月、端月、征月、初月、孟陽、孟
　　　陬、開歲、發歲、獻歲、肇歲、芳歲、華歲、早春、新
　　　正、嘉月、元月等等。

二月：四之日、仲陽、令月、竹月、麗月、酣月、花月等。

三月：蠶月、櫻筍時、鶯時、杪春、暮春、晚春、末春、桃浪、
　　　雩風、夬月、禊月等。

四月：乏月、陰月、仲月、麥月、乾月、正陽、純陽、麥秋、麥
　　　候、麥序、清和、槐夏、初夏、朱明等。

五月：惡月、垢月、小刑、鬱、蒸、鳴蜩、天中等。

六月：焦月、季月、暑月、伏月、徂暑、溽暑、精陽等。

七月：肇秋、蘭秋、上秋、初秋、首秋、早秋、新秋、開秋、涼
　　　月、瓜月、巧月、霜月、否月、瓜時、蘭秋等。

八月：中秋、正秋、桂秋、仲商、竹小春等。

九月：暮商、季商、霜序、杪秋、窮秋、涼秋、暮秋、朽月、青
　　　女等。

十月：小春、小陽春、良月、坤月、上冬、初冬、開冬、正陰
　　　等。

十一月：暢月、復月、龍潛月、冬月等。

十二月：蠟月、臘月、冰月、嚴月、除月、末月、臨月、杪冬、
　　　　暮冬、殘冬、末冬、嚴冬、窮節、星回節、嘉平、清祀
　　　　等。

　　這些月份都來自古籍文獻，或影響較大的詩文名句。一般都
不難理解。例如：

正月──開歲：「開歲發春兮，百卉含英。」（《後漢書·馮衍
　　　　傳》）

二月──酣春：「勞勞鶯燕怨酣春」（李賀詩句）。

三月——杪春：杪，樹稍。杪春，即農曆春末三月。如：「江上花開盡，南行見杪春」（《文苑英華》卷 275，唐李端《送友少遊江東》詩）。

四月——清和：「歲首猶清和，芳草亦未謝」（謝靈運詩《遊赤石進帆海》）。清和本泛指暮春初夏天氣，後來人們多誤以為農曆四月的別稱，也就習用了。

五月——小刑，「陰生於午，故五月為小刑」（《淮南子・天文訓》）。

六月——溽暑，「土潤溽暑，大雨時行」（《禮記・月令》）。「感乎溽暑之伊鬱，而慮性命之所平」（三國魏・何晏《景福殿賦》）。

七月——蘭秋，「淒淒乘蘭秋，言踐千里舟」（南朝宋・謝惠連《與孔曲阿別》詩）。《初學記》卷 3 引南朝梁元帝《纂要》：「七月孟秋、上秋、肇秋、蘭秋」。

八月——仲商，「八月仲秋，亦稱仲商」（《初學記》三梁元帝《纂要》）。「孟秋之月，其音商」（《禮記・月令》）。古以「商」為秋之音，「仲秋」即「仲商」。

九月——青女，「至秋三月，……青女乃出，以降霜雪」（《淮南子・天文訓》）。相傳「青女」是天神——青霄玉女，主降霜雪。便有以「青女」代九月之說。

十月——艮月，「公父定叔出奔衞，三年而復之，……使以十月入，曰：『艮月也，就盈數焉。』」（《左傳・莊公十六年》）數至十為小盈，取其義，此後以「艮月」指代十月。

十一月——暢月，仲冬之月「命之曰暢月。」（《禮記・月令》）

十二月——清祀，「四代稱臘之別名，夏曰嘉平，殷曰清祀，周曰大蜡，漢曰臘。」（漢・蔡邕《獨斷》上）

### 4.紀日法

如前所述，古代一般不用「初一、初二⋯⋯三十」等數序紀日，而是用干支紀日，此外尚有以月相定日，特定紀日、節日代日等現象。

#### ◎月相代日表

| 日　期 | 1 | 2 | 3 | 8 | 14、15 | 16 | 17 | 23 | 29、30 |
|--------|---|---|---|---|--------|----|----|----|--------|
| 月　相 | 朔·既死魄 | 旁死魄 | 哉生魄 | 恆·上弦 | 望·既生魄 | 既望、旁生魄 | 既旁生魄 | 下弦 | 晦 |

注：上用俞樾、張汝舟說，與王國維《生霸死霸考》、陳遵嬀《中國天文學史》不同。

舉例：《尚書·堯典》：「十有一月朔，巡守。」蘇軾《赤壁賦》：「壬戌之秋，七月既望，蘇子與客泛舟，遊於赤壁。」

也有將月相定日和干支紀日並用的。如《左傳·僖公二十二年》：「冬十一月已巳朔」，《襄公十八年》：「十月⋯⋯丙寅晦，齊師夜遁。」《詩·小雅·十月之交》：「十月之交，朔日辛卯，日有食之。」

特指日、節日（傳統習俗日）代日情況如下：

**元旦**：每年正月初一，又稱元日、元辰、端日、上日。吳自牧《夢梁錄·正月》：「正月朔日，謂之元旦，俗呼爲新。」

**人日**：每年正月初七。杜甫詩《人日》：「元日到人日，未有不陰時。」據傳說，每年正月初一爲雞日，二爲狗日，三爲豬日，四爲羊日，五爲牛日，六爲馬日，七爲人日。

**三元**：正月十五，又稱上元節，夜稱「元宵」「元夜」。唐

以來有元宵觀燈習俗，又稱「燈節」。《舊唐書・中宗紀》：景龍四年（710）「丙寅上元夜，帝與皇后微行觀燈。」另中元節（七月十五日）、下元節（十月十五）。

**中秋節**：八月十五。農曆八月十五。爲秋正中，故稱「中秋節」。人們認爲此夜月亮最圓，有賞月的習俗。韋莊《送李秀才歸荊溪》：「八月中秋月正圓，送君吟上木蘭船。」

**上九**：

(1)九月初九（重陽節）「俗上九月九日，謂爲上九」（《太平御覽》991引晉・周處《風土記》）。

(2)每月二十九日。元・伊世珍《嫏嬛記》引《采蘭雜志》：「九爲陽數，古人以二十九日爲上九，初九日爲中九，十九日爲下九。每月下九，置酒爲婦女之歡，名曰陽會。」《玉臺新詠》一《古詩爲焦仲卿妻作》：「初七及下九，嬉戲莫相忘。」

**花朝**：傳說二月十二日爲百花生日，故稱「花朝節」。一說爲二月十五日，又說爲二月初二。宋吳自牧《夢梁錄》卷1《二月望》：「仲春十五日爲花朝節，浙間風俗，以爲春序正中，百花爭望之時，最堪遊賞。」唐司空圖詩《早春》：「傷懷同客處，病眼即花朝」。

**寒食**：清明節前一天，一說清明節前二天。相傳晉文公哀痛介之推抱木焚死，爲示悼念，後定於此日禁火寒食，到清明重新起火，叫「新火」，以後相傳成習。南朝梁宗懍《荊楚歲時記》：「去冬節一百五十日，即疾風甚雨，謂之寒食，焚火三日，造餳大麥粥。」

**清明**：二十四節氣之一，多在陽曆四月五日前後，具體日子因年而定。這一天有掃墓踏青習俗，又稱爲「三月節」（農曆）。《淮南子・天文訓》：「春分後十五日，斗指乙爲清明」。杜牧詩《清明》：「清明時節雨紛紛，路上行人欲斷魂。」

端午：

(1)五月初五，本名「端五」，又稱爲「端陽」「重五」。相傳屈原此日投汨羅江而死，後人在這天競舟，表示要拯救屈原。唐以後「端午節」被定爲大節日，常有賞賜。《初學記》4，晉・周處《風土記》：「仲夏端午，烹鶩角黍。」

(2)每月初五。

七夕：七月初七晚。神話傳說，七夕牛郎、織女在天河相會。舊俗有婦女該夜做各種遊戲，向織女「乞巧」。

重陽：九月初九。古以九爲陽數，九月而又九日，故稱「重陽」。杜甫詩《九日》之一：「重陽獨酌盃中酒，抱病起登江上臺。」

臘日：舊時臘月裡祭祀的日子。《說文》：「臘，冬至後三戌，臘祭百神。」後改爲十二月初八爲臘日，故又稱「臘八」。宋・吳自牧《夢粱錄》卷6：「此月（十二月）八日，寺院謂之臘八，大利等寺俱設五味粥，名曰臘八粥。」此俗保留至今。南朝梁宗懍《荆楚歲時記》「十二月八日爲臘日」。

小年：十二月二十四日（今農村以二十三爲小年）。民間舊俗有送灶的習俗。

除夕：年終日（大月三十日，小月二十九日），俗稱「年除日」，夜稱爲「除夕」。晉周處《風土記》（一作《陽羨風土記》）：「至除夕，達旦不眠，謂之守歲。」

以上所述的月、日，皆爲農曆。此外還有韻目代日法，即以平水106韻來紀日。見下表：

## ◎韻目代日表

| | | | |
|---|---|---|---|
| 一日 | 東先董送屋 | 十六日 | 銑諫葉 |
| 二日 | 冬蕭腫宋沃 | 十七日 | 篠霰洽 |
| 三日 | 江肴講絳覺 | 十八日 | 巧嘯 |
| 四日 | 支豪紙實質 | 十九日 | 皓效 |
| 五日 | 微歌尾未物 | 二十日 | 哿號 |
| 六日 | 魚麻語御月 | 二十一日 | 馬箇 |
| 七日 | 虞陽麌遇曷 | 二十二日 | 養禡 |
| 八日 | 齊庚薺霽黠 | 二十三日 | 梗漾 |
| 九日 | 佳青蟹泰屑 | 二十四日 | 迥敬 |
| 十日 | 灰蒸賄卦藥 | 二十五日 | 有徑 |
| 十一日 | 眞尤軫隊陌 | 二十六日 | 寢宥 |
| 十二日 | 文侵吻震錫 | 二十七日 | 感沁 |
| 十三日 | 元覃阮問職 | 二十八日 | 儉勘 |
| 十四日 | 寒鹽旱願緝 | 二十九日 | 豔 |
| 十五日 | 刪咸潸翰合 | 三十日 | 陷 |
| | | 三十一日 | 世引 |

注：須說明的是 106 韻目中，無代 31 日的「世」、「引」二字。爲何以此二字代 31 日呢？一說認爲：中國傳統曆法——陰陽曆每月多者 30 日，至公曆參用，始見 31 日，而 106 韻被 30 日所占，無閒韻字代 31 日。因「世」字似「卅」字下加「一」，「引」字速寫似阿拉伯數字「31」，故選「世」、「引」二字代 31 日。也頗具一番苦心。

### 5.紀節、時法

節，一年二十四個節氣，又稱爲「節」或「氣」。當以「春分」、「夏至」、「秋分」、「冬至」四個節氣產生最早，後來

又增加到八個，即《左傳‧僖公五年》所記：「分、至、啓、閉」。分：春分、秋分；至：夏至、冬至；啓：立春、立夏；閉：立秋、立冬。在《淮南子‧天文訓》中，二十四節氣已經完備。（詳見前「陰陽曆」）

　　時：又叫「辰」。古代日以下的記時單位。殷武丁時代，把日分八段，祖甲時代分為十段，周代分成十二時段，都有專名。漢太初以後，又用子至亥十二辰來做為十二時的名稱，故又叫「時辰」。相傳至今，民間仍襲用。《淮南子‧天文訓》記一晝夜時卻用了十五個名稱。學者對先秦的考證不一。據陳夢家研究，殷代紀時法如下：

**⊙紀時表 1**

| 假定時辰 | 6 卯 | 8 辰 | 10 巳 | 12 午 | 14 未 | 16 申 | 18 酉 | 24 亥 |
|---|---|---|---|---|---|---|---|---|
| 武丁卜辭 | 旦、明 日、明 | 大采 大食 | | 蓋日 | 中日 | 昃 | 小食 | 小采 | 夕 |
| 武丁以後卜辭 | 妹旦 | 朝 大食 | | | 中日 | 昃 | 郭兮 郭兮 | 莫 昏落日 | 夕 |
| 文獻資料 | 昧爽、旦朝 旦明 | 大采 蚤食 | | 隅中 | 日中 正中 | 昃 | 下昃、夕、黃昏、定昏 小還 大還 鋪食 | 夜 少采 日入 | 夜 |

囷：見《殷虛卜辭綜述》233 頁

　　陳氏所列，不反映現代時的具體時間。

　　據董作賓先生考訂如下：

◎紀時表 2

| | 畫 | | | | | | | 夜 | | | | |
|---|---|---|---|---|---|---|---|---|---|---|---|---|
| 殷、武丁 | 明 | 大采 | 大食 | 中日 | 昃 | 小食 | 小采 | 夕 | | | | |
| 殷、祖甲 | 明 | 朝 | 大食 | 中日 | 昃 | 小食 | 暮 | 昏 | 妹(昧)兮(曦) | | | |
| 周 | 日出 | 食時 | 隅中 | 中日 | 日昃 | 晡時 | 日入 | 黃昏 | 人定 | 夜半 | 雞鳴 | 平旦 |
| 漢、十二辰 | 卯 | 辰 | 巳 | 午 | 未 | 申 | 酉 | 戌 | 亥 | 子 | 丑 | 寅 |
| 現代時 | 5~7 | 7~9 | 9~11 | 11~13 | 13~15 | 15~17 | 17~19 | 19~21 | 21~23 | 23~1 | 1~3 | 3~5 |

注：轉錄鄭天傑《曆法叢談》149 頁。

陳、董考證出入很大。漢代以後關於十二時辰的文獻記載，現整理如下：

◎紀時表 3

| 史記·曆書 | 淮南子·天文訓 | 杜預左傳集解 | 現代時間 | |
|---|---|---|---|---|
| | | | 甲　說 | 乙　說 |
| 子　初正 | 晨明 | 夜半 | 23-24 | 24-1 |
| 丑　初正 | 昢明 | 雞鳴 | 1-2 | 2-3 |
| 寅　初正 | 旦明 | 平旦 | 3-4 | 4-5 |

| 卯 | 初正 | 蚤食 | 日出 | 5-6 | 6-7 |
| --- | --- | --- | --- | --- | --- |
| 辰 | 初正 | 晏食 | 食時 | 7-8 | 8-9 |
| 巳 | 初正 | 隅中 | 隅中 | 9-10 | 10-11 |
| 午 | 初正 | 正中 | 日中 | 11-12 | 12-13 |
| 未 | 初正 | 小還 | 日昳 | 13-14 | 14-15 |
| | | （小還） | | | |
| | | （大還） | | | |
| | | 鋪食 | | | |
| 申 | 初正 | 大還（鋪時） | 晡時 | 15-16 | 16-17 |
| 酉 | 初正 | 高舂 下舂 | 日入 | 17-18 | 18-19 |
| 戌 | 初正 | 縣車 | 黃昏 | 19-20 | 20-21 |
| 亥 | 初正 | 黃昏 定昏 | 人定 | 21-22 | 22-23 |

舊時還把夜晚分成五個時段，叫「五夜」——甲、乙、丙、丁、戊五夜；或叫「五更」。如下：

| 五夜 | 甲 | 乙 | 丙 | 丁 | 戊 |
| --- | --- | --- | --- | --- | --- |
| 五更 | 一更 | 二更 | 三更 | 四更 | 五更 |
| 稱謂 | 黃昏 | 人定 | 夜半 | 雞鳴 | 平旦 |
| 現時 | 19-20 | 21-22 | 23-24 | 1-2 | 3-4 |
| | 20-21 | 22-23 | 24-1 | 2-3 | 4-5 |

古代還有比「時辰」小的計時單位——刻。一晝夜分爲一百

刻，按節令，晝、夜刻數不等。

冬至：晝 45 刻，夜 55 刻。

夏至：晝 65 刻，夜 35 刻。

春分：晝 55.5 刻，夜 44.5 刻。

秋分：晝 55.5 刻，夜 44.5 刻。

至清代始用時鐘，以十五分爲一刻，四刻爲一小時。

# 三、學習天文曆法知識的意義

我國是世界上最早進入人類社會的農牧業國家之一，對與農耕生活關係緊密的天文星象的研究源遠流長。先人把積累的極其豐富的天文星象知識，廣泛應用於社會生活中，在古代文化典籍中得到了充分反映。明末顧炎武曾說：「三代以上，人人皆知天文。『七月流火』，農夫之辭也；『三星在天』，婦人之語也；『月離於畢』，戍卒之作也；『龍尾伏辰』，兒童之謠也。後世文人學士，有問之而茫然不知者矣」（見《日知錄》卷 30，天文條）。所以清代考據學家有不通聲韻訓詁、不懂天文曆法，不能談古書之說，足見重要。要讀古籍必知天文，如要進一步研究古代科技史、古代歷史、文物考古、考據、訓詁、注釋、校勘，甚至人們認爲最簡單的雕蟲小技的標點，都離不開天文曆法知識。

現存古典文獻中使用了大量的星名。如：

跂彼織女，終日七襄。雖則七襄，不成報章。睆彼牽牛，不以服箱。東有啓明，西有長庚。有捄（觩）天畢，載施之行。維南有箕，不可以簸揚。維北有斗，不可以把酒漿。維南有箕，載翕（歙）其舌，維北有斗，西柄之揭。（《詩·小雅·大東》）

這短短的十八句詩中，運用了織女、牽牛、啓明、長庚、天畢、箕、北斗等七個星象。文獻記載下來的神話傳說、民間故事，也大都和古代天文知識有關。如《左傳‧昭公元年》載：

> 昔高辛氏有二子，伯曰閼伯，季曰實沈，居於曠林，不相能也。日尋干戈，以相征討。后帝不臧，遷閼伯於商丘，主辰（祀大火），商人是因，故辰爲商星（即心宿）。遷實沈於大廈（晉陽），主參（祀參星），唐人是因……故參爲晉星。由是觀之，則實沈參神也。

這是一個影響深遠的傳說故事，卻反映了一個眞實的天象。以二十八宿中的參宿、心宿（商）爲天象依據。參與商（心宿）一個東升一個西落，永不相見。故後世以參商喻兄弟不睦或久違難見。陸機《爲顧彦先贈婦詩》：「形影參商乘，音息曠不達」，王勃《七夕賦》：「謂河漢之無浪，似參商之永年」諸詩用典，皆由此來。

確實記人記事的現象在古籍中也比比皆是。如屈原《離騷》：

> 帝高陽之苗裔兮，朕皇考曰伯庸。攝提貞於孟陬兮，惟庚寅吾以降。

二句中屈原自敍了祖先家世，記述了出生年、月、日。如何理解其意？用什麼曆法推算出生的時間？短短的二句詩，引起了學術界長久的爭議，賈誼在《鵩鳥賦》中仿屈原筆法：「單閼之歲兮，四月孟夏，庚子日斜兮，鵩集於舍」記述了鵩集的時間。這都需要有古天文曆法知識才能理解。

《詩‧幽風‧七月》是盡人皆知的名篇，又是典型的農事詩。

詩曰：

> 七月流火，九月授衣。一之日觱發，二之日栗烈。無衣無
> 褐，何以卒歲？三之日于耜，四之日舉趾。同我婦子，饁彼南
> 畝。田畯至喜……

詩中的紀月就標誌著用曆，而這裡的「七月」、「九月」的
時令與後世的農曆（夏曆）並不一致，所以一般的注家都認為詩
中是周曆、夏曆並用，在夏曆解釋不通時說是周曆，在周曆解釋
不通的情況下說是夏曆，互相補充，苟求詮釋。這顯然不合理，
因為一首詩中絕不可能用二種曆法。張汝舟先生將詩中涉及的天
象、氣象、物象、農事記載，與《夏小正》、《月令》、《淮南子》等
古籍中有關記載相比較，得出《七月》用曆為商曆丑正的結論。
「火」又叫「大火」，即心宿二。丑正七月大火偏西三十度。

古籍中關於天文曆法的記載，都是不能用想像、誇張、理解
解決的問題。總之，無論是閱讀，還是注釋、校勘、訓詁、考
據，要解決這些疑難問題，古代天文曆法知識是不可少的。這幾
方面的關係，具體地說：

### (一)天文曆法與注釋

蘇軾《江城子·密州出獵》，內中有一句：

> 會挽雕弓如滿月，西北望、射天狼。

「天狼」是星名，古人寄意其為主侵掠星，影射遼兵入侵。
無爭議。「雕弓」一般注為弓臂上刻鏤花紋的弓。如胡雲翼《宋
詞選》注為「弓的形狀像半邊月亮，把弦盡量拉開變成滿月」，

和作者以天象入詞的手法相違背。天狼星靠近南極老人星，當在天南，如按注家的意見當是「西南望」，與「西北望」正好相反。其實「雕弓」也是指星官，即天弓「弧弓」星。《史記・天官書》《正義》謂「弧，九星，在狼東南，天之弓也。以伐叛懷遠，又主備盜賊之知奸邪者。」《晉書・天文志》「狼，一星，在東井南，爲野將，主侵掠。」又記「弧，九星，在狼東南，天弓也，主備盜賊，常向於狼」。由此可見，天狼星正好在弧矢星的西北，弧矢星正是對天狼的。且弧矢、天狼並用在古時中早已有之，如《九歌・東君》：「青雲衣兮白霓裳，舉長矢兮射天狼」；《增補事類賦・星象》：「闕邱三水紛湯湯，引弧弓兮射天狼」。蘇詞也喻此意，把入侵的遼比作「天狼」，因自己不能臨陣禦敵，借「弧矢」射向天狼以托己志，抒發愛國主義的豪情壯志。所以「雕弓」應注爲「弧矢」（用張聞玉說）。可見準確地注釋出古籍的本意，是離不開天文知識的。

## (二)天文知識與訓詁

漢樂府《陌上桑》中有「日出東南隅，照我秦氏樓」，訓詁學家爲證明詞的偏義，認爲只有「日出東方」，沒有日出東南方，認爲「東南」義在偏「東」，「南」字是虛擬，而且舉出大量的例證。如有一定的天文知識，就不會出現此種過失。《淮南子》稱「天有四維」，「日冬至，出東南維，入西南維（白日最短）」；「夏至，出東北維，入西北維」（白日最長）。冬至之後春分之前，太陽從東偏南方向升起，所以「日出東南隅」正是初春的天象。可見不懂天文知識很難作好訓詁的。

## (三)天文曆法知識與考據

《紅樓夢》第二十七回寫到：「至次日乃是四月二十六日，原

來這未時交芒種節。尚古風俗：凡交芒種節的這日，都要設擺各色禮物，祭餞花神」，以下便是「黛玉葬花」的情節。這個芒種節有何說道呢？從曆法上看乾隆元年（1736）的芒種節，正好是四月二十六日（陽曆六月五日），曹雪芹卒於乾隆二十八年，終年四十歲。考據學家們由此推算出，乾隆元年雪芹正好十三歲，這與黛玉葬花時寶玉的年齡同，從而爲《紅樓夢》一書爲自傳說找到一個有力佐證。雖不能把寶玉與雪芹之間畫等號，但寶玉形象有少年時曹雪芹的影子是沒人懷疑的。周汝昌先生這一考證，不僅說明搞考據需天文曆法知識，就是搞古典文學研究的人，懂點天文曆法知識也是必要的。

### ㈣天文知識與古典文學研究

古代文學家寄情於星象描寫的詩詞文句俯拾即是。如《離騷》中：「朝發軔於天津兮，夕餘至於西極」，「天津」星官名，由九星構成，橫跨在銀河上，像津渡。《古詩十九首·明月皎夜光》中：「玉衡指孟冬，衆星何歷歷」，「玉衡」是北斗七星中第五顆星的名，一至四星合稱斗魁，五至七星叫斗柄，「玉衡」斗柄三星中的第一顆，這裡代表斗柄。唐李白《月下獨酌》中：「天若不愛酒，酒星不在天」，「酒星」是指柳宿中酒旗三星。孔融說「天有酒旗之星，地有酒泉之郡」。若不懂得天文知識，研究就會遇到困難，詩意也很難解透。

### ㈤天文曆法知識與校勘

它們的密切關係是學者皆知的，僅舉一例。李清照《金石錄序》翻刻本中有「牡丹朔」，誤，應作「壯月朔」，即八月初一。翻刻者不知何爲「壯月朔」，誤刻成「牡丹朔」。

總之，掌握一些必要的天文曆法知識，對於閱讀古籍，對加

深文獻內容的理解，對古籍的整理研究，是極爲有益的。

（曹書傑）

1
天文曆法

# *2* 地理、政區、都城

## 一、地理知識與要籍概述

地理是個古老的學科，其知識領域十分廣闊。按其研究對象分自然地理、人文地理、區域地理、歷史地理和系統地理學等等；但它們都是以研究地球表面、地理環境結構分布及其演變規律，與人地關係為主的學科。作為地理知識的產生與積累，在我國已有悠久的歷史。據考古資料證明遠在五、六千年前的新石器時代，人們已經知道了地理方位、山崗、雲氣、水流、居住與地形的關係等等。西安半坡出土的陶鉢口沿上，畫有 20～30 種記事符號，有些可能為我國原始文字的雛形，有的可能即是地圖最初的胚芽。距今四千年左右的夏代，因農業生產的發展，人們在天文、曆法、物候等知識方面已有很大進步，我國可能即在此時有了曆法和物候曆。商代的甲骨文已有為數很多關於天氣陰、晴、雲、雨、雪、風及日、月蝕等自然地理現象的記載。周代中央政府中設有專門管理土地、農業生產和掌管地圖的官職——司徒。當時分封諸侯、行軍打仗都需要繪製和參看地圖。所以，作為地理學內容和工具之一的地圖在我國已有久遠的歷史。

### ㈠春秋戰國

春秋戰國時代已經積累了大量關於天氣、季節、物候、地

形、水文、動植物、土壤以及城鎮建設與山水關係等自然與人文方面的地理知識。這些知識一部分散見於當時的各種著作，如《尚書》、《周易》、《詩經》、《周禮》、《左傳》、《國語》、《管子》、《孫子兵法》和《爾雅》等書。同時亦產生了地理方面的專門著作，如《禹貢》和《山海經》等。

《尚書》是我國現存最早的一部古籍，其《堯典》將一年分爲三百六十六日，並以閏月定四時成歲；同時還記載了四季的物候知識和「四嶽」、「十三州」及「十二山」等地理概念。

《周易・繫辭》提出「仰以觀天文，俯以察於地理」，這是我國史籍中第一次明確「地理」一詞的概念。不過那時所謂的天文，是指日、月、星辰等「三光」，而地理則爲「山川原隰之條理」。

《詩經・小雅・十月之交》：「高岸爲谷，深谷爲陵」，說明當時人們已認識到山川陵谷的更替演變。

《考工記》載：「橘逾淮而北爲枳，鸜鴿不踰濟，貉踰汶則死」，也說明人們當時已掌握了動植物與氣溫的地理界限知識。

《管子》書中有專論地圖的《地圖篇》，還有對土壤、植物、水文及其相互關係認識的《地員篇》和《變地篇》等。

《夏小正》則是我國現存最早的一部記載物候的專書，雖僅四百字，但內容則相當豐富。

《周禮》除記載有掌管地圖的職官「大司徒」外，從其圖上還可得知「九州之地廣輪之數」，以及山林、川澤、丘陵、墳衍、原隰等分布狀況。

《爾雅》「釋地」、「釋山」、「釋丘」、「釋水」等，可以說是我國最早的一部地名詞典。它反映了我國人民當時對各種地貌類型，及江湖水體的認識。

應特別指出的是我國戰國前後出現的《山經》和《禹貢》兩部專

門的重要地理著作，在地理學史上占重要地位。《山經》是現存《山海經》一書中成書最早和價值最大的部分。它以山為綱，按地理方位分東、西、南、北、中五區，每區又分若干山系，並記方向道里。共記有四百餘座山的位置、水系源流、天然動植物與礦物資源等。同時《山海經》對我國古代歷史、地理、經濟、文化、民族及中外交通的研究等也有參考價值。《禹貢》為現存《尚書》的一篇，成書較《山經》為晚，全書僅 1200 字左右，由九州、導山、導水、五服等四部分組成。假託大禹時劃分的政區疆界，並以天然地理界限區分全國為冀、兗、青、徐、揚、荊、豫、梁、雍等「九州」。同時分州紋述山川、湖泊、土壤、物產、田賦等級、貢品名稱、水陸運道及民族分布等，是我國現存最早的區域地理名篇之一。

不過上述諸書都還不是以「地理」命名，我國第一部以「地理」名書的則是班固的《漢書·地理志》。它是我國第一部以記述疆域、政區、建置沿革為主的疆域地理志。全書分三部分：首錄《禹貢》、《周禮·職方》以為夏周政區之制；其次，也是該書最重要部分，即以疆域政區沿革為主，備載 103 個郡（國），及所轄 1587 縣（道、邑、侯國）的建置和各郡縣戶口、山川、物產、名勝等；第三部分轉錄劉向的「域分」、朱贛的「風俗」，記述關中、嶺南、河內等各地的分野、風俗、物產、都會及歷史狀況。《漢書·地理志》在我國古代地理學史上居於特別重要地位，並產生過巨大影響，它開闢了我國古代沿革地理的先河，在二十四史中有十六部有地理志，均以其為典範。唐以後的全國地理總志，如《元和郡縣志》、《太平寰宇記》、《元豐九域志》，以及元、明、清的一統志等，在內容體例上也無不受其影響。

## (二)漢代

漢代因政治、軍事、經濟、文化、宗教等方面的原因，中外交往日趨頻繁，更多人不斷由陸路和海路到國外去，開闊了人們的眼界，從而擴大了域外地理知識，《史記・大宛列傳》和《漢書・西域傳》等是我國最早記載今中亞和西亞的地理專篇。東漢班超父子、甘英等相繼出使西域，范曄正是據班勇的《西域風土記》而撰成《後漢書・西域傳》。上述著作記載了很多當時西域城鎮、交通、風俗、物產、人口、兵力等內容，是研究古代中亞一帶最珍貴的史料。另外，在南亞和東南亞方面，應特別指出東晉時的《法顯傳》，又名《佛國記》，是我國關於南亞印度、巴基斯坦和斯里蘭卡等早期的地理歷史著作。三國時朱應的《扶南異物志》和康泰的《吳時外國傳》，可惜上述兩者早已失傳，後者只在《水經注》中能拾摭某些內容，為我國關於東南亞諸地最早的史地資料。

漢代及其以後時期，我國不但自然、人文、域外地理知識大增，而且還出現了有關國內經濟區劃和專門記述水利和水道的地理著作。其主要代表作有《史記・貨殖列傳》、《河渠書》，和大約成書於三國時的《水經》及北魏酈道元的《水經注》。

《史記・貨殖列傳》，將全國分為山西、山東、江南和龍門碣石以北四個地區，並分別記載了各地特產及地區差異，對研究我國古代農牧界限、各地區經濟演變及與地理環境的關係等均有很大意義。

《史記・河渠書》從禹治洪水起，記載了鴻溝、離碓和鄭國渠等等的開鑿，特別有關褒斜道的治理及漕事設想，雖然沒有成功，卻展示了我國古代人民改造山河的雄心大志，對今人也頗有啓迪。

《水經》約成書於三國時期，內容簡略，僅記河流 137 條。北魏時酈道元以此爲基礎，搜渠訪瀆，大加補充並爲之作注，共記河川 1252 條，注文達三十餘萬字，爲原注二十倍以上，並詳載各河源委，所經郡縣、城鎮、關津，附載有關名勝、古迹、人文、故事、歌謠、神話等，引用古籍達 430 餘種，其中多爲佚書，不但是重要的自然、人文地理資料，在歷史學、考古學等方面也具有很高的價値。

### (三)唐宋元

唐宋元在我國歷史上是政治、經濟、文化高度發展時期，也是科學技術長足進步時期。指南針、火藥和印刷術等三大發明與應用，對地理實踐發展和各方面知識的增長積累起了巨大作用。此時期關於國內官修大一統的地理總志、域外地理、遊記以及航海知識與日俱增，並產生了許多對後世很有影響和價値很高的全國地理總志和遊記。其著名的如《括地志》（已佚）、《元和郡縣志》、《太平寰宇記》、《元豐九域志》、《大元一統志》、《大唐西域記》、《長春眞人西遊記》、《諸蕃志》、《大德南海志》和《島夷志略》等等。

《元和郡縣志》又名《元和郡縣圖志》，是唐代地理名著，爲憲宗時宰相李吉甫所撰，全書 40 卷，約 63 萬字。原書圖在篇首，冠於敍事之前，並目錄 2 卷，總 42 卷。圖亡於北宋。內容以貞觀十三年（639）大簿規劃 10 道爲綱，元和 47 鎮爲目，分鎮記載府、州與屬縣的等級、戶、鄉數目，4 至 8 到方里，開元、元和貢賦，以及沿革、山川、鹽鐵、墾田等情況，爲我國現存最早和比較完整的地理總志。注重「兵饟山川，攻守利害」爲該書主要特點。其疆域政區沿革往往追溯周秦兩漢，其中所記東晉南北朝沿革，可補此時期記載缺略。是我國唐代疆域政區重要地理

書，也是一部劃時代的歷史地理著作，在我國地理學發展史上居於十分重要地位。

宋樂史的《太平寰宇記》，以太宗初即位的太平興國年號名書，全書共 200 卷。始自東京，終於四夷；以其時 13 道爲綱，增載風俗、姓氏、人物、土產等類，注重經濟文化爲該書特點，並多載唐前地志佚文，是北宋初的地理名著。

《元豐九域志》爲北宋王存撰，體例仿唐《十道圖》、宋《九域圖》，以熙寧、元豐間四京、23 路爲綱，分路記載府、州、縣等戶口，鎮戍、山川、道里等項，其「地里」記載尤詳，爲北宋中期地理名篇。

《大元一統志》是元代官修的地理總志，始撰於至元二十三年（1286），先後凡兩修，於大德七年（1303）成書，共 600 冊，1300 卷，以各路府省直轄州爲綱，分載建置沿革、城郭鄉鎮、里至、山川、土產、風俗、古迹等，資料廣泛，內容宏富，是當時具有影響的地方志書。其後《大明一統志》即以是書爲藍本。原書久佚，今有殘篇傳世。

《大唐西域記》，貞觀二十年（646）成書，爲唐玄奘口述，弟子辨機撰寫，全書 12 卷，約十餘萬字。是繼《佛國記》後，又一部詳載南亞印度、巴基斯坦和中亞以及我國西北的歷史地理書。作者以其身歷 110 國，得自傳聞 28 國的山川、城邑、物產、風俗記載成書，爲研究今南亞諸國及中亞一帶的重要歷史地理資料。

《諸蕃志》是南宋地理名著，趙汝適撰，寶慶元年（1225）成書，2 卷。主記域外地理事，東起日本、朝鮮、西至北非摩洛哥等 40 餘國風土、物產、民族、宗教、文化諸事。爲研究 13 世紀東亞、南亞和北非諸國的重要文獻。

《長春眞人西遊記》2 卷，爲宋末元初全眞道長邱處機弟子李

志常撰，以其師徒赴西域謁成吉思汗途中見聞撰成是書，以記載今蒙古高原及中亞一帶地理、山川、風俗、景物爲特點。

《大德南海志》，元陳大震撰，原書 20 卷，所記西域外國事，原書久佚，僅存殘卷。

《島夷志略》元汪大淵撰。大淵元末曾浮海舶兩下西洋，越數十國，以耳目見聞撰成是書，共記 99 個國家和地區的山川、物產、風俗和貿易等，東起我國的臺灣，向南包括今東南亞、南亞及東非諸國，是 14 世紀我國中西交通方面重要歷史地理文獻。

### (四)明清

明清之際，一切先進學者都以「致用」求實爲準則，考察探討大自然的奧祕。同時還有鄭和等人遠涉重洋，所以這一時期的輿地之學呈現出空前發展的局面。一些宏篇巨製的地理著作相繼問世，成爲近代地理學的濫觴。

首先在明初永樂至宣德年間，由我國傑出的航海家鄭和率龐大的船隊訪問了今亞洲、非洲幾十個國家和地區。他的隨從馬歡、費信以自己目睹耳聞，撰《瀛崖勝覽》、《星槎勝覽》，對今天的東南亞、南亞、西亞和非洲等二十餘國的方位、行程、山川、氣候、物產、民族、宗教、風俗等進行記載，二書相互印證，成爲研究 15 世紀中西交通史的重要著作。

明末我國傑出的地理旅遊家徐霞客，以自己二十餘年的野外實踐、觀察、研究，寫下了舉世聞名的《徐霞客遊記》。原稿散佚，後經整理，現存 1106 目，1 至 4 卷爲前期作品，5 至 19 卷爲晚年遊湘、桂、黔、滇作品。末卷錄存有霞客詩文和友人吟詠、及有關資料，另附圖 1 冊，共 34 幅。該書以日記體成書，生動記述了我國西南地區的石灰岩地貌。觀察細微，很多科學論斷都是正確的，頗有獨到見解，堪稱世界上最早有關岩溶地貌的

珍貴文獻。

明末清初另一位傑出的學者顧炎武則以他的《肇域志》和《天下郡國利病書》豐富了我國傳統地理學的寶庫。作者從崇禎十二年（1639）起遍覽廿一史、實錄及奏疏文集、一統志和各省、府、州、縣志等，並將有關沿革、建置、山川形勢、名勝等地理方面的內容收入《肇域志》，共 100 卷；而以論述地方利弊，經濟發展，舉凡河流水道，農田水利、工礦資源、交通運輸、戶口田賦、兵防徭役等匯入《天下郡國利病書》，共 120 卷。爲這一時期兩部重要的地理著作。

《讀史方輿紀要》爲明末清初顧祖禹撰，130 卷，是清代歷史地理名著。前 9 卷述歷代州域形勢，次述直隸、江南、山東、山西、河南、陝西、湖廣、江西、浙江、福建、廣東、廣西、雲南、貴州等 15 省的府、州、縣疆域沿革、山川形勢、關隘、名勝古蹟等；末 124～129 卷述禹貢山川、大河、淮水、漢水和大江等川瀆異同，「昭九州脈絡」；最後述分野。有全國總圖、各省分圖，邊疆分圖及黃河、海運、漕運分圖等。是書重在山川險易，古今用兵功守利害等，因此也是我國古代一部重要軍事歷史地理書。

《禹貢錐指》爲清胡渭撰，題 20 卷，實 26 卷。此書集前人注釋《禹貢》之大成，廣徵博引，詳加注釋，頗有見地，訂正前人許多錯謬，提出黃河在歷史上五徙的觀點，對後世影響較大，篇首有圖 40 幅，爲清代地理名著。

總之，明清兩代是我國地理學空前發展的時期，除了私人著述，特別還以國家名義大規模地組織編修地方志書。現今所存古代方志百分之八十以上是這一時期完成的。這一時期突出的特點，一是比較注重理論與實踐結合，重視實際應用；另一方面在學風上更加嚴謹，考據之風大興。但我國傳統地理學存在很大缺

點和弱點，主要是長時期作為歷史學的附庸，內容以沿革地理為主，很少注重把地球表面環境諸要素作為主體研究，停留在單純記敘、描述現象實事等方面，不能深入事物內部，從本質上揭示自然和人文地理現象的本質和規律，因此大大影響科學價值和實踐意義。

# 二、地圖與地志

## (一)地圖

地圖既是地理學的重要內容，也是主要工具之一，是根據一定的數學法則，以特定的圖式符號，在平面紙上概括地反映地球表面的各種自然現象和社會政治經濟現象的地理分布及其相互聯繫、相互制約的圖形。地圖具有三個主要特徵：

一是特定的數學基礎，包括地圖比例尺、地圖投影等。

二是圖式符號系統。

三是按製圖要求決定取捨標準，經過概括再綜合地表示出來。有些特徵，在我國古代地圖學上早有論述和應用。

### 1. 先秦

我國古代的地圖，不僅歷史悠久，而且資料豐富。《尚書》、《詩經》、《論語》等先秦古籍中的「圖」、「猶」、「負版」都是「地圖」的名稱。《戰國策》多次使用「地圖」一詞，並有「天下之地圖」和諸侯國地圖之分。而《管子》則有專門的《地圖篇》，《周禮》一書經常使用「地圖」和「版圖」等詞。所謂「版圖」，即「邦中之版，土地之圖」，實為疆域圖和政區圖。《周禮》中還有「天下之圖」、「九州之圖」的記載，分別歸天官冢宰、地官

司徒、春官宗伯、夏官司馬等衙門執掌。此類職官和衙門，在延續二千多年的封建王朝中從未中斷。秦漢時期有御史大夫，隋唐時期有職方侍郎、職方員外郎，及以後王朝的職方郎中、職方清吏司郎中等，專司其事。

### 2. 漢

據記載，距今三千多年前，西周王朝營建洛邑所繪製的洛邑城址附近地圖，可能是最古老的地圖，早已失傳，其製圖方法已無從考證。考古資料證明河北平山縣中山國中山王𰻞墓出土的「兆域圖」，距今已有 2200 年歷史，是我國目前發現最早的一幅實物地圖。近年來，在長沙馬王堆三號漢墓中出土三幅畫在絹上的地圖。

第一幅是軚侯家墓地和臨湘城的《城邑和園寢圖》。

第二幅是以山脈、河流、道路、居民點為主的「輿地圖」，又叫「地形圖」。

第三幅以一般地貌圖為底圖，用各種圖式符號標明軍隊駐地、防守要塞為主的「軍陣圖」，又叫「駐軍圖」。

後兩幅最為重要。其中「地形圖」的畫法是以一片正方形絹為圖版，幅面方位是上南、下北、左東、右西，跟現在通行的地圖方位正好相反。圖面所顯示的地域大致包括今廣西全州、灌陽一線以東，湖南新田、廣東連縣一線以西，北至新田全州一線，南達珠江口外的海面。圖上志區畫得精密準確，大致比例為 17 萬分之一到 19 萬分之一。繪有統一的圖例，分別用方框、圓圈表示縣治、鄉里，細直線表示道路，曲線表示水上交通，閉合的山形線內附加暈線表示山脈、峯巒。其中的水系圖不僅敷有深藍色彩，並有表示一定位置的記注符號。山系中有以 9 個柱狀符號加注「帝舜」，二字表示「九嶷山」。全圖標記 80 多個居民

點。「駐軍圖」著黑、紅、靑等三種顏色。圖面左方、上方分別標注「東」、「南」二字，方位與「地形圖」一致，但地域範圍僅占「地形圖」的東南一角，大致比例爲 8 萬分之 1 到 10 萬分之 1。圖中文字注向不一，便於圍觀。分層設色的繪製技術與現代專用地圖的兩層平面表示法相似。

據《管子・地圖》篇記載：「凡兵主者必先審知地圖。轅轅之險，濫車之水，名山、通谷、經川、陵陸、丘阜之所在，茸草、林木、蒲葦之所茂，道里之遠近，城郭之大小，名邑廢邑、困殖之地，必盡知之。地形之出入相錯者盡藏之。然後可以行軍襲邑，舉錯知先後，不失地利。」說的是軍事將領識讀地圖的基本要求，實爲繪製地圖的一般知識。上述兩幅古地圖的繪製方法和內容，正與《管子・地圖》篇所論述的內容相吻合，足以證明我國漢以前地圖學和製圖技術的水準已達到相當的高度。

3. 晉

裴秀的「制圖六體」爲中國傳統地圖學奠定了基礎。在他之前，地圖雖已用於國家統治和軍事戰爭，但其實物早在晉以前失傳了。而且是既無統一製圖原則，又很難求其精確可靠。正如《晉書・裴秀傳》引《禹貢地域圖》序所云：「圖書之說，由來尚矣。自古立象垂制，而賴其用。三代置其官，國史掌厥職，及記屠咸陽，丞相蕭何盡收秦之圖籍。今祕書既無古之地圖，又無蕭何所得，惟有漢氏《輿圖》及《括地》諸雜圖。各不設分率，又不考正準望，亦不備載名山大川。雖有粗形，皆不精審，不可依據。」地圖學上的新任務，歷史地落到了裴秀的肩上。

裴秀（223～271）曾在西晉佐理國家軍政，接觸到當時國家收藏的地圖，參照當時行政區劃和水陸交通線，通過反覆實踐，在總結前人經驗的基礎上，創制出 6 條製圖原則，即著名的「制

圖六體」：「一曰分率，所以辨廣輪之度也；二曰準望，所以正彼此之體也；三曰道里，所以定所由之數也；四曰高下；五曰方邪；六曰迂直。」（《晉書‧裴秀傳》）其中的「分率」即比例尺，「準望」就是方位，「道里」是交通路線的實際距離，「高下」、「方邪」、「迂直」均屬繪製地圖的具體措施。六體中的前三條是普遍採用的繪製地圖的基本原則。六體之間既相互聯繫，又相互制約，扼要地體現了今天世界各國地圖學上共同遵循的基本原則。關於這六項之間的聯繫正如該書所云「有圖象而無分率，則無以審遠近之差；有分率而無準望，雖得之於一隅，必失之於他方；有準望而無道里，則施之於山海絕隔之地，不能以相通；有道里而無高下、方邪、迂直之校，則徑路之數必與遠近之實相違，失準望之正矣，故以此六者參而考之。然遠近之實定於分率，彼此之實定於道里，度數之實定於高下、方邪、迂直之算。故雖有峻山巨海之隔，絕域殊方之迥，登降詭曲之因，皆可得舉而定者。準望之法既正，則曲直遠近無所隱其形也。」這在經緯度用於繪製地圖之前是一種最精審、最科學的地圖畫法。

### 4. 唐

唐代著名地理學家**賈耽**（729～805）繪製的《海內華夷圖》，師承裴秀六體，並有所發展。據其進圖表文得知，此圖和裴秀《地形方丈圖》同樣是以一寸折成百里，只是該圖幅度「廣三丈，縱三尺」，要比裴圖更大許多。又云：「古郡國題以墨，今州縣題以朱」，在同一幅地圖上區別古今的畫法，算是一大創舉，為後世繪製歷史沿革圖者所遵循。

### 5. 宋元

宋元時期的地圖和地圖學不僅規模宏大，繪製精工，理論續

密，而且種類繁雜，式樣翻新。除全國圖、域外圖、邊防圖以外，舉凡山川、水利、河流、交通、都會、宮闕莫不繪圖。今西安碑林中保存的一塊南宋高宗紹興六年（1136）刻的石碑，一面刻有《華夷圖》，另一面刻有《禹迹圖》。其中的《華夷圖》不畫方格，是一幅以中國爲主的中外地圖，畫有山脈、河流、湖泊、長城等標記符號，有各府州名稱，山脈用人字形表示，周邊有邊境國家名稱。在圖右下角附有說明：「其四方蕃夷之地，唐賈魏公圖所載，凡數百國，今取其著聞者載之，並參考傳記以紋其盛衰本末」。《禹迹圖》的範圍北到河套，南抵瓊崖，東西較《華夷圖》爲狹。採用方格的畫法，每方折地 100 里，橫方 52，豎方 73，總共 3796 方，其精確度相當高。

宋元時期地理模型的製作技術也有發展。遠在南北朝時期就已出現木方丈圖，而且可以拆併，史載「離之則州別郡殊，合之則宇內爲一」（《南史・謝莊傳》）。北宋沈括製作過木圖，南宋黃裳也是製作地圖模型的高手，朱熹也曾仿效其法，「以兩三路爲一圖，而傍設牝使其犬牙相入，明刻表識以相離合」（《朱子文集大集類編・答李季章書》）。他又用膠泥起草製作一具地圖模型。宋金分界時也常用木圖進行談判。元代朱思本將中國古代地圖學和製圖技術發展到一個新的高度。

**朱思本**（1273～1333）字本初，道教徒，奉詔代祀名山河海，實地觀測，繪製一部半官方性的《輿地圖》，計有 2 卷。據明代羅洪先的《廣輿圖》朱思本自紋，說作者用了十年時間考察繪製而成是圖。應當說元初郭守敬主持緯度測量，在全國設立 27 處觀測站，測量內容之多，範圍之廣，是我國測繪史上前所未有的。

元代又傳入了西方製作地球儀的新技術。明清時期盛行西方製圖技術。意大利人利瑪竇於明萬曆年間來中國，曾譯繪中國地

圖傳播於西方，隨後又繪製 12 種世界地圖，以《坤輿萬國全圖》為優。其漢譯世界地名有很多沿用到今天。同時帶來了西方的經緯度繪圖法。地球說這一新觀念也在中國得以傳播。徐光啓、李之藻等人相繼介紹西方文化。清初又有一批西方輿地學者來華，分組進行大規模的三角測量，前後測定 630 個經緯點，並於 1718 年繪製一部《皇輿全覽圖》，不僅在國內是一大創舉，就是在國際測量史上也是空前的。此後，中國繪製地圖使用了統一的長度，即以 200 華里合地球經線 1 度；經實地測量證明地球是一個扁圓形球體，由於朝廷封鎖技術，不曾推廣。自明代羅洪先依據朱思本地圖繪製《廣輿圖》，多爲後人所本。到了同治年間，胡林翼依據內府所藏《皇輿全覽圖》繪製《清一統輿圖》，才將這些先進成果公之於世。清末楊守敬的《歷代輿地圖》，採用朱墨套印，古今對照形式，其成就超越前人，至今仍有重要參考價值。

還應指出，宋以來我國航海業有很大發展，所以出現了海道圖、航海圖、海防圖等新的地圖系列。南宋王應麟（1223～1296）《玉海》卷 15 中記載的《紹興海道圖》可能是我國見於記載最早的海圖，而收藏於明茅元儀《武備志》中的《鄭和航海圖》，應是我國現存最系統完備的海圖。全圖繪有鄭和出使西洋各國的航程，地名方位，以及以我國南京爲起點，歷南海，印度洋沿岸諸國和遠抵非洲東海岸的航線和針路情況，是研究中西交通史的重要資料。其他還有清代的《東洋南洋海道圖》和《海圖聞見錄》中的《沿海全圖》等等。

## (二)地記、圖經和地方志

中國古代地理書還應包括兩漢以來，以記述某地方山川、物產、風土、人情爲主的大量地記（或地志），圖經和地方志等。如東漢楊孚的《異物志》、應劭的《十三州記》、《地理風俗記》；曹

魏時張宴的《地理記》（見《漢唐地理書鈔》）、王范的《交廣二州記》、韋昭的《三吳郡國志》、顧夷的《吳郡記》等等。

　　自西漢迄於南北朝，這一時期我國地記數量甚多，南齊的陸澄（425～474）曾收集 160 家的地記著作，按地區編《地理書》149 卷，錄 1 卷。梁任昉在是書基礎上又增 84 種，編成《地記》252 卷。惜上述諸書已全部失傳，只能見到清人某些輯佚本。這一時期的地記（或地志）著作，一般無附圖。但至隋唐時期此種地記便與地圖結合起來，於是在我國地理學史上出現了圖經階段。

　　隋大業年間，曾「普詔天下諸郡，條其風俗、物產、地圖，上於尚書」。所以隋有《諸郡物產土俗記》131 卷、《區宇圖志》129 卷、《諸州圖經集》100 卷。雖然上述著作早佚，但這種一圖一說的圖說並舉的體裁，卻持續了相當長時期。

　　大約到南宋，才爲以經爲主的地方志所替代。因此有人曾將中國古地志分爲兩大類，即有文無圖的記志和圖文並舉的圖經。現從《太平寰宇記》和《太平御覽》等書中可知唐代有 50 多州修有圖經。可惜這些圖經均已亡佚。只是從現存敦煌的《沙州圖經》和《西州圖經》兩個殘卷，可窺其大致情況。

　　地方志，簡稱「方志」。是我國特有的近於「百科全書」式的地方史地書。關於方志起源，衆說紛紜，有的歸原於《禹貢》、《山海經》和《周禮·職方》；有的認爲「方志之祖」是《越絕書》、《吳越春秋》和《華陽國志》；還有的主《漢書·地理志》或《元和郡縣志》諸說。本文以地方志是志地方之書，應從《越絕書》和《華陽國志》算起爲宜。

　　《越絕書》又名《越絕記》，東漢會稽袁康撰，原書 16 卷，今存 15 卷。以記吳越二國史地爲主，首載山川、城郭、冢墓，再述紀傳。全書地理、都邑、人物備載，堪稱「方志之祖」。

　　《華陽國志》東晉常璩撰，全書 12 卷，附錄 1 卷。所記上起遠古下止東晉穆帝永和三年（347）巴蜀事。1～4 卷記梁、益、寧三州歷史、地理，以地理爲主；5～9 卷以編年體記公孫述、劉焉、及西晉統一時期的歷史，似正史本紀；10～12 卷記賢士列傳，相當「正史」列傳。是書爲史、地、人物三種結合的地方志書，也是我國現存最早比較完整的地方志。

　　另據《隋書·經籍志二》載：「晉世，摯虞依《禹貢》、《周官》作《畿服經》，其州郡及縣、分野、封略事業，國邑山陵水泉，鄉亭城道里土田，民物風俗，先賢舊好，靡不具悉，凡一百七十卷。今亡」。這恐怕也是我國較早、體例較完備的地方志書。惜在隋以前已佚失。隋唐以後大修全國區域志和圖經。宋代，特別是南宋出現了以經爲主的方志轉機時期。其中最爲人們推崇的有臨安三志：即周淙修的《乾道臨安志》，原 15 卷，今僅存 3 卷；施諤重修的《淳祐臨安志》今僅存府城、山川二門；潛說友的《咸淳臨安志》100 卷，是三志中取材最宏富的一部，也是南宋地方志中內容最詳的一部。另外還有久負盛名的范成大所撰的《吳郡志》。全書 50 卷，包括沿革、山、虎邱、橋樑、川、水利、營寨、學校、室宇、古迹、宮觀、寺廟等 39 門。內容豐富，徵引廣博，敍事簡賅，向爲人們所稱道。元代的方志，體例類目基本承襲宋代。雖爲數不多，但也纂修了一些較有特色，爲後人所重視的地方志書。如于欽的《齊乘》，分沿革、分野、山川、郡邑、古迹、城郭、亭館、丘壟、風土、人物等類，敍述簡賅而淹貫，體例謹嚴，在元方志中最有古法，向被推爲善本。袁桷的《四明志》分沿革、土風、職官、人物、山川、城邑、河渠等 12 考，條例簡明，考核精審，頗有良史之風。其它如李好文的《長安志圖》、《至順鎮江志》、《至元嘉禾志》等也都是元代較有名氣的地方志書。

**明代是我國方志的興盛時代。**

明初太祖朱元璋爲誇耀統一的功績，於洪武三年（1370），令魏俊民等編纂《大明志書》。永樂十六年（1418）成祖朱棣詔修天下郡、縣、衞、所志，並發布了統一的《纂修志書凡例》。景泰六年（1455），代宗又詔令纂修地方總志。第二年撰成《寰宇通志》，共 119 卷，首列兩京（京師、南京），次紋 13 布政司；再下分建置沿革、郡名、山川、形勢、風俗、土產等 38 門。二年後英宗又命儒臣李賢等進行刪削、折衷，於天順五年（1461）重修成《大明一統志》。體例因襲《大元大一統志》，90 卷，卷帙僅及元志的十分之一，末殿「外夷」各國，後又增入嘉靖、隆慶建置。引用古事錯誤頗多，但保存不少明代珍貴資料。在現存方志中，明志保留 930 餘種，其中嘉靖、萬曆兩朝最多，各在 300 種以上。當時全國 13 布政司均有志書。其著名的有明正德年間康海撰寫的《武功縣志》，分 3 卷 7 篇，在職官人物褒貶上一掃舊志隱惡揚善、只褒不貶的作法，很有氣勢特色。又如韓邦靖的《朝邑縣志》記事翔實，文筆優美，頗受時人推崇。

特別明代極重邊防，所以產生了一批邊防志書，如鄭曉的《九邊圖志》，劉效祖的《四鎮三關圖志》和詹榮的《山海關志》等等，成爲研究明代邊防情況，和李自成起義軍同清軍作戰的重要史料。同時還纂修了大量專志，如《長蘆運司志》、《太學志》、《白鷺洲書院志》、《關水陵墓志》和《武夷山志》等等。但明人對方志性質的認識卻頗爲偏狹，以志爲「史之屬」或「史之流」，故在體例上多取紀傳體和編年體，強調志書的史鑒價值和作用。

**清代是我國方志發展的鼎盛時期。**

無論在修志理論、方法、成書數量，以及對舊志書輯佚整理等方面都超越了前代。清代纂修方志總的特點是以國家詔令，政府組織大規模進行修纂工作。所以現存八千二百餘種古方志中，

清代就有五千五百餘種，占全部的 67％ 以上。

《大清一統志》歷康熙、乾隆、嘉慶凡三修，卷帙最多的《嘉慶重修一統志》達 560 卷，內容宏富，體例完善，考訂精詳。首敘京師，下分直隸、盛京、蒙古等 22 統部和青海、西藏等地區，各省有圖、表、總敘，和府、直隸廳、州等分卷。分列疆域、山川、古迹、關隘、津梁、堤堰、寺觀、名宦、人物、土產等共 25 目，是一部比較完善的全國性地方志。清代方志纂修工作，是貫穿始終的。

清初，即令河南巡撫賈漢復督修《河南通志》，順治十七年（1660）刊刻成書，共 50 卷，分圖考、建置沿革、星野疆域、山川、風俗、城池、河防、封建、戶口、田賦、物產、職官、公署、學校、陵墓、古迹等等共 30 門，頗受當時統治者好評。康熙朝命令全國纂修方志，頒行全國，當作楷模。

清代的方志不僅數量大，而且種類多。全國有一統志，各省有通志，而府、州、縣亦各有志；同時還有各種鄉土志，衞、所志，鄉、里志，村、屯志，以及山、水、湖、關、寺、庵、亭、場等專志。在理論上乾嘉時期形成了不同的流派。以章學誠爲代表的歷史派，認爲方志如國有史、家有譜，而州縣有志。力主方志立「三書」體例，即志、掌故和文徵。以戴東原、洪亮吉爲代表的地理派，則注重地理歷史沿革及其考證，以爲「古今沿革」，是作志者首先應予重視的。所以有關山川等地理內容務期詳盡。介於上述二者之間的還有焦循，他一方面主張郡志之例應依《史記》；同時又認爲「郡志爲土地之書，宜先釋地」。

總之，清代方志種類多，數量大，體例上也各有千秋，是我國歷史上地方志書最興盛的時代，爲我們留下了最珍貴的遺產。由於官方倡導和組織，所以有許多志書出於名流之手。如章學誠的《湖北通志》（僅存檢目）、《亳州志》、和《永清縣志》；戴東原

的《汾州府志》；謝啓昆的《廣西通志》；阮元的《浙江通志》、《廣東通志》；洪亮吉的《涇縣志》、《淳化縣志》；錢大昕的《長興縣志》、《鄞縣志》；孫星衍的《三水縣志》、《邠州志》；王鳴盛的《嘉定縣志》；李兆洛的《鳳臺縣志》；繆荃蓀的《順天府志》、《江陰縣志》等等都各具特點，爲時人所稱道。

這些方志在不同歷史時期，記錄了全國各地的山川、氣候、物產、風俗、戶口、田賦、驛傳、馬政、屯田、金石、古迹、職官、人物等等，比「正史」更詳盡具體，所以爲我們今天的地理學、天文學、地震學、氣象氣候學、歷史學、地方經濟史、人口學、社會學、醫學，乃至科技史、中外關係史等，都提供了有價值的資料。但各種志書的纂修，因時代和階級的限制，因而對皇帝多隱惡揚善，矜誇功績，宣揚倫理綱常名敎，而對人民以及少數民族則頗多貶抑和誣蔑之詞。

# 三、歷代政區、都城

我國古籍中記載的黃帝制九州，列萬國；或以九州爲顓頊帝所建，舜攝帝位分天下爲十二州以及禹有天下，還爲九州等等，都屬傳說，並非事實。事實上我國上古時代在政區制度方面並沒有實行九州或十二州制度，都是後人的猜測和假想。

《尙書·禹貢》是我國最古老區域地理的典型。傳統觀念歷來認爲其所記載冀、兗、青、徐、揚、荊、豫、梁、雍九州區劃是夏代制度，實際上夏代的統治範圍沒有《禹貢》九州那麼大。它所記迹的山川、湖泊、土壤、物產、貢賦、水陸交通和少數民族等，反映了春秋末到戰國時期人們所能認識的範圍，應爲當時人對大禹時代的想像和假托。然而《禹貢》的九州，却突破了春秋戰國時代各諸侯國的疆界，以名山大川地勢來劃分區域，不僅是含

有某種程度的歷史真實性，而且提出了一些系統性的地理概念（全國地理形勢、水道系統、土質分類等）是古老區域地理的先驅。同《呂氏春秋・有始覽》、《逸周書・職方》、《淮南子・地形訓》、《爾雅・釋地》等書關於九州劃分原則有所不同，州名及序次亦有區別，但多數源襲《禹貢》。所謂十二州之說，只是從冀州分出并州；從青州分出營州；從雍州分出梁州（按《呂氏春秋》所載之九州）。《禹貢》對於秦漢以後區域劃分也有重大影響。

## (一)政區及其沿革

經過春秋戰國時的發展，統一的中央集權制國家，於公元前221年秦始皇統一六國而最後完成。秦王朝把長期以來形成的地方行政區劃——郡、縣制推行全國，成為中國古代行政區劃的開端。譚其驤先生將歷代（主要指中原王朝）地方行政區劃制度分為三個階段：第一個階段為從秦漢到南北朝；第二個階段從隋唐到宋、遼、金；第三個階段從元到清。

**第一階段（前221～583）**大約800餘年。

前期為秦漢，基本上是郡縣兩級制；後期為魏晉南北朝，為州、郡、縣三級制。

《史記・秦始皇本紀》載：「（始皇）二十六年，分天下為三十六郡。」後來增至46郡。

### ❖秦郡表

| 郡名 | 治所 | 治所今地名 | 所轄區域（約相當今地） |
|---|---|---|---|
| 隴西 | 狄道 | 甘肅臨洮縣南 | 甘肅東南部。 |
| 北地 | 義渠 | 甘肅寧縣西北 | 寧夏及甘肅東北部。 |
| 蜀郡 | 成都 | 四川成都市 | 四川中部。 |

| 巴郡 | 江州 | 四川重慶市 | 四川東部。 |
|---|---|---|---|
| 漢中 | 南鄭 | 陝西南鄭東 | 陝西南部、甘肅東南、湖北西北部。 |
| 黔中 | 臨沅 | 湖南常德市西 | 湖南澧水、沅水流域及湖北、四川、貴州部分地區。 |
| 南陽 | 宛 | 河南南陽市 | 河南西南部。 |
| 長沙 | 臨湘 | 湖南長沙市南 | 湖南省。 |
| 陳郡 | 陳縣 | 河南淮陽 | 河南東南部。 |
| 九江 | 壽春 | 安徽壽縣 | 江蘇、安徽、長江以北和淮河以南及江西大部。 |
| 泗水 | 沛 | 江蘇沛縣東 | 江蘇、安徽、長江以北和淮河以南及江西大部。 |
| 薛郡 | 魯 | 山東曲阜 | 山東西南部。 |
| 東海 | 郯 | 山東郯城西南 | 山東、江蘇相鄰地區。 |
| 會稽 | 吳 | 江蘇蘇州市 | 江蘇、安徽、長江以南及浙江大部。 |
| 邯鄲 | 邯鄲 | 河北邯鄲市西南 | 河北西南部。 |
| 鉅鹿 | 鉅鹿 | 河北平鄉 | 河北東南部。 |
| 太原 | 晉陽 | 山西太原市西南 | 山西中部。 |
| 上黨 | 長子 | 山西長子縣 | 山西東南部。 |
| 雁門 | 善無 | 山西大同市 | 山西北部。 |
| 代郡 | 代 | 河北蔚縣西南 | 河北西北、山西東北地區。 |
| 雲中 | 雲中 | 內蒙克托克托東北 | 內蒙大青山以南至山西外長城以北。 |
| 河東 | 安邑 | 山西夏縣北 | 山西西南部。 |
| 東郡 | 濮陽 | 河南濮陽西南 | 河南、山東相鄰地區。 |
| 碭郡 | 碭 | 河南永城東北 | 河南東部及與山東、安徽三省交界地區。 |
| 上郡 | 膚施 | 陝西榆林縣東南 | 陝西黃河與北洛水之間。 |

| 三川 | 洛陽 | 河南洛陽市東 | 河南西北部。 |
|---|---|---|---|
| 潁川 | 陽翟 | 河南禹縣 | 河南潁水及汝水流域。 |
| 臨淄郡 | 臨淄 | 山東淄博市東 | 山東淄博市及惠民和昌濰部分地區。 |
| 琅邪 | 琅邪 | 山東膠南縣琅邪臺北 | 山東東南部。 |
| 漁陽 | 漁陽 | 北京市密雲縣西南 | 河北潮河、北運河流域。 |
| 上谷 | 沮陽 | 河北懷來東南 | 河北內外長城之間。 |
| 右北平 | 無終 | 河北薊縣 | 河北東北部。 |
| 廣陽 | 薊 | 北京市 | 北京市東南部到河北霸縣以北。 |
| 遼西 | 陽樂 | 遼寧錦州市西 | 河北、遼寧相鄰地區。 |
| 遼東 | 襄平 | 遼寧遼陽市 | 大凌河以東至古浿水（朝鮮西北角）。 |
| 南郡 | 郢 | 湖北江陵 | 湖北中部。 |
| 九原 | 九原 | 內蒙包頭西南 | 內蒙河套。 |
| 南海 | 番禺 | 廣東省廣州市 | 廣東省。 |
| 桂林 | 桂林郡 | 廣西桂平 | 廣西大部。 |
| 象郡 | 臨塵 | 廣西崇左縣境 | 廣西西部、越南中部和老撾東部邊緣。 |
| 閩中 | 東冶 | 福建省福州市 | 福建省。 |
| 衡山 | 邾縣 | 武漢市東 | 湖北黃岡、河南信陽和安徽安慶部分地區。 |
| 膠東 | 即墨 | 今平度縣城東南 | 煙臺地區和昌濰部分地方 |
| 濟北 | 博陽 | 泰安東南 | 泰安、德州、惠民和昌濰部分地區。 |
| 河內 | 懷縣 | 河南武陟西南 | 河南新鄉和安陽部分地區。 |
| 恆山 | 東垣 | 河北省石家莊 | 石家莊和保定部分地方。 |

郡下設縣，全國大約千餘縣，萬戶以上稱大縣，萬戶以下則稱小縣。郡領縣數不等，郡、縣轄境大小亦不等，一般人口密集之地則縣小，反之則大。

西漢初年劉邦剪除異姓王後，封同姓王，往往領數郡。景帝、武帝以後，才定制一國只轄一郡，故「國」與「郡」成同級行政機構，亦稱郡國。西漢後期有 103 個郡國，一千五百餘縣。東漢在邊境少數民族地區設置屬國，下亦領縣，相當於郡級。共有郡、國、屬國 105 個，縣一千一百八十餘個。

漢武帝時分全國為 13 個刺史部，採《禹貢》州名：幽州、冀州、并州、青州、兗州、徐州、揚州、荊州、豫州。改《禹貢》原梁、雍為益州、涼州；又增加朔方、交趾刺史部。另外在三輔（京兆、右扶風、左馮翊）、三河（河內、河南、河東）、弘農七郡稱司隸校尉部。實際是 14 個刺史部。因 13 部中 11 部為人民習慣沿用州稱，故刺史部也有州之稱，但不是一級行政機構，而是監察區域。東漢也基本如此。然而東漢將朔方劃入并州，改司隸校尉為直隸州，共 13 州，並有固定治所，到黃巾農民大起義之後，州就轉變成郡以上的一級行政區。共有七十餘郡。

## ◙東漢十三州表

| 州名 | 治所 | 治所今地名 | 所轄區域（約相當於今地） |
|---|---|---|---|
| 司隸校尉部 | 洛陽 | 洛陽市東 | 陝西中部、山西西南部及河南西北部。 |
| 豫州 | 譙縣 | 安徽亳縣 | 河南東南部、安徽北部及山東一隅。 |
| 兗州 | 昌邑 | 山東金鄉縣西北 | 山東南部、江蘇北部及安徽東北角。 |
| 徐州 | 郯 | 山東郯城 | 江蘇長江以北和山東南部。 |

| | | | |
|---|---|---|---|
| 青州 | 臨淄 | 山東淄博市東北 | 山東北部。 |
| 涼州 | 隴縣 | 甘肅張家川回族自治縣 | 甘肅大部及寧夏南部。 |
| 并州 | 晉陽 | 太原市西南 | 陝西北部、山西大部及內蒙一部。 |
| 冀州 | 高邑 | 河北高邑縣東 | 河北南部。 |
| 幽州 | 薊縣 | 北京市 | 河北北部、遼寧南部及朝鮮西北角。 |
| 揚州 | 歷陽 | 安徽和縣 | 江蘇南部、安徽中部、南部及浙江、福建、江西之一部分。 |
| 荊州 | 漢壽 | 湖南常德市東北 | 河南南部、湖北、湖南二省大部分及黔東邊緣。 |
| 益州 | 雒縣 | 四川廣漢 | 四川、雲南、貴州三省大部及陝西、甘肅南部。 |
| 交州 | 龍編 | 越南河內東北 | 兩廣大部及越南北部。 |

三國時魏置 12 州、吳 3 州、蜀 1 州。

### ◙三國諸州表

| 國 | 州名 | 治所 | 治所今地名 | 所轄地區域(約相當於今地) |
|---|---|---|---|---|
| | 司隸 | 洛陽 | 河南洛陽東 | 河北西北部及山西西南部。 |
| | 荊州 | 新野 | 河南新野 | 湖北北部、河南西南及膠西東南隅。 |
| | 豫州 | 安城 | 河南汝南東南 | 河南東南部及安徽西北部。 |
| | 青州 | 臨淄 | 山東淄博東北 | 山東東北部。 |
| | 兗州 | 廩丘 | 山東鄆城西北 | 山東西部及河南一隅。 |
| | 揚州 | 壽春 | 安徽壽陽 | 安徽中部。 |
| 魏 | 徐州 | 下邳 | 江蘇邳縣南 | 江蘇北部、中部、山東南部。 |

| | 州 | 治所 | 治所今地名 | 所轄區域（大約相當於今地） |
|---|---|---|---|---|
| | 涼州 | 姑臧 | 甘肅武威 | 甘、寧西部及青海東北一隅。 |
| | 冀州 | 信都 | 河北冀縣 | 河北南部及山東西北邊緣。 |
| | 幽州 | 薊縣 | 北京市 | 河北北部、遼寧南部及朝鮮西北部。 |
| | 并州 | 晉陽 | 山西太原市西南 | 山西中部、北部。 |
| | 雍州 | 長安 | 西安市 | 陝西中部及甘肅東南部。 |
| 吳 | 揚州 | 建業 | 南京市 | 江蘇安徽南部及浙、閩、贛、三省。 |
| | 荊州 | 江陵 | 湖北江陵 | 湖南省、湖北南部及兩廣北部。 |
| | 交州 | 龍編 | 越南河內東北 | 兩廣南部及越南北部。 |
| 蜀 | 益州 | 成都 | 成都市 | 四川中部、東部、貴州大部，陝、甘南部及雲南省。 |

注：此表系據《中國歷史地圖集》（第三冊）。杜佑《通典‧州郡一》載，吳尚有廣州、郢州，共五州；蜀尚有梁州，計二州。

西晉統一初期置 19 州，173 郡國（永嘉間增到 21 州），已經正式形成州、郡、縣三級制。

## 西晉十九州表

| 州名 | 治所 | 治所今地名 | 所轄區域（大約相當於今地） |
|---|---|---|---|
| 司州 | 洛陽 | 洛陽市東 | 冀、晉南部及河南北部。 |
| 兗州 | 廩邱 | 山東鄆城西北 | 山東西部及河南東北部。 |
| 豫州 | 陳 | 河南淮陽 | 河南東南部及安徽西北部。 |
| 冀州 | 信都 | 河北冀縣 | 河北中部及山東西北邊緣。 |
| 幽州 | 涿縣 | 河北涿縣 | 河北北部及遼寧一隅。 |

| 平州 | 昌黎 | 遼寧義縣縣境 | 遼寧南部及朝鮮西北部。 |
|---|---|---|---|
| 并州 | 晉陽 | 太原市西南 | 山西中部、北部。 |
| 雍州 | 長安 | 西安市 | 陝西中部及甘、寧交界少數地區。 |
| 涼州 | 姑臧 | 甘肅武威 | 甘肅、寧夏西部及青海東北隅。 |
| 秦州 | 冀縣 | 甘肅甘谷東 | 甘肅東南部。 |
| 梁州 | 南鄭 | 陝西漢中 | 四川東部及陝西漢中地區。 |
| 益州 | 成都 | 四川成都市 | 四川中部及貴州大部。 |
| 寧州 | 滇池 | 雲南昆明東南 | 雲南省。 |
| 青州 | 臨淄 | 山東淄博市東北 | 山東東北部。 |
| 徐州 | 彭城 | 江蘇徐州市 | 江蘇北部、中部及山東南部。 |
| 荊州 | 江陵 | 湖北江陵 | 湖南、湖北及陝豫邊緣。 |
| 揚州 | 建鄴 | 江蘇南京市 | 江西、福建、浙江及江蘇、安徽南部。 |
| 廣州 | 番禺 | 廣東廣州市 | 兩廣大部。 |
| 交州 | 龍編 | 越南河內東北 | 兩廣邊緣及越南北部。 |

注：此外永嘉間設江州（治今南昌市）、湘州（治今長沙市），合前共 21 州。

　　東晉十六國時，州境逐步縮小，數目不斷增加，至南北朝前期，南北合計已達五、六十州。到南北朝末期，州數增至三百多，而郡增加到六百多個，包括一些僑州、僑郡，相當一部分州，有名無實，形成「地無百里，郡縣並立」局面。從全國範圍來看，一州平均轄二郡，一郡領二、三個縣，一州只管五、六縣。所以三級制事實已失去意義。到北朝後期，雖然名義還是三級，而實際只有州刺史和縣令（長）理政，郡太守已名存實亡。至隋文帝開皇三年（583）下令撤郡，正是這一事實的反映。

第二階段（586～1276）約 700 年。

由於隋朝社會經濟遠較秦漢時期發達，由中央直接管理近
200 州是很困難的，故隋煬帝大業三年（607）時又省併諸州，
改州稱郡。唐初又將郡改稱州（玄宗天寶元年改州爲郡，至肅宗
乾元元年又改郡爲州，中間僅有十六年），當時全國置州三百多
個，爲便於管理，貞觀元年（627）以山川形勢劃全國爲 10 道
（無固定治所），屬於監察區性質。開元二十一年（733）改劃
分爲 15 個道。

### ⊠唐十五道表

| 道名 | 治所 | 治所今地名 | 相當於古州地 | 所轄區域(約相當今地) | 與貞觀十道關係 |
|---|---|---|---|---|---|
| 關內 | 雍縣 | 陝西鳳翔 | 雍州西北部 | 陝西北部、甘肅東部、寧夏、內蒙古一部。 | |
| 京畿 | 長安 | 陝西西安市 | 雍州東南部 | 陝西中部。 | 從關內道分出。 |
| 河南 | 汴州 | 河南開封市 | 兗、青徐州 | 黃淮之間的山東、江蘇、安徽、河南部分。 | |
| 都畿 | 洛陽 | 河南洛陽市 | 豫州 | 河南洛寧、澠池二縣以東，鞏、密二縣以西，魯門、葉二縣以北地區。 | 從河南道分出。 |
| 河東 | 蒲州 | 山西永濟縣 | 冀州 | 山西省及河北省西北一隅。 | |
| 河北 | 魏州 | 河北大名縣東 | 幽、冀二州 | 河北省長城以南，河南山東二省黃河以北大部分及遼寧遼河以西。 | |
| 山南東道 | 襄州 | 湖北襄樊市 | 荊州 | 河南、湖北、湖南界內地。 | 山南道分東西二道。 |
| 山南西道 | 梁州 | 陝西漢中縣 | 梁州 | 甘肅、陝西、四川界內地。 | |

| 隴右 | 鄯州 | 青海樂都縣 | 雍、梁二州 | 甘肅大部、青海北部、新疆西至鹹海以南（包括北庭、西安都護府。） | |
| 淮南 | 揚州 | 江蘇揚州市 | 揚州北部 | 湖北應山縣、河南信陽市以東，江蘇、安徽、湖北的淮河以南和長江以北地區。 | |
| 江南東道 | 蘇州 | 江蘇蘇州市 | 揚州東南部 | 江蘇南部、浙江、福建二省。 | |
| 江南西道 | 洪州 | 江西南昌市 | 揚州中北部 | 安徽長江以南、江西省湖南資水流域以東。 | 江南道分爲東西道及黔中。 |
| 黔中 | 黔州 | 四川彭水縣 | 揚州西部 | 貴州省東北部及其毗連的四川、湖北、湖南部分地區。 | |
| 劍南 | 益州 | 四川成都市 | 梁州劍閣以南 | 嘉陵江以西的四川中部。 | |
| 嶺南 | 廣州 | 廣東廣州市 | 揚州南部 | 廣東、廣西大部、越南北部。 | |

　　唐王朝每道長官初稱巡察使或按察使等，無定員，不常置。開元後改爲採訪處置使，置一定的治所，使成爲州以上行政區。中唐後因在邊境駐重兵，出現了節度使區域建置。一鎮節度使統轄數州，州刺史亦受其管轄。天寶時，節度使又兼任每道的採訪使，從而鎮道基本合一。安史之亂以後，這種邊境政區制度已遍及於內地，節鎮亦稱道，於是形成了道、州、縣三級政區制。據《舊唐書・地理志》，乾元元年（758）有節鎮44個，賈耽《十道錄》載貞元十四年（798）50鎮，元和八年（813），《元和郡縣志》載47鎮。

　　宋太宗時改道爲路。但設有統一長官統轄，而分屬轉運使（掌財賦），提點刑獄（掌司法）、安撫使（掌軍事），此外還

有提舉常平、茶鹽、坑冶等司機構。太宗至道年間（995～997）分全國爲15路，到神宗元豐年間（1078～1085），定爲23路。其下州、縣沿襲前制。

### ◎北宋二十三路表

| 路　　名 | 以轉運司駐地爲治所 | 治所今地名 |
|---|---|---|
| 京東西路 | 兗州 | 山東兗州 |
| 京東東路 | 青州（益都） | 山東益都縣 |
| 京西北路 | 河南府（洛陽） | 河南洛陽市 |
| 京西南路 | 襄州（襄陽） | 湖北襄樊市 |
| 河北東路 | 大名府 | 河北大名縣 |
| 河北西路 | 眞定府 | 河北正定縣 |
| 河東路 | 太原府 | 江西太原市 |
| 永興軍路 | 京兆府（長安） | 陝西西安市 |
| 秦鳳路 | 秦州（成統） | 甘肅天水市 |
| 淮南東路 | 揚州 | 江蘇揚州市 |
| 淮南西路 | 壽州 | 安徽鳳臺縣 |
| 江南東路 | 江寧府 | 江蘇南京市 |
| 江南西路 | 洪州 | 江西南昌市 |
| 兩浙路 | 杭州 | 浙江杭州市 |
| 荊湖南路 | 潭州（善化） | 湖南長沙市 |
| 荊湖北路 | 江陵府 | 湖北江陵縣 |
| 成都府路 | 成都府 | 四川成都市 |
| 梓州路 | 梓州 | 四川三臺縣 |
| 利州路 | 興元府 | 陝西漢中縣 |
| 夔州路 | 夔州 | 四川奉節縣 |

| 福建路 | 福州 | 福建福州市 |
|---|---|---|
| 廣南東路 | 廣州（番禺） | 廣東廣州市 |
| 廣南西路 | 桂州（臨桂） | 廣西桂林市 |

　　唐宋時期，將有特殊地位之州改稱府。開元年間開始把首都長安所在之雍州改稱京兆府，東都洛陽所在之洛州改稱河南府，北都青陽所在之并州改稱太原府，至唐末增至十餘府。北宋末已有三十多個府。南宋與金對峙時期，南北共有五十餘府。府屬於重要地區之州，所以唐宋後期基本爲路、州（府）、縣三級地方政區制度。

　　唐代州級政區爲府、州（郡）三稱，而宋增府、州、軍、監四稱。軍五代只管軍事，宋變爲政區，管軍管民。監爲管理礦冶、鑄錢、牧馬，鹽產區設置，宋變政區，兼民事。遼以五京爲中心分全境爲五道，稱五京道。州級有府、州、軍、城，頭下軍州類縣；金全境分二十餘路，州級有府、州、軍（後期軍均升爲府）。其上京路所轄曷懶路、蒲與路、速頻路、胡里改路；東京路轄之婆速府路，曷蘇館路等爲府、州級。

　　**第三階段（1276～1911）元、明、清時期。**

　　元是我國設省區制度的開始。即設中書省和行中書省，簡稱省。關於「省」的沿革，可追溯到魏晉，南北朝時期始有中央三省。因爲州郡太多，中央不便統治，故東魏、北齊爲加強對地方控制，分境內爲若干道，每道置行臺省，管一定轄區，實爲州上一級政區。隋文帝時，曾於壽春設置淮南行臺省，以楊廣爲尚書令。金末爲防蒙古和鎮壓農民起義，在地方上設尚書省的派出機構，稱行尚書省。蒙古進占中原，繼金沿用此制，元世宗改以中書省總領政務，行尚書省隨之改稱行中書省。元朝初期，仍是臨

時性派出機構，由於管理的需要，中期以後成爲定制，全國劃爲一個中書省直轄區和 11 個行中書省（一些邊遠地區不在此內）。

明太祖爲加強中央集權，以行省長官（軍政合一）權限過大，撤消行省，改爲承宣布政使司專管民政。並裁中央的中書省，廢除宰相，改原中書省所轄京師地區爲直隸。成祖遷都後，北京與南京均有中央政府，故有南、北直隸。宣德以後分全國爲兩直隸、十三布政使司。但民間習慣仍稱省，史稱明十五省即是。

## ◙元代省區表

| 省 名 | 治 所 | 治所今地名 | 所轄區大約相當今地 |
|---|---|---|---|
| 中書省 | 大都路 | 北京市 | 河北、山西、山東三省遼寧一部，吉林小部、內蒙及河南一部。 |
| 嶺北行省 | 和寧路（和林） | 哈爾和林 | 黑龍江省一部，內蒙古、蒙古及蘇聯西北利亞直到北冰洋。 |
| 遼陽行省 | 遼陽路（東寧府） | 遼寧遼陽市 | 遼寧、吉林及黑龍江中下游、外興安嶺以北，朝鮮半島北部及蘇聯東部濱海地區，庫頁島等。 |
| 陝西行省 | 奉元路 | 陝西西安市 | 陝西、內蒙伊克昭盟南部、甘肅東部、四川及寧夏部分地區。 |
| 甘肅行省 | 甘州路 | 甘肅張掖縣 | 甘肅大部、寧昌及青海西北柴達木等地區。 |
| 河南行省 | 汴梁路 | 河南開封市 | 河南省（黃河以南）及江蘇、安徽、湖北三省的長江以北地。 |
| 江浙行省 | 杭州路 | 浙江杭州市 | 江蘇、安徽二省長江以南、浙江、福建二省，江西東北隅。 |
| 江西行省 | 龍關路 | 江西南昌市 | 江西、廣東二省大部。 |
| 湖廣行省 | 武昌路 | 湖北武漢市 | 湖北南部、湖南廣西、貴州三省及廣東西南。 |

| | | | |
|---|---|---|---|
| 四川行省 | 成都路 | 四川成都市 | 四川大部、陝西南部邊緣及湖北西南。 |
| 雲南行省 | 中慶路 | 雲南昆明市 | 雲南省及越南、老撾、緬甸部分地區四川南部、貴州西部。 |
| 征東行省 | 開城 | 朝鮮開城 | 朝鮮中部和南部。 |

## ◉元代地方行政機構圖

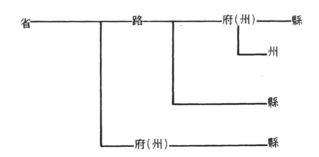

## ◉明代政區簡表

| 名　　稱 | 治　　所 | 治所今地名 | 轄　區（約相當今地） |
|---|---|---|---|
| 北直隸京師 | 順天府 | 北京市 | 湖北省、遼西和內蒙東南部。 |
| 南直隸南京 | 應天府 | 南京市 | 江蘇、安徽二省。 |
| 山東布政司 | 濟南府 | 濟南市 | 山東省、遼東和吉林西南部。 |
| 山西布政司 | 太原府 | 太原市 | 山西省及內蒙一部。 |
| 河南布政司 | 開封府 | 開封市 | 河南省。 |
| 陝西布政司 | 西安府 | 西安市 | 陝西省、甘肅大部、內蒙河套一帶。 |
| 四川布政司 | 成都府 | 成都市 | 四川省及湖北、湖南、貴州、雲南一部。 |
| 湖廣布政司 | 武昌府 | 武漢市 | 湖北、湖南二省。 |

| | | | |
|---|---|---|---|
| 江西布政司 | 南昌府 | 南昌市 | 山西省。 |
| 浙江布政司 | 杭州府 | 杭州市 | 浙江省。 |
| 福建布政司 | 福州府 | 福州市 | 福建省。 |
| 廣東布政司 | 廣州府 | 廣州市 | 廣東省。 |
| 廣西布政司 | 桂林府 | 桂林市 | 廣西省。 |
| 雲南布政司 | 雲南府 | 昆明市 | 雲南省。 |
| 貴州布政司 | 貴陽府 | 貴陽市 | 貴州省。 |

　　清初沿襲明制分爲 15 省。康熙六年（1667）把南直隸分爲江蘇、安徽二省，陝西分爲陝西、甘肅二省，湖廣分爲湖南、湖北二省，這就是所謂內地 18 省，即以漢族爲主體地區。此外，東北置奉天（又稱盛京）、吉林、黑龍江三將軍，新疆置伊犁將軍，外蒙古置烏里雅蘇臺定邊左將軍，內蒙採用盟、旗制，西藏、靑海設辦事大臣管轄。到光緒年間陸續增置新疆、臺灣（原屬福建省）、奉天、吉林、黑龍江省，共 23 省。內蒙古、外蒙古、西藏、靑海仍未建省。

### ⊠明清地方行政機構示意圖

圉：＊廳爲清代始置。隸屬於府之廳、州，屬縣級。

　　元、明、清時期政區基本上仍是省、路（府、州）、縣三級制。

## (二)歷代都城表

都城是一個國家的政治、經濟、軍事、文化和交通中心，關係王朝的興衰，所以自古以來卜都定鼎屬歷代王朝的大事。我國古代的都城，特別是傳說的上古時代的帝王都城，如伏羲都陳，神農亦都陳，又營曲阜，黃帝邑於涿鹿之阿，堯都平陽，舜都蒲阪等等，很可能都是原始社會末期的一些較大聚落，在今天的考古學上很難得到證明，因而是不確切的。至於傳說的禹都陽城，考古學界雖然認為河南登封縣告城鎮附近發現的兩個小土城堡，可能與此有關，但仍拿不出充分的證據，因而也不能視為定論。因此關於商代以前的都城，除盤庚遷殷（今安陽殷墟）外，其餘很大程度上都還處於一種推測階段，尚須做很多工作。本表雖起自夏代，但商前許多都城的地址是有爭議的。本表僅取一般通說。

### ◎歷代都城表

| 朝　　代 | 都城 | 都城今地名 | 備　　註 |
|---|---|---|---|
| 夏 | 陽城 | 疑為河南登封縣告城鎮兩土城堡。 | 傳說，夏始建都陽城。後遷安邑（今山西夏縣）、帝丘（今河南濮陽南）、原（今河南濟源西）、老丘（今河南開封東）等等。 |
| 商 | 殷 | 河南安陽市西北 | 湯定都亳（河南商丘北），仲丁遷於囂（即隞，河南滎陽東北），河亶甲遷相（河南內黃東南），祖乙遷邢（或作耿河南溫縣東），南庚遷奄（山東曲阜），盤庚遷殷。 |
| 西　　周 | 鎬 | 陝西西安市西南 | 斗門鎮到豐村一帶 |

| 東 | 春 | 周王 | 洛邑<br>（王城） | 洛陽市西郊 | 敬王遷成周（洛陽市郊白馬寺東）。 |
|---|---|---|---|---|---|
| | 秋 | 齊 | 臨淄 | 山東淄博市東北舊臨淄北 | 初建都營丘（臨淄城北）遷薄姑（山東博興縣城東北）。 |
| | | 晉 | 絳 | 山西翼城縣東南 | 由曲沃（山西聞喜縣東）遷絳。 |
| 周 | | 楚 | 郢 | 湖北江陵東北 | 曾遷至鄀（湖北宜城縣東南），又遷回郢。 |
| | | 秦 | 雍 | 陝西省鳳翔 | 初都秦（甘肅天水北），遷汧（陝西隴縣南），遷平陽（陝西眉縣西北），後遷雍。 |
| | | 吳 | 姑蘇 | 江蘇省蘇州市 | 初建都梅里（江蘇無錫市東南）。 |
| | | 越 | 會稽 | 浙江紹興市 | 後遷至吳（江蘇蘇州） |
| | 戰 | 韓 | 陽翟 | 河南禹縣 | 初都平陽（山西臨汾西），遷鄭（河南新鄭），再遷陽翟。 |
| | | 魏 | 安邑 | 山西安邑縣 | 後遷大梁（河南開封市）。 |
| 周 | | 趙 | 邯鄲 | 河北邯鄲市 | 初建都於晉陽（山西太原西南晉源鎮）。 |
| | 國 | 楚 | 郢 | 湖北江陵東北 | 後遷陳（河南淮陽），又遷壽春（安徽壽縣）。 |
| | | 燕 | 薊 | 北京市 | 下都（河北易縣）。 |
| | | 齊 | 臨淄 | 山東淄博市東北，舊臨淄北。 | |
| | | 秦 | 雍 | 陝西鳳翔 | 後遷櫟陽（陝西臨潼北），又遷咸陽（陝西咸陽東北）。 |
| 秦 | | | 咸陽 | 陝西咸陽東北 | |
| 西漢 | | | 長安 | 陝西西安市西北 | |
| 東漢 | | | 洛陽 | 河南洛陽市東 | |
| 三 | | 魏 | 洛陽 | 河南洛陽市東 | |
| 國 | | 蜀 | 成都 | 四川成都市 | |
| | | 吳 | 建業<br>（秣陵） | 江蘇南京市 | 初建都丹徒（江蘇鎮江市）。 |

| | | | | |
|---|---|---|---|---|
| 西晉 | | 洛陽 | 河南洛陽市東 | |
| 東晉 | | 建康 | 江蘇南京市 | |
| 十六國 | 漢（前趙） | 平陽 | 山西臨汾西 | 初定都於離石（山西離石），遷於蒲子（山西隰縣），再遷平陽。前趙遷都長安。 |
| | 成漢 | 成都 | 四川成都市 | |
| | 前涼 | 姑臧 | 甘肅武威 | |
| | 後趙 | 襄國 | 河北邢臺 | 335 年遷都於鄴（河北臨漳西南）。 |
| | 冉魏 | 鄴 | 河北臨漳西南 | （不計入十六國內）。 |
| | 前燕 | 龍城 | 遼寧朝陽 | 後都中山（河北定縣），又遷都鄴（河北臨漳西南）。 |
| | 前秦 | 長安 | 陝西西安市西北。 | |
| | 後秦 | 長安 | 陝西西安市西北。 | |
| | 後燕 | 中山 | 河北定縣 | 後遷龍城（遼寧朝陽）。 |
| | 西燕 | 阿房城 | 陝西咸陽市東北 | 後遷臨晉（山西大荔縣境）、聞喜、長子（不計入十六國內）。 |
| | 西秦 | 苑川 | 甘肅榆中東北 | |
| | 後涼 | 姑臧 | 甘肅武威 | |
| | 南涼 | 廉川堡 | 青海樂都 | |
| | 南燕 | 滑臺 | 河南滑縣 | 後遷廣固（山東益都北）。 |
| | 西涼 | 敦煌 | 甘肅敦煌 | 後遷酒泉（甘肅）。 |
| | 夏 | 統萬 | 陝西靖邊縣以北洪柳河北岸 | |
| | 北燕 | 龍城 | 遼寧朝陽 | |
| | 北涼 | 張掖 | | |

| 南 | 宋 | 建康 | 江蘇南京市 | |
| | 齊 | 建康 | 江蘇南京市 | |
| | 梁 | 建康 | 江蘇南京市 | |
| | 陳 | 建康 | 江蘇南京市 | |
| 北 | 北魏 | 平城 | 山西大同市 | 初建都於盛樂（內蒙和林格爾），494 年由平城遷洛陽。 |
| | 東魏 | 鄴 | 河北臨漳西南 | |
| 朝 | 西魏 | 長安 | 陝西西安市西北 | |
| | 北齊 | 鄴 | 河北臨漳西南 | |
| | 北周 | 長安 | 陝西西安市西北 | |
| 隋 | | 大興 | 陝西西安市 | 隋煬帝遷都洛陽（在舊王城與成周之間，重建洛陽）。 |
| 唐 | | 長安 | 陝西西安市 | 高宗、玄宗時曾遷都洛陽。武則天都於洛陽。唐末昭宗被挾持至洛陽。唐代少數民族建立的地方政權：<br>①渤海，都於上京龍泉府（地址在今黑龍江省寧安縣東京城。初期舊址在吉林省敦化縣敖東城）。<br>②南詔，都太和城（故址在今大理縣城南 7.5 公里）。<br>③吐蕃，都邏些城（今拉薩）。 |
| 五 | 後梁 | 開封 | 河南開封市 | |
| | 後唐 | 洛陽 | 河南洛陽市 | |
| 代 | 後晉 | 開封 | 河南開封市 | |
| | 後漢 | 開封 | 河南開封市 | |
| | 後周 | 開封 | 河南開封市 | |

| | | | | |
|---|---|---|---|---|
| 十國 | 吳 | 江都府 | 江蘇揚州市 | |
| | 南唐 | 江寧府 | 江蘇南京市 | 曾一度遷南昌府（江西南昌市）。 |
| | 吳越 | 杭州 | 江蘇揚州市 | |
| | 楚 | 潭州 | 湖南長沙市 | 初都丹徒（江蘇鎮江市）。 |
| | 閩 | 長樂府 | 福建福州市 | |
| | 南漢 | 興王府 | 廣東廣州市 | |
| | 前蜀 | 成都 | 四川成都市 | |
| | 後蜀 | 成都 | 四川成都市 | |
| | 荊南 | 江陵府 | 湖北江陵市 | |
| | 北漢 | 太原 | 山西太原市南 | |
| 北宋 | | 開封 | 河南開封市 | |
| 南宋 | | 臨安 | 浙江杭州市 | 初都於南京（河南商丘市）。 |
| 遼 | | 上京 | 內蒙巴林左旗林東鎮 | |
| 西夏 | | 興慶府 | 寧夏銀川市 | |
| 大理 | | 太和城 | 大理縣城南 7.5 公里。 | |
| 金 | | 會寧 | 黑龍江阿城南 | 後遷燕京（北京市），再遷汴京（河南開封市）。 |
| 元 | | 大都 | 北京市 | |
| 明 | | 北京 | 北京市 | 始建都於南京（南京市）1421年遷北京。 |
| 清 | | 北京 | 北京市 | 初建都瀋陽（遼寧瀋陽市），1644年遷都北京。 |

# 四、一般地理名詞

## 【中國】

在古文獻上是多義的。最初作「城」或「邦」解，即中央之城（京師）。如《詩經・大雅・民勞》：「惠此中國，以綏四方。」又為天子直接轄地，如《詩經・大雅・蕩》：「內奰於中國，覃及鬼方。」或指中原地區與內地，如《孟子・滕文公》：「陳良，楚產也，悅周公、仲尼之道，北學於中國。」《史記・武帝紀》：「天下名山八，而三在蠻夷，五在中國。」或指漢族建立的國家。《史記・匈奴傳》：「是時漢兵與項羽相距，中國罷於兵革，以故冒頓得自強。」清後才以「中國」作正式國名的簡稱。

## 【九州】

為我國上古政區制度之傳說。有謂黃帝制九州，列萬國；有的稱九州為顓帝所建，帝嚳受之。還有的說舜攝帝位分天下為十二州，至禹又還為九州。實際我國大禹以前還處於原始社會階段，很難建立此制度，很可能是表示九種方向和多數的意思。我國古籍《禹貢》、《周禮・職方》、《呂氏春秋》、《爾雅・釋地》等均有九州記載。但說法不一，《禹貢》以「冀、兗、徐、青、揚、荊、豫、梁、雍」為九州；《周禮・職方》有幽、并而無徐、梁；《呂氏春秋・有始覽》則有幽而無梁；《爾雅・釋地》有幽、營而無青、梁。這些著作大都是戰國時人的作品，反映了人們對九州的不同理解。此外戰國的騶衍還有大九州之說，認為「中國外如赤縣神州者九，乃所謂九州也。」（《史記・孟子荀卿列傳》）。

「九州」雖不曾爲中國政區制度，但反映了中國人民的大一統思想。故爲中國的別稱。

### 【赤縣神州】

古代中國的別稱。最早見於《史記·孟子荀卿列傳》，記戰國時的騶衍提出的「大九州」說。他認爲儒家所謂的中國，乃天下的八十一分之一。中國名曰赤縣神州。赤縣神州內的九州，即禹的九州。中國外如赤縣神州的還有九個。即他的「大九州」之說。故赤縣、神州都是中國的別稱。

### 【中原】

這個地理概念，在不同的歷史時期，含義是不同的。與中土、中州有共同的意義，即指別於邊疆地區而言。我國古代傳說的政區制度爲「九州」而古豫州被視爲居九州之中，所以中原最早即指河南省一帶。司馬遷說：「昔唐人都河東，殷人都河內，周人都河南。夫三河在天下之中，若鼎足，王者所更居也。」（《史記·貨殖列傳》）此三河之地就是今黃河中游，即河南北部、河北、山西南部地區。後來則逐漸擴大，泛指整個黃河中下游地區，即包括今河南、河北、山東、安徽及山西、江蘇、陝西的一部分。故中原之狹義爲河南一帶，而廣義則指黃河中、下游地區。

### 【山東】

秦漢以前，通稱崤山和函谷關以東地區爲山東或關東。但春秋的晉和五代時的晉，都以其地在太行山以東爲山東。如《史記·晉世家》文公四年：「冬十二月，晉兵先下山東。」則是指今山西東部太行山以東地區。北宋大致以今山東黃河以南地區置

京東東路和京東西路。金改宋之京東東路爲山東東路，京東西路
爲山東西路。以後遂成爲行政區名。

## 【山西】

戰國、秦、漢時期稱崤山和函谷關以西爲山西，或關西。與
關中含義同。如《史記・太史公自序》載：「蕭何塡撫山西」。
《漢書・趙充國傳・贊》說：「秦漢以來，山東出相，山西出
將。」皆指此，其後則逐漸通稱太行山以西爲山西，特別是元置
河東山西道宣慰使司，之後遂成政區名。

## 【河東】

因黃河流經蒙古高原後，沿山、陝交界南下，今山西省皆處
河東。故自秦起於今山西南部置河東郡，轄境相當今山西沁水以
西、霍山以南地區。唐亦置河東郡，以後泛指今山西全省。

## 【河西】

泛指黃河河曲以西地區。《爾雅・釋地》載：「河西曰雝
州。」孔安國云：「西距黑水，東據河。」指今甘肅、青海省黃
河以西地區，即河西走廊與湟水流域。這是漢唐時期通稱的河
西。先秦則指今黃河流經今晉、陝兩省交界之南段以西地區。如
《史記・晉世家》載：「使邳鄭謝秦曰：『始夷晉以河西地許君，
今幸得入立。』」即此含義。

## 【河內】

指黃河流入中原後河以北之地，大抵相當今黃河以北地區。
《孟子・梁惠王上》載：「河內凶，則移其民於河東，移其粟於河
內。河東凶亦然。」注云：「魏舊在河東，後爲强國兼得河內

也。」均指今河南省黃河以北地區爲河內。秦漢爲郡名。

## 【關中】

長期以來是個不確定的地理概念。有人以東函谷、西隴關，二關之中爲關中；有人以東函谷、西散關、南武關、北蕭關四關之中地爲關中。而《史記・貨殖列傳》則以爲「關中自汧、雍以東至河、華。」實指河、華以西的秦地。現在一般習慣以汧隴以東，河、華以西，秦嶺以北涇渭流域爲關中地區。

## 【隴右】

泛指隴山（今六盤山）以西地區。古代以西爲右故名之。《晉書・宣帝本紀》載：「魏武曰：『人若無足，即得隴右，復欲得蜀。』」秦漢隋唐皆置郡。

## 【江左】

古代敍地理以東爲左，以西爲右，故江東又名江左。即長江下游以東地區。即今江蘇省江南和浙江一帶。魏禧《日錄雜說》載：「江東稱江左，江西稱江右，蓋自北視之，江東在左，江西在右耳。」東晉及南朝各代，均以江左爲要地，故當時人亦稱這五朝及其全部疆域爲江左；南朝人即以江左稱東晉。

## 【江右】

長江流域下游以西地區，即今江西省之別稱。見「江左」條。

## 【三吳】

所指具體地域，歷來說法不一。

(1)《水經注・浙江水》以吳興、吳郡和會稽爲三吳。

(2)《通典・州郡》、《元和郡縣志》記載，以吳郡、吳興、丹陽爲三吳。

(3)唐梁載言《十道四蕃志》以吳郡、吳興、義興爲三吳。

(4)宋程安禮《歷代地理指掌圖》以蘇、常、湖三州爲三吳。

(5)《名義考・地部》以蘇州、潤州、湖州爲三吳。

以第(1)、(2)種說法比較通行。


## 【三河】

漢代以河內、河南、河東三郡爲三河。《史記・貨殖列傳》記載：「昔唐人都河東，殷人都河內，周人都河南。夫三河在天下之中，若鼎足，王者所更居也。」即指今洛陽市附近黃河南北一帶地區。


## 【三晉】

是指春秋末，晉國爲韓、趙、魏三家瓜分，即戰國時期所謂三晉。其三國占有之疆域，地理上亦稱三晉。戰國時三晉範圍屢有變遷，大致包括今山西、河南與河北部分地區，後成爲山西省的別稱。


## 【百粵】

即百越。《史記・李斯列傳》記載，李斯在獄中上奏二世書中說，「非地不廣，又北逐胡、貉，南定百越，以見秦之強。」自越王勾踐六世孫無強爲楚所敗，後裔分散各地建立政權，如東越、閩越、甌越、西越、駱越。今江蘇、浙江、福建、江西、湖南、兩廣之地皆爲古越族所居，故泛指其地爲百越。即以古民族名稱爲古地區之稱。

## 【湖廣】

元置湖廣行中書省，轄境爲宋之荊湖北路、荊湖南路和廣南西路，相當於今兩湖、兩廣部分地區。明代分爲湖廣布政使司、廣東布政使司和廣西布政使司，而湖廣布政使司，所轄境爲今湖北、湖南兩省地，故湖廣始專指兩湖地區。清代分爲湖南、湖北二省後，習慣上仍稱兩省總督爲湖廣總督。

## 【嶺南】

又稱嶺表、嶺外。指越城、都龐（一說爲揭陽）、萌渚、騎田、大庾等五嶺（位於湘、贛與粵、桂等省區邊境）以南地區，包括廣東、廣西地區。唐置嶺南道，後爲方鎮名。

## 【南中】

泛指國土之南部，即南方。又古地區名，如《三國志·蜀志·諸葛亮傳》注引《漢晉春秋》載爲諸葛亮七擒七縱孟獲「遂至滇池，南中平」。即指今天四川大渡河以南，雲南、貴州兩省一帶地區。又指嶺南地區。

## 【北方】

是就我國古代中原以北的廣大地區而言。大致相當於今天的河北、山西、陝西以北，貝加爾湖以南，大興安嶺以西，賀蘭山以東的廣大地區。

## 【西域】

西域之稱始於漢，古文獻中始見於《漢書·西域傳》。有狹義、廣義之分：狹義西域指玉門關以西，巴爾喀什湖以東和以南的廣大區域。漢武帝時曾派張騫兩次出使西域，宣帝時始置西域

都護。人們泛指蔥嶺以西，包括中亞、西亞、印度半島、歐洲東部，非洲北部諸國為西域。這就是廣義之西域。十九世紀末以後，西域名稱漸廢而不用。

## 【西河】

春秋時期為衞地。《史記・孔子世家》記載：孔子答衞靈公問時說到蒲（今河南長垣縣境）「其男子有死之志，婦人有保西河之志。」即指今天河南浚縣、滑縣一帶。戰國時期之魏地，郡名，吳起為西河守；《史記・仲尼子弟列傳》載：「子夏居西河教授，為魏文侯師。」即今陝西東部黃河西岸一帶地區。一說子夏所居之西河為河南安陽。

## 【四瀆】

古代對我國四條大水的總稱。最早見於《爾雅・釋水》稱江（長江）、河（黃河）、淮、濟（源出河南濟源縣西王屋山，下流屢經變遷。自山東梁山縣東至濟南市北略同今黃河道，下至海略同今小清河道）。《水經注》：「江、淮、河、濟」各有專條。濟，《周禮・職方》、《漢書・地理志》和《說文》又作「泲」。

## 【三山】

我國古代傳說中的三神山，最早見於《史記・秦始皇本紀》，記載齊人徐市等上書言：「海中有三神山，名曰蓬萊、方丈、瀛洲。」認為那裡是神仙居住的地方，有長生不老藥，禽獸等都是白色的，用黃金白銀作宮殿。所以，始皇命徐市帶領童男女數千人，入海求仙。這三神山純屬人們想像，實際並不存在。徐市入海也不見歸。

## 【五嶽】

我國古代五大名山的總稱。即東嶽泰山，西嶽華山，南嶽衡山，北嶽恆山，中嶽嵩山。我國古帝王祭祀山嶽的制度起源很久，但五嶽之說則屢經變化。《尚書・堯典》是初記帝舜「東巡守，至於岱宗」，「望秩於山川」，其後又南巡至南嶽「如岱禮」，又西巡至西嶽和北嶽等地進行祭祀。是書雖沒有明確中嶽嵩山，但已提出嵩山之名。《爾雅・釋山》有兩種五嶽說，後人釋者紛紜。據考五嶽制度確立於漢代，漢宣帝時曾以河南嵩山為中嶽，泰山為東嶽，天柱山為南嶽，華山為西嶽，河北恆山為北嶽。以後又改湖南衡山為南嶽。明後以今山西渾源恆山為北嶽。

（王兆明　張文喜　傅朗雲）

# *3* 家庭、宗法制度

## 一、家庭、宗法制度研究的意義和簡況

　　婚姻、家庭、親屬、宗族是社會生活的一個重要領域，是人類社會活動的一種基本因素，是研究、闡明社會發展史的重要內容。隨著社會生產的發展和人口的增加，地區關係代替血緣關係形成新的人類共同體，出現了階級和國家，家庭便逐漸降為從屬地位；但家庭成員間的關係仍然是人們社會關係的重要組成部分，是各種社會關係的基礎。謀取物質生活資料是維持自身的生存和種族蕃衍的前提，也是家庭存在的前提。各個家庭謀取物質生活資料的方式的總和，就是生產方式。在階級社會裡，完全受所有制支配的各種不同類型的個體家庭，正是形成社會各階級的基礎。家庭是人們日常生活的中心，也是生活方式的集中表現。研究社會歷史必須研究家庭的結構、各種形態及其發展過程，認識構成社會的細胞形態，才能認識整個社會。不能把生產方式和家庭對立起來，只肯定生產方式決定社會制度，而忽視兩種生產的聯繫。勞動發展階段和家庭發展階段是同時進行的，相互聯繫的。物質生產的目的是為了人類生命的生產和再生產，二者是構成人類社會存在的兩種基本因素，但兩者的作用應當結合具體歷史時期來分析。家族、宗族只是家庭形式的不同規模和形態。

　　中國歷史上的家庭、家族、宗族組織與歷史上的政治制度如

分封制、嫡長繼承制、門閥制度、封建族權有直接關係，而意識形態方面的宗法觀念又是維護正統觀念、等級名分、繼承權利及統治階級內部秩序的傳統思想。這些歷史文化的遺產既給後代留下孝敬父母，敬老撫幼，重視家庭的和睦、穩定等積極的遺產，也留下了家長制、大男子主義等等消極的歷史負擔。因此，了解有關的內容是研究社會歷史結構和社會發展過程及其規律的需要，是閱讀古籍文獻所必備的知識。

我國古代所謂家者，是以父子、祖孫、兄弟或叔侄及其妻妾等為中心的生活共同體，以養老撫幼、蕃育種族為其社會職能，以同居共財為其特徵。有固定的夫妻關係才能確定父子關係，在組成經濟生活的共同體之後，才有家庭。所以家庭萌芽於對偶婚制。按血統關係計算世系來劃分，可分為父系家庭、母系家庭、雙重世系家庭。按照領導地位的繼承、世系的計算、遺產繼承權利等劃分，又可分成母權制、父權制家庭。按照家庭組成情況又可分為只包括父母、子女兩代人的核心家庭，還可以包括三代人以上的直系親屬或旁系親屬的擴展家庭。當父系氏族公社的生產資料已由家庭占有、使用之後，家庭就成為生產和生活單位，家庭成員共同勞動、共同消費，被稱為家庭公社。根據血緣關係的遠近，中國古代把五服之內的父系親屬都叫親族或家族，其中包括若干個核心家庭，如果幾個世代的家族成員仍然同居共財，人們就稱之為大家庭；如果已經分居異炊，則彼此之間仍然是家族。

宗族是以父系血緣關係聯繫在一起，並承擔一定的權利和義務，而組成以崇奉共同始祖的宗祠為標誌的宗法團體。族，類也。劃分族類的標準以父系血統的親疏遠近。《左傳‧桓公六年》：「親其九族」，《周禮‧小宗伯》：「掌三族之別，以辨親疏」，《尚書‧堯典》：「克明俊德，以親九族。」鄭玄以父、

子、孫解釋「三族」。「九族」的解釋則異說紛紜，馬融、鄭玄等主張自高祖至玄孫九世宗親爲九族；杜預與孔穎達解釋「九族」卻包含父族、母族、妻族，即包括宗親和姻親。古文獻中對家庭、親族、家族、宗族等概念的使用並不十分嚴格，比如家、室，可以連起來說「家室」、「室家」，似乎既可指核心家庭，又可指擴展家庭。因此家的內部結構，有哪些不同的形態只能結合具體材料來研究。但血緣關係和婚姻關係是家庭、家族等社會關係的基本構造。

我國古代最早有系統的關於家庭與宗法的研究要算《爾雅・釋親》、《儀禮・喪服傳》、《禮記・喪服小記・大傳》等，記錄並整理了先秦時期的親屬稱謂，而親屬稱謂是婚姻和血緣關係的反映。《爾雅・釋親》將周代親屬稱謂分成宗親、母黨、妻黨、婚姻等四個部分共 97 種親屬稱謂。宗親包括己身直系和旁系親屬及其配偶共 45 種，但對幼輩親屬稱謂記錄較少。母黨親屬指母之直系及旁系尊親共 11 種。妻黨稱謂 19 種，包括妻之宗親、己身兄弟姐妹的配偶及其後裔、父之姐妹的後裔、己身之女的後裔等。婚姻稱謂 14 種包括己身丈夫的親屬和子女的配偶。還有八種沒有歸類，用以描述親屬關係。從親屬稱謂的多少說明重視宗親與姻親的區分。《儀禮・喪服傳》全面論述了親屬之間的喪服關係。其他的先秦典籍記錄的家庭關係都比較零散，可以補充、印證《爾雅》的記載。

漢代以後關於宗法與家庭的研究分成幾個系統：

㈠《爾雅》、《釋名》、《方言》、《說文》、《廣韻》等字典辭典系統，從解說親屬稱謂研究家庭關係。

㈡經傳注疏系統。如鄭玄、杜預、孔穎達等人在給儒家經典作的注疏中，闡述了古代家庭關係。有的學者則寫成單篇論文、專著、筆記，如清代程瑤田《宗法小記》等。

(三)典制律令系統。封建社會政治上規定門閥等第、敕封、恩蔭等特權需要確定親屬關係，法律上為處理身分、財產等關係也要制定相應的律令，歷朝封建政權更需要利用家族、宗族，以加強其統治，在歷代的政書中保存著有關的大量資料。

(四)宗族團體的資料。如宗譜、族譜、家規、家禮、家範等。

(五)儒家學說中親親、尊尊、父慈、子孝等倫理道德規範，是關於家庭、親屬關係的占統治地位的意識形態。總之，封建社會裡研究家族、宗法多偏重於政治、社會生活的實際需要，目的在於維護封建秩序。

近代西方思想傳入我國，研究課題和研究方法有了新的變化。本世紀初，嚴復把英國甄克思《社會通詮》、斯賓塞《羣學肄言》譯為中文，對於中外古代社會相似之處，以附注形式加以說明。三十年代，摩爾根《古代社會》、恩格斯《家庭、私有制和國家起源》也譯為中文。社會調查、民族調查等方法的應用也做出一定成績。社會學、民族學、民俗學的理論將婚姻、家庭、親屬、宗法等作為一種社會歷史現象，研究其發展演變過程和歷史形態，闡明其結構和社會職能。三十年代出版了一批專著，如袁業裕《中國古代姓氏制度研究》（1936）、雷海宗《中國的家族制度》（1937）、馮漢驥《中國親屬制度》（1937 年英文版）、芮逸夫《中國親屬稱謂制度的演變及其與家庭組織的相關性》（1948年）、李玄伯《中國古代社會新研》（1948）、郭沫若《中國古代社會研究》（1931 年）、呂振羽《史前期中國社會研究》（1933年）都很重視古代婚姻、家庭、宗法的研究。

而後，中國古代史分期問題的討論，特別是大規模的考古發掘和民族調查工作的開展，使婚姻、家庭史的研究從引經證史發展為以考古學、民族學、民俗學為主要內容的理論探討。但大多偏重於上古部分，對秦漢以後的研究成果不多。

# 二、婚姻制度的演變

　　婚姻是社會關係之一，其社會作用在於人類的自身生產，即種的蕃衍。在君臣、父子、夫婦、兄弟、朋友五種倫常關係中，有夫婦關係才有父子、兄弟關係。《禮記‧昏義說》：「男女有別，而後夫婦有義；夫婦有義，而後父子有親；父子有親，而後君臣有正。」婚姻制度是家庭形式的反映，有什麼樣的婚姻制度，也就產生什麼樣的家庭形式，家庭的類型是根據婚姻制度來劃分的。了解中國古代社會，閱讀古代文獻就應該了解婚姻與家庭的知識。在研究人類的婚姻和家庭發展史時，既要注意它的共同規律，也要注意它的特殊規律。下面我們主要談談漢族古文獻有關的內容，其他民族的材料只作旁證。

## (一)原始社會的婚制

### 1. 原始羣婚

　　在原始社會，人們利用粗糙的舊石器以採集、捕捉小動物爲生，依靠過羣團的生活維持生存。這時的婚姻形式如《呂氏春秋‧恃君》所說，是「其民聚生羣處，知母不知父，無親戚兄弟男女之別，無上下長幼之道」的羣婚生活。但並不是性關係毫無限制的雜交，因爲黑猩猩都本能地嚴格遵循母子之間不相交配的原則。

### 2. 血緣羣婚

　　原始羣爲了生計必須分成小集團，它就不得不分出血緣家族。生產上出現了按年齡和性別的自然分工，婚姻關係也逐步排除了親子間的婚配，主要限制在同輩男女之間。這種血緣家族標

誌著原始羣的解體，第一個社會組織形式的出現。華夏族有伏羲與女媧以同胞兄妹而結成夫婦的傳說。《後漢書·南蠻傳》記載：高辛氏女配槃瓠後，經三年，生子十二人，六男六女。槃瓠死後，遂自相夫妻。國內有的少數民族在民主改革前也保留著血緣親族通婚的殘迹。血族羣婚使同輩男女之間既是兄弟姊妹，又互爲夫妻。所生子女知母而不知有父，爲母系所共有，血統世系由母系確定。親屬稱謂反映了婚姻關係，有了按輩分劃分的稱謂：祖父母、父母、兄弟姊妹、子女、孫子女等；但尚無祖父母與外祖父母、兄弟姊妹與從兄弟姊妹、子女與外甥子女的區別。

### 3. 亞血族婚

亞血族婚亦稱普那路亞婚。十九世紀發現夏威夷羣島上存在由氏族的一羣兄弟和另一氏族的一羣姊妹之間實行氏族外的羣婚制，這些共妻的兄弟間和共夫的姊妹間互稱爲普那路亞（意爲「親密的伙伴」）。這種羣婚家庭已經排除了同輩兄弟姊妹間的通婚關係，實現了從血緣近親族內婚向族外婚過渡。男子屬於母方氏族，只是到妻方過婚姻生活而已。傳說中舜、象兄弟和娥皇、女英姐妹之間實行共夫、共妻。《爾雅·釋親》中稱：「妻之父爲外舅，妻之母爲外姑。」「婦稱夫之父曰舅，稱夫之母曰姑。」這種親屬稱謂反映了亞血族婚的痕迹。由出自同一個祖母的若干代女性後裔轉化爲母系氏族，而男子則到其他氏族尋找配偶而「從妻居」。因而出現了不穩定的偶居現象。男子「從妻居」，故稱爲「出」。《爾雅·釋親》：「男子謂姊妹之子爲出，女子謂晜（昆）弟之子爲姪，謂出之子爲離孫，謂姪之子爲歸孫。」姊妹之子要外嫁於其他氏族過婚姻生活，其所生子女已不屬原來氏族，故叫離孫。晜（昆）弟之子屬於其他氏族，但必須回嫁至本氏族，故稱爲姪，稱其子爲歸孫。由於實行族外羣婚

制，產生了後來的左昭、右穆的神主排列制度。

### 4. 對偶婚

在普那路亞婚中形成某種或長或短時期內比較穩定的成對配偶制，即對偶婚。這時一個男子在許多妻子中有一個主妻，而他對於這個女子來說是她的許多丈夫中的一個主夫。女娶男嫁的從妻居只不過是暫時的婚姻生活，沒有共同的經濟基礎，夫妻關係不甚穩固而容易離異，血統、世系和財產繼承仍按母系確定。此時乃是母系氏族晚期的婚姻形式。對偶婚是亞血族婚的配偶範圍的縮小，也是向一夫一妻制過渡的一種形成。對偶婚也是家庭的萌芽，母系氏族轉化爲母系家庭公社。對偶婚的家庭公社是幾個家庭居住在一幢房子內，每個婦女另有一小屋以招待來訪者，母系血緣仍起主要作用，世系從母計算，在生活中實行共產主義原則。出現女娶男嫁比較穩定的對偶婚家庭以後，娶進來的丈夫使父系血緣關係滲透到母系家庭，有了父子關係，有共同經濟利益的利害關係，有了夫妻、父子、岳母、女婿、姨父、姨侄等親屬關係。

### 5. 一夫一妻制婚

由母系氏族向父系氏族過渡是一次激烈的社會變革。父系氏族按父系血統計算世系，財產由子女繼承，男娶女嫁，男子是社會和家庭的核心，有權支配家庭的財產和家庭的成員，這就是父權制家庭。這種變化主要是經濟因素促成的。農牧業生產的發展，使男子成爲生產的主要承擔者，婦女的主要任務則是照顧子女和其他家族勞動。男子在生產中所處的地位，決定了在產品分配中的作用。私有財產產生之後，在父權制家庭中，男子要確保自己的財產，並將它傳給自己的子女，他就要求男女長期固定婚

配，女從夫居，實行丈夫對妻子的獨占同居，即建立一夫一妻制。一夫一妻制的最後勝利乃是文明時代開始的標誌之一。

在原始社會晚期，父權制的發展，使妻子由男女平等的地位下降為被奴役的地位。少數富有者通過戰爭掠奪女俘或買賣婚姻，娶妻納妾，實行一夫多妻制度。一夫多妻制曾普遍流行於家長奴隸制階段，在階級社會中也一直存在。

## (二)奴隸社會、封建社會的婚制

華夏族進入文明社會之後，貴族實行一夫多妻制，一般庶人實行一夫一妻制。

### 1.貴族階層的一夫多妻制

商代的婚姻制度由於資料的限制已無從稽考。從甲骨文記載的商王祭祀先王和多位先妣的記錄來看，有「多帚（婦）」、「多子」、「多子族」之稱。如中丁二配妣己、妣癸，祖辛二配妣甲、妣庚，武丁有三配，祖丁有四配。據統計高宗武丁有六十四妾，其中有享有封邑的「婦好」等。

周代的貴族流行一夫多妻制。《公羊傳·成公十年注》：「唯天子娶十二女。」《禮記·昏義》：「古者天子後立六宮，三夫人，九嬪，二十七世婦，八十一御妻。」這些數字未必可靠，但天子除后以外尚有妃嬪則是可以肯定的。後代的皇帝除冊立皇后外，尚有皇貴妃、貴妃、妃、嬪、貴人等不同爵秩的妻子。《漢書·外戚傳》：「嫡稱皇后，妾皆稱夫人。又有美人、良人、八子、七子、長使、少使之號焉。至武帝制倢伃、娙娥、傛華、充依，各有爵位，而元帝加昭儀之號，凡十四等云。」皇帝的三宮六院妻妾成羣，史不絕書。

周代諸侯的配偶，《禮記·曲禮》說：「公侯有夫人、有世

婦、有妻有妾。」《公羊傳》說「一聘九女」，一位夫人，兩位
媵；此三人又各隨嫁有兩位姪、娣。卿大夫沒有媵制，但有姪
娣。士一妻一妾，不備姪娣。後代的貴族官僚仍流行一夫多妻
制。

### 2. 庶人實行一夫一妻制

《論語・憲問》：「豈若匹夫匹婦之為諒也。」疏：「匹夫匹
婦謂庶人也，無別妾媵，惟夫婦相匹而已。」庶民中之富有者也
有買妾的，或因妻未生子而娶妾的，當是少數。

一夫一妻制的特點是專限與固定的配偶同居，具有穩定性。
西周以來的統治者從維護宗法等級秩序的觀念出發，特別強調婚
姻的作用。《禮記・內則》說：「禮始於謹夫婦，為宮室，辨內
外。」《禮記・郊特牲》說：「男女有別則然後父子親，父子親而
後義生，義生然後禮作，禮作然後萬物安。」把婚姻和家庭看成
維護社會秩序的基礎，這是齊家、治國、平天下的統治思想的反
映。《周禮・地官》大司徒的職責之一是「以陰禮教親，則民無
怨。」注：「陰禮，謂男女之禮。婚姻以時，則男不曠，女不
怨。」又設有「媒氏」，「媒氏掌萬民之判。凡男女，自成名以
上皆書年月日名焉。令男三十而娶，女二十而嫁。凡娶判妻入子
者皆書之。中春之月，令會男女。於是時也，奔者不禁。若無故
而不用令者罰之。司男女之無家者而會之。」國家政權重視締結
婚姻，繁育人口，設有專門的登記、介紹機關，允許仲春之月男
女之社交自由，使無曠夫怨女以安定社會秩序。歷朝的法律中都
有關於婚姻的規定。

一夫一妻制是父權制的產物。它的穩定性除受到社會和法律
的約束外，還表現在父權制的決定作用。婚姻關係的成立要遵從
父母之命，媒妁之言，得到社會的承認。《公羊傳・僖公十四年》

說：「禮，男不親求，女不親許。」《詩經・齊風・南山》：「取妻如之何？必告父母。……取妻如之何？匪媒不得。」都說明男女沒有婚姻自主權。逾園穿穴，桑間濮上的男女相戀受到社會輿論的譴責。婚姻關係的締結還要經過法定的程序，即納采、問名、納吉、納徵、請期、親迎。六禮的每一個環節，男方都要送給女方禮物，如果變為索要豐厚的彩禮，使婚姻關係具有買賣的性質，實質上就進一步鞏固了男尊女卑的夫權。男女結婚沒有自由，離婚同樣沒有自由。離婚決定於父母或丈夫，而婦女不能提出離婚。「七出」就規定了舊時休棄妻子的七條理由：無子、淫佚、不事姑舅、口舌、盜竊、妒忌、惡疾，妻子有此一條者，即被休棄。封建宗法制度要求婦女成為忠順的奴隸和傳宗接代的工具。

父權制下的一夫一妻制婚姻講究門當戶對，體現出不同階級、等級間的政治行為。異姓諸侯通過聯姻活動，結成政治上的同盟關係。秦晉之好為春秋時期的爭霸戰爭服務。門閥制度下的婚姻關係是鞏固士族特權的手段。在父家長制的統治下，子女在家庭中沒有地位，而在夫妻關係中則是男尊女卑，夫權至上。

### 3. 婚姻民俗的傳承

漢族和各少數民族的婚姻形式以民間習俗的形式傳遞下來，但其性質、手段和構成婚姻的方式已有變化。

#### (1)掠奪婚

古代氏族部落實行外婚制時，通過戰爭手段俘獲婦女而形成一種野蠻的強制婚姻形式。奴隸制社會、封建社會中戰勝者掠奪子女玉帛作為戰利品，極少數有權勢的豪門貴族掠奪民女的故事反映這種婚制的存在。但多數情況下已轉化為具有喜劇色彩的婚禮儀式。《周易・屯》：「乘馬班如，匪寇，婚媾。」這說明掠奪

婦女的形式不是盜寇活動而是婚禮中的表演。全國解放前，雲南景頗族、傣族、傈僳族，黔南瑤族，北方的蒙古族等都有以掠奪方式實行迎親的習俗。

### (2)轉房婚

《史記・匈奴列傳》：「父死，妻其後母；兄弟死，盡取其妻妻之。」這種婚俗既有兄弟共妻，姊妹共夫的遺俗；又有家庭奴隸制階段，家長實行一夫多妻制，妻子是用彩禮買來的，轉房婚是一種財產繼承轉移的變異形式。轉房婚在春秋時期有烝、報等名稱。《左傳・桓公十六年》記載衛莊公死，子宣公烝於莊公之次妃夷姜。這是兒子在父死後娶庶母。此外，尚有晉獻公烝於齊姜，昭伯烝於宣姜，晉惠公烝於賈君等記載。《左傳・宣公三年》「（鄭）文公報鄭子之妃，曰陳媯。」杜預注云：「漢律：淫季父之妻曰報。」這是男子在叔伯死後與其配偶結婚。長輩娶晚輩之妻也是轉房制的一種。晉文公娶其侄公子圉之妻懷嬴爲妻，而懷嬴爲秦穆公夫人之女，秦穆夫人又是晉文公之姊，實即舅父與外甥女婚。轉房婚制使財產和勞動力不因婦女改嫁而外流，但給家內親屬身分帶來紊亂並和儒家的倫常觀念衝突，被視爲淫穢亂倫的惡行，而逐漸淘汰。

### (3)媵妾制

媵制是貴族女子出嫁，須有同姓的娣、侄和奴婢隨嫁。這是由一羣姊妹同嫁一羣兄弟的遺俗發展爲一夫多妻制。《詩經・大雅・韓奕》：「諸娣從之，祁祁如雲。」傳：「諸侯一娶九女，二國媵之。」《左傳・隱公三年》：「（衛莊公）又娶於陳曰厲媯，生孝伯，早死。其娣戴媯，生桓公，莊姜以爲己子。」厲媯、戴媯是姐妹同嫁與莊公。《公羊傳・莊公十九年》：「媵者何？諸侯娶一國，則二國往媵之，以姪娣從。」根據杜預的解釋，諸侯之娶，適夫人及左右媵各有姪娣，皆同姓之國，國三

人，凡九女。戰國以後媵制不再見於記載，而陪嫁丫頭的制度則與封建社會相始終。

### (4)買賣婚

古代氏族外婚制實行議婚的一種形式，男方以相當數量財物為代價締結婚約。這種私有制婚俗非常普遍。古代「六禮」中的「納采」、「納吉」、「納徵」即以聘金彩禮形式議定婦女的身價。因包辦婚姻而形成的買賣婚使婦女處於被壓迫的地位，也使許多人因貧困而無法成婚。至於販賣婦女、拐騙人口的買賣婚更是一種畸型的發展。

### (5)服役婚

服役婚以男子赴女方家服一定時日的勞役為結婚條件。如果長期從妻居則變為入贅婚。男子稱為贅婿。

### (6)自願婚

以男女雙方相愛而自願結合的婚姻也有古老的傳統。《周禮》：「仲春之日，令會男女，於是時也，奔者不禁。」在文學作品中留下了男女青年不顧父母之命和反抗封建禮教的悲劇故事，而卓文君與司馬相如結合的故事則是自願婚成功的佳話。封建婚姻的門第觀念，財富與權勢，父母包辦，男女授受不親等禮法規定為自願婚造成強大的阻力，至今仍有其影響。

## 三、家庭形式的演變

人類社會發展到母系氏族的鼎盛時期，產生了對偶婚才出現了家庭的萌芽。過去人們沿用摩爾根提出的「血緣家庭」、「普那魯亞家庭」等提法，把羣婚時代的婚姻關係都稱作「家庭」。現代科學意義上的家庭是指形成了固定和穩定的婚姻關係，並由夫婦雙方及其未成年的子女組成的經濟生活單位。即是說家庭是

由婚姻和親子關係聯繫在一起，以人類的再生產爲其社會職能，負責養老撫幼，有共同的經濟利益並同居的人組成的共同體。家庭的產生和變化是隨社會經濟生活和婚姻制度的演變而演變的。

## (一)母系家庭公社時期的對偶婚家庭

母系氏族階段產生的母系大家庭，通常由一個始祖母所生的幾代後裔組成。實行共同勞動，平均分配，所以被稱爲母系家庭公社。母系氏族進入繁榮階段實行對偶婚，形成了若干不穩定的對偶家庭。這種婚姻關係不穩定，容易離散，也不是社會經濟生活單位，但它是一夫一妻制個體家庭的萌芽，爲眞正的個體家庭的出現創造了前提。它以女子爲核心，世系按母系傳遞，財產按母系繼承。

## (二)由母系氏族向父系氏族過渡的雙系家庭

由於生產的發展，私有制的產生，男子在家庭中的地位提高了，男子娶妻的從夫居家庭與女子不嫁而育的從妻居的對偶家庭並存，於是產生了雙系家庭。按母系血統計算世系和按父系血統計算世系並存，舅表、姑表兄弟姊妹共同生活在一起，不禁止大家庭內部的姑舅表婚。這種家庭如果將全部姊妹遣嫁出去就發展爲父系家庭，如果讓男子到其他氏族從妻居就退回到母系家庭。雙系家庭是一種過渡形態。

## (三)父系大家庭

父系大家庭，又叫父家長制家庭或父系家庭公社。父系氏族代替了母系氏族，實行男娶女嫁，按父系計算世系和繼承財產，氏族、部落的公共職務亦由男子承襲。它是由若干對夫妻及其子女組成的既是生產、生活單位，又是父系血緣集團的公社。雖已

有家內奴隸，但社會上還沒有明顯的階級分化。當父系大家庭內的個體家庭在私有制發展之後能獨立地進行生產，有自己的家庭經濟，它就要從大家庭中分解出來，析產分居，成為瓦解氏族制的力量。私有制孕育著個體家庭，個體家庭又促進私有制經濟的繼續發展。個體家庭出現使天下為公的原始社會向天下為家，各親其親，各子其子，貨力為己的私有制、階級、國家過渡。

## (四)一夫一妻制家庭

一夫一妻制婚姻和家庭的最後確立，已進入文明時代。它是一對夫妻及其子女組成生產、生活單位，家庭財產是父死子繼，公共職務亦由推選逐漸變為父子相繼承襲。父權、夫權建立在一夫一妻制的婚姻、家庭之上。在夏、商、周族的歷史傳說中，禹、契、后稷以後的歷史反映了一夫一妻制家庭的確立。

## (五)奴隸社會的幾種家庭

### 1. 一夫多妻制的貴族家庭

周代貴族是領有氏的居民，周王、諸侯、卿、大夫是高級貴族，士是低級貴族，都實行一夫多妻制。貴族家庭已脫離生產，而只是消費和生育單位，分有采邑和祿田。它建立在私有制和剝削制度的基礎上。由於分化出新的氏，它的規模不能太大。貴族家庭處於宗法制度之下，受宗族的支配，從屬和依賴於宗法團體。

### 2. 庶人的一夫一妻制家庭

「庶人力於農穡」（《左傳・襄公九年》），「庶人食力」（《國語・晉語》），庶人是農業生產的主要負擔者。周代無論國中或野中的庶人，都是生活在農村公社共同體中。諸侯國都及其

郊區的庶人是國人的主體。國人劃分爲若干鄉，《國語‧齊語》說的「士鄉」十五，《周禮‧地官》說的「六鄉」都指國人。他們向貴族繳納什一比率的收穫物，並自備武器和乾糧，組成軍隊。農村公社是一種地域性的組織，不是血緣性的氏族公社。周代的農村公社已是階級社會的再生形態。居民編制的形式或者如《齊語》所說，按「五家爲軌，……十軌爲里……四里爲連，……十連爲鄉。」或者如《周禮‧大司徒》所說：「令五家爲比……五比爲閭……。」但都是以家爲單位來編組居民。「方里而井」，里、閭一級可能就是國人的農村公社的實體形式。

土地歸公社集體占有，定期重新分配給各家耕種。《周禮》中的小司徒、遂人、鄉大夫負責管人口登記和土地分配。這種家庭的規模可從「上地家七人，可任也者家三人；中地家六人，可任也者二家五人；下地家五人，可任也者家二人」（《周禮》卷三）的記載中了解其人口和勞力的情況。住在郊以外的野中庶人被稱爲野人。他們是專門從事農業生產的農村公社成員，可能來自被征服者、戰俘、從外地遷入者，又稱爲氓。野中有公田、私田的區別，私田即份地，上地夫一廛田百畝，重分時，還根據休耕制分配不同數額；公田是集體耕種，收穫物爲貴族占有。野中庶人按《周禮‧遂人》所說是以「五家爲鄰，五鄰爲里……」來編制的。野中農村公社的實體形式應是邑，《小司徒》說：「四井爲邑」，邑也可稱「社」。每個家庭稱爲「室」，或「宅」、「室家」、「家室」。「上地夫一廛，田百畝」。廛，指居住單位，可能包括授田的正夫和未授田的餘夫，大體每個家庭是五口人的規模。

### 3. 奴隸的家庭

奴隸主強令奴隸成家是繁育奴隸的一種手段。金文中常見賞

賜「臣若干家」等記載，即賞賜奴隸若干家。奴隸有從事工商業的，有從事畜牧業的，有從事家務勞動的。管仲在齊國設置「工商之鄉六」。「工之子恆爲工」，「商之子恆爲商」，「庶人、工商各有分親」。說明奴隸有親屬，有家庭，而且世代爲奴。他們的家庭規模不可能很大。戰俘，在政治鬥爭中失敗的貴族，買賣或交換來的奴隸，債務奴隸，罪隸等是奴隸的來源。奴隸也分成不同等級，其中的一部分有家室，許多奴隸是沒有家室的。

## (六)封建社會的個體家庭和大家庭

社會生產力的進步，生產效率的提高，私有經濟的發展，使個體家庭的經濟力量增強。隨著井田制的瓦解，農村公社土地不再重新分配，長期固定使用，使個體家庭實際上獲得了土地私有權，男耕女織，一家一戶的小農經濟成爲普遍的形式。春秋戰國時期，各諸侯國爲了增加人口，發展本國經濟，實行獎勵生育，分產析居的政策，鼓勵小家庭的增多。齊桓公「令男子年二十而室，女子十五出嫁。」（《韓非子・外儲說右下》）越王勾踐更規定：「令壯者無取老婦，令老者無取壯妻。女子十七不嫁，其父母有罪；丈夫二十不娶，其父母有罪。將免（娩）者以告，公令醫守之。生丈夫，二壺酒、一犬；生女子，二壺酒、一豚。生三人，公與之母；生二人，公與之餼」。（《國語・越語上》）十年生聚，十年教訓，使勾踐成了霸主。商鞅變法規定：「民有二男以上不分異者倍其賦。」國家爲發展小家庭，對不願析產分居的家庭採取懲罰措施。小家庭的規模怎樣呢？魏國李悝的「平糴法」提出：「今一夫挾五口，治田百畝。」說明個體家庭的規模只包括父母及子女，或包括祖父母在內。

封建社會個體家庭的農民，在經濟結構上是自耕農；在政治上，部分是直接隸屬於編戶齊民。還有一些是貴族、官僚、豪

紳、地主的依附農民、租佃農民。只有占有大量土地和政治上有權勢者，才容易維持多代人同居的大家庭。漢代以後，大家庭制逐步有所發展。趙翼《陔餘叢書》卷 39「累世同居」條，輯錄了部分大家庭的例子。漢代蔡邕與叔父、從弟同居，三世不分財，鄉黨高其義。晉代氾幼春七世同財，兒無常父，衣無常主，家人無怨色。唐代劉君良累世同居，兄弟雖至四從，尺布斗粟無人私占。宋代越州裴承詢十九世無異炊。明代石偉十一世同居。當然，像這類累世同堂又無矛盾的事例只是個別情況，所以才載入史册。幾代人不析財分居，人口將在百口以上。五代時，江州陳氏宗族七百口，每食必共坐，犬百餘亦共牢，一犬不至，羣犬不食。這類大家庭是封建制度下新產生的家長制家庭公社。大家庭之所以有所發展，是由於小農經濟的土地、資財有限，為保證農業再生產的經濟實力，避免因分居析產而削弱，要求維護大家庭。

此外，在戰亂時期，組織父子、宗族親兵，結塢築堡進行自衛，比個體家庭也有利。明代浦江鄭濂一家三千人，其廳事有十大櫃，五貯經史，五貯兵器，以備不虞。家庭內部系骨肉血親，養孤撫幼，互相扶持，彼此有所依靠，而儒家學說提倡孝順父母，友於兄弟，又成為維護大家庭的社會意識。但是大家庭內兄弟分若干房，子侄又各有家室，同居共財的大鍋飯生活必然產生許多衝突，且不利於發揮各個小家庭的積極性，因此，要長期維持大家庭是很困難的。近代以來，商品經濟瓦解著自給自足的自然經濟，新的生活方式與傳統禮教的衝突，使大家庭制的瓦解終於不可避免。

# 四、親屬制度及其社會效果

親屬關係是由血緣關係和婚姻關係而形成的社會關係。習慣上分為宗親（特指父系血緣關係）、姻親（配偶的血親及其配偶）、配偶（夫妻）三種。

## (一)分析親屬制度的方法

分析親屬制度有八項區分方法：世代區分、直系與旁系區分、同代人長幼區分、親屬性別區分、呼者性別區分、關係人（通過他與所稱呼的親屬發生關係的人）性別區分、血親與姻親區分、關係人生死區分。

### 1.世代的區分

世代的區分是中國親屬制度的構成規則之一。世代的計算也是親等、親世的計算。直系親相互間，以兩者世數為親等。即從己身往上、下數，以一世為一親等。從己身往上數為父、祖父、曾祖父、高祖父；從己身往下數為子、孫、曾孫、玄孫。上至高祖父，下至玄孫，合起來就是九族。《喪服小記》從喪服重輕論述親屬遠近範圍說：「親親，以三為五，以五為九，上殺、下殺、旁殺，而親畢矣。」父、己、子為三代，血緣最近，喪服也重。上推至祖父，下推至孫，由三代變為五代，血緣稍遠。如再上推至曾祖父、高祖父，下推至曾孫、玄孫，則由五代變為九代，於己身的血緣關係已較遠。這時的喪服要減等，為上輩減等服喪稱上殺，對下即下殺，對旁系血親的喪服減等即旁殺。《禮記·大傳》說：「四世而緦，服之窮也；五世袒免，殺同姓也；六世親屬竭矣。」由己身上推或下推四代為緦喪，是喪服的最後一級；

上推或下推五代爲祖免，即高祖之父，玄孫之子，對己身已無喪服；推到第六代親屬關係已很疏遠了，可不計算。

旁系親計算世代的方法，即從己身或妻數至同源之祖若父，並從所指之親屬數至同源之祖若父，其世數相同者，以一方之世數定之；世數不同者，從其多者定之。如與己身爲同一祖父之後代，爲從兄弟姊妹，謂之第一從兄弟。若與己身爲同一曾祖父之後代，爲再從兄弟，謂之第二從兄弟。據此，則同一高祖之兄弟爲三從兄弟。不同輩分的旁系親，分別從各親屬溯及最近同源的祖先，各計算其世數，以其中世數比較多者爲兩親屬之世數（親等）。計算親等是爲了測定親屬關係的親疏遠近，其應用則根據法律上和喪服上的需要。

確定親屬尊卑關係通常是採用劃分輩分的方法。輩分是親屬在橫的關係上確定彼此的位置。同一世代者爲同輩（平輩），互稱爲兄弟姊妹。上一行爲父輩，再上一行爲祖父輩，而將伯叔、堂伯叔、族伯叔配在父輩，將族伯叔祖等配在祖父輩。下一行爲子輩，再下一行爲孫輩，而將姪、堂姪等配在子輩，將姪孫、堂姪孫配在孫輩。上下輩即尊卑關係，同輩內有長幼關係，按血統又有直系與旁系區別。婚姻和立嗣需要遵守輩分的區別。同宗、同姓不得結婚，而外親——母族、妻族等，即使是無喪服的親戚，亦應遵守尊卑之序，不同輩分不得爲婚。立嗣須同宗且昭穆相當才可以，即只有分別爲父輩與子輩的人才能確立爲承宗祧的父子關係，不能紊亂輩分。

## 2.直系與旁系的區分

直系與旁系的區分，如父子祖孫關係是由上而下的直系血親；如伯叔父母、兄弟姊妹，由同源的祖先相聯繫的非直系親屬，通稱爲旁系親屬。在喪服制度上重視直系親屬，於旁系親屬

則有旁殺。在封建社會的法律上如直系親屬以卑犯尊，處分很重，若是旁系則可減等治罪。旁系親屬在稱謂上有明顯的區別。兄弟的子孫是第一旁系，稱謂有從子、姪、昆弟之子、昆孫等說法。父親的兄弟及其子孫，於父輩稱謂有諸父，世叔父等；於己輩有從兄、從弟、從父昆弟、從妹等。祖父之兄弟及其子孫是第三旁系，有從祖父、從祖昆弟等。曾祖父之兄弟及其子孫是第四旁系，有族曾祖父、族祖王父、族祖父、族昆弟等稱謂。在姻親中也有直系與旁系的不同稱謂。母親的兄弟稱舅，外祖父的兄弟之子則稱從舅，「從」字表示親屬中的旁系。

### 3. 長幼的區分

長幼的區分是中國親屬制度的特徵之一。平輩中根據長幼和性別而區分兄、弟、姐、妹。印歐語系中兄弟是一個詞，沒有長幼的區別，中國實行嫡長繼承制，重視長幼的區別。如伯父、叔父、伯舅、叔舅等。

### 4. 性別的區分

性別的區分對長輩是很明確的，如伯父、伯母；對幼輩不很重視。子可以指兒子和女兒，侄可以指侄兒和侄女，甥可指甥男和甥女，弟指男性，女弟即妹，是為區分性別而加女字。

### 5. 呼者性別的區分

呼者性別的區分，如對兄弟之子女有不同稱謂：姪、從子、尤子。後來分化為姪與侄表示不同的性別。

### 6. 關係人性別的區分

關係人性別的區分，在親屬稱謂中從父昆弟與從母昆弟（姐

妹）是用父或母表示關係人之性別，體現了宗親和姻親的區別。姑表兄弟與舅表兄弟一對稱呼中，姑和舅即表現了關係人的性別。

### 7. 血親與姻親的區分

血親亦稱為宗親，以父系血緣關係來計算。宗親包括祖父母、從祖父母、世叔父母、姑、妹、妻、兄弟妻、子孫妻等。由婚姻關係而引入母系血緣關係為姻親。姻親則指外祖父母、舅父母、從舅父母、姨母、姨表兄弟姊妹等。《爾雅》以婦之父為婚，婿之父為姻，此兩父互為婚姻（俗稱親家）。《唐律疏義·戶婚律》則稱婿之父為婚，妻父為姻。母族、妻族親屬稱為姻親、外親。

### 8. 關係人生死的區分

關係人生死的區別，在親屬稱謂中用先祖、先父稱已死去的祖、父。中古以後，父、母死後稱考、妣；祖父母死後稱祖考、祖妣。

親屬的分類以血統關係分有親系（男系與女系、直系與旁系）形成的內親外親、父族母族、夫黨妻黨、婚族姻族等區別。以橫行關係分則有輩分。從親疏遠近分則有世代親等制，體現在喪服、喪期上則是五服親等制。

## (二)五服親等制

親屬不論內外親，可從其有無服制關係分為有服親與無服親。喪服依其製作樣式和材料的精粗，分為五等：斬衰、齊衰、大功、小功、緦麻。五服各有服期，根據內親外親、直系和旁系、性別等規定不同喪服，服期長短也不同。各服的種類和服

## ⊡附：本宗服制圖

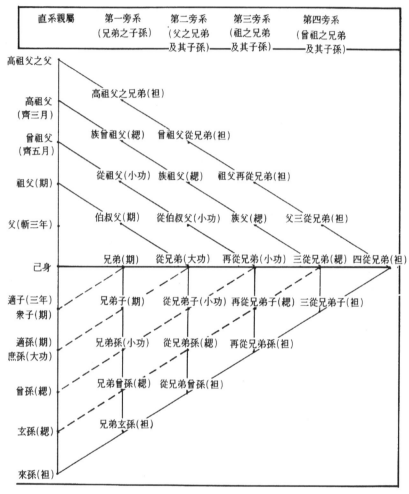

注：①斬——斬衰；齊——齊衰；期——齊衰不杖期；緦——緦麻；
袒——袒免。

②伯叔父、兄弟子本應爲大功親，加其服等。定爲期親。

③直系本宗按親等定服制，尊爲卑服輕，卑爲尊服重。旁系採平等的
相互的服制，如虛線所示。

（錄自戴炎輝《中國法制史》第 205 頁 ）

期，大略如次：

1.斬衰，三年。

2.齊衰，有三年、杖期、不杖期、五月、三月。

3.大功，長殤（十九至十六歲）九月、中殤（十五至十二歲）七月、成人九月。

4.小功，五月。

5.緦麻，三月。

親屬的劃分從有服親分爲期親、大功親、小功親、緦麻親等。五服親外的袒免親，袒指爲喪禮而袒露左臂，免即去冠括髮，並無服期。又根據世代的遠近可以降等，比如兄弟爲期親，從兄弟爲大功親，再從兄弟爲小功親，三從兄弟爲緦麻親，四從兄弟爲袒免親。

## (三)親屬關係的社會效果

親屬關係是以血緣和婚姻決定一個人的身分關係，在禮教上是人倫道德關係；在政治上決定著封贈蔭襲等特權；在法律上與科罪、量刑、緣坐、容隱等密切相關；在婚姻和繼承上則有婚禁、收養、承祧、遺產繼承等規定。這些就是親屬關係的社會效果。

分封制要求宗室親戚在政治上應互相救助以拱衞王室。《左傳・僖公二十四年》：「昔周公弔二叔之不咸，故封建親戚以蕃屏周。管、蔡、郕、⋯⋯，文之昭也；邘、晉、應、韓，武之穆也。凡、蔣、邢、茅、胙、祭、周公之胤也。」《詩經・常棣》高唱：「凡今之人，莫如兄弟。」「兄弟鬩於牆，外禦其侮。」歷代封建君主也多採用分封兄弟子侄，建立諸侯國的辦法，樹立屏藩以拱衞中央政權。諸侯勢力強大，尾大不掉，就會對抗中央政權。西漢吳楚七國之亂以後，漢朝雖然實行強幹弱枝的政策，剝

奪諸侯王的行政和軍事特權，但仍衣食租稅。分封制在中國史上反覆出現，因爲人們總是把親屬關係及其相互承擔的義務放在重要地位上。

在親屬關係中，強調父系宗親的地位，提出親親和尊尊的道德原則，並提高到國策的地位，成爲鞏固父權、君權的意識形態。《左傳・僖公二十四年》：「庸勳、親親、暱近、尊賢，德之大者也。」《周禮・天官・冢宰》：「以八統詔王馭萬民。一曰親親，二曰敬故，三曰進賢，四曰使能，五曰保庸，六曰尊貴，七曰達吏，八曰禮賓。」《禮記・大傳》說：「上治祖禰，尊尊也。下治子孫，親親也。」親親是上輩宗親對下輩的關懷愛護，也包括兄弟之間的親近友愛；尊尊是指下輩宗親對上輩的敬崇愛戴。在親屬關係中強調父系宗親的地位優於其他親屬的地位；而父系宗親裡的直系尊親，即父親、祖父、曾祖父等又處於最尊貴和最有權威的地位。親親包含旁系親屬關係，而尊尊則專指直系尊親關係。根據親親、尊尊的原則在親屬間十分重視親疏尊卑的區別，要求父兄要關懷子弟，子弟要服從父兄，做到父義、母慈、子孝、兄友、弟恭。這一原則運用於政治生活，要求不因家事而辭王事，不以親親害尊尊，即親親要服從於尊尊，乃至「大義滅親」，從而使君權高於父權。孝於親與忠於君在本質上是一致的，所謂「以孝治天下」，就是把倫理道德當作治國的方針。親親、尊尊的原則的具體要求就形成了孝悌忠信等道德規範。

姻親的地位低於宗親，但在社會生活中仍然受到重視。姻親關係被看成兄弟關係。《爾雅・釋親》說：「母與妻之黨爲兄弟」；「婦之黨爲婚兄弟，婿之黨爲姻兄弟。」《喪服傳》稱舅之子爲內兄弟，姑之子爲外兄弟。周代諸侯國之間，通過締結婚姻關係結成政治聯盟，所謂「申之以盟誓，重之以婚姻」，即以甥舅關係來加強和鞏固政治聯盟。在中國的封建社會裡，非常重視

門當戶對的姻親關係，它是維持等級特權的工具。聯姻是政治生活的需要，正如《紅樓夢》所描寫的賈、史、王、薛四家是「一榮俱榮，一損俱損」。至於封建帝王的外戚，憑借皇親國戚的身分、地位影響著當時的政局，如東漢時期多次出現外戚專政的局面。在奴隸社會、封建社會裡姻親關係都是重要的社會關係。

世爵、世職的制度使貴族、官員的親屬可以享受封贈蔭襲等政治特權。世爵指皇帝的宗室和姻親獲得的封爵可以由子孫世襲。清代滿洲貴族的封爵分和碩親王、世子、多羅郡王、長子、多羅貝勒、固山貝子……等十四級可由子孫世襲。世職指功臣勳將獲得的封爵可由其親屬承襲。清代世職分輕車都尉、騎都尉、雲騎尉、恩騎尉等，可由子侄承襲。不同品級官員的父母和妻可以得到朝廷封贈不同的榮譽虛銜，如「誥授奉直大夫」、「誥授一品夫人」、「敕授文林郎」等。官員子弟以恩蔭可以入學讀書，叫做「蔭生」。官員致仕（退休）時，其子弟因恩蔭而得官叫做任子。唐代還規定文武職事官三品以上的周親、同居大功親，並免課役。這一套夫榮妻貴，封妻蔭子，一人當官，親屬沾光的制度是維護等級特權的制度。同時也規定有司法官員、科考官員、地方官員回避親屬的制度。官員不能在原籍任職，直系親屬在同一省作官的，兒、孫要回避父、祖。

親屬之間根據倫理道德的要求有扶養義務。有的家族、宗族設置有族產、義田、祭田等以周濟族內鰥寡孤獨疾病者。近親還負有扶養他們的義務。

封建時代的法律對於維護血族的名分極嚴格，所謂十大罪惡中惡逆、不孝、不睦、內亂、不義等五者都是指違背親屬倫理的大罪。如妻妾犯夫爲不義，親屬相姦爲內亂，都要加重處罰以維護族權、父權、夫權。一人犯罪，則及於宗族，如果是謀反、大逆、謀叛等罪，緣坐的範圍除本族外，或三族（父母、妻子、兄

弟），或五族（加祖、孫）。後魏的法律有：「謀反之家，其子孫雖養他家，追還就戮。」親屬因緣坐而滿門抄斬，或誅連九族，反映了封建法律的殘酷性。一般罪惡，允許父為子隱，子為父隱，這在法律上叫做「容隱」；而大逆、謀反一類除外。

### 四父家長制家庭的內部職能

不管是核心家庭或擴展家庭，只要是同居共財，它就是社會生產、生活的單位。為維持共同的生計，實現物質生產和消費，這就是家庭的社會經濟職能。為了維持家庭的延續和擴大，配偶成家，傳宗接代，實現社會人口的再生產，這就是家庭的社會職能。為了維持家庭成員間的感情融洽，做到精神生活上有共同的公理狀態和行為上有共同的道德標準，這就是家庭的教育職能。家庭對全社會承擔提供勞動力、資金、智力等義務，負有處理家庭與外部的關係，使家庭與整個社會產生相互影響和制約作用，這是家庭的對外職能。在私有制社會的父家長制家庭，家長擁有經濟、法律、教育、宗教等方面的絕對權力。

家產是家庭所擁有的財物和各種不動產，是家庭賴以生活的經濟基礎，維繫著家庭內部生產、分配、消費的各種關係，對外則決定著家庭的經濟影響和社會地位。家庭的財產權，封建法律僅承認為父祖所有，禁止子孫動用和處分家產。父祖在，不得別籍異財。父祖死後叔侄兄弟才能析產分居。也有因父母年老，為避免分家造成兄弟不和而分居異炊的。實行幾代人同居的大家庭，家產繼承上，以長子繼承為主要形式。按喪服規定，長子或長房長孫穿最重的孝服「斬縗」，叫做「承重」、「承孫」、「承重孫」，他們是家長的當然繼承人。

家長是一家之主，對內統管家庭、家族的共同生活秩序，對外代表家庭處理各種事務，有絕對的權威。近代家庭規模較小，

父權、夫權逐漸削弱，平等、協商、互愛、互助的民主制家庭逐漸形成。

各家庭的職業、權勢形成不同的社會地位，即世業、門第、家世的觀念。貴族官僚憑借顯赫的權勢，廣泛的社會關係，累代居官任職而形成高門世族，所謂「官宦人家」、「書香門第」、「將門之後」，這類家庭出身都標誌其門第高貴。「出身寒門」、「世業農桑」標誌其門第雖不高貴但家世清白。一些權奸、降將、貪官、污吏或從事被社會賤視的職業則受到社會輿論的指責、鄙視。家世觀念出自封建的血統論，根據家庭出身將各個家庭分為貴賤不同的等第，使貴者常貴，賤者永賤，而兩家聯姻則十分重視門當戶對。「唯成分論」就是封建血統論的流毒，門第觀念至今仍有影響。

古代的家庭是組成社會生產、生活的單位，在修身、齊家、治國、平天下的進德修業中，強調「家齊而後國治，國治而後天下平」。重視家教，形成良好的家風，歷來受到人們的注意。家訓、家規、治家格言都是總結管理家庭經驗的著作。這些著作除了維護封建禮教的內容外，也記錄了修養品德，處理各種社會關係，養成良好作風的經驗，對管好家庭，教育子女，形成新的社會風尚都是可以借鑒的。傳統家教包括「教」和「管」兩方面。教子女做人的道理，培養其德行；教子女以技藝，傳遞生產知識；教子女讀書識字，知書達禮，進行文化薰陶。違犯家規即給以訓誡或體罰。「養不教，父之過」。將家庭教育當作父母應盡的責任。教育的主要方法是父母的榜樣作用。孩子尚未出生，母親就要重視胎教。幼兒時期通過歌謠、故事進行語言訓練，啓發兒童的智慧。少年時期入私塾或家塾進行文字的啓蒙訓練。男孩子作些輔助勞動，女孩子則學習家務和女紅。成年期間則指導其獨立操作或外出見世面。仕宦之家則教育子女讀書作文，入學科

舉。朱熹著《家範》10 卷，自治家至乳母凡 19 篇，皆摘錄名儒治家的格言語錄和歷史上的事例作爲家教的教材。重視家庭教育是民族的優良傳統。

家庭各有其喜慶事或不幸的事，稱爲家慶和家難。如生孩子、冠禮、婚禮、壽禮、遷居新宅、金榜題名等，或重大喪病及意外禍災。每逢家慶或家難則有親友往來慶賀弔問。一般家庭有供奉祖先的堂屋，家族有家廟或宗祠，由承重的子孫作主祭人，定時舉行家祭，以示愼終追遠不忘先人。家庭常以祖先居住的郡縣名稱標誌其家族來源，叫做郡望。如瑯玡王氏、隴西李氏、潁川陳氏。有的家族還用宅名屋號作爲自己的家號，如「三槐堂王氏」。家庭內部「子不言父名」，回避父祖的名諱叫做家諱。漢代淮南王父名「長」，《淮南子》一書凡「長」字皆用「脩」字代替。蘇東坡祖父名「序」，爲人作序就改用「敍」。

# 五、宗族和宗法制度

宗族是在個體家庭之上，由一共同父系祖先的血緣關係而形成的團體。爲維護父家長制的統治，早在周代就形成了一套宗法制度。宗族、宗法制度在中國文化史上有長遠的影響。

## ㈠宗法制的基本精神

宗法是中國古代血緣關係的一種原則，其主要精神是嫡長繼承制。宗法制以父系血緣關係爲基礎。它的起源，應當追溯到父家長制家庭。在父家長制家庭中，實行一夫多妻制，婦女像財產一樣可以被買賣、轉讓和繼承。在諸妻中分別嫡庶，並把統治權力的承襲變成一種固定的制度，經歷了一個漫長過程。商殷在王位繼承上，起初實行的是兄終弟及與父死子繼並行的制度。在商

殷十七世三十王中兄終弟及者九世十四王，叔侄相傳者四，父子相承者十二。繼承順序一亂，常引起叔伯兄弟之間爭奪王位的衝突。《史記・殷本紀》說：「自中丁以來，廢嫡而更立諸弟子，弟子或爭相代立」，造成「比九世亂」的局面。在商殷後期，兄終弟及制便爲父子相承制所代替。《史記・殷本紀》稱：「帝乙長子曰微子啓，啓母賤不得嗣。小子辛，辛母正后，辛爲嗣。」帝辛即殷紂王，因其爲正后所生得以繼承王位。說明商殷末年已確立嫡長繼承制。

周族在古公亶父遷居周原時，還沒有建立起嫡長繼承制。古公少子季歷繼承周國，而太伯、虞仲卻逃往長江下流，建立了吳國。季歷傳位於其長子昌，昌傳位於其長子發。在周滅殷後，嫡長繼承制才普遍推行。

周代嫡長繼承制體現了嚴格的等級制度的精神，只有嫡長子才是合法繼承人。《公羊傳・隱公元年》所說：「立嫡以長不以賢，立子以貴不以長。」世世代代由嫡長子繼承，使弟統於兄，小宗統於大宗。嫡長子繼承的內容可分財產、世系、權力三方面。西周實行授民授疆土的分封制，子弟親屬受封爲諸侯作爲王室的屏藩，諸侯再分封卿大夫以采邑，士分有祿田，財產和權力的再分配，並傳給嫡長子，這是宗法制的物質基礎。宗主有了這種經濟力量才有能力收聚族人，設立宗廟，設置祭器，四時薦新。「庶人食力」，不得立宗廟，說明宗法制是貴族階層的繼統法。世系的繼承，即血緣共同體成員資格和首領地位的繼承，宗主是嫡長子，是宗族的首領和代表，他是由其先人血統傳下來的，繼承著父家長的地位和權力，這就是宗統。

《國語・魯語》說：「夏后氏禘黃帝而祖顓頊，郊鯀而宗禹；商人禘舜而祖契，郊冥而宗湯；周人禘嚳而郊稷，祖文王而宗武王。」《禮記・王制》說：「天子七廟：三昭三穆，與太祖之廟而

七。諸侯五廟：二昭二穆，與太祖之廟而五。大夫三廟：一昭一穆，與太祖之廟而三。士一廟。」廟數的多少，追溯男性祖先的遠近，祭祖的不同典禮都體現出不同的等級。《左傳・襄公十二年》：「吳子壽夢卒，臨於周廟，禮也。凡諸侯之喪，異姓臨於外，同姓於宗廟，同宗於祖廟，同族於禰廟。」魯君爲哀悼同姓的壽夢，要到魯國設的周文王廟哭喪。魯和邢、凡、蔣、茅、胙、祭等國都是周公之後，屬於同宗，若哀悼同宗的諸侯，就要到祖廟即周公之廟去哭喪。如果哀悼高祖以下的近親宗族的死者，就要到禰廟（父廟）去哭喪。血緣關係的親疏遠近在喪禮上是有差別的。宗廟所在地叫宗邑，也是宗主的所在地，非宗子不得要求分給宗邑。宗子對同宗族人行使父家長的權力。隨著人口增加，宗族蕃衍，形成強大的政治力量並與國君抗衡，如魯三桓、鄭七穆、晉六卿、齊崔田，終於形成公室衰落，政出自家門的局面。

西周實行分封制時，封前朝帝王、諸侯之後，顯然是政治上承認現實力量的行動。如封神農之後於焦，黃帝之後於祝，帝堯之後於薊，帝舜之後於陳，大禹之後於杞，封紂子之後於殷。封原來的同盟者，繼續實行聯合異姓諸侯的政策，以鎮壓東方各族，如封太公望於齊。周武王克商後，封其兄弟之國者十五人，姬姓之國者四十人。平定武庚叛亂之後，周公攝政期間分封子弟二十六國，此後再沒有這樣大規模地分封諸侯。天子在王畿內，諸侯在其國內又分封卿、大夫以采邑，卿，大夫又分給士以祿田。大分封是武裝移民以建立和鞏固政權的措施。天子與諸侯，諸侯與卿、大夫、士形成君臣關係，即君統。周天子與同姓諸侯有兄弟叔侄的血緣關係，又有上下尊卑的君臣關係。從漢代以來的儒者有一種主張，認爲天子、諸侯按君統繼承，宗法制只是大夫士的繼承法，與天子、諸侯無關。另一種看法認爲天子、諸侯

也實行宗法制，《詩經・板》毛詩說：「王者，天下之大宗。」也有人主張：天子，同姓諸侯之大宗。這兩種主張引據的材料多是後人的記述、解說，又不能把西周宗法制的形成和完善的過程說清楚，至今還不能得出統一的結論。

西周初年大封同姓子弟是以血緣關係的約束，使親戚子弟拱衛宗周。親親之義的宗統與尊尊之義的君統結合在一起。天子雖無大宗之名而有政治上的大宗之實。但血緣關係的約束並不可靠，管、蔡以武庚叛，姬姓大國兼併同姓小國。後來天子在同姓諸侯集團中的地位只在某些禮儀上有所表現，卻沒有權威，如《左傳・隱公三年》記載，周平王要與鄭武公交換質子，弄得「周鄭交惡」。周天子的政治、經濟實力的下降，在鬆散的政治軍事聯盟中的共主地位已無法維持，「踐土之盟」，晉文公實召周天子，《春秋》諱之曰：「天王狩於河陽」。宗法制度的目的是確定嫡長繼承制，以避免因爭奪君位的競爭而消耗自身的力量。但事實上，齊桓、晉文都不是嫡長子而奪取了君位。禮法的規定與歷史的實際並不一致。漢代儒者是在統一政權之下強調君統，突出君權，所以認為宗法制只是大夫士階層實行的制度。

## (二)宗法制的內容

過去禮家講宗法，一般都根據《禮記・喪服小記》的說法：「別子為祖，繼別為宗，繼禰者為小宗，有五世而遷之宗，其繼高祖者也；是故祖遷於上，宗易於下，尊祖故敬宗，敬宗所以尊祖禰者也。庶子不祭祖者，明其宗也。」

諸侯國君的嫡長子繼承其父當國君，國君的庶子（即公子），也稱別子，則不能繼承君位。別子與嗣君雖是兄弟，但有了君臣名分，尊卑已不同。別子獲得新氏，另立一家，成為新氏的始祖，這叫「別子為祖」。別子的嫡長子繼承新氏家支，又成

為新氏集團的大宗，這就是「繼別為宗」。只要這個新的同氏集團存在，大宗作為同氏集團領袖和代表的地位就永遠不變，即「百世不遷之宗」。同氏集團奉之為宗主。

繼承別子的嫡長子以外的其他庶子，當他們另立家支時，對大宗而言他們就是小宗。每一個小宗又傳給自己的嫡長子，因為是繼禰（父）的小宗，五世則遷。

別子獲得新氏成為其同氏集團的大宗，也就脫離了國氏集團，與諸侯的關係主要是君臣上下的政治關係。這就是「公子不得禰先君」，「公孫不得祖諸侯」。同氏集團有共同的宗廟，大宗繼承宗廟，主持祭祀，即所謂「傳重」。傳重的嫡長子死後，父為將要繼承宗主地位的長子服斬衰三年。同氏集團的成員尊奉大宗就是尊奉祖先，因為大宗是始祖的化身。

由別子當始祖的同氏集團，只能有一個大宗，但每一世代都會出現一個繼禰的小宗，同時還會有不繼禰的庶子。如果己身是第五代的庶子，他除尊奉一個大宗外，還得尊奉四個小宗；繼禰的小宗（己身長房的長兄），繼祖的小宗（己身的從兄弟、父的長兄之嫡長子、祖之嫡長孫），繼曾祖的小宗（己身的再從兄弟、父之祖的長曾孫、祖之長兄之長曾孫），繼高祖的小宗（己身之三從兄弟、父之曾祖的長玄孫、祖之祖的長玄孫）。四個小宗以繼高祖的小宗與己身的關係最遠。根據喪服的規定：「四世而緦，服之窮也，五世祖免，殺同姓也，六世親屬竭矣。」（《禮記·大傳》）五世無服，所以宗法制度規定「小宗五世則遷」，即只奉繼高祖、曾祖、祖、禰四世傳重的小宗。高祖以上的小宗不再尊奉。每增添一代後裔，他們尊奉的小宗就相應產生一次變化，這就叫「祖遷於上，宗易於下」。同氏集團的大宗不能絕，而小宗可以絕。

　　《禮記·王制》說：「大夫、士宗廟之祭：有田則祭，無田則

薦。庶人春薦韭，夏薦麥，秋薦黍，冬薦稻。」祭祖是宗子主持的，所謂「庶子不祭者，明其宗也。」

### (三)秦漢以後的宗法

周代的宗法制是與分封制聯繫著的，當貴族階層不再分出新氏，分封制不復實行，宗法制就失去了政治基礎。春秋後期土地私有制得到承認，郡縣制已經萌芽，到秦宗法制已完全破壞。宗法制作為一種上層建築可以為封建制度服務，所以後世有人鼓吹恢復古制，重建宗法制。並且由於父系家長制存在著同一父系血親形成的宗族，所以秦漢以後仍有宗法制的遺存。經過近代商品經濟瓦解自然經濟的過程，特別是推翻封建制度的民主革命取得成功，宗法制度才徹底掃除。

秦漢以後的宗法是建立在土地私有制的基礎上的，不再局限於貴族階層，庶民百姓也被納入宗法之內。嫡長繼承制仍然是統治階級內部的繼統法。同一父系血統的若干個體家庭，少數以幾世同堂的形式維護著大家庭，多數則分居異財以家族、宗族的形式聯繫各個體家庭。《顏世家訓》說：「同昭穆者，雖百世猶稱兄弟；若對他人稱之，皆云族人。」西周的宗法只限於不同爵秩等級的貴族內部，秦漢以後的宗法則在血緣關係的掩蓋下存在剝削者與被剝削者的階級衝突。宋朝的地主階級的思想家張載在《西銘》中用家庭父兄子弟的關係來解釋國家政權機構，將皇帝比作家長，是天下的大宗，帝王將相則是宗子之卿相。做官是做民之父母，縣令一級被稱為父母官。要求人民要像服從父兄一樣服從各級政權的統治者。張載還提出：「管攝天下人心，收宗族，厚風俗，使人不忘本，須是明譜系世族與立宗子法。」宗法觀念對維護統治階級內部嫡庶、長幼的秩序也是有用的。秦漢以後的宗族以世族門閥制度、編修譜牒和聯宗通譜等活動，表明它在封建

社會的政治社會生活中占有重要地位。

　　秦漢以後的宗法組織與西周不同，西周時宗族的首領是大宗的宗子，而秦漢以後則是族長、宗長或族正。宗子只是長房的傳重子孫，是主祭人的地位；族長則由族人推戴「德高望重」之人充任。同一宗族的族衆不一定聚居在一個村落，如果某一宗族居住集中，常成爲一種特殊的地位勢力。宋代以後，每個家族有自己的祠堂舉行家祭，各家族則有共同營建的宗祠奉祀祖先。祭祖的名目古代有春祠、夏礿、秋嘗、冬蒸等，而以春秋二季爲隆重。近代多在春節、清明節、中元節、冬至或歲末舉行祭祀；家祭還在先人的生辰、忌辰舉行。宗祠是族人聚會的場所，它依靠義莊、祭田的地租收入或各家支分攤活動經費。宗族規定了家訓、族規、義莊規條，這些族規主要是維持封建的倫常道德，依靠傳統習慣和輿論的力量來貫徹，但也有體罰、活埋、沉塘等宗規。宗族通過修訂家乘、族譜登載各代各房的子孫生卒、事迹及其婚姻狀況，一些顯要人物還有行狀、傳記。

　　宗族的職能是收宗睦族，包括個人獲得參加宗祠祭祖的承認；自行維持治安，抵禦外敵，調解內部糾紛；謀取族人的福利，如濟貧寒、救孤寡、設義塾、資助科舉。族人受他宗欺凌者，由宗族出面爭論、予以救助或組織械鬥，實行血族復仇的義務。

　　族長是宗規、族約的執行人，可以對違犯族規的人執行懲罰；而族人必須服從族長。重大問題的處理要通過全族集會解決。宗族的權力常爲地主豪紳把持，依仗族大人多，資材豐厚，倚强凌弱，恃衆暴寡，對內壓迫族人，對外利用宗族觀念挑起械鬥，從中漁利。族權與神權、政權、夫權構成壓迫、束縛中國農民的四條繩索。

（陳光前）

# *4* 姓氏、名號

## 一、研究姓氏、名號的意義

姓氏是社會關係中標誌血緣關係的稱號，姓氏制度是古代社會上層建築和意識形態的一部分。姓氏制度、名字、稱號的演變反映了中國社會結構的發展演變、各民族的融合、婚姻習俗以及社會意識形態的變化，它是構成不同文化類型的一個重要特徵。這些知識是文化史的內容之一，也是閱讀古文獻、研究中國歷史必須具備的知識。

姓氏研究即氏族學和譜牒學。研究得姓命氏的由來，撰寫一姓一族的譜牒，在中國文化史上曾經是一門顯學而居於重要地位。古人以為，氏族要嚴內外之防，明種族之別。中國姓氏的增多及其變化反映了中國各民族的融合與演變，為中華民族的發展史提供了資料，譜牒記一姓一族之變遷保存了豐富的史料。如世系、世表、源流、宗派、誥敕、像贊、別傳、墓誌為研究地區人口史、經濟史、人物傳記提供了材料；祠堂記、祠規、家規、家約、家訓、家範、義田、墓記等為研究家庭、宗族、宗法等社會關係提供了佐證；其藝文、著作等資料往往可補充史志的闕漏。

# 二、姓氏、名號研究概況

原始社會的氏族是人們以血緣關係爲紐帶而結成的共同體。人們以口頭傳說方式敍述氏族的歷史、祖先世系和英雄故事。氏族的姓是辨別族系的標誌。姓氏制度隨宗法制度的需要而發展起來。當時瞭解姓氏的歷史，成爲生活中必備的知識。《周禮》有「小史」一職，掌管諸侯邦國的歷史記載，考定前代帝王的世次，分辨祭祀的昭穆。說明關於姓氏的記錄已有專人保管，成爲王室收藏的檔案資料。《國語・楚語》記申叔時談到教育太子的內容已有「敎之世」，「敎之訓典」，即用先王的世系和訓示培養國君及貴族的下一代，使他知道自己的祖先和家族，記住先人的敎導。姓氏的歷史成爲專門的知識。春秋末年、戰國早期姓氏的分別逐漸消失，此後同一宗族的成員，永遠使用一個姓。當時用旁行斜上的譜牒記載姓氏宗族的歷史。《世本》有「帝系」、「世系」、「氏姓」諸篇。

漢高祖及漢初功臣以布衣成爲帝王將相，不重氏族，故劉邦的父親太公以上的先人沒有名字傳世。但人們追溯姓的起源、攀附古代帝王名臣，作爲一種社會意識殘存下來。漢朝皇帝自認爲是帝堯之後，司馬遷亦曾詳敍其先世。應劭《風俗通義》有氏族篇（今本已佚）。王符《潛夫論》亦有姓氏篇。兩漢之世，皇族、外戚、達官顯宦長期居於高位，世代享有特權，一門五侯，四世三公，說明門閥世族已在發展。東漢以後，重視譜牒，誇耀世德已經形成風氣，姓氏研究與門閥制度密切聯繫起來。

魏晉以九品中正選拔官吏，豪門右姓掌握選舉實權。他們擔任州大中正主簿、郡中正功曹。選舉時要考察譜牒，以門第高下定等級。選舉結果是：「上品無寒門，下品無世族」。譜學在當

時特別發達，人尚譜系之學，家藏譜系之書，官府設圖譜局，置令郞史以掌之。晉太元中，賈弼撰《姓氏簿狀》，朝廷給以令史，繕寫姓氏譜牒，藏於祕閣及左右戶曹，凡712篇。其後何承天撰《姓苑》、劉湛撰《百家譜》，王儉又有補充。賈弼之孫賈希鏡撰《姓氏要狀》15篇，故賈氏譜學最擅名。

姓氏譜學適應士族門閥制度的政治需要，爲貴有常尊，賤有等威的等級特權服務。當政府徵集各家譜牒時，人們往往作僞，而且隨著譜學之盛作僞者日益增多。南朝宋齊時，士庶的分別已有混亂。梁武帝命王僧孺改定《百家譜》，而爲南朝譜學的源流。北朝魏太和中詔諸郡中正 立本土姓族，按次第進行選舉。故中原地區雖經動亂，門第高低隨政治形勢而有所變化，但傳統上，高門士族仍很有勢力。魏收《魏書·官氏志》記錄了北魏鮮卑等族的姓氏沿革。《北史》列傳記傳主先世及其子孫，保存了部分士族資料。南北朝時大姓，過江僑姓有王、謝、袁、蕭；東南吳姓有朱、張、顧、陸；山東郡姓有王、崔、盧、李、鄭；關中郡姓有韋、裴、柳、薛、楊、杜；代北有元、長孫、宇文、于、陸、源、竇等。在郡姓中又根據官職地位的高低分爲四等：尚書、領軍、令、僕射之上者爲甲姓；九卿、方伯者爲乙姓；散騎常侍、大中大夫爲丙姓；吏部正員郞爲丁姓。凡得入選者謂之四姓。江左凡郡上姓也叫右姓。

唐太宗爲了重新排定門閥的品第，命修《氏族志》。所修《氏族志》計二百九十三姓，一千六百五十一家，分爲九等，仍以崔氏爲第一，李氏列居第三。《氏族志》徵集天下譜牒，參考史傳，先宗室，後外戚，抑新門，褒舊望，右膏粱，左寒畯。雖承認現實的政治地位，規定憑官爵高低定等級，但當時崇尙門閥的世風仍很有勢力。高門之間互爲婚姻，矜尙門閥而不計官品。士大夫都稱郡望，且能各溯其宗。武則天令修《姓氏錄》，列武氏爲第一

等，凡五品官都升爲士流。這一政策利於重用出身寒微而有功勳者，對舊氏族有所抑制。但當時兵卒以軍功升入士流者，搢紳仍然鄙棄他們，舊族與新貴仍有嚴格界限。唐代研究譜牒的學者以路敬淳爲宗，著《姓略》、《衣冠系錄》百餘篇。柳沖、韋述等繼之。柳沖奏請改修《氏族志》，又撰《姓系錄》。韋述撰《開元譜》20卷。孔至等撰《百家類例》，林寶撰《元和姓纂》。自從隋文帝開皇年間，廢除九品中正制和辟舉制，開始用科舉制選官。唐代科舉制進一步發展和完善。士人以科舉及第爲出身，任官的主要方式開始與門第脫鈎，個人的才識高下不決定於門第，譜牒之學已趨向衰落。姓氏排列次序，已可按韻編排。姓氏僅是標誌家族的符號。唐末五代的農民戰爭給士族門閥制度以毀滅性的打擊。五代以後，不崇門閥，鄭樵《通志・氏族略》說：「自五代以來取士不問家世，婚姻不問閥閱，故其書散佚，其學不傳。」

宋代存世的姓氏書，據《通志・藝文略》載，譜系書六種，計170 部，2411 卷。分「帝系」、「皇族」、「總譜」、「韻譜」、「郡譜」、「家譜」六種。帝王族譜稱爲玉牒，由玉牒官定期修纂。總譜、韻譜記錄各種姓氏來源，各姓的著名人物、郡望等，按姓氏等第，或依四聲分韻排列。郡譜則是按地區、郡望編寫的姓氏書。家譜則是一家一姓的世系、枝派、人物傳記。至元代馬端臨《文獻通考》記載的姓氏書已大量減少，只著錄了幾家。此後，全面記述姓氏的著作，如南宋鄧名世《古今姓氏書辨證》一類雖然不多，而一家一姓的宗譜族譜仍在不斷產生。姓氏制度的變化與社會經濟制度的變化有關。士族門閥制度重視按身分等級世襲占田和享有蔭庇農奴身分的佃客的特權，而宋代則重視買賣兼併土地的非身分性的官僚和地主。在契約租佃制日益發展和農民人身依附關係相對鬆弛的情況下，家族的經濟地位和政治地位變化很大，要想長期維持家族的特權地位已很困難。理學

家張載、程頤、程顥等人鼓吹用宗族制管攝天下人心，收宗睦族，創族規，置義田，以維護封建宗族制度。宋以後歷代王朝雖然不再管理各姓譜牒，排列等第，但私家仍繼續著述譜牒。

明洪武初年命修姓氏書，吳沈撰《千家姓》得姓1968，但仍有遺漏。朝廷下詔禁止漢族穿少數民族服裝，禁學蒙古語和用蒙古名字。各衛韃靼人多同名，朝廷賜給漢姓以為區別，如賜把都帖木兒名吳允誠，倫都兒厭名柴秉誠，保住名楊效誠。明嘉靖間應城陳士元著《姓觽》10卷，所收單姓凡3625。清道光時黃本驥著《姓氏解紛》10卷，計單姓、複姓凡3795。姓氏數字的增多是各族採用同一姓氏制度的結果。近代以來，封建大家庭迅速解體，以父母及其子女組成的核心家庭成為主要形式，姓氏作為血緣紐帶的標誌作用雖然存在，但它的社會意義已不是聯繫宗族、維護宗族團體，而僅僅是一種家族的標誌符號。

❖研究姓氏的書大體可分幾類：

(1)載於各種史書的世系表、官氏志、氏族志，有的通記各代，有的僅記一個朝代。

(2)附載於文字學書籍，如《集韻》、《廣韻》、《玉篇》，或其他著述，如《世本》、《風俗通》等，多重視姓氏來源。

(3)總括漢族為主的姓氏，如《萬姓統譜》、《氏族大全》、《合璧姓類》等。

(4)一家一姓的族譜、宗譜。

近代對姓氏的研究，已從社會學的角度把姓氏制度當作一種社會現象來研究，但比較沈寂，成果不多。

人的名字是代表個人的符號，命名的原則和習慣，在不同時期各有不同風尚，反映了各個階級、階層的社會意識。人們為了查閱歷史人物的姓名和生平事迹，編寫了多種人物的傳記索引和年譜目錄。如《尚友錄》、《中國人名大辭典》，綜合收錄歷代人物

並附簡要事迹。《民國人物圖鑒》、《中國文學家辭典》，前者僅收錄一個時期的人物，後者收錄一個方面的人物。如《二十五史人名索引》、《晉書人名索引》等可按姓名檢索「正史」或斷代史的人名。《歷代人物年里碑傳綜表》、《古今同姓名大辭典》、《古今人物別名索引》、《唐人行第錄》等在檢索人物資料時各有不同的作用。總之，研究姓名有從社會歷史學的角度和研究歷史人物的角度多種著作可資參考。

## 三、姓氏、名號知識

### ㈠姓的起源

姓是代表有共同血緣關係的種族所共有的稱號。現代漢族所使用的姓，少數沿用先秦固有的姓，大部分由先秦的氏轉化而來，其餘部分是國內少數民族用漢字記音或改用漢姓而來的。先秦時代，姓和氏有嚴格的區別，自戰國以下，以氏爲姓，姓氏漸混而爲一。

姓的起源比較古老，在原始社會的氏族彼此需要區別的時候，就需要有一種稱號作爲自稱和他稱。因此，在母系氏族時期就可能產生作爲氏族稱號的姓。

姓是以血緣親屬關係形成的生身的標誌。姓，從女，從生。金文中「百姓」均作「百生」。說明女旁是後加的。《說文》「姓」，「人之所生也。……因生以賜姓。」生的本義是生殖、出生。《左傳・隱公八年》說：「天子建德，因生以賜姓。」天子建立有德之人爲諸侯，因其所生而賜以姓。姓標誌每個人血統的來源，是從母親或父親那裡繼承來的。一般說來，同姓的人具有血緣親屬關係，追溯起來應該是同一祖先的後代。姓又是外婚集

團的標誌，當母系氏族實行嚴格的外婚制時，爲了實行同姓不婚的原則，姓就有標誌氏族之間可以通婚和不可通婚的作用；而部落則實行內婚制，同一部落的若干氏族可以通婚。姓是氏族共同體的標誌而不是部落共同體的標誌。作爲部落或部落聯盟的稱號，往往是被神化了的部落首領的名字如黃帝、炎帝、共工、太昊、少昊、顓頊等。

最早的姓產生於傳說時代，經過漫長的歲月才用文字記錄下來。炎帝、黃帝部落的後代吸收融合蠻夷戎狄等周邊的氏族、部落而形成華夏族。各族的傳說又被牽合構造爲三皇五帝的古史系統。因此探討具體的姓的起源只能依據記載下來的對遠古時代的模糊記憶。有些原始的姓，可能來自氏族的圖騰。人們用圖騰（動物或無生物）來解釋氏族始祖的來源，並以此作爲氏族的標記，而姓也是氏族的標記。例如《左傳‧僖公二十一年》：「任、宿、須句、顓臾，風姓也。實司大皡與有濟之祀。」大皡即太昊部落，在今山東省西南部，古代「風」與「鳳」相通，風姓可能是以鳳鳥爲圖騰。商人以玄鳥爲圖騰，《詩經‧商頌‧玄鳥》說：「天命玄鳥，降而生商。」《白虎通義‧姓氏篇》說：「殷姓子氏，祖玄鳥子生也。」商人爲什麼姓子呢？後人將簡狄吞玄鳥卵而生契的傳說與姓「子」聯繫起來而做出解釋。同樣，夏族的姒姓，是因其母脩己吞食薏苡而生禹。如果把許多姓氏的起源都歸源於圖騰，難免失之穿鑿。我們不能把模糊牽合的記憶，一一解釋爲準確可靠的事實。

有些姓的來源與母系氏族所居地域，或與其生長之地有關。有的由氏族的姓變爲地名，如後世因張姓所居，故地名爲張家山。或由地名轉變爲氏族的姓，如黃帝軒轅氏，姬姓，又姓公孫。《史記‧五帝本紀‧索隱》引皇甫謐云：「黃帝生於壽丘，長於姬水，因以爲姓。」帝堯，姓伊祁氏。皇甫謐云：「堯初生

時，其母在三阿之南，寄於伊長孺之家，故從母所居爲姓也。」

關於姓的起源，尚有從五行學說加以附會的說法。顧炎武《日知錄》卷6，論姓之所本在於五行之說：「姓之所從來，本於五帝。五帝之得姓，本於五行，則有相配相生之理，故傳言：『有嬌之後，將育於姜。』又曰：『姬姞耦，其生必蕃』。而後世五音族姓之說，自此始矣。晉嵇康論曰：『五行有相生，故同姓不昏（婚）。』」五帝之得姓本於五行是後人的附會，以水、火、木、金、土相配相生之說解釋同姓不婚，更屬虛構。古人又以五音配五行。《白虎通·姓名》說：「《尚書》曰：『平章百姓』，姓所以有百者何？以爲古者聖人吹律定姓，以紀其族，人各具五常而生，聲有五音——宮、商、角、徵、羽，轉而相雜，五五二十五，轉生四時，故百而異也。氣殊音悉備皆百也。」「百姓」被解釋爲一個準確數字，將姓名的起源與音律聯繫在一起。《國語·周語》：「司民協孤終，司商協民姓。」韋昭注：「司商掌賜族受姓之官，商金聲清，謂人姓吹律合定其姓名也。」韋昭沒有舉出具體的例證，又脫離姓的意義是生身關係的標誌，顯然是一種附會。

先秦的姓可能在母系氏族社會即已產生。母系氏族晚期已實行族外婚，爲了婚配的需要，姓在社會生活中起著分辨通婚範圍的作用。先秦的姓多從女字旁，標誌生身的來源；而且女子稱姓，表明是繼承母系氏族稱號的習慣。

### (二)姓的分化

在生產力低下的原始社會，氏族要維持共同勞動，共同消費的原則，人口不能太多。隨著人口增加，或謀生條件的變化，氏族就分化出新的胞族，造成新的通婚集團。氏族分化，代表氏族的姓也會產生分化，形成新的姓。《國語》卷10，晉大夫季子勸

公子重耳娶懷嬴，他說：「同姓爲兄弟，黃帝之子二十五人，其同姓者，二人而已，唯青陽與夷鼓皆爲己姓。青陽，方雷氏之甥也；夷鼓，彤魚氏之甥也。其同生而異姓者，四母之子，別爲十二姓。凡黃帝之子，二十五宗，其得姓者十四人爲十二姓，姬、酉、祁、己、滕、箴、任、荀、僖、姞、嬛、依是也。唯青陽與蒼林氏同於黃帝，故皆爲姬姓，同德之難也如是。昔少典娶於有蟜氏，生黃帝、炎帝。黃帝以姬水成，炎帝以姜水成；成而異德，故黃帝爲姬，炎帝爲姜；二帝相師以相濟也，異德之故也。」黃帝、炎帝同爲少典之子，有蟜氏所生，因居住於姬水、姜水而分化爲姬、姜二姓。這段傳說反映氏族的分化，因而產生了不同的姓。黃帝之子二十五人，得姓者十四人，又有二人同姓，實際只有十二個姓。同父所出得爲異姓。「四母之子，別爲十二姓」，同母所出亦可得爲異姓。如果將黃帝、炎帝看成傳說中兩個部落聯盟的領袖，父家長制領袖實行一夫多妻制，娶有幾個氏族的女子爲妻，即部落內部包括互相通婚的若干氏族，表明父系世族中子女仍從母系氏族的姓。

炎帝是少典與有蟜氏之次子。炎帝神農氏有子十三人，數世之後有炎帝器，器生巨及伯陵、祝庸。《國語·鄭語》韋昭注：顓頊生老童，老童生重黎及吳回，吳回生陸終，陸終之後有季連爲芈姓，即楚人的祖先。重黎之後有祝融分爲八姓：己、董、彭、禿、妘、曹、斟、芈。從這些世系可以看出炎帝後代的姓產生了分化。

先秦的姓，顧炎武根據《春秋》統計，得二十二個。兩周金文中尚有一些不見於文獻而無法考知來源的姓。若將秦漢以後資料所載姓也統計在內，先秦的姓約有三十多個。

## ☑附：先秦姓表

| 姓 | 國 或 氏 | 世 系 | 資 料 來 源 |
|---|---|---|---|
| 風 | 任、宿、須句、顓臾 | 太皞之後 | 《左傳》僖公二十一年 |
| 姜 | 齊、許、申、呂、紀、向、州 | 炎帝之後 | 《左傳》哀公九年 |
| 姬 | 周、吳、虞、虢、管、蔡、霍、魯、衞、郜、雍、曹、滕、畢、郇、凡、蔣、邢、茅、胙、邘、晉、應、韓、鄭 | 黃帝之後 | 《春秋會要》《國語·晉語四》 |
| 嬴 | 莒、郯、秦（大費之後）、黃、梁、葛、徐、趙、郳、江、麈 | 少皞之後 | 《左傳》隱公二年注《史記·秦本紀》 |
| 己 | 溫、郯、樊、昆吾、蘇、顧、董 | 同上 | 《世本》《國語·鄭語注》 |
| 偃 | 舒、英、六、蓼、舒蓼、舒庸、舒鳩、桐 | 皋陶之後 | 《世本》 |
| 酉 | | 黃帝之後 | 《國語·晉語四》 |
| 祁 | 杜、唐、籌、鼓 | 同上 | |
| 滕 | | 同上 | |
| 箴 | | 同上 | |
| 任 | 謝、章、薛、舒、呂、祝、終、泉、畢、過 | 同上 | 《世本·姓氏篇》 |
| 荀 | 郇 | 同上 | |
| 僖 | | 同上 | |
| 姞 | 南燕、偪、鄔 | 同上 | 《世本·姓氏篇》 |

| | | | |
|---|---|---|---|
| 偯 | | 同上 | |
| 依 | | 同上 | |
| 董 | 鬷、豢龍 | 祝融之後 | 《國語·鄭語》 |
| 彭 | 大彭、豕韋 | | 同上 |
| 禿 | 舟人 | | 《國語·鄭語》 |
| 妘 | 鄔、鄶、路、夷、偪陽、鄢 | | 同上 |
| 曹 | 邾、小邾、郳、鄒 | 陸終之後 | 同上 |
| 斟(斯) | | | 同上 |
| 芈 | 楚、夔 | | 同上 |
| 姚 | 虞 | 顓頊之後 | 《世本》、《國語·魯語》 |
| 姒 | 夏、越、鄶、杞 | 禹之後 | 《國語·周語》 |
| 子 | 商、戴、譚、蕭、權、宋 | 契之後 | 《史記·殷本紀》 |
| 媯 | 陳、遂 | 舜之後 | 《史記·陳杞世家》 |
| 曼 | 鄧 | 武丁之叔 | 《廣韻》、《路史》 |
| 歸 | 胡 | 夔之後 | 《世本校輯》 |
| 熊 | 羅 | 楚之別族 | 《世本》 |
| 隗 | 狄、弦、廧咎氏 | | 《左傳》僖公二十四年 |
| 懷(隗) | | | 《左傳》定公四年 |
| 允 | 小戎 | | 《左傳》昭公九年 |
| 漆 | 鄑瞞 | 防風氏之後 | 《國語·魯語》 |

## (三)姓氏制度

　　母系氏族階段就產生了姓，姓有加強共同體意識的作用。從使用姓氏發展到形成一種制度，經歷了漫長的過程。我國歷史到夏代才開始出現國家，姓氏制度可以從夏代算起。它的內容：

### 1. 賜姓命氏和亡其氏姓

《國語·周語下》記靈王太子晉的話，認爲大禹治水有功，得到皇天嘉獎，賜給天下，「賜姓曰姒，氏曰有夏」。四嶽因輔助大禹有功，皇天「命以侯伯，賜姓曰姜，氏曰有呂」。太子晉還認爲：「唯有嘉功，以命姓受祀，迄於天下。及其失之也，必有慆淫之心間之，故亡其氏姓，踣斃不振，絕後無主，湮替隸圉。」他把獲得統治權力，得以命姓受氏的根據歸之於天命，是上天對建德立功者的賞賜。擁有侯伯以上的爵位，統治一定的區域才成爲有姓與氏的貴族。子孫如果喪失了貴族的地位和權力，就亡其氏姓，被夷滅或淪爲奴隸，祖先也就絕後無主，不得血食。可見只有氏族貴族或奴隸主貴族才有獲得與使用姓氏的權利。周代仍然是對諸侯及卿大夫實行賜姓、命氏制度。同姓諸侯原是姬姓，異姓諸侯各自有姓，「賜姓」是指周天子對異姓諸侯根據其出生情況重加賜命，表示政治上承認其貴族地位。周滅殷之後，面對數量龐大的殷遺民，《左傳·定公四年》提到分封魯公時，賜以殷民六族，條氏、徐氏、蕭氏、索氏、長勺氏、尾勺氏，「使帥其宗氏，輯其分族，將其醜類，以法則周公」；又分給康叔以殷民七族，陶氏、施氏、繁氏、錡氏、樊氏、饑氏、終葵氏；分唐叔以「懷姓九宗」。周統治者採取了利用殷代貴族使他們繼續統領其宗氏，集合其旁系宗親，管理原來附屬的奴隸的政策。利用商族的風俗，貫徹周統治者的要求。並沒有立即取消他們的姓氏。有一部分殷頑民被鎮壓或淪爲奴隸才亡其氏姓。

### 2. 姓的傳遞和分化的停止

中國遠古的歷史表明，當父系氏族階段，姓由父親傳給子孫，女子婚後仍然使用父姓。姓是按父系世系原則延續的血緣親屬關係的標誌。氏族分化爲胞族和傳說中黃帝之子二十五人分爲

十二姓，祝融之後分爲八姓，這類姓的分化都是爲了實行族外婚的需要。具有相同的血緣淵源的共同體一旦獲得了不同的姓，便可以互相通婚。黃帝與炎帝同爲少典氏與有嬌氏之後，黃帝姓姬，炎帝姓姜，姬姜二姓就可以世代通婚。人口增多和解決通婚範圍使分化成爲共同體演化的主要趨勢。進入階級社會，隨著氏族制度的崩潰，家族日益成爲社會細胞，以血緣關係爲基礎的社會逐步轉變爲以地域關係爲基礎的社會。通婚範圍擴大了，姓的分化已不必要，故先秦的姓多產生於原始社會，階級社會以後很少增加新的姓。同時，隨著分封制、宗法制的發展，標誌貴族身分的氏不斷產生分化。戰國時期氏的分化也停止了。以氏爲姓，姓氏合一，姓已經不是原來氏族標誌的意義了。

### 3.婦人稱姓，男子稱氏

姓所以別婚姻，氏所以別貴賤。姓除了加強共同體意識的作用外，還用於確定通婚範圍，貫徹同姓不婚的禁忌。《曲禮》云：「取妻不取同姓，買妾不知其姓，則卜之。」《左傳·昭公元年》子產說：「內官（謂國君之姬妾）不及同姓，其生不殖。」《國語·晉語四》：「同姓不婚，惡不殖也。」當時人認爲近親通婚是有害的。這種樸素的優生認識，雖然不反對姑舅表婚而只反對同姓宗親結婚，仍然是一種進步。

同姓不婚形成一種道德規範之後，又從倫常關係予以說明，如《白虎通》說：「不娶同姓者，重人倫，防淫佚，恥與禽獸同也。」《禮記·坊記》：「取妻不取同姓，以厚別也。」《國語·晉語四》：「異姓則異德，異德則異類，異類雖近，男女相及以生民也。同姓則同德，同德則同心，同心則同志，同志雖遠，男女不相及，畏黷敬也。黷則生怨，怨亂毓災，災毓滅姓。是故取妻避其同姓，畏亂災也。」異姓、異德、異類就是「厚別」。認

為異姓結婚，可以合二姓之好以繁育後代發展共同體，而同姓結婚，必然怨亂生災，影響到共同體的發展。同姓應以德義相親，同姓不婚才是禮。可見同姓不婚是加強宗親團結，發展血緣共同體的要求。這種觀念配合西周宗法制度，成為人們的行為規範，在中國人的婚姻制度中形成嚴格的傳統。

### (四)同姓集團的演變

姓作為血緣共同體的稱號，隨著歷史的演變，同姓集團的性質和作用也在變化。

原始社會的姓是氏族的稱號，同姓集團即同一氏族的成員互相有其權利及義務。首先是有共同的宗教節日和祖先崇拜。當時的大禮是冠婚喪祭，都要遵守一定的禮俗儀節。祭祀的對象包括天神、地祇、人鬼。對祖先的祭祀屬於人鬼一類。《禮記·祭義》說：「君子反古復始，不忘其所由生也。」祭祀祖先即崇拜姓族共同的本源，加強同姓之間的團結。同氏族的人生前擁有共同的財產，死後歸葬共同的墓地，氏族成員受到其他氏族的傷害，有血族復仇的義務。

進入階級社會，國家劃分區域進行統治，但按父系世系繼承和傳遞下來的同姓集團形成兄弟叔侄的諸侯國，姻親集團是甥舅關係的諸侯國。同姓仍然是一種共同體的意識。同一宗祖的人成為一個擴大的父系宗親集團。周代的同姓集團既沒有氏族公社成員那樣近，也不如同氏集團親密，它僅是同姓諸侯之間的鬆散的聯繫。在朝覲會盟時，同姓諸侯親於或優於異姓諸侯。《左傳·隱公十一年》魯公使大夫羽父對薛侯說：「周之宗盟，異姓為後。寡人若朝於薛，不敢與諸任齒。」宗盟當為同宗的盟會，同姓為先，異姓為後。《左傳·定公四年》晉文公作踐土之盟，「其載書云：『王若曰，晉重、魯申、衛武、蔡甲午、鄭捷、齊潘、

宋王臣、莒期，藏在周府，可復視也。』」宗盟時署名的先後又貴德不貴年齒，同姓中有實力的諸侯居於首席成爲霸主。再如臨喪，《左傳・襄公十二年》：「吳子壽夢卒，臨於周廟，禮也。凡諸侯之喪，異姓臨於外，同姓於宗廟，同宗於祖廟，同族於禰廟。」哭喪的地點，根據同姓和親疏而有所不同。在用人上，如果棄其子弟而好用遠人將引起同姓貴族的反對。周代同姓之間還存在禮儀上、傳統上的種種聯繫。但是，同姓諸侯各自爲政，朝聘會盟秉承霸主旨意，兄弟之親，已成爲兼併的對象。公共的墓地，這時已按家族爲單位分區埋葬死者，不是以同姓爲範圍。血族復仇亦縮小爲父系近親。財產已爲家族私有。同姓之間的血緣聯繫十分鬆散，甚至追溯世系已很困難。

周代的姓氏制度發展到戰國前期出現了重大變化。井田制的崩潰，宗法制解體，世官世祿制度由任命官吏所代替。周天子實力早已衰落，不再賜姓命氏分封諸侯，兼併戰爭消滅了大量公族，諸侯權力旁落，政令出自公族，大宗失去控制小宗的能力，氏的分化也停止了。姓、氏兩級的制度變爲姓氏合一。孟子說：「諱名不諱姓。姓，所同也，名所獨也。」已經不提氏。從此姓氏不再大量增加，一直沿用至今。

從姓氏合一後，同姓可能沒有血緣關係，而是來自不同的氏或不同的民族。據《新唐書》說，河南劉氏，本出匈奴之後劉仁庫。柳城李氏，世爲契丹酋長。營州王氏，本高麗苗裔。同姓而不同族。同姓又同宗才能表明血緣關係較近，屬於同一宗族或家族。後世有以同姓爲理由，出現的聯宗活動。顧炎武《日知錄》卷23《通譜》：「《晉書・石苞傳》，曾孫樸沒於寇，石勒以與樸同姓俱出河北，引樸爲宗室，特加優寵，位至司徒。」這是少數民族強拉同姓爲宗室。《舊唐書・李義甫傳》：「義甫既貴之後，自言本出趙郡，始與諸李敍昭穆，而無賴之徒苟合，藉其權勢，拜伏

為兄叔者甚衆。」為了依附權勢，強與聯宗。五代時，舊門名族遭亂奔亡，吏部掌管的譜牒文書已不完整，有的人借為奸利，私自出賣告敕文書，亂易昭穆，有季父母舅反拜侄甥者。《册府元龜》記長興初，鴻臚卿柳膺，將齋郎文書兩件，賣與同姓人柳居。許多同姓之人已不能追敍世系，分辨昭穆。在政治生活中，為了植黨營私而搞聯宗通譜一類活動，鼓吹「五百年前是一家」等宗姓觀念。

## (五)姓氏的改變

命氏有多種方式，可以國、以官、以字、以邑。一個宗族的氏可以改變，如荀林父以采邑為荀氏，以官職為中行氏。伍員將其子寄託齊國改稱王孫氏，其孫又以員為氏。智果因預見智氏將亡，恐遭連累，請掌管姓氏的太史別立一族，改稱輔氏。春秋時期出現大量的複氏如端木、公冶、南宮、司馬、公孫、叔仲、孟孫、東門、西門等等。到戰國以後，有的複氏開始簡化，如孟孫改稱孟氏，仲孫改稱仲氏。戰國以後，以氏為姓，姓氏合而為一。

自姓氏合一之後，君主也曾實行賜姓，如劉邦以婁敬為郎中而賜姓劉氏。唐末沙陀人李克用本姓朱邪，因戰功而賜姓李氏。南明時鄭成功賜姓朱，與明朝皇帝同姓，叫朱成功，亦稱國姓爺。也有因帝王憎惡其人賜給含有貶義的姓。如南齊武帝改蕭子響為蛸子響。

由於避帝王名諱而改姓。為避司馬師之「師」字，姓師改為姓帥；為避趙匡胤的「匡」字，姓匡改姓康或王。

少數民族的姓氏改為漢族姓氏，如北魏孝文帝改拓跋氏為元氏。蒙古族人有名而無姓，朱元璋賜以漢姓。民國以後，有些滿族人將原有姓氏改寫為音相近似的漢字，如愛新覺羅改為金；瓜

爾佳氏改爲關、喜塔拉氏改爲齊等。

　　由於避禍而改姓，明代靖難之變，黃子澄之後因懼禍而改姓田。爲逃避政治迫害或仇家尋釁更易姓名，隱姓埋名在歷史上亦屬常見。

　　由於收養、過繼、隨母改嫁之子女改從養父、繼父之姓，亦有成年後恢復原姓者，稱爲復姓歸宗。

　　近幾十年來，姓氏已不再具有從前那樣嚴格的規定，人們也可以隨意改變姓氏，子女可以從父姓、母姓或另取一個姓。有些人長期使用筆名、別號，其眞實姓名反不爲人注意，如人們以爲趙一曼姓趙，其實她叫李坤泰，又名李一超，而趙一曼是參加革命後的化名。姓名只作爲個人的符號，並正在向姓名合一的趨勢變化。如作家李芾甘的筆名叫巴金，是姓巴名金，還是就叫巴金而不必再分姓名。

## (六)氏的來源和性質

　　氏是由原有氏族分化出的兒女氏族的稱號。它是介於氏族與家庭之間的親屬集團，或被稱爲父系宗族。當父系家庭公社的人口增殖和分化而形成一些或大或小的家庭、家族，他們在一定程度和形式上保持著經濟、社會和意識形態上的一致性，某氏就是其父系宗族的標誌。宗法制度的發展，使這種父系宗族在漢族的家庭關係上占有重要地位。

　　❖先秦文獻中，「氏」字有多種用法：

　　1. 與姓相對的一種血緣標記，如「亡其氏姓」、「命以展氏」。

　　2. 獲得某氏的血緣團體，如《左傳・昭公四年》：「國氏其亡乎！」

　　3. 相當於姓或同姓集團，如《左傳・昭公十年》：「今茲歲在

顓頊之虛，姜氏、任氏實守其地。」

4. 指父系宗族，如楚先公若敖之後裔稱爲「若敖氏」。

5. 指個人，如「姜氏欲之，焉避害？」

6. 指某氏的居住地。

7. 傳說中的部落、部落聯盟，如有虞氏、陶唐氏、有扈氏。
我們要討論的氏，是指分封貴族以采邑，形成一個新的宗族分支的稱號。

❖主要的命氏方式有四種：

1. **以國爲氏**。周天子分封同姓和異姓諸侯、前代的諸侯國，這些國名就是氏號。如姬姓諸侯魯、蔡、衞、曹；異姓諸侯齊、宋、秦；前代諸侯國如虞、陳等。鄭樵《通志‧氏族略》載以國爲氏者共 233。

2. **以邑爲氏**。周天子在畿內分封貴族以采邑，各封國諸侯分封其後裔爲各級貴族，以采邑的地名爲氏。如畿內貴族祭、原、毛、成等；齊國貴族崔、鮑、晏等。以鄉、以亭、以地而命氏的貴族，也可歸入這一類。

3. **以字爲氏**。周天子的王族子孫稱王子、王孫，諸侯的公族子孫稱公子、公孫。公族只包括各代國君的近親三代在內，公孫之子不可復言公孫，當他們要另立支族時，不能再以國爲氏，而以其祖父之字爲其氏號。如鄭公子發字子國，其子公孫僑字子產，子產之子即以其祖父之字「國」爲氏。以字爲氏是當時的通例。用先人的名命氏，如堯、禹、童。以父之名或字命氏，如公孫歸父字子家，其後爲子家氏。以長幼行次爲氏如孟氏、叔氏、季氏，爲魯桓公之子慶父、叔牙、季友的後代。還可以從父祖輩的親疏、長幼、嫡庶等區別命氏，如伯氏、叔氏、丁氏、癸氏、祖氏、彌氏、第五、第八等等都是分出新的支族時取義於父祖的名、字、諡號命氏而產生的變化。

4. **以官爲氏**。以先人曾任某官，因以爲氏。如史、錢、山、司馬、司徒等。以先人的爵位命氏，如公、侯、公乘等。以技能命氏，如巫氏、屠氏、卜氏、匠氏、豢龍氏、御龍氏、干將氏等都是以官爲氏而產生的變化。

鄭樵《氏族目錄》所載諸氏計 1745 氏，不計代北少數民族的複姓以下 295 氏，則大體屬於漢族者 1450 氏。其中以國、郡、邑、地命氏者 564 氏，相當於總數 39％；以官、爵、技爲氏者有 150 氏。

原始社會的某氏是部落組織的稱號，如有虞氏、陶唐氏；進入階級社會之後，適應父家長制宗族的需要，某氏成爲表示宗族組織的稱號。周代的氏只屬於父及其未獲得新氏的子孫，已婚女子則重新領有其夫的氏。獲得封地的貴族子孫有了新的氏，所以父子不必同氏，兄弟也不必同氏。一個貴族可以有幾個氏號，因先後受封兩個采邑或用其他別稱而形成新的氏。晉國大夫隨武子，其稱謂見於《左傳》的有九種：士會、士季、季氏、會、武子、隨會、隨武子、范會、范會子。士是以官爲氏；隨、范是先後受封兩個采邑，即以邑爲氏；會是名，季是排行，武是謚。可見，氏是可變的，可以有不同的別稱。

姓與氏有其相通的一面，它們是不同層次的血緣關係的稱號。氏族在用法上常混在一起。兩者的區別在於姓的起源比較古老，氏是由姓分化出來的。姓是有生以來的標誌，而氏是可變的。姓沿著父系世系傳遞，已婚女子不改變姓，而氏的傳遞是父傳子及其未婚女兒，子女不必與父親同氏。「三代以前，姓氏分而爲二，男子稱氏，婦人稱姓；氏所以別貴賤，貴者有氏，賤者有名無氏」（鄭樵《氏族略序》）。戰國以後姓氏混而爲一，原來意義的姓已不復存在，而以氏爲姓，姓氏變爲一個詞。

## (七)周代的同氏集團

同氏集團即領有同一個氏的人們組成的集團，有時稱為族。因為從原來的族中分出新的支族，同時要命氏，氏也就是新族的「姓」。魯隱公八年，大夫無駭卒，「羽父請諡與族」（族與氏同義），隱公問族於眾仲，因為無駭是公孫展之孫，最後「公命以字為展氏」。同一父系宗族分化的結果形成若干家，他們共同尊奉一個宗主，有共同的宗廟，所以同氏集團也就是宗族。

西周初年實行分封制，封建親戚作為周的屏藩，加強對征服地區的控制。採取胙之土而命之氏的分化形式產生新的氏。隨著宗法制的發展，確定統治集團內部的王位繼承權，獲得新氏的貴族不再屬於國氏集團，也就沒有繼承王位的資格。氏的分化是宗法制分大宗、小宗的名號，也是統治階級內部權力再分配的一種反映形式。

周代諸侯國君及其未立新氏的兒子和孫子都以國為氏，可以叫做國氏集團。公孫之子不能再稱公孫，而是讓他們獲得新氏，成為新氏的始祖，不再屬於國氏集團，從而喪失繼承君位的資格。而國氏集團的王子、公子、公孫都是繼承王位、君位的人選，常發生爭奪王位、君位的內爭。如《左傳・桓公十一年》，大夫祭仲對鄭莊公的太子公子忽說：「君多內寵，子無大援，將不立。三公子皆君也。」太子雖然是合法的繼承人，但是否能實現繼承權還不一定，其他的公子、公孫是君位的競爭者。沒有獲得新氏的貴族是君主的近親，受血緣關係的約束而承擔維護宗主的任務。獲得新氏的貴族成為新的宗族的始祖，形成新的同氏集團，與原來的宗主之間雖是親屬關係，但更主要的卻是君臣關係。

同氏集團的成員並非同居共財關係，而以父子、祖孫等直系

親屬組成室和家作爲同居單位。室家是指夫婦組成的小的生活單位，也可以包括有兄弟或從兄弟同居的情況，但組成周代社會的細胞不是大家庭。室也是財產和統計居民的單位。

出自同一血緣的若干同氏集團，因血緣關係較近而集合在一起，如《國語·晉語》周武王後裔封爲諸侯而形成的武族，晉國的公族，魯國的三桓，鄭穆公的後代形成的穆族等，他們比同氏集團的範圍更廣泛，而聯繫也更鬆散，但在春秋時期的社會政治生活中表現得很活躍。這是一種大於宗族的血緣集團。

## (八)名和字

名和字是代表個人的符號。孩子出生之後有乳名。如曹操小名阿瞞，劉禪小名阿斗。稍長才有名。《禮記·內則》記載幼兒出生三月後由父親命名，並要十分鄭重地奉行命名儀式。命士以下皆漱洗，男女早早起來沐浴更衣，準備飲食。母親抱嬰兒出房，父執嬰兒右手而名之。將孩子交給保姆，保姆將其名遍告諸婦諸母。又告管家，由管家告訴其他男人。寫下孩子某年某月某日生，並轉告閭史。閭史寫兩份，一份存閭府，一份獻諸州史，州史獻給州伯，州伯命藏於州府。命名的儀式表示氏族增加了新成員。後世習慣在孩子入學前後命名，叫「本名」，以別於出生後叫的乳名（小名）。

命名的原則，《左傳·桓公六年》曰：「名有五，有信，有義，有象，有假，有類。」

「有信」即「以名生爲信」，指根據出生的特點命名，如殷商時以生日名子；或聽其聲，以律定其名；或以某種生理特點命名，如唐叔虞初生，因手掌紋理像「虞」字，故名虞；鄭莊公寤生，因其逆生造成難產故名寤生。「有義」即「以德命爲義」，指以祥瑞之字爲名，如文王叫昌，武王叫發。「有象」即「以類

命爲象」，指以類似的事物取名，如孔子生而頭上圩頂，像尼丘山，故名丘。「有假」即「取於物爲假」，指假借其他事物的名字來取名，如宋昭公名杵臼，孔丘之子孔鯉。「有類」，即「取於父爲類」，如魯莊公與其父桓公的生日相同，故名曰同。從消極方面說，要求命名不用本國的國名、官名、山川名，也不用病患、畜牲、禮器幣帛等字命名，爲的是將來不便避諱。古人重視命名的取義，褒揚德行，寄託父輩的期望，以美好事物或德義命名的較多。如屈原名平。《離騷》說：「名余曰正則兮，字余曰靈均。」正、平，則、法，靈、明，均、齊都是近義詞，用以誇獎屈原少有令德，具有內美的品質。命名還可以加上排行或表示輩份的字。如曾參的後代傳至清末已七十五代，據《宗聖志》曾參後代的舊名派按：「宏聞貞尚衍興毓傳繼廣昭憲慶繁祥」十五字，分別嵌入各輩人的名字裡。後來又規定用新名派曰：「令德維垂佑欽紹念顯揚」十個字表示不同的輩分。《紅樓夢》一書給賈政一輩的命名都有文字旁，寶玉一輩都從玉字旁，賈蓉一輩的名字都有草字頭，這也是命名時表示輩份的習慣。

先秦的人多是單名，取兩個字爲名是很少見的，並被視爲非禮。魏襄子名曼多。《公羊傳·哀公十三年》曰：「曷謂之晉魏多？譏二名，二名非禮也。」後世的人取兩個字爲名的漸漸增多。三個字、四個字的名字多是國內少數民族的漢譯名字。

名與靈有關。名是一個人自身的稱號。古人相信一個人可分爲肉體和靈魂，靈魂可以脫離物質的軀體而存在，人死即魂魄離開軀殼。所以名也是魂魄的稱謂，而魂魄又是人的生命之所繫。即名、魂、命的意義相通。人受到驚嚇，或患病認爲是失魂落魄所致，於是呼喚他的名字，讓迷失去向的魂魄回到軀體。這就是招魂的習俗。人死之後，其家人登上屋頂，向北高呼死者的名三次，希望招回遊魂，復歸體魄，望其復生。巫術習用剪紙或木刻

的人像，寫上姓名及其生辰，加以詛咒，認爲詛咒人的姓名就是加害於該人的靈魂、生命。原始社會的習俗，常把一個人的靈魂與該人的個人圖騰聯繫起來，而以該人的名字作爲靈魂、生命的代表。例如《左傳·宣公三年》記載鄭穆公名蘭，以蘭作爲自己生命的代表。「穆公有疾，曰：『蘭死，吾其死乎！吾所以生也。』刈蘭而卒。」這是以蘭爲個人圖騰的遺風。古人對名是非常尊敬的。尊長可以呼晚輩之名，自己可以稱名，而一般平輩之間爲了敬名、避名都習慣稱字。從前，請教別人怎麼叫法，往往不問名而問字，如請教「尊章」、「臺甫」或「大號」都是問字或號的說法。

《禮記·曲禮上》：「男子二十冠而字，冠而字之，敬其名也。」男子二十歲成人，舉行冠禮（結髮加冠）時取字，女子十五歲許嫁舉行笄禮（結髮加笄）時取字。成年禮要舉行隆重的儀式。事先要占卜吉日，卜選儐賓，由一位尊貴的賓客爲之取字。《白虎通》說：「人所以有字何？冠德明功，敬成人也。」字往往是兩個音節，即兩個漢字組成。字，後代也稱「表字」，如正史中常見「某字某」，而小說中用接近口語的說法用「表字某」。

**古人的名和字有意義上的聯繫，反映當時的社會生活、道德觀念。**春秋末年孔子的學生冉耕字伯牛；司馬耕，一名犁，字子牛。可以知道當時已用牛耕地。曹操，字孟德；諸葛亮，字孔明。操行所以表德，亮與明爲同義詞。也有用反義詞的，如曾點，字晳。點，小黑也；晳，人色白也。曾點的名字表示其膚色白晳而有黑點，標誌其體貌特徵。

**周代貴族男子字的前面加伯仲叔季表示排行，字的後面加「父」或「甫」字表示性別。**如泰伯、仲雍、季歷不是雙名而是加排行的習慣說法。如伯禽父、仲山甫、仲尼父、叔興父。這是排行、名和表性別的「父」組成全稱。有時也省去「父」（甫）

字,如伯禽、仲尼、叔向、季路。有時省去排行,如禽父、尼父、羽父。有時排行也可以爲字,如管夷吾字仲,范睢字叔,魯公子友字季。在名字後面加「父」(甫)的習慣一直延續至後代,如「廬陵蕭圭君玉、長樂王回深父、余弟安國平父,安上純父。」(王安石:《遊褒禪山記》)長樂是王回的籍貫,現在福建省長樂縣,王回字深父。王安石的弟弟王安國字平父、安上字純父。

**春秋時男子取字常於字之前加子字。**子,是男子的尊稱。如子胥(伍員的字)、子淵(顏回的字)、子有(冉求的字)、子我(宰予的字)等等。這個「子」字也可以省去而逕稱伍胥、顏淵、冉有、宰我。

**周代貴族女子字的前面加姓,姓的前面加伯仲叔季表示排行,字的後面加「母」或「女」表示性別,構成全稱。**如孟姙東母(《鑄公簠》)。有時省去母字,例如季姬牙;或省去排行,例如姬原母;有時也單稱「某母」或「某女」,如壽母、帛女、孟姜女。常見的形式是按排行加姓,如孟姜,是齊國姜姓之女,孟乃排行老大而庶出者。《白虎通・姓名》說:「嫡長稱伯,庶長稱孟」。還可在姓之後加「氏」字,如姜氏、姬氏。已嫁的婦女於其姓之前加夫受封的國名,如秦姬,表明姬姓女子嫁給秦國國君。嫁給卿大夫者,于姓之前冠以其夫的氏或邑名,如孔姬,即姬姓女子嫁給孔圉(孔文子)。婦女姓名前冠夫的姓氏成爲後代的通例,如張姓女子嫁給王家,稱王張氏。原有名字反不爲人重視,乃至湮沒,表現了以男性爲中心的社會特點,也是夫權的標誌之一。

**名和字連在一起說,上古是先說字,後說名,**如孔(氏)父(字)嘉(名)、叔梁(字)紇(名)、孟明(字)視(名)、白乙(字)丙(名)、欒(字)堅(名)。**漢代以後,則先說**

名，後說字。如「今之文人，魯國孔融文舉，廣陵陳琳孔璋，山陽王粲仲宣，北海徐幹偉長，陳留阮瑀元瑜，汝南應瑒德璉，東平劉楨公幹。」（曹丕《典論·論文》）這就是「建安七子」，每個人先舉籍貫，然後姓、名、字。名是一個字，字是兩個字。

先秦時期，貴族的女子稱姓，男子稱氏。一般的平民、奴隸只有名而無姓氏。

## (九)號、別號

人的名字以外另起的稱號，也叫別字。別號與名字不一定有意義上的聯繫。別號的起源也很早。《莊子·在宥》：「黃帝立為天子十九年，令行天下，聞廣成子在於空同（山）之上，故往見之。」成玄英疏謂廣成子即老子別號。范蠡號陶朱公，到越國時稱鴟夷子，陶朱公、鴟夷子都是范蠡的別號。大致在魏晉以後，上層的文人學士自起別號的現象就比較多了。如葛洪自號抱朴子，陶潛自號五柳先生。有些人還不止一個號，有自號，有別號。如湯顯祖字義仍，號若士，又號海若，別署清遠道人。梁啓超字卓如，號任公，又號飲冰室主人。別號用兩個字的居多，如王安石字介甫，別號半山；陸游字務觀，別號放翁。兩個字以上的別號，如李白號青蓮居士，蘇軾號東坡居士，姜夔號白石道人。兩個字以上的別號又可以壓縮為兩個字如李青蓮、蘇東坡、姜白石。別號的取義種類繁多。宋代徐光溥編《自號錄》，收入《十萬卷樓叢書》，輯錄宋代人士的別號，分處士、居士、翁、齋等三十六類。清史夢蘭編《異號類編》，收入《止園叢書》，收錄古今人物的別號、混號等，分稱美、隱諷、嘲謔、嗤鄙、憎畏、誣詆、自表、帝王（僭竊附）、宮闈（娼妓附）、釋道、盜賊、聯稱、耦舉、家世等十四類。陳德芸編《古今人物別名索引》收別名七萬多條，可供查閱。

## (十)諢號、雅號

諢名、混號、綽號是別名的一種。往往根據個人的身體、性格、技能上的特徵而命名的別號。《水滸傳》裡的一百零八將都有諢號，如九紋龍史進以其身上刺有九條龍的花紋而取名。智多星吳用以足智多謀而取名。母夜叉孫二娘、赤髮鬼劉唐都是庸俗凶惡的綽號。舊社會流氓無產者階層流行使用綽號的習慣。有的惡霸地主也有東霸天、活閻王、丁剝皮等綽號。雅號、大號，是對他人別號的敬稱。

## (十一)室名、齋名

別號的一種。宋元以來，文人學士常有自署或由他人賀取的室名、齋名。他們在題署小說、雜著一類作品時，常署某某室主人，某某齋居士，而不用自己的正名。

## (十二)筆名、藝名

別號的一種。近代著者發表文章時常署用筆名，如魯迅（周樹人）、老舍（舒舍予）、巴金（李芾甘）等。一般著名的演員或其他藝人，演出時則用藝名，如小叫天（譚鑫培）、麒麟童（周信芳）、梅蘭芳（梅畹華）。

## (十三)行第

按照排行命名的習俗起源很早，當社會發展進入到母系氏族外婚制，排除了兄弟姊妹間的婚姻關係，也就明確了輩份和排列。周代以伯仲叔季的排行命名已很普遍，如孟孫、仲孫、季孫等。漢高祖劉邦字季，其長兄名伯、次兄名仲均無他名，那麼季也應是名。唐代詩人按排行所命之名，與其人名字並行於世。如

元九稹，字微之，即元稹排行第九又稱元九；王大昌齡，字少伯；王七之渙，字季陵；李十二白，字太白；白二十二居易，字樂天。一般說，唐人排行是以同一曾祖父的兄弟長幼次序來排算的，並不是一父所生的兄弟排行。女子命名也用排行，如杜十娘，陳三五娘。詩文中常以排行稱呼，或以排行和官職連稱。岑仲勉《唐人行第錄》可以查到《全唐詩》以排行命名的資料。按排行命名，一直是庶民百姓的命名方式。如阿大、阿二、阿三之類。元代規定庶人無職者不許取名。另一類以數字命名的形式係在其誕生時以父母或祖父母之壽數命名。如朱元璋本名重八（即八八），其父朱五四，其長兄重四，次兄重六，三兄重七，大姐夫王七一。元璋之名係發迹後所取。大將常遇春，其曾祖父叫四三，祖父叫重五，父親叫六六。

## (古) 謚號

謚號也是一種別名。謚起始於周，最先是臣下對死去的尊上，用一個字或二三個字來評定其一生的行事。後來將相大臣或有顯著影響的人物死後，皇帝命令臣下根據其生前事迹和品德討論謚號，然後贈給死者。也有由親友門生私下給有名望的學者贈送謚號的，叫做私謚。（參見本書謚法部分）。

（陳光前）

# *5* 稱謂

## 一、稱謂概説

### (一)稱謂的種類

社會生活形成了人們之間的各種關係，爲了表達這些關係就產生了稱謂。閱讀古文獻必須了解有關稱謂的知識才能準確地理解人物的身份、地位、關係、語氣。稱謂種類繁多，大體可以分爲由血緣和婚姻關係而形成的親屬稱謂，由政治關係而形成的階級、等級、職官等稱謂，由經濟關係而形成的身分、職業等稱謂，由其他社會交往而形成的朋友、鄰里及一般的社會稱謂。就表達方式來分，可分爲稱人與自稱、敬稱和謙稱、專稱與通稱、美稱和賤稱、通稱和方言稱謂、今稱和古稱、少數民族地區流行的稱謂等。

### (二)稱謂的社會性和具體用法

各種稱謂都是名詞或人稱代詞，它反映人與人之間的特定關係，具有約定俗成的特點。社會交往中表明彼此關係而爲大家普遍採用的稱謂是通稱。父子兄弟一類稱呼從古到今沒有變化，屬於基本詞彙。在特定環境裡，爲了區別而另加詞素構成新的稱謂，如生父、繼父、嫡子、庶子、宗兄、盟兄、仁弟、契弟等，

這仍是通稱。在具體的語言環境裡，通稱可以有特殊用法，如「父母」二字作爲高年之稱，即尊之如父母而非生身父母。漢文帝問馮唐曰：「父老何自爲郎？」是君稱其臣爲父，又趙王謂趙括母曰：「母置之，吾已決矣。」是稱其臣之母爲母（《日知錄》八，「稱臣下爲父母」條）。又如「哥」，或呼爲兄。《舊唐書·王琚傳》玄宗泣曰：「四哥仁孝。」四哥指玄宗之父睿宗，因其排行第四。顧炎武《日知錄》認爲唐時宮中稱父稱兄皆曰哥，以爲君父之尊而呼之曰哥，名之不正，莫此爲甚。

趙翼《陔餘叢考》卷 37 搜集了更多事例，唐玄宗稱寧王李憲爲大哥，是弟稱其兄長；王荆公與其子王雱評論天下人物，屈指謂雱曰，「大哥自是一個」，此父稱其子爲哥；宋欽宗曰：「傳語九哥，吾南歸但爲太乙宮使足矣」，九哥指宋高宗，是兄稱其弟爲哥；柔福帝姬謂宋高宗曰：「哥被番人笑說」，是母輩稱其子輩爲哥。趙翼認爲「哥」字本有異稱，「古人以哥爲郎君之稱」，又說「哥乃親貴之稱」。其實，唐宋時已流行用「哥」字給孩子命名，後周太祖之子有青哥、意哥，歐陽修的兒子叫僧哥，陸放翁的伯父小名馬哥。唐玄宗被其親屬稱爲三哥，乃沿襲即帝位以前的稱呼。王安石稱王雱爲大哥，乃從關係人的角度使用習慣稱呼，都是特定環境的各從其習的用法。通用稱謂的基本意義具有社會性，其特殊用法要結合具體語言環境來研究。

有些稱謂的含義可從不同的角度引申出多種理解和用法。如「先生」本是古代對父兄師長的通稱，可以單稱「先」或「生」。《史記·晁錯傳》曰：「學申商刑名於軹張恢先所。」《集解》引徐廣曰：「先即先生。」《史記·叔孫通傳》，叔孫通諸弟子因參加制禮，皆賜爲郎，喜曰：「叔孫生誠聖人也。」生即先生。《韓詩外傳》曰：「古之謂知道者曰先生。」「先生」的意思是先醒，先懂得道。爲人師者自然先懂得道，故《釋名》曰：

「古者稱師曰先生。」但先懂得道的人不限於儒生，後來於術士、卜者、工匠、道士等也稱先生。「先生」的另一含義是出生在先，《戰國策・齊策》孟嘗君云，「三先生」……，高誘注：「長老先己以生者也。」孟子謂宋牼曰：「先生之志大矣。」趙岐注：「學士年長者謂之先生。」這裡稱年長有爵者為先生，不必為人師。鄭玄注《曲禮》曰：「先生，老人教學者。」顏師古注《急就章》曰：「先生謂老成之人。」綜合數義，說明古代執教者由年長而有德之人充任。漢代稱博士曰先生。儒學盛行後，儒者稱先生，如褚少孫續《史記》，自署「褚先生」。《後漢書・儒林傳》：「服儒衣，稱先生。」當「先生」一詞形成穩定的雙音詞結構，於是同為師儒，年老者稱「老先生」。《漢書・賈誼傳》：「每詔令議下，諸老先生不能言，賈生盡為之對。」「先生」一詞在求區別中產生了「老先生」一詞。「老先生」，這一稱呼的運用，又不限於為師的儒生，擴大於官場僚屬尊稱長官。明代京官自閣臣以至大、少九卿皆稱老先生，於外省稱巡撫為老先生，於按部使者則稱「先生大人」。「先生」一稱既有尊敬對方之意，至清末已成為社會交往中的通稱，穿長衫者常被稱為先生，如管賬房者亦稱先生。

## (三)稱謂用法的演變

有些稱謂的含義和用法在不同歷史時期有所變化。變化的過程雖然緩慢，但從較長時期考察，仍然可以看到各時期的區別。變化的方式大體說來可分四種：

1. 是原屬尊稱、敬稱的稱謂逐漸擴大使用範圍變為通稱。

2. 是有的通稱縮小使用範圍成為專稱。

3. 是一種稱謂的幾種含義，有的變為通稱，有的只在特殊的情況下使用。

4.是有些稱謂只存在於一定歷史時期，後代消失了。例如，「孺人」，按《曲禮》，「大夫妻曰孺人，士曰婦人，庶人曰妻。」南朝以後，無論職官大小，其妻通稱孺人，故見於詩文者較多（《通俗編》卷 17）。宋宣和時，罷縣君，改孺人爲第八等，說明標誌爵位等級的尊稱，降低了級別，逐漸普遍使用。以後即使無職者也稱其先妣爲某氏孺人。又如，「夫人」原是品級高的官員之妻才能稱爲夫人，明代邱濬《家禮儀節》云：「今制二品，方得封夫人。」而社會上卻流行敬稱人之妻爲夫人，根本不考慮是哪品官員，邱濬只得嘆息爲「僭越太甚」。

有的稱謂原係上下共用的通稱，由於縮小使用範圍變成專稱。例如，朕，先秦時期是上下共用的第一人稱代詞，例如屈原在《離騷》裡自稱：「朕皇考曰伯庸。」從秦始皇開始，天子自稱爲朕，其他人不能使用。

有的稱謂有幾種含義，因使用頻率不同而變化。如，舅之稱有數義：《爾雅》曰，母之昆弟爲舅，即母舅；《孟子》曰：妻父曰外舅；《禮記》曰，夫之父曰舅，即今之公婆，古稱舅姑；俗呼妻之兄弟爲舅，即妻舅。前三種與家庭型態的演變有關，第四種係由我之子呼我妻之昆弟爲舅，從子之稱以尊之。等到這一稱謂流行之後，爲區別起見，乃呼妻之兄弟爲舅子，即外舅之子。前三種用法在歷史發展中，母之昆弟爲舅使用頻率高，遂成爲社會的通稱，其他幾種用法已爲別的稱謂所代替。

有的稱謂只流行於某一時期，如稱君王爲「林」、「烝」、「辟」（見《爾雅‧釋詁》），因後代沒人使用便逐漸消亡。「辟」字作爲詞素仍保存於「復辟」一詞中。

### (四)稱謂的地區特點

中國稱謂的地區特點是各地區歷史文化傳統的痕迹，如方言

稱父：《廣雅》爹，北方人呼父；《正字通》夷語稱老者爲八八或巴巴，後人加父作爸；吳人稱父曰爸；《天中記》閩人呼父曰郎罷，一本作郎伯；《老學庵筆記》西陲俚俗謂父曰老子，雖年十七八有子亦稱老子；《正字通》自江北至北方稱父曰老子；《稱謂錄》江州民稱父曰大老；《正字通》吳下稱父曰老相；《稱謂錄》吳俗稱父爲阿伯等等。隨著經濟、文化聯繫增強，民族的遷移和雜居，某些家族保留著傳統習慣，致使同一地區使用的稱謂也不相同，增加了稱謂的複雜性。

## (五)稱謂的複雜性

稱謂的複雜性還表現在下列幾方面：

**一個人有多種不同的稱謂。**一方面表達不同的社會關係有相應的稱謂；另一方面，一個人有名、字、號、室名、謚號、官銜、爵位、地望、排行等，也就有不同的稱謂。例如古代君對臣的稱謂就有多種方式。唐太宗曰：「魏徵常勸我遠佞人。」是稱名例。漢高帝曰：「運籌策帷幄之中，決勝於千里之外，吾不如子房。」子房，張良字。晉以下人主對臣多不呼名而稱其字（《日知錄》「人主呼人臣字」條）。明成祖詔：「（徐）輝祖與齊（泰）、黃（子澄）輩謀危社稷。」齊、黃是稱姓而省名例。劉備爲詔敕後主曰：「汝與丞相從事，事之如父。」（《三國志·諸葛亮傳》）丞相指諸葛亮之官職。君稱臣下常用的尊稱有：君、先生、卿、公、老。也用一般人稱代詞汝、爾、若等。

日常交往中稱字、稱號已有表敬的意思，也可用尊稱，如「某老」、「某公」、「某君」，但有些人認爲表敬應稱官爵，稱謚號，稱原籍（或郡望）。比如李鴻章以武英殿大學士職銜稱爲李中堂，以謚號稱李文忠，以原籍稱李合肥。在詩文中稱謂變化更多，如蘇軾《密州出獵》：「爲報傾城隨太守，親射虎，看孫

郎。」稱孫權爲孫郎。辛棄疾《京口北固亭懷古》：「千古江山，英雄無覓孫仲謀處。」稱孫權之字。同一首詞「斜陽草樹，尋常巷陌，人道寄奴曾住。」寄奴是南朝宋武帝劉裕的小名。白居易以排行被稱爲白二十二。李紳被稱爲李二十侍郎，以排行與官職連稱。又如清末名妓傅彩雲，在上海爲妓時，取名曹夢蘭，後至天津，改名賽金花，俗稱賽二爺。曾國藩因殘酷鎮壓太平軍，人民給取曾剃頭的綽號以貶斥之。在某些祕密函電中，爲了不讓外人知道而使用隱稱。如《盛宣懷檔案資料選輯》稱伍廷芳爲「子胥」，借春秋時伍員之字而隱去伍字；稱唐紹儀爲「三藏」，借唐玄奘三藏法師之號而隱去「唐」字；稱李蓮英爲隴西，因李氏曾是隴西望族，遂用郡望作指代。

　　**有些稱謂可用於不同關係的人。**卿在秦代以前是職稱，周天子及諸侯皆有卿，分上中下三級，秦漢以後，君呼臣爲卿，有希望他是卿的意思。《史記·刺客列傳·索隱》：「卿者，時人尊重之號，猶如相尊美而稱以子然也。」衞人稱荊軻爲荊卿。荀子稱荀卿。魏晉以來，《韻會》曰：「凡敵體相呼亦爲卿，蓋貴之也。」隋唐以來，對地位較低者亦稱卿。對平輩或對地位較低者稱卿有親暱之意。如唐宋璟呼張易之爲卿。自唐以後，唯君主用以稱臣下。另，漢代已有夫妻之間互稱爲卿。《古詩爲焦仲卿妻作》：「府君謂新婦，賀卿得高遷。」《世說新語·惑溺》：「王安豐（戎）婦常卿安豐，安豐曰：『婦人卿婿，於禮爲不敬，後勿復爾。』婦曰：『親卿愛卿，是以卿卿。我不卿卿，誰當卿卿。」「卿卿」一詞由動賓結構漸漸轉化爲代詞，成爲男女間親昵的稱謂。同一稱謂在不同的語言環境所表達的關係和感情不相同，增加了稱謂的複雜性。

　　**稱謂有尊卑貴賤親疏遠近的區別，又有雅俗莊諧的不同，這也增加了它的複雜性。**《稱謂錄》所載，稱老師就有四十幾種說

法。用先生、老師最爲普遍，而書面語常用「夫子」、「函丈」顯得莊重；用學究、猢猻王則有嘲笑的意味。如《山堂肆考》：秦檜微時爲童子師，仰束修自給，故有詩云：「若得水田三百畝，這番不作猴猻王。」《七修類稿》曰：近世嘲學究云：「我若有道路，不做猢猻王。」

　　**不用今稱用古稱，使用文學修辭手段等都給理解稱謂知識增添了複雜性。**我國封建政權的職官名稱常有更改，但人們沿襲舊稱或加以比附，在書面語言中保留古稱。明代初年廢宰相，權力集中於皇帝，設大學士常侍天子殿閣之下以備顧問，避宰相之名，名曰內閣。後以六部尚書兼大學士銜入閣辦事。清沿明制，設大學士和協辦大學士皆稱相國、中堂。有爵位者稱爵相。它的古稱有百揆、冢宰、端揆、丞相等，這些古稱仍然有人使用。又如，六部中的吏部，人們仍有用它的古稱：太宰、天官、冢宰、小宰、文部、銓部、大銓衡等稱呼。官名中還有簡稱。如方勺《泊宅編》：「舊制直龍圖閣謂之假龍，龍圖閣侍制謂之小龍，龍圖閣直學士謂之大龍，龍圖閣學士謂之老龍。」明王志堅《表異錄》：「宋世以紫微舍人爲小鳳，翰林學士爲大鳳，丞相爲老鳳。」魏武帝置祕書令後改爲中書監掌管機要，稱之爲鳳凰池。中書令一職隋改內史令、內書令。唐光宅初改爲鳳臺，內史令開元初改爲紫薇令。紫薇舍人即原來的中書舍人，係鳳閣屬官故稱小鳳。宋設翰林學士院，職掌起草詔書，類似魏晉中書之職，故稱大鳳。唐代丞相稱「同中書門下平章事」故稱老鳳。幾種稱謂都由中書監稱爲鳳凰池引申而來，而文人學士以小鳳、大鳳、老鳳等指代中書舍人、翰林學士、丞相等職務。又如，《楚辭》：「荃不察予之中情。」王逸注：「荃，香草，以喻君也。」這本是文學修辭的比喻手法，而後世即以此爲君主的別稱。《文選·宣德皇后令》：「要不得不強爲之名，使荃宰有寄。」注：「庶

使君主之情微有所寄也。」魯迅詩:「寄意寒星荃不察」又以荃喻祖國。

　　**古人在行文時**,爲了修辭而變換稱謂,如《論語》:「吾不欲人之加諸我也。」《孟子》:「我善養吾浩然之氣。」吾、我都是第一人稱代詞,在同一句話裡變換用字。《史記‧張儀傳》:「若善守汝國,我顧且盜而城。」汝、而同爲第二人稱代詞,用汝又用而。也有行文時用「某」代替具體稱謂的。用「某」有幾種情況:

　　1.爲了諱名而用某,《史記‧高祖本紀》:「高祖奉玉巵,起爲太上皇壽曰:『今某之業,所就孰與仲多?』」「某」原應爲劉邦自稱其名,史文諱國君之名,改用「某」字。

　　2.傳聞時佚其姓名,如《春秋‧宣公六年‧公羊傳》:「於是使勇士某者往殺之。」

　　3.作爲姓名、稱謂的代詞以說明通例。如《論語》:「某在斯,某在斯。」

## (六)稱謂詞的結構

　　若從構詞法的角度研究稱謂,可以看到親屬稱謂中用族、宗、堂、從、外等表示親屬關係的遠近,如族曾王父、宗兄、堂兄、從祖母、外祖等。用伯仲叔季或排行表示長幼順序,如伯父、仲父、叔父、季父、大哥、二弟等。用先、亡表示已死的人,如先君、亡兄等。用老、令、尊、賢、淑、貴構成對人的敬稱,如老兄、令兄、尊兄、賢弟、淑弟、貴部。用家、舍、鄙、小、愚構成謙稱,如家兄、舍弟、鄙弟、小弟、愚兄。在社會生活中仍然存在這些區別,不能用錯,稱謂用錯了,就遺人笑柄。由於讀音的變調和重言形成不同的寫法和新詞,如娘、娘娘;孃、孃孃;爺、爺爺;公、公公;爸、爸爸;舅、舅舅;姑、姑

姑⋯⋯等。其中有些稱謂含意有古今的區別，並不是簡單地重言。孃與娘古代爲等義詞，讀音相近，寫法有別，但今天孃、孃孃也用於對姨或姑姑的稱呼。爺，隋代用以稱父，《木蘭詩》：「阿爺無大兒。」杜甫《兵車行》：「爺娘妻子走相送。」爺爺可理解爲父之父，即祖父，但單稱爺也是祖父。今人說：「爺倆」，可以是父子二人，也可以是祖孫二人。爺究竟指父，還是祖父？這要根據地區、家族習慣和語言環境來分辨。

## (七)稱謂研究概況

人在牙牙學語時，長輩即教以各種稱謂，稍長即從社會交往中學習稱謂知識。但系統地研究稱謂只能從《爾雅》「釋親」說起。《爾雅》成書於西漢，分類彙集儒家經師解說經傳詞義而編成的詞典，其「釋親」一篇解說親屬稱謂，保存了先秦親屬稱謂的知識。晉郭璞著《爾雅注》，一方面引證羣書注釋《爾雅》的訓詁，一方面用晉代語詞解說古語。宋代刑昺著有《爾雅注疏》。清代研究《爾雅》的人很多，邵晉涵著《爾雅正義》、郝懿行著《爾雅義疏》最著名。歷代增補或仿照《爾雅》體例編寫的書很多，形成一個系統，搜集稱謂知識並加以詮解有其貢獻。東漢劉熙《釋名》是一部語源詞典，其「釋長幼」、「釋親屬」兩篇解說稱謂，據考證還應有「釋官爵」一篇，《釋名》解說稱謂的範圍比《爾雅》廣泛一些。揚雄《方言》、許慎《說文解字》、陳彭年等編《廣韻》一類的字典、詞典都收錄了大量的稱謂內容，也是研究稱謂的一個方面。

歷代職官稱謂數量龐大，又隨統治機構的變化而變化，**正史的「職官志」記錄了主要的職官稱謂**。《通典》、《文獻通考》及歷朝「會要」等政書也有專章敍述。清乾隆年間官修《歷代職官表》搜採完備，附有釋文，黃本驥刪去釋文，僅存諸表，編爲簡本，上海古籍出版社重印本增加了《歷代職官概述》和《歷代職官簡

釋》，並附索引，可查到主要的職官稱謂。

　　類書以稱謂作爲獨立門類的有《古今合璧事類備要》分前集、後集、續集，宋代謝維新編；別集、外集，虞載編。其後集 81 卷分爲君道、臣道、三公、三少……等 48 門，多爲職官資料。其續集 56 卷，分爲姓氏、氏族、名稱、名字、稱呼、忌諱等 6 門，子目 570 條。有明萬曆刻本。清代官修《古今圖書集成》分 6 個彙編，32 典，6,109 部。其中「明倫彙編」分爲 8 典，「宮闈典」分后妃、東宮、外戚、宦官等 15 部；「官常典」分宗藩、勳爵、各種職官等 65 部；「家範典」分親屬、宗族、戚屬、奴婢等 31 部；「交誼典」分師生、同學、同事、賓主、鄉里、交際等 37 部。此書採擇的材料豐富，對研究稱謂很有價值，但卷帙龐大，內容繁雜，查閱稱謂比較費事。

　　歷代學者的筆記中常常可以找到有關稱謂的內容，或解說稱謂含義，或敍述稱謂的演變，或記載各地風俗，或輯錄有關稱謂的典故。如顧炎武《日知錄》卷 24，趙翼《陔餘叢考》卷 36 至卷 38，俞正燮《癸巳存稿》卷 4，翟灝《通俗編》卷 17，錢大昕《恆言錄》卷 3，徐珂《清稗類鈔》第 16 冊等。這類著作數量很多，但沒有分門別類薈萃成爲一書。後周盧辨曾撰《稱謂》5 卷，其書早佚。清梁章鉅《稱謂錄》32 卷系統整理了各種稱謂。以親親之義，首列親屬稱謂，附師友稱謂；由親而尊列皇帝以至各級職官，末爲各種職業、技藝、雜稱。各種稱謂又分爲幾項，如父母總稱、稱父、父自稱、子稱父、對人自稱其父、稱人之父、稱亡父、稱人亡父、本生父、義父、方言稱父、僧尼稱父、同母異父等。分類很細。每種稱謂引據書史予以解說，並略有考辨。此書搜集資料很完備，惜無索引，不便檢索。清代鄭珍《親屬記》2 卷，陳矩補撰 1 卷，僅載親屬稱謂。

　　上述字典、辭典、史志、類書、筆記、專著等幾方面的資

料，可供研究者參考。

# 二、親屬稱謂

　　親屬可分血親、姻親及配偶三個系統，血親指與父系血統有
關的親族及其配偶，亦即父族。與母系血統有關的親族及其配
偶，亦即母族。與妻的血統有關的親族及其配偶，亦即妻族。母
族與妻族都屬姻親。如收養關係雖非血親，法律上視同血親。父
系血親還可分為直系與旁系，尊親與卑親。傳統認為親屬關係限
於五服之內，但在聚族而居的封建社會，雖無服制仍存在按輩分
的親屬稱謂。大致可分為：

## (一)直系尊親稱謂

### 1. 自遠祖至父稱謂

• 遠祖：太高（祖以上之通稱）、太尊（遠祖或高祖）、先、祖
　先、先君（概稱祖先、特稱亡父）、先人、祖考（概稱祖先、
　特稱亡祖）、始祖（始封之君）、鼻祖（與始祖同）。

• 高祖：高祖王父、高祖（曾祖以上通謂之高祖，或特稱曾祖之
　父）、顯考（亦指高祖，後指亡父）、長祖、高門。

• 高祖母：高祖王母。

• 曾祖：曾祖王父、曾祖父、皇考、府君、太翁、次長祖、曾
　翁、曾門、曾大父、曾父、曾太公、大王父、王大父。

• 曾祖母：曾祖王母。

• 祖：祖父、王父、大王父、祖王父、大父、祖君、祖翁、翁
　翁、耶耶、阿翁、公、太公。

• 對人自稱其祖：家公、家祖。

- 對人自稱其亡祖：亡祖、王考、皇祖考、府君、先祖、先子、先亡丈人。
- 稱人之祖：尊祖父。
- 稱人亡祖：大門中。
- 祖母：王母、大母、太母、太婆、祖婆。
- 自稱亡祖母：皇祖妣。
- 稱人祖母：尊祖母。
- 稱祖之妾：季祖母、妾祖姑。

### 2. 稱父母

- 父母總稱：嚴君、膝下、親戚、尊老。
- 稱父：嚴親、翁、家翁、阿公、尊、家尊、爹、老兒、靈椿、椿。
- 父自稱：乃公、乃翁、阿爹。
- 子稱父：大人、先生、夫子、公、耶（爺）、爺爺、爹爹。
- 對人自稱其父：家嚴、家君、家公、家父。
- 稱人之父：尊大人、尊君、尊公、尊侯、喬（稱人父子曰喬梓）。
- 自稱亡父：亡父、考、皇考、王考、顯考、府君、家府、先君子、先君、先大夫、老大夫、先父、先公、先臣。
- 稱人亡父：尊先君、尊府。
- 稱本生父：本生父、嫡父、親父。
- 稱義父：義父、假父、養父。
- 方言稱父：爹、八八、巴巴、爸、筈、阿社、阿翁、郎、郎罷、郎伯、罷罷、老子、大老、老相、阿伯。
- 僧尼稱父：俗父。
- 稱同母異父：繼父。

- 稱母：母、嫗、媪、萱堂。
- 稱嫡母：嫡母、君母、民母、先母。
- 稱生母：生母、親母、因母。
- 子稱母：大人、娘、娘娘、大孃孃、主、家家、姨（今人多用稱母之姐妹）、阿母、少君。
- 對人自稱其母：家母、尊老、家慈、老人、家夫人、堂（堂上或令堂本此）。
- 稱人之母：尊堂、尊大人、尊上、令母、尊夫人（後用以稱人之妻）。
- 父沒稱母：太夫人、泰夫人。
- 對君自稱其母：臣母妾、妣（生曰母、死曰妣）、皇妣、顯妣。
- 對君自稱亡母：先妾。
- 稱已終之母為前母，父續娶者為繼母、後母、繼親、續母、假母（一曰父之旁妾、一曰乳母），已出之母為出母，過繼與人者稱其養父之妻為養母。
- 稱父之妾：庶母、諸母、妾母、少母、慈母、支婆。
- 稱保母：保母、保、葆、阿保、師保、保姆、內傅、傅母、傅姆、傅婢。
- 稱乳母：乳母、食母、養、仁者、阿母、妳母、妳婆、妳媪、乳媪、乳嫗、乳人、乳婢、乳姐、渾姆、姊姊。
- 稱乾阿妳：乾阿妳、乾妳婆。
- 稱乳母之夫：阿奢、國箸（折）。
- 稱乳母之子：阿乳兒（阿妳兒）。

## (二)旁系尊親稱謂

- 稱父之從祖祖父：族曾王父、族曾祖父。

- 稱父之從祖祖母：族曾王母、族曾祖母。
- 稱父之世父叔父（即父之從父昆弟之父）：從祖祖父、從祖世父、從祖王父、伯翁、叔大父、叔翁、翁。
- 稱父之世母叔母（即父之從父兄弟之母）：從祖祖母、從祖世母、伯婆、從祖王母、從祖母、季祖母、叔婆、婆、伯祖妣。
- 稱父之從祖父（即父之從祖昆弟之父）：族祖父。
- 稱父之從祖母（即父之從祖昆弟之母）：族祖母、族祖王母。
- 父之兄通稱：世父、諸父、從父、猶父、伯父、伯伯、伯、公。
- 稱父之亡兄：亡伯、從兄弟門中。
- 稱父之兄妻：世母、伯母。
- 稱父之弟：仲父、叔父、季父、叔、阿叔、大人、從翁、阿兄。
- 對人自稱其父之弟：家叔父、家叔。
- 稱人父之弟：賢叔。
- 稱父之亡弟：從弟門中、亡叔。
- 稱父之弟妻：叔母、季母、嬸。
- 稱父之從父昆弟：從祖父、從父、從叔父、堂伯伯、從伯、從叔。
- 稱父之從祖昆弟：族父、再從伯、族叔、宗叔。
- 稱父之從祖昆弟之妻：族母。

### (三)姻親稱謂

- 稱父之舅：大舅、祖舅。
- 稱母之祖：外曾王父、外曾祖。
- 稱母之祖母：外曾王母。
- 稱母之父：外王父、外祖父、外祖、外翁、外大父、大父。

- 稱母之母：外王母、外祖母、外婆。
- 稱母之兄弟：舅、舅氏、舅父、嫡舅、阿舅、元舅、哲舅。
- 稱母之兄：伯舅。
- 稱母之弟：仲舅、叔舅。
- 對人自稱其母之兄弟：家舅。
- 稱母之從父昆弟：從舅、從考舅、堂舅。
- 稱後母之兄弟：繼舅。
- 稱母之兄弟之妻：舅妻、舅母、舅母親、妗。
- 稱母之兄弟之子：甥、舅子、中表、親表、內兄弟、外兄、表兄、外弟、表弟、舅弟。
- 稱母之姊妹：從母、姨、姨母、阿姨。
- 稱母之從父姊妹：堂姨。
- 稱母之姊妹之夫：從母之夫、姨夫、姨父、姨丈人。
- 稱母之姊妹之子：從母昆弟、外兄弟、中表、表兄、表弟、姨子、姨兄弟。
- 稱母之姊妹之女：從母姊妹、表妹。
- 稱母之兄弟姊妹之孫：表侄。

## (四)兄弟稱謂

- 兄、晜（昆）、同產。
- 兄自稱：老兄（今亦用於弟稱兄）。
- 弟稱兄：先生、尊兄、哥、大哥。
- 對人自稱其兄：家兄。
- 稱人之兄：令兄、尊兄。
- 稱長兄：長兄、伯氏、元兄、寡兄、大哥、元昆。
- 稱同母兄：母兄、同母兄。
- 稱兄沒：亡兄、亡者子某門中。

- 稱兄之妻：嫂。
- 兄之妻自稱：新婦。
- 對人自稱其兄之妻：家嫂。
- 稱長兄之妻：邱嫂、從嫂。
- 稱弟：弟、男弟、親弟、同產弟。
- 弟自稱：鄙弟、小弟。
- 兄稱弟：賢弟、小子、君。
- 對人自稱其弟：舍弟。
- 稱人之弟：令弟、淑弟。
- 稱長弟：大弟、元弟、中弟、仲氏、仲公。
- 稱幼弟：季、季弟、少弟、小弱弟。
- 稱同母弟：母弟、同母弟。
- 稱弟沒：亡弟。
- 稱兄弟之妻：娣姒、妯娌。
- 弟妻謂兄妻：姒婦、稙。
- 兄妻謂弟妻：娣婦、姒、長叔姒。

### (五)旁系卑親稱謂

- 稱同祖兄弟：從父昆弟、公昆弟、同堂兄弟、從兄、從弟、賢從、仁弟、阿戎。
- 稱遠兄弟：遠兄弟、族昆弟、從祖昆弟、親同姓、同姓、從曾祖昆弟、族兄弟、再從弟、始族兄、始族弟、族弟、宗兄。
- 稱同母異父兄弟：外弟。
- 稱兄弟之子：猶子、從子、姪、姪男、姪輩、親姪、愛姪、兄子。
- 兄弟之子謙稱：小姪。
- 稱兄弟之孫：猶孫。

- 稱人兄弟之子：令姪、阮（竹林七賢之阮咸）。
- 稱亡兄弟之子：孤姪。
- 稱族兄弟之子：族子。
- 稱族兄弟之孫：族孫。
- 稱兄弟之女：姪、女姪、猶女、從女、兄女、弟女、仲女。
- 稱兄弟之婿：異姓、兄婿。

## (六)夫妻稱謂

- 稱夫：夫、士、家、外、夫子、君子、夫婿、所天、天、藁砧（鈇也，與夫同音，故借爲隱語）、金夫、士夫、元夫。
- 妻稱夫：良、良人、子、君、伯、歡、郎、郎伯、先輩、卿、老奴。
- 妾稱夫：君、男君、主父。
- 稱前夫：前夫、故夫。
- 稱亡夫：皇辟。
- 稱妻：妻、元妃、婦、婦人、室、同室、正室、內主、中饋、伉儷、結髮、鄉里、家裡、嫡、嫗、御、首妻、寡妻、君婦、妻子。
- 妻謙稱：婢子、小童、箕帚妾。
- 夫稱妻：細君、小君、娘子、兒母、姉、老婆、妹妹、良人、家主婆、同懷子、比肩人、渾家、渾舍、賢妻、仁妻、良妻。
- 妾稱妻：女君、主母、大姊姊、姒。
- 對人自稱其妻：內、內子、內人、室人、荊婦、山妻。
- 稱人之妻：德配、合閤、令室、令妻、邑君、內子。
- 稱貴者妻：夫人、孺人、內子、命婦。
- 稱出妻：出妻、判妻。
- 稱亡妻：嬪、令人、前妻。

- 稱舊妻：故妻、故劍。
- 稱後妻：後妻、繼室、後夫人。
- 稱未婚妻：娉會。
- 守寡妻：嫠婦、霜妻（孀妻）、孝妻、未亡人。
- 稱妾：妾、姬、內、籧、嬬、須、嬰、妍、童、小、小星、孺子、少妹、侍人、側室、別室、他室、次室、偏房、少房、別房、屬婦、小婦、旁妻、下妻、少妻、外婦、小妻、嬖、庶妻、嬖妻、庶妾、伎妾、色妾、女妾、姻妾、薄命妾、祇候人（左右人、貼身、橫牀、橫門）、次妻（如君、細君、姨娘、姬娘、姑娘）。
- 稱人之妾：如夫人、小夫人。
- 稱老妾：房老、房長、滕、右滕、左滕、嫡姪娣、右滕姪娣、左滕姪娣、姬滕、諸娣、女從者、宦女。
- 稱有子妾：長妾、貴妾。

### (七)直系卑親稱謂

- 稱子：丈夫子、男、兒、兒子、孩兒、晚生、息男、嬌兒、寵子、保子。
- 父稱子：吾兒、子息、大郎。
- 對人自稱其子：小兒、不肖子、無狀子、賤息、弱息、糞土息。
- 稱人之子：郎君、小郎君、令郎君、郎子、賢郎、令嗣、令似、賢子、良子、令子、壞子、爭子、食子、收子、克家子、不凡子、跨灶、瓜子。
- 稱長子：長子、嫡子、嫡妻子、適、宗子、宗後、宗、冢子、冢嫡、冢嗣、冢息、正室、義嗣、嗣子、世子、代子、樹子、門子、後子、元子、大子、尚子、家督、根嗣、伯、孟、孟

子、長庶男、首子、鼻子、大兒。

- 稱庶子：庶子、衆子、支子、餘子、支庶、諸子、別子、介子、孽、孽子、庶孽、支孽、側室、側出子。
- 稱次子：中子、次男、次息、第二庶息。
- 稱少子：少子、少兒、季、阿小。
- 稱雙生子：孿子、釐孿、健子、孿生。
- 稱養子：養子、外子、贅子、假子、售子、義兒、螟蛉、客兒、微子。
- 稱已亡子：亡兒。
- 稱孤子：孤子、哀子、孝子、棘人、嫈子、孤孩、遺腹子。
- 後母稱子：前男。
- 方言稱子：崽、囝。
- 稱女：女子子、弱女、穉女、細娘、門楣、小茶、小娘子。
- 對人自稱女：息女。
- 稱長女：長女、長子、大女、適、首女。
- 稱少女：行女、次女、少女、季女、娣、嬰。
- 稱室女：處子、處女、時女、巫兒。
- 稱適人女：之子、嫁子。
- 稱孫：子姓、小晚生、孫息、孫枝、文孫。
- 祖稱孫：孫兒、小嬌孫、家孫。
- 稱人之孫：貴孫。
- 稱長孫：元孫、適孫、承重孫。
- 稱庶孫：庶孫。
- 稱已孤之孫：愍孫、哀孫。
- 稱遠孫：曾孫、玄孫、來孫、昆孫、仍孫、耳孫、雲孫、曾曾小子、孝孫，家孫、苗裔、苗、系孫、玄玄孫、末代孫。

## (八)婦稱夫之親屬

- 夫之父母總稱：舅姑、尊章、姑章、姑嫜、家老、公婆。
- 稱夫之父：舅、君舅、君、若公、伀、妐、丈人公（大人公）、官、鐘（章聲之轉）。
- 稱夫之父沒：皇舅、先舅、先子。
- 稱夫之母：姑、君姑、威姑、嚴姑、慈姑、阿姑、阿家、大家、家。
- 稱夫之母沒：皇姑、先姑、先姑氏。
- 稱夫之繼母：繼姑。
- 稱夫之庶母：少姑。
- 稱夫之兄：兄公、妐、兄章、兄伀、兄嫜、伯、兄伯。
- 稱夫之兄妻：姆姆。
- 稱夫之弟：叔、小叔、長叔、小郎、叔郎。
- 稱夫之弟妻：嬸嬸。
- 稱夫之姊：女公、女妐。
- 稱夫之妹：女妹、女叔、妹、叔妹、小姑。
- 稱夫之姊妹之夫：姑夫。

## (九)夫稱妻之親屬

- 稱妻之父：外舅、舅、妻父、婦父、婦公、婦翁、丈人、岳丈、岳父、泰山、父妿（方言，妿音多）、外父、冰叟、冰翁、婚。（《爾雅》婿之父爲姻，婦之父爲婚）
- 稱妻之母：外姑、姑、母妿、岳母、丈母、泰水。
- 稱妻之伯叔：列嶽、叔丈人。
- 稱妻之兄弟：舅、內兄、內弟、婦兄、婦弟、妻兄、親客、甥、外甥（《爾雅》妻之昆弟爲甥）、婚兄弟（《爾雅》婦之黨爲

婚兄弟）、私親兄弟。

- 稱妻之兄弟之妻：妻嫂、舅嫂。
- 稱妻之兄弟之子女：姪、舅子、媵者。
- 稱妻之兄弟之孫：歸孫。
- 稱妻之姊妹：姨、娣、妻妹、內妹、姨妹。
- 稱妻之姊妹之夫：亞、友婿、僚婿、大姨夫、小姨夫、連袂、
  連袂、連襟。
- 稱妻之兄弟之女之夫：上下同門。
- 稱妻之姊妹之子：妻孫。
- 稱妾之兄弟：私兄弟、小妻弟、小婦弟。

## (十)姊妹稱謂

- 稱姊：姊姊、老姊、賢姊、貴姊、阿姊、姊姐、女兄、妳。
- 對人自稱其姊：家姊。
- 稱長姊：伯姊、中姊、小姊。
- 稱姊在室：處姊。
- 稱姊沒：亡姊。
- 稱妹：妹、女弟、娣、季妹、幼妹、小妹。
- 稱人之妹：令妹。
- 稱同祖姊妹：從父姊妹、從妹。
- 稱同曾祖姊妹：從祖姊妹。
- 稱同母異父姊妹：外妹。

## (士)其他親屬稱謂

- 稱姊之夫：甥、私、姊夫、姊婿。
- 稱妹之夫：妹夫、妹丈、妹婿、婿婿、從妹夫。
- 稱姊妹之子：出、姪、甥、宅相、名甥、賢甥、外甥、外生、

養甥、姊子、從甥。

- 稱姊妹之女：外甥女。
- 稱姊妹之孫：離孫、從孫甥、彌甥、甥孫。
- 稱高祖之姊妹：高祖王姑。
- 稱曾祖之姊妹：曾祖王姑、曾老姑。
- 稱高祖姊妹之曾孫、高祖母之兄弟姊妹之曾孫、曾祖之姊妹之孫、曾祖母之兄弟姊妹之孫：重表伯叔。
- 稱高祖之姊妹之來孫、高祖母之兄弟姊妹之來孫、曾祖之姊妹之元孫、曾祖母之兄弟姊妹之元孫：重表姪。
- 稱高祖之姊妹之元孫、高祖母之兄弟姊妹之元孫、曾祖之姊妹之曾孫、曾祖母之兄弟姊妹之曾孫：重表兄弟。
- 稱祖之姊妹：王姑、諸祖姑（俗稱姑婆）。
- 稱祖之姊妹之子、祖母之兄弟姊妹之子：中外丈人、表丈人、外伯父。
- 稱祖之姊妹之子婦、祖母之兄弟姊妹之子婦：丈母、王母、謝母。
- 稱祖之姊妹之孫、祖母之兄弟姊妹之孫：從表兄弟。
- 稱祖之姊妹之曾孫、祖母之兄弟姊妹之曾孫：從表姪。
- 稱父之姊妹：姑、姑姊妹、姑姊、姑妹、女伯、女叔、伯姑、諸姑、老姑、仁姑、內賓、丈人。
- 對人自稱其父之姊妹：家姑。
- 父之姊妹沒：亡姑。
- 稱父之從父姊妹：從祖姑、從姑。
- 稱父之從祖姊妹：族祖姑。
- 稱父姊妹之夫：姑婿、姑夫。
- 稱父之姊妹之子：甥、外兄弟、從內兄、中表、表兄、表弟。
- 稱父之姊妹之女：外宗。

- 稱父之姊妹之孫：表侄。
- 稱子之妻：婦、來婦、主婦、媳、媳婦。
- 稱長子之妻：冢婦。
- 稱庶子之妻：介婦。
- 稱子之女：女孫、孫。
- 稱子之婿：孫婿。
- 稱孫之妻：孫婦。
- 稱孫之女：曾孫女。
- 稱女之夫：婿、倩（卒便、平使）、甥、館甥、子婿、女婿、女夫、婿甥、郎婿、密親、半子、嬌客、東牀、坦牀、少婿、快婿、嬌婿、猥婿、接腳婿。
- 稱贅婿：贅婿、就婿、布袋、入舍女婿、私婿。
- 稱亡女之夫：邱婿。
- 稱女之子：外孫、外孝孫。
- 稱女之女：重親。
- 婿之父母與婦之父母相稱：婚姻、親家、親家公、親家翁。

## 三、君臣之間稱謂

對皇帝的稱謂多達幾十個，大體可分爲幾類：

㈠常用稱謂，如后、君、王、帝、天子、皇帝等。

㈡加上頌揚德行或祝禱的詞語，如聖人、聖上、明上、天公、大家、萬歲等。

㈢表現其權力地位的代稱，如至尊、元首、萬乘、人主、人牧等。

㈣以其居處或服用形成的指代，如九重、陛下、乘輿、朝廷等。

　　皇帝除與普通人一樣有姓名、排行等稱謂外，又有未踐帝位前的爵位稱號，還有年號、諡號、廟號、尊號、徽號等特有的稱號。

### (一)臣民對天子稱謂

　　天子、皇帝、皇上、上、今上、皇、帝、陛下、聖人、聖上、明主。

### (二)天子自稱

　　朕、小子（《論語》：「予小子」）、沖人、孤、寡人、不穀。

### (三)天子古稱

　　后、元后、天王、王、君王、后王、孝王、君、大君、社君、天、天辟、天皇、大官、縣官、官家、嗣王、宅家、天家、大家、眞主、鉅公、天公、崖公、太上、大尊、大宗、先民、禾絹、朝廷、車駕、乘輿、至尊、元首、荃宰、九重、萬歲、萬乘、人牧、人主、明上、主上、林、烝、辟、一丈夫、黃中君、黃天子、皇天子、新皇帝。

### (四)稱天子親屬

- 稱皇帝祖母：太皇太后、帝太太后、太母。
- 稱皇帝之父：太上皇帝、太上皇、太公。
- 稱皇帝之母：皇太后、母后、聖母、帝太后、太上皇后、天后、堯母、天下母、太母、東朝、慈宮、慈極。
- 皇帝之祖和父的后宮封號：皇貴太妃、貴太妃、太妃、太嬪、皇太夫人、皇太妃。

- 稱皇帝之正妻：皇后、后、中宮、元妃、王后、母后、椒房、殿下、孃孃、大娘。
- 稱皇帝之列宮：皇貴妃、貴妃、妃、嬪、貴人、常在、答應、夫人、世婦、御妻、女御、昭儀、倢伃、婕娥、傛偉、美人、八子、充依、七子、良人、長使、少使、五官、順常、無涓、共和、娛靈、保林、良使、夜者、上家人子、中家人子、宮人、彩女、貴嬪、淑妃、淑媛、昭華、修容、修儀、順成、才人、六儀、婉容、女尚書、女侍中、梳頭夫人、上嬪、承衣、刀人。
- 太子稱謂：皇太子、太子、東宮、青宮、春宮、春坊、東朝、儲宮、儲極、儲嫡、儲闈、儲君、儲貳、儲副、儲兩、東儲、元儲、副兩、嗣適、正適、正體。
- 太子古稱：孟侯、胄子、元子、丕子、世子、冢子、子、副君、副后、副主、儲皇、元良、殿下、小爺。
- 稱太子妻：皇太子妃、妃、儲妃。
- 太子妻古稱：良娣、良媛。
- 稱皇諸子：皇子、皇長子、阿哥。
- 稱皇諸孫：皇太孫、皇嫡孫、皇孫、天孫、皇曾孫、皇玄孫、龍種。
- 稱皇諸子、皇諸孫之妻：××福晉。

## (五)天子專稱

### 1. 年號

西漢武帝劉徹開始用年號紀年，他即位那年稱建元元年，順次為建元二年，建元三年……建元即年號。漢武帝以後全國統一時期、分裂時期、地方割據以及少數民族建立的政權等差不多都規定了自己政權的年號。有些皇帝還要改換年號，漢武帝共改元

十一次。至明清兩朝每個皇帝開始只起一個年號。人們常用年號代表皇帝，如乾隆皇帝、道光皇帝、這樣年號實際上成了皇帝稱呼的一種，但人們在習慣上不用年號稱呼明代以前皇帝，而用諡號或廟號。

## 2.諡號

皇帝的諡號是其稱呼的一種。如漢文帝、漢武帝、漢昭帝……文、武、昭都是諡號。諡號一般用一兩個字，從唐代開始諡號用字增多，如唐高祖李淵死後「諡號曰大武，廟號高祖，陵曰獻陵。上元元年改諡神堯皇帝，天寶八載諡神堯大聖皇帝，十三載增諡神堯大聖大光孝皇帝。」（《續通志·唐紀一》）增諡、改諡、諡字增多不便記憶，人們稱呼李淵就不用諡號而用廟號一唐高祖。

## 3.廟號

皇帝死後，要在太廟闢專室立神主奉祀，這種專室的名字就是廟號。有的皇帝沒有廟號，神主附享於其父祖之廟。廟號是由下代的皇帝用某祖、某宗的形式奉上的。如西漢皇帝的廟號有：

太祖（ 高皇帝——劉邦 ）
太宗（ 孝文皇帝——劉恆 ）
世宗（ 孝武皇帝——劉徹 ）
中宗（ 孝宣皇帝——劉詢 ）
高宗（ 孝元皇帝——劉奭 ）
統宗（ 孝成皇帝——劉驁 ）
元宗（ 孝平皇帝——劉衎 ）

廟號成為稱說已死皇帝的代稱。人們說漢高祖、唐太宗、宋太祖、明太祖等已成習慣。歷朝廟號用字大多重複，為便於區別

起見，明以後的許多皇帝人們習慣用年號來稱說。

### 4. 尊號

皇帝、太上皇、太后、太皇太后等已是尊號。但從唐代開始，臣下為了表示尊崇、頌揚皇帝就選用阿諛奉承的詞獻給在位的或已死的皇帝，作為皇帝的尊號。還可以幾次上尊號，使尊號由幾個字增加至幾十個字。如唐玄宗皇帝李隆基，即位的第一年（開元元年）羣臣上尊號曰「開元神武皇帝」。開元二十七年羣臣上尊號曰：「開元聖文神武皇帝」。天寶元年羣臣上尊號曰：「開元天寶聖文神武皇帝」。天寶七年羣臣請加皇帝尊號曰：「開元天寶聖文神武應道皇帝」。八年羣臣上皇帝尊號曰：「開元天地大寶聖文神武應道皇帝」。十三年羣臣上尊稱曰：「開元天地大寶聖文神武證道孝德皇帝」。至德三年，肅宗奉上尊號曰：「太上至道聖皇帝」。（《續通志‧唐紀七》）玄宗在位四十四年上尊號六次，當太上皇時，上尊號一次。臣下獻媚貢諛，皇帝崇尚虛名，這類稱謂使用頻率很低。

### 5. 徽號

徽，為美、善意。徽號是由羣臣奉上用以褒美皇帝、皇后的稱號。多是歌功頌德的套話，遇慶典還可以加字，如清太祖努爾哈赤稱皇帝，羣臣上徽號稱「復育列國英明皇帝」。簡單易記的徽號，有時也很流行。如清同治帝生母葉赫那拉氏，於咸豐二年（1852）被選入宮，封蘭貴人，後又封懿妃，晉升為懿貴妃。同治即位，尊為聖母皇太后。因住熱河行宮西暖閣，被稱為西太后，宮中稱之為老祖宗、老佛爺，光緒帝稱之為親爸爸，徽號為慈禧，稱慈禧太后。後因載淳大婚、親政和載湉即位、大婚、歸政、親政，及其六旬壽辰又多次上徽號，「端佑」、「康頤」、

「昭豫莊誠」、「壽恭」、「欽獻」、「崇熙」等字。溥儀繼位，慈禧太后被尊爲太皇太后，旋即死亡。其徽號已長達十六字，又上尊謚，決定於原徽號之前加「孝欽」，後面加「配天興聖顯皇后」爲謚號。其全稱爲：「孝欽慈禧端佑康頤昭豫莊誠壽恭欽獻崇熙配天興聖顯皇后」。長達二十五字的謚號使用頻率很低，而「慈禧」二字因其權力大，又係誤國罪魁，得以流傳。

### (六)天子稱臣下

- 君對臣下的稱謂：稱姓、稱名、稱字、稱爵位、稱職官名、用人稱代詞。
- 其他敬稱：公、君、卿、先生。
- 臣下自稱：臣、稱己名、稱奴才（清代武官及八旗近臣對皇帝的自稱）。

## 四、官員間稱謂

官員間的稱謂有許多區別：

(一)對稱與他稱不同，如足下、閣下、麾下、節下只能用於對稱，而用古代稱謂以稱當代官員一般只用於他稱。

(二)文官與武官不同，如文官稱大人、老爺，武官則習稱大帥、將軍、總爺、將爺。

(三)對上級、平級、下級的稱人與自稱不同。

(四)有爵位與無爵位不同。

(五)現任官與非現任官不同。

(六)京城與外地不同。

(七)口語與書面語不同。

現在主要以清代稱謂舉例說明。

- 文官上下之稱謂：屬僚對於管理部院之親王、郡王稱王爺。對部院之尚書、侍郎稱大人，而冠以姓。郎中、員外、主事均自稱司官，亦有稱章京者。尚書、侍郎對於司官、章京之無戚友私誼者，則稱某老爺；有私誼者從習慣。

- 在京外的官員，如藩司、臬司、學官各司對於督撫、自稱本司或司里。分守道、河務官、漕務官、鹽務官各道，對於督撫自稱職道，候補者亦如之。知府自稱卑府，直隸州、散州之知州，以及同知、通判、教職、佐雜，下至從九品、未入流，則皆自稱卑職。

- 一般通稱為大人、老爺、大老爺、先生大人、老先生。

- 武官上下之稱謂：稱大將軍、經略為大帥，後及於督撫、主持軍務之卿貳。老年資深者稱老帥，清末於實缺提督亦稱老帥。

- 綠營兵於提督、總兵、副將、參將皆稱大人，對游擊、都司皆稱大老爺；守備初稱總爺，後亦稱大老爺。對千總、把總皆稱副爺。

- 平民於兵士，稱之曰將爺，祝願其由兵而升至將帥；清初稱都爺爺。

- 武官於其系統之上官稱之為大帥大人，自稱標下，言在標下供職。又自稱沐恩者。

- 同官稱謂：習慣上互稱為大人、老爺、先生或職銜之後加大人、老爺、先生。內閣部堂的同官彼此稱老先生。稱給事為掌科，稱御史為道長，掌印者稱印君。京官於同署同官按考科中試的先後或到署年月的先後，尊獲前科功名或先到署者為前輩、先輩、老先生，自稱晚生、侍生。有親戚關係者稱眷生。同官的一般謙稱為：學生、後學、同學弟、侍生、侍、侍弟、晚生、晚學生、晚侍生、晚輩。

- 稱現任官員的他稱：當軸、當道、執政。對外官尊稱為父母

官、父母、公祖。古稱：當路子、朝士、瑣廳、朝達。

- 稱現任官員眷屬：老爺、太太、寓公、縣君、夫人、命夫、命婦。
- 稱官員父母：封君、贈公、贈君、老大人、老太爺、太夫人。
- 稱大員子弟：國子、貴游子弟、公子、公卿子弟、貴家子、勢家郎、貴冑、紈袴、膏粱、小姐、女公子。
- 稱居家之鄉宦：縉紳、搢紳、薦紳、鄉先達、鄉先生、父師、少師、老、致仕官、致政大夫。
- 紳士對縣官的謙稱：治下、治、治晚生、治生、百姓、部民。
- 民役對官的謙稱：小底、小人、民。

## 五、師友間稱謂

- 學生與老師的對稱和他稱：夫子、先生、函丈（函，容也。講問相對，容丈之地足以指畫。）、西席（漢明帝爲師桓榮設面向東的几席。）、外傅、師傅、傅父。
- 因職業而形成的稱謂：師儒、講師、經師、人師、書師、俗師。
- 科舉制時，學生稱主考爲：受知師、座主、座師、老師、舉主、宗師、丈、恩門、師門、恩府。
- 稱書院掌教：山長、院長、山主、洞主、學主。
- 稱蒙師：蒙師、學究、典蒙、發蒙。
- 稱教婦女的老師：女師、師氏、姆師、傅姆、姆傅、內傅。
- 師自稱：友生、友弟。
- 對學生的稱謂：弟子、舊弟子、門弟子、著錄弟子、高業弟子、高足、受業、受業生、諸生、生、學生、門生、及門、門下、門下士、門下生、門童、徒、門徒、生徒、學徒、學子、

小子、小生。

• 稱父之師、師之師：太老師、太先生。

• 稱師之父、師之妻：師祖、師母。

• 稱師之兄弟：師伯、師叔。

• 稱師之子：師兄弟。

• 稱太老師之子：世叔、通家、通家晚生。

• 稱祖之友：祖執、大父行、祖舊。

• 稱父之友：父執、諸父行、大伯、大叔、老伯、老叔、先友、
  父客、丈人、丈人行。

• 朋友之間稱謂：朋友、友執、友生、友舊、老友、小友、知
  己、心期、刎頸交、忘年交、莫逆交。

• 世誼之間稱謂：世講、世舊、同年、先後同年、同歲、同歲
  生、年家、同門、同門生。

• 盟兄弟之間稱謂：盟兄、盟弟、拜把兄弟、同譜、如兄、如
  弟、仁兄。

# 六、人稱常用詞

## (一)自稱

　　古文獻中自稱的表達方式可分：自稱己名，用第一人稱代
詞，自稱身分，用謙詞作為代稱，或謙詞、身分、名字並用等。

### 1.自稱名

　　下對上，卑對尊總是自稱己名。如李密《陳情表》「臣密
言」，臣表身分，密為其名。

## 2. 第一人稱代詞

卬、台（音怡）、身（自己）、吾、言、余、予、我、朕（先秦人皆自稱朕，秦始皇以後變爲皇帝的自稱），沙家、洒家（五代宋初人的自稱）、咱、喒、俺（北方流行的自稱）、儂、阿儂（吳方言區和閩方言區流行的自稱）。

## 3. 第一人稱謙詞

- 竊、愚、下愚、鄙人、不才、不佞、老漢、老夫、山人、僕、走、下走、末學、小生、下官。
- 王公謙稱：孤、寡人、不穀。
- 婦人謙稱：妾、妾人、下妾。

## 4. 身分職務與親屬身分的自稱

如臣、僕、奴、奴才、職、卑職；弟、侄、兒、女等。

### (二)尊稱

爲了表達對尊長、或名位顯貴者、或德高望重者的敬意使用尊稱。一般不能稱名而只稱姓、字、號。

常用的尊稱有：君、公、明公；叟、老、父老、丈、老丈、丈人、長者先生、老先、老先生、先達、儒先、先輩、前輩；大雅、高明、方家；尊、尊兄、賢、甫（丈夫之美稱）、卿、子（男子之美稱）；足下、閣下、執事；官人、相公。

### (三)第二人稱代詞

若、女、汝、爾、而、乃。

## ㈣第三人稱代詞

伊、伊人、斯人、某甲、他、他人、彼、渠。

## ㈤賤稱

對社會地位低下者或對其人的鄙薄輕視，常用賤稱。如小人、俗子、小子、豎子、豎儒、傖、傖父、漢子、蠻子等。

（陳光前）

# *6* 禮俗

## 一、古代禮俗概述

　　關於古代禮俗，我國古文獻已有大量的記述和研究。從現在所看到的甲骨文和金文中，已發現一些和禮有關的記述。先秦時期的銅器本身就是當時禮的產物。禮又是儒家的最高經典——六經之一，儒家十三經中有三種是關於禮的專門著作，即《周禮》、《儀禮》和《禮記》，稱爲「三禮」。二十四史中，凡是有志的正史都有禮志。研究和彙集歷代典章制度的「十通」，都有歷代禮的專門部類。歷代的類書、會要、會典也以相當的篇幅記述古代禮制。此外，在我國眾多的地方志中，也專記各時期當地禮俗。禮俗是古代社會上層建築的特殊組成部分，有廣泛的社會影響。古代人們的社會生活，歷代的典章制度、思想文化，幾乎和古代的禮俗都有一定的關係。所以，要想學習和研究中國歷史，熟悉古代社會生活狀況，繼承古代物質文化和精神文明，就必須對古代的禮俗有一定程度的認識和了解。特別是閱讀和整理研究古籍時，如果沒有關於古代禮俗的一般知識，也會遇到許多困難。下面分幾個方面對古代的禮俗作一些概括性的介紹和說明。

### (一)禮的概念和範疇

　　古代儒家學者，把禮當作是一種抽象的哲學觀念。唐代孔穎

達在《禮記正義序略》中說：「夫禮者，經天地，理人倫，本其所起在天地未分之前」，所以「禮者理也」。把禮解釋爲存在於天地萬物之前的，同時又高於天地萬物的「理」。這種「禮」是「天之經也，地之義也，民之行也」。（《左傳·昭公二十五年》）禮被描述成一種對人類社會有制約作用的非凡力量。《荀子·禮論》篇說得更是至高無上，極爲神祕了：「天地以合，日月以明，四時以序，星辰以行，江河以流，萬物以昌，好惡以節，喜怒以當，以爲下則順，以爲上則明。萬物變而不亂，貳之則喪也。禮豈不至矣哉！」似乎禮不單單是人類社會的準則，而且成爲自然界永恆的規律了。不過，荀子在具體談到禮的實質時，他又主張「禮有三本」：天地爲生之本，先祖爲類之本，君師爲治之本。這種觀點把禮明朗化，含有唯物主義的因素，荀子對禮的認識存在著兩重性。

其實，禮指的是關於禮的儀式和制度，這套儀式和制度在各個歷史階段有著不同的內涵和外延，隨著歷代對禮使用情況的不同，它在各個時期的含義也有程度的不同。大到君主治國，國家政治制度，社會意識形態；小到個人的生活起居、待人接物都歸之於禮的範疇。一般說來，禮制產生在奴隸制時代。由於奴隸制國家還沒有形成專制主義的中央集權，必須有一套維繫奴隸制國家統治的理論觀念，因而這個時期禮的範圍相對廣泛，基本上是合統治制度、傳統道德、文化教育爲一體的整套統治措施。它在構成和調節奴隸制國家的社會關係中起了相當大的作用。這一點我們在「三禮」中看得很清楚，在下面按條分述的禮俗中也表現得十分明白具體。正是由於禮所起的作用，才使儒家對禮推崇不已。孔子說：「夫禮，先王以承天之道，以治人之情，故失之者死，得之者生。……是故夫禮，必本於天，殽（效法）於地，列於鬼神，達於喪、祭、射、御、冠、昏（婚）、朝、聘，故聖人

以禮示之，故天下國家可得而正也。」（《禮記・禮運》）孔子是
周禮的倡導者，是「克己復禮」的實行者，他對禮的認識是深刻
的。唐代虞世南在《北堂書鈔》卷 80 中稱禮是「明天地之體，辨
君臣之位，辨兄弟之親，明男女之別……國之幹也，君之柄也，
可以爲國，能以爲國。經國家，定社稷，儐鬼神，考制度，明是
非，兼仁義。行其政令，以治人情，以統百官，以諧萬民，物恥
足以振之，國恥足以興之，安上治民莫善於禮，……道德仁義非
禮不成，教訓正俗非禮不備，君臣父子非禮不定，官學事師非禮
不親，禱祠祭祀非禮不誠不莊。」關於古代禮的概念和基本特
徵，這兩大段話已經表述無遺。

　　因此，以廣義上講，禮即指貫穿於古代社會諸方面的公理與
制度；從狹義上說，禮指的是禮的制度、教育和禮的研究。這些
內容在階級社會裡有廣泛的應用價值和特殊的意義，從而使歷代
的禮典和禮學成爲經久不衰的一門大學問。春秋末期的孔子已經
慨嘆夏殷禮的文獻不足，無法研究，能夠系統研究的禮制，可以
從周代開始。

　　周代禮的名目煩雜，內容瑣碎。所謂「經禮（周禮）三百，
曲禮（事禮，今禮）三千」（《禮記・禮器》），「禮儀（周禮）
三百，威儀（儀禮行事之威儀）三千」（《禮記・中庸》），並不
誇大，就連熱衷於禮的孔子也感嘆說：「禮失於煩」（《禮記・
經解》）。《周禮・春官・大宗伯》把禮分爲吉、凶、軍、賓、嘉
五個部分，形成傳統觀念的「五禮」。後世的禮制和禮學家也基
本上採取這套分類方法，只是次序有過調整。隨著禮在社會生活
中的具體運用，歷代以大量實際事例把周禮中關於五禮的規定具
體化、名目化了。

## (二)禮的產生和發展

如前所述,禮制產生於奴隸社會,但是,奴隸社會的禮是由原始社會的習俗發展演變而來的,所以後世的禮也包含了大量俗的成分。俗和禮密切相連,但也有一定的區別。總的來說,禮是一種制度,是關於禮的專門學問,而習俗是在社會中爲人們所承認,反過來又規定了人們的社會生活,形成一種習慣性生活方式和習慣性的思想心理。它不載於歷代禮制。其次,禮的實行性要求莊重肅穆,而習俗卻相對隨便。

習俗本身的產生也是在人類精神和物質生活不斷提高,生產力達到一定水平的情況下出現的。例如,隨著弓箭的發明,然後必須有練習射箭的習俗,最後才有歸於軍禮的射禮,隨著人類社會進入氏族公社後,開始有氏族成員的成丁禮。然後才發展成歸於嘉禮的冠禮。隨著人類的婚姻形態過渡到一夫一妻制以後逐漸產生正式的嫁娶,然後才有歸於嘉禮的婚禮。隨著父權制的確立,重男輕女觀念的出現,才有後世等級不同的喪禮。至於吉禮中眾多的祭祀,更是淵源於人類在原始時代的原始宗教等等。另一方面,奴隸社會的禮雖源於原始社會的習俗,但已有了本質的變化,因爲進入階級社會以後,鮮明的階級性使禮成爲維護階級統治、等級差別的工具,「禮不下庶人,刑不上大夫」(《禮記・曲禮上》)就是指這種情況而言的。至奴隸社會後期,「上無天子、下無方伯,力功爭強、勝者爲右」。(劉向《戰國策書錄》)作爲上層建築意識形態的禮也需要更新。更重要的是,隨著封建社會中央集權制的確立,寓法律、官職於禮之中的奴隸社會的禮遠不能滿足地主階級統治的需要,禮法開始並行,界限分明。漢代以後,禮的範圍逐漸縮減,禮的等級性也更鮮明,一些爲歷代不適用的禮被削除,一部分廢棄無存,一部分成爲民間流

行的習俗。

## (三)禮的基本特點和社會意義

古代的禮在各個時期雖不完全一致，不過從大體上看，有如下幾個特點：

第一，禮是階級社會上層建築的一個組成部分，是維護階級統治的有力工具，所以古代的禮有鮮明的等級差別。《左傳‧莊公十八年》說：「名位不同，禮亦異數。」不同等級有不同的禮。《禮記‧曲禮上》稱：「君臣上下，父子兄弟，非禮不定。」孔子在《禮記‧坊記》中也表明禮是維護等級差別的堤防，任何人都不得逾越。例如，周代對於各級諸侯的兵力、城池的規模都有禮制上的規定。吉禮中的許多祭祀，只有帝王才能奉行，否則便被視爲僭越。臣下的朝覲禮，等級不同，禮儀也有別，就連給天子的貢品也要按等級區別。嘉禮中的冠禮和婚禮，漢代以後，不但等級不同禮儀不同，連名稱也不盡相同。當然，禮是不下庶人的，這是它的階級性，它在使用範圍內的統治集團內部，嚴格的等級性正是要維護最高統治者的地位和利益。

第二，由於禮的概念很廣泛，包括制度、哲學、教育等諸方面的內容，所以，古代的禮有廣泛的實用性。這一點在歷代禮典的制訂中可以看得很清楚。禮既可以維護階級統治，規定等級差別，又可以調整社會關係、麻醉勞動人民。特別是禮成爲儒學教育的一個組成部分後，它的倫理觀念就更爲廣泛。儒家一整套禮學的教育系統，使禮成爲貫穿於古代社會人類思想和行爲的規範。《禮記‧經解》說：「安上治民，莫善於禮」。《漢書‧禮樂志》也說：「六經之道同歸，而禮樂之用爲急」。禮通過教育廣泛傳播，而且禮對社會有制約能力，所以具有特殊的使用價值。廣泛的實用性使禮成爲維護階級統治和社會生活的有力工具。

第三，禮是隨著社會物質和精神文化的發展而產生的，社會和文化不斷發展，對禮也有一個變化更新的要求，禮並不是一成不變的。另外，歷代王朝改奉正朔，也把新的禮典的制訂作爲一件大事，歷代的禮就更不相同了。我們現在所看到最早的禮是周禮，夏商兩代的禮難以了解。但《史記・叔孫通傳》說：「五帝異樂，三王不同禮。禮者，因時世人情爲之節文也。故夏、殷、周禮所因損益可知者，謂不相復也。」由此可知，三代的禮並不相同。爲了更好地增強禮的實用性，禮也必須經常修訂，有所損益。《宋書・禮志一》說得十分透徹：「夫有國有家者，禮儀之用尚矣。然而歷代損益，每有不同，非務相改，隨時之宜故也。」即使在同一王朝，根據社會的政治、經濟的變化也有修訂。

另一方面，雖然禮在各個時期有不同的側重面，而且隨著社會形態的變化也發生了質的變化，但它的社會作用卻是相當穩定的，在社會生活中起著相當大的作用。一些不受法律限制，但違背了社會傳統道德和倫理原則的行爲往往會受到禮的制約和指責；同樣，一些恪守禮的言行也會受到重視和贊揚。從社會意義上講，禮已經和民族文化、民族傳統滙合在一起，成爲調節社會生活，穩定社會秩序，調整人與人之間關係的精神力量。

## 二、禮學的研究和歷代禮典的制訂

禮在古代使用廣泛，影響很大，長期以來，逐漸形成了一套系統的專門學問。禮學概括起來有三個內容：

㈠歷代禮的記載。

㈡禮學的研究。

㈢禮典的制訂。

歷代禮的記載前已略述，下面分別介紹禮學的研究和歷代禮

典的制訂。

## (一)禮學的研究

　　禮發展成爲禮學就是歷代儒家研究禮的結果。禮學的研究又爲歷代禮典的制訂打下了基礎。最早歸於六經之一的禮是《儀禮》。朱熹曾說：「《周官》一書固爲禮之綱領，至其儀法度數，則《儀禮》乃其本經，而《禮記》郊特性、冠義等乃其義疏耳。」（《禮書綱目》卷上引《朱子語類》）漢代後才有三禮的出現。《周禮》是西漢初發現的古籍，漢景帝二年（前 155），河間獻王劉德廣開獻書之路，徵集到《周官》一書（即《周禮》），按篇目有 6篇，李氏獻書時只有 5 篇，後用《考工記》補成 6 篇。西漢末劉歆整理宮廷藏書，將《周禮》寫入《七略》書目，該書才得以廣泛流傳。但因該書無明確師傳，歷代很多學者懷疑爲僞書，經清代學者研究，多數認爲是先秦著作。《周禮》是講周代官職建置的書，內容雖極詳膽卻頗龐雜。《儀禮》殘缺情況更爲嚴重，漢代搜集先秦史籍，高堂生傳《儀禮》17 篇，主要是講關於士的禮制，這就是我們今天看到的《士禮》。《禮記》是儒家論禮的論文集。各篇撰成年代不一，上限開始於戰國，下限到西漢初期，其中《王制》篇最晚，大約成於漢文帝時期。漢代傳禮書的有戴德、戴聖、慶氏三家。戴德戴聖是叔侄倆，故又稱其爲大戴小戴。慶氏所傳不存，小戴禮記 46 篇，漢儒馬融補加 3 篇，共 49 篇，收入清人編《十三經注疏》中。大戴禮獨自成書，原爲 85 篇，現在我們看到的大戴禮記只存有 40 篇。

　　後世的禮學研究基本上就是圍繞著三禮展開的。大致說來，可以分爲三大類：一是關於三禮的注疏；二是在義理上的雜論；三是把三禮內容分爲吉、凶、軍、賓、嘉五禮，或分爲其它部類，進行闡釋。從體例上，前者是依照三禮文序，分條注釋解

說；二是單獨成篇；三是打亂三禮次序，按名目排比，使五禮的項目更系統、更明確。

　　**注疏三禮的禮學研究始於漢代。**按《隋書・經籍志一》所述，漢儒鄭玄、馬融、王肅等都有關於三禮的注釋和解說。漢代由於有今古文經論爭的問題，所以三禮各有側重。其中鄭玄雜糅今古文，影響更大。十三經中三禮注完全採用鄭玄的注，唐代孔穎達和賈公彥分別為鄭注作疏，因而漢注唐疏的三禮成為最權威的注本。其它較有影響的注本為宋人王昭禹的《周禮詳解》40 卷，宋人朱申的《周禮句解》12 卷，宋李如圭《儀禮集釋》30 卷，宋衛湜《禮記集說》160 卷，明王志長的《周禮注疏刪翼》30 卷，清人孫希旦《禮記集解》61 卷等。

　　第二類關於禮的義理雜論也相當多，這類禮學研究如果溯源，可追到漢代的今古文之爭。今文重義理，古文重名物訓詁。後世圍繞著今古文對經的作者、成書年代、理論等諸方面的論爭而產生對禮專論的雜著，往往脫離經文，獨自成篇。如宋人真德秀《三禮考》，宋葉時《禮經會元》14 卷，明柯尚遷的《周禮全經釋原》14 卷，清惠士奇的《禮說》14 卷，清蔡德晉《禮經本義》17卷，江永《禮記訓義擇言》8 卷。這類書獨自成篇，不計卷數。如葉時的《禮經會元》凡百篇，第一篇泛論禮經，第二篇駁漢儒之失，「其發揮經義者，實九十七篇」。（《四庫全書總目》）

　　第三類的實用性更強。朱熹曾提出：「禮經要須編正門類，如冠、昏（婚）、喪、祭及他雜碎禮數、皆須分門類編出，考其異同，而訂其當否，方見得然。」（《禮書綱目》引《朱子語類》）並向寧宗上疏，乞修三禮。朱熹和其門人黃幹合編的《儀禮經傳通解》就是以門類羅列。清人江永《禮書綱目》85 卷，內容詳盡，條目眾多，分類簡明，查閱方便。清人秦惠田的《五禮通考》也是這類著作。這類禮學的研究實際上是對三禮的再整理。

需要說明的是，在一些禮學專著中對禮的研究分類並不嚴格，尤其是第一、二類往往混合在一起，很難完全分開。此外，對大戴禮的研究也應當歸於禮學研究的範疇。北周盧辯曾為其作注，較好的注本有清人孔廣森的《大戴禮記補注》和王聘珍《大戴禮記解詁》等。

歷代禮學的研究論著較多，收入《四庫全書》的禮部書類就有75種，存目141種。

## (二)歷代禮典的制訂

周代的禮相傳為周公所制，這可以說是最早的禮典。春秋戰國所實行的禮，大體上依照周代，不過東周以後禮崩樂壞，實際上沒有統一的禮典，秦代一統，「悉內（納）六國禮儀，採擇其善」（《史記·禮書》），漢初叔孫通重新制定新的禮儀，有《漢儀》十二篇。（見《後漢書·曹襃傳》）文帝時賈誼修訂禮典。東漢初張純制禮典，安帝時，劉珍、劉騊駼「定漢家禮儀」。（《後漢書·張衡傳》）獻帝時，應劭著《漢官禮儀故事》，「凡朝廷制度，百官典式，多劭所立」。三國魏時王粲、衛覬「並典制度」，衛覬作《魏官儀》。（《三國志·魏書·衛覬傳》）蜀許慈，吳丁孚均制定禮儀。晉初「荀覬、鄭沖裁成國典」，東晉「荀崧，刁協損益朝儀」（《晉書·禮志上》）。南北朝時禮儀較混亂，隋文帝時命牛弘、辛彥之制訂禮儀。唐初有《貞觀禮》，繼而有《開元禮》。憲宗時韋公肅撰《禮閣新儀》。後周柴榮命竇儼編《大周集禮》。宋代劉溫叟制《開寶通禮》，仁宗時王洙撰《禮閣新編》。遼代有《遼朝雜禮》，金有《集禮》。元代李好文撰《太常集禮》，後王守誠又作續編。明初宋濂、劉基等撰《洪武集禮》、《洪武禮法禮制集要》、後又有《大明集禮》。清代有《大清通禮》，直到民國年間還有所謂外交禮等。

歷代禮典禮儀的制訂，都是帝王授命，由專職官員完成的。縱觀歷代禮制，有幾個重要階段。

第一是周禮的制訂，通過三禮把禮的內涵文字化，明確化，以至成爲後世禮典的根據和禮學研究的淵源。

第二階段是漢代禮制的制訂，使禮有了更大程度的等級性和實用性，是禮制的新階級。

第三階段是唐玄宗時的《開元禮》，這是唐代鼎盛時期的禮制，它使禮的項目更加完備，規定更加詳盡，歷經宋元至明，基本上仿照開元禮，變動不大。

最後一個階段是清代所制的《大清通禮》，隨著和西方交往的頻繁，它一方面沿襲原有的傳統禮節，同時又增添了與外國交往所需要的禮節，它是近代禮的先河。《清朝通典·禮典序》吹噓「《大清通禮》一書，……並非前代禮書所能及其萬一焉」。雖是誇大，但它的確增添了一些新內容。


# 三、禮俗知識

## (一)吉禮

吉禮是五禮中最重的禮。周代的吉禮歸大宗伯執掌，下設太祝、太宰具體管理。它主要是對天地鬼神的祭祀，其實就是祭禮。祭禮分爲大、中、小三等，大祀主要指對天、地、社稷、宗廟等的祭祀，許多爲帝王所專有，帝王必須親自參加。中祀主要指先農、先蠶、山川等，帝王或參加，或遣官代行。小祀指的是對司中、司命、風師、雨師、靈星和其它雜祭，一般遣官主持。祭祀時，三代立尸、尸以活人代表神主接受祭禮，秦代後廢尸。由於祭祀分有等級，所以祭祀時奉獻的犧牲也分爲太牢和少牢

（詳見犧牲條）。古代吉禮名目繁多，《爾雅·釋天》羅列了許多
祭名。唐徐堅《初學記》分祭禮爲 12 類，宋鄭樵《通志》分祭禮爲
30 名目，其它禮書分類更是龐雜混亂，下面把比較主要的吉禮
分條說明。

### 1. 郊天

郊天是在郊外祭祀天帝的簡稱。古代天子往往自稱受命於
天，所以對天帝的祭禮是相當隆重的。相傳郊天始於有虞氏時
代，夏商兩代均有祭祀。西周時對郊天的記述較爲具體。《逸周
書·作洛》稱：周代在國都外五十里的南郊營建郊天祭壇。古代
認爲天圓地方，所以郊天的祭壇爲圓形，因此，古文獻中又稱郊
天爲泰壇、圓丘、圜丘等。《周禮·春官大宗伯》稱，郊天由大宗
伯執掌，祭祀的方式是「以禋祀祀昊天上帝」，以煙祭祀稱爲
禋。《初學記》卷 13 稱：「祭天曰燎柴。」可見，郊天的祭祀除
其他物品外，主要是點燃柴堆，直達上天。

關於郊天的時間，《左傳·襄公七年》稱：「啓蟄而郊，郊而
後耕。」這裡的「郊」，指的就是郊天，郊天在啓蟄（古代節氣
名，當時尚未具備二十四節氣）後舉行。漢代以後的郊天祭禮，
又大都在冬至時舉行。據《宋史·禮志二》記述：漢代郊天一般在
冬至日丑時開始舉行。丑時爲深夜，深夜在祭壇上燔柴，帝王率
領羣臣拜祀上帝。

漢代以前，三代另有「迎氣」的活動，即認爲五天帝掌管
春、夏、季夏、秋、冬五個季節。每季節到來之時，在郊外舉行
迎接五天帝的祭祀，這就是「迎氣」。

戰國後迎氣并入郊天祭祀，五天帝也作爲郊天時的配享。秦
時配享四帝，漢高祖增設五天帝，漢後郊天配享神位擴大，東漢
時所奉天神達 1514 個之多。同時，隨著中央專制主義的不斷强

化，爲了「尊祀世統、以昭功德」（《宋書・禮志三》），漢文帝後，歷代開始以帝王祖先神與天帝一起配享。

郊天的祭祀也是古代帝王家天下的象徵，除了天子，其他任何人不得舉行郊天活動，否則即被指責爲「僭越」。歷代帝王即位後，也以祭祀天帝說明自己是正統王位的繼承者。因此，郊天的禮儀在古代經久不衰，影響很大，歷代制訂禮儀，均把郊天作爲吉禮的第一位，其祭祀用品爲太牢，等級爲大祀。

### 2. 方丘

方丘是與圓丘相對的祭壇，地神稱爲示，在方丘上對示的祭祀也是和在圓丘上對天帝的祭祀相對的。相傳對示的祭祀起源於夏代，夏代五月祭地，商爲六月。周代禮制，祭地仍歸大宗伯掌屬。每年夏至祭示。據《周禮・春官・大司樂》稱：與祭天相對，祭示壇設在國都外北郊五十里，周圍環水，象徵土地山川，同樣按照天圓地方說，祭壇成方形。按《禮記・祭法》及《初學記》卷13 所述，祭示的方式採用「瘞埋」，即把祭品埋入祭壇前土地中，象徵著地神享祭。祭祀開始時由司樂指揮奏樂，樂曲八變，地神昇入人間，天子獻酒致祭。

古代認爲后稷是農業之神，祭祀時以后稷配享。漢代以後，由於祭祀天帝的郊天以開國帝王配享，按皇天后土說，祭地始以高皇后配祭。方丘祭示的活動歷代情況與興廢不一，有時爲了顯示隆重，廣泛增設神位，如東晉成帝時，在方丘壇增設山川河流江海諸神位達 44 座。有時也不甚重視，與南郊祭天合在一起舉行。唐宋兩代合祭天地，明初廢除北郊祭壇。另外，配享雖大體以祭天配帝，祭地配后，但也有祭地以帝王配，頗不一致。祭地的具體時期也不固定，大體在春、冬兩季。古人認爲天尊地卑，方丘祭示雖也列爲大祀，但遠不如郊天隆重。《明史・禮志》稱，

前代帝王親自祭示的，也只有魏文帝、周武帝、隋高祖、唐玄宗四帝而已。其他祭示，遣官行祭。不過，方丘祭示和郊天一樣，沿襲長久，明清兩代都有祭禮，現在北京的天壇和地壇就是舉行這兩項祭禮的遺迹。

### 3.大雩

雩是大旱時祈求天帝降雨祭祀活動的簡稱，由於它實際上是包括在對天帝祭祀的範圍內，所以歷代史書往往稱為大雩。隨著農業在古代經濟生活中佔顯著地位，大雩的祭禮也從郊天的祭祀中分離出來。也正因為如此，大雩的祭壇建在南郊圜丘旁邊，古文獻中稱為雩壇。作為一項獨立的祭禮，大雩開始於周代。周代曆法，六月天氣炎熱，是陽氣極盛之時，所以大雩祭禮在六月舉行。春秋時期，天子地位下降，諸侯卿士為了祈求封地的農業豐收，也開始舉行大雩祭禮。從《春秋經傳》所記載的大雩祭禮來看，具體時間不固定，總是隨著出現乾旱而舉行雩祭的，甚至在遇到旱情特別嚴重的時候，在相距二十天後連連舉行這種祈雨祭禮。秦代廢止大雩禮。漢代大雩不單獨設壇，改在宗廟裡舉行。東晉大旱，郡縣公卿官員到社稷壇舉行雩禮，以土塑成龍形，少年十六人列成兩列，在社稷壇上起舞。穆帝時重修雩壇。南朝齊明帝時，大雩祭增設祖先神主。梁武帝時，再修禮制，認為東方是萬物所生之地，祈雨應在東方舉行，於是在東郊設建雩壇，後又改設籍田內。

歷代大雩的祭禮，雖然地點不一，形式不盡相同，但其目的是祈求天帝降雨以保農業豐收的。有些朝代，每當大旱，都認為是天帝對人世的懲罰，帝王祭祀自責。如周代天子大雩以六事謝過，梁武帝時，國大旱奉行七事。民間如久旱不雨，各地紛紛在社稷壇祈雨。這期間，市場關閉，禁止屠宰，不能舉火。並用紙

或泥製成巨龍，求龍降雨。由於農業生產在古代經濟生活中的獨特地位，大雩祭祀在古代社會流行很廣，一直延續到近代。

### 4. 明堂

明堂是古代天子所設祀神靈、朝諸侯的場所，最初只是常年奉祀天帝神主的祭室。相傳黃帝時稱合宮，堯時稱衢室，舜時稱總章，夏代稱世室，商稱重屋，又稱爲陽館，周時稱爲明堂。周代明堂除奉祭天帝外，還是諸侯朝拜天子、宣揚政教的處所。漢代以後，凡朝會、祭祀、慶賞、選士、養老等均在明堂舉行。漢武帝元封元年（前 110）到泰山封禪，泰山東北山坡下，相傳是周代明堂處，武帝即在此下榻。元封二年，濟南人公玉帶呈黃帝明堂圖，在該處建明堂。又《史記・武帝本紀》《索隱》引《關中記》稱：「明堂在長安城門外，杜門之西」，泰山明堂只不過是恢復周代明堂遺迹罷了。漢後除遼、金、元等少數民族政權外，歷代大多設置明堂，宋仁宗時，以大慶殿爲明堂。

關於明堂建製，後世也愈加複雜。《漢書・郊祀志中》記公玉帶所上黃帝明堂圖爲：「明堂中有一殿，四面無壁，以茅蓋，通水，水圜宮垣，爲復道；上有樓，從西南入，名曰崑崙。」這其實是一座簡陋的兩層茅樓。秦代增爲九室十二階。任啓運《朝廟宮室攷》認爲：九室是「接太室之四角爲四室，又連四角爲四室」的四角伸展建築羣。應劭注《漢書・平帝紀》稱漢明堂「上圜下方，八窗四達，布政之宮，在國之陽。上下窗法八風，四達法四時，九室法九州，十二重法十二月，三十六戶法三十六旬，七十二牖法七十二候。」唐武則天時明堂高二百九十尺，下方三百尺。可見其規模愈加龐大。由於歷代對明堂的重視，負責營建明堂的官員往往得到升賞。如漢代平晏、孔永等人治明堂被封千戶侯。上古明堂爲供奉上帝處所。周代「宗祀文王於明堂以配上

帝」（《孝經・聖治章》）。漢後以開國君主配祭。歷代帝王改元，也到明堂祭祀，實行大赦。漢時建明堂、辟雍、靈臺，稱為三學，其實辟雍、靈臺是明堂的擴大。

由於明堂在古代政治生活中的重要作用，後世許多人對此考訂，清代惠棟著有《明堂大道錄》8卷，對歷代繁縟的明堂制度作了詳細的考核，可以作為參考。

### 5. 朝日夕月

朝日夕月是祭祀日神和月神的禮儀。《國語・周語上》稱：「朝日，夕月」。由於它們分別在早、晚舉行，所以稱這項祭禮為朝日夕月。朝日夕月源於周代。周代祭日壇稱為王宮，祭月壇稱為夜明。其儀式與祭天帝大體相同。關於朝日夕月的日期、地點，古書記載多不一致。《儀禮・覲禮》稱：「禮日於南門外，禮月與四瀆於北門外。」漢代以後，朝日夕月的地點又有變遷。《漢書・郊祀志下》記漢代朝日夕月於「成山祠日，萊山祠月」，分別在山東榮成的成山、黃縣的萊山上祭拜。《晉書・禮志上》記晉代「春分朝日於東，秋分夕月於西。」明代嘉靖九年，於朝陽門外建朝日壇，阜成門外建夕月壇。清代有日壇月壇保留至今。

朝日夕月在古代社會經久不衰，有一定的原因。按先秦古籍的解釋，天子朝日夕月，是希望百姓庶民能像天子禮日月一樣尊奉統治階級。《國語・周語上》稱「於是乎有朝日夕月，以教民事君。」另外，朝日夕月時又是天子檢查政事、執定刑律，與臣下商議治政的時候。漢後該項祭禮等級也有變遷，漢代為大祀，唐改為中祀，唐後又升為大祀，宋後更為隆重，現在我們所能看到的北京日、月壇的規模，也可想見當時朝日夕月的盛況。

### 6. 大蠟

蠟又作臘，是年終祭名。古人認爲農業始於神農氏，農產品的收穫也是由土地之神所賦予的。因此，作爲對土地之神和神農的回報，每年蠟月，穀物顆粒歸倉後要舉行大蠟祭禮。大蠟夏代稱爲嘉平，商代稱清祀，周代始稱大蠟。漢代以後，大蠟的祭禮與五德相生說聯繫起來。歷代王朝選定十二月中和本王朝尊奉的五行之一相一致的日期作爲大蠟祭日。唐開元禮以十二月寅日作爲大蠟祭日。大蠟的地點歷代也不一致。按《宋史·禮志六》記述：周代大蠟在國都四郊舉行，漢至隋，改爲在南郊築壇蠟祭，隋至宋，又改爲四郊。《宋史·禮志一》稱宋元祐年間「大禮分四郊」。南宋紹興十九年定東、西方蠟祭爲大祀，南方北方爲中祀。乾道四年并爲南北蠟，南蠟仍於圓壇望祭殿，北蠟於餘杭門外精進寺舉行。後大蠟乾脆與圜丘郊天合併。大蠟神主原只爲神農，後因蠟祭是在一年收穫之後，於是「合聚萬物而索饗之」（《禮記·郊特牲》），神主也屢有增設。宋仁宗天聖年間，大蠟之祭神主多達 192 座。元明後，大蠟由於與郊天合併，不再作爲單獨的朝廷祭禮，在府州縣還往往舉行大蠟。

### 7. 靈星

靈星指天田星。古代傳說，上天神龍左角名叫天田，天田星主掌每年的穀物收入。所以，對天田星祭祀的主要目的是祈求神龍庇佑，求得來年農業豐收。這種祭祀在民間流傳很廣，起源也較早。周代禮制，每年八月，在國都東南郊外奉行對靈星的祭祀。漢高祖八年，「令天下立靈星祠」（《漢書·郊祀志上》），郡國州縣也立祠祀靈星。按照五行方位說，西北位爲壬辰，壬在五行中屬水，辰在地支中爲龍，西北是龍居之位，所以漢代在國都郊天西北方祭祀靈星。漢代以降，靈星祭祀十分普遍。《後漢書·祭祀下》記述這項祭禮的情況是：各地縣令邑長主持祭祀，

先陳上祭品，十六個童男組成四列。祭祀開始時，先由主持祭祀官長誦讀祭辭，鼓樂齊鳴，十六個童男在鼓樂聲中起舞。舞蹈動作先從耕種土地開始，春耕、夏耘、秋收、冬藏，細緻而形象地表演了一年來的各種農業勞作的情景，以此預兆著來年風調雨順，五穀豐登的興旺景象。宋代靈星之祭歸於諸星祠，設立靈星壇，於每年立秋後第一個辰日奉祭。明初洪武元年立靈星壇於國都南郊，八月十五日奉祭。靈星祭禮，帝王不親自致祭，命禮部有關官員舉行，其祭祀等級大多定為小祀。

### 8. 風師雨師及諸星祠

對風師雨師及其他星辰的建祠祭祀是與古代農業和天人感應說有關。鄭玄認為，風師和雨師為二十八宿中的箕、畢二星，箕、畢二星主掌風的運行和雨的降落。顏師古注《漢書・郊祀志上》認為，風師雨師是商代大臣飛廉和屏翳。對風師雨師的祭祀是為了祈求風調雨順，農業豐收的。其他諸星範圍較廣，歷代也有所不同。這種祭祀活動亦源於周代。《禮記・月令》記載，每年立春後第一個丑日在國都東北郊祭風師，立夏後申日在國都西南郊祭雨師，秋分於南郊祭壽星，立冬於西北郊祭司中、司命、司民、司祿等星辰。漢時定禮制，由於《尚書・舜典》中有「禋於六宗」，認為六宗為《易》之「乾坤六子」，遂定星、辰、風師、雨師、司中、司命為天地六子而立六宗祠，作為祭祀天地時的配享。唐代列風伯、雨師、靈星、先農、社、稷為國六神而奉祀。宋代立祠祭祀雷師、雨師。咸平二年天下大旱，相傳唐代北海太守李邕所制《祈雨法》及《畫龍祈雨法》行世，在祭雷師風師時試行其法，並刊刻印行。明代洪武七年，諸星祠合併南郊，作為祭天從祀。除了朝廷的祭祀外，各地亦有奉祭。如《河南通志》卷十《禮樂》記載：每年春二月和秋八月合祭，城隍在祭壇右側，山川

居左，中間以風雲雷雨神座。另外，後世諸星祠日趨繁多，且附會很多，元代以後，它們與其他祭禮往往混雜，明代後不再單獨舉行。

### 9. 社稷

社指土地之神，稷指穀物之神，相傳對社稷的祭祀開始於顓頊時期。顓頊時奉共工氏子句龍爲社神，烈山氏子柱爲稷神。商湯時天下大旱，湯認爲社、稷神沒有盡到庇佑天下的責任，於是廢柱改立周族始祖棄爲稷神。周代禮制，天子立三社：在庫門西側立太社，在籍田內立王社，在廟門外立亳社。三社中，太社是爲貴族所立；亳社爲亡國諸侯立；王社爲周王室所立。可以看出，這個時期的社稷，逐漸由單純的土地穀物之神向國家政權的象徵轉化。

王室之社不但是祭祀的場所，而且成爲春秋時期諸侯會盟的地方。《左傳・定公六年》即稱：「陽虎又盟公及三桓於周社」。除天子之外，諸侯也立有社。按《禮記・祭法》稱：諸侯立有國社、侯社；大夫以下立一社。立社分社、稷二壇，社壇在東，稷壇在西，俱座南北向。天子王社，寬五丈見方，按照五天帝說，壇成五方形，五個方位用五天帝所代表顏色的土築成。諸侯用所在方位的顏色築土而成。壇上還廣植樹木，每歲五祀。

社稷雖包含著社、稷二神，但由於社的意義遠超過稷，所以先秦史籍大多只單獨稱社。秦漢以後，社稷已成爲國家政權和王朝的代名詞。漢高祖二年，即令除秦社稷改立漢社稷。並令全國郡縣立「公社」，每年春三月和臘月分兩次祭祀。這時的「公社」取代了周代社稷的內涵，而天子社稷卻完全成爲國家政權的體現。漢代臣下亦可立社，如欒布曾爲燕相，燕、齊等地紛紛立「欒公社」。武帝封三子爲王，依照方位取名，閎封於齊地，齊

為東方，故名青社；且封於燕，社名玄社，胥封廣陵為赤社。
（《史記‧三王世家》）唐代神龍年間，禮臣祝欽明上言，請尊社
稷神以帝社、帝稷。宋代社稷「自京師至州縣，皆有其祀」
（《宋史‧禮志五》）。明代開始以祖先神配祭。漢代至清，各代
均設有社稷壇，其間立壇的數目、方法、祭祀的等級、時間都有
變化。但以社稷作為國家政權的象徵這個表現形式從來不變，它
充分體現了禮制對專制主義政權的作用和意義。

### 10.山川

　　對山川之神的祭祀初期是祭天地的附祭，相傳黃帝時已開始
附祭山川。舜時遊巡，曾親臨山川，遍祭山川之神。周代禮制，
每歲迎氣、郊天、大雩、大蠟時祭祀山川羣神。祭祀時在低窪處
設祭壇，用血祭（殺牲）埋沈（埋入地下）的禮儀。祭山川稱為
「望」，在先秦古文獻中有「三望」、「四望」的記述。春秋時
戰爭頻繁，祭所過山川又是戰爭前後的一項禮儀。秦漢以後，隨
著中央專制集權的建立，人類對古代地理進一步的了解和認識，
對山川的祭祀等級不斷提高，所祭範圍進一步擴大。漢時開始視
山川神為公、王，宋代五嶽之神被尊奉為帝。漢武帝後，隨著疆
土的開拓，山川之神不僅包括黃河流域和長江流域的山林川澤，
而且擴展到邊境各郡縣。山川之神各有封號。元代按全國山川方
位，把所祭山川分為東、西、南、北、中五部分，稱為五道，每
年五季按方位分別祭祀。

　　明清時期進一步發展，對山川的祭祀不僅包括境內山川林
澤，而且包括其他國家的一些名山大川。如明太祖洪武八年禮部
尚書牛諒上疏，外國山川各省附祭。廣西省山川之祭包括安南、
占城、真臘、暹羅、鎖里；廣東省祭三佛齊爪哇，福建附祭日本
境內山川，遼東附祭高麗等。山川之祭歷代也相當重視。如漢文

帝十五年「修名山大川嘗祀而絕者，有司以歲時致禮」。（《漢書·文帝紀》）明設山川壇於天地壇之西。祭祀時日多不固定，如明代就有清明、霜降致祭和驚蟄後三日、秋分後三日致祭兩說。對山川祭祀的實質是歷代統治者以禮制顯示帝王尊嚴和托庇山川之神對政權的保衛，但它也體現了古代人類對地理環境的了解和認識過程。

### 11.籍田

籍田的祭禮實際上包括兩個內容：

一是在籍田內舉行對先農的祭祀。

二是天子諸侯公卿大夫在籍田內象徵性的耕作。

按《禮記·表記》和《月令》篇記載：周代立春日，天子乘車，車後載耒耜，率諸侯公卿大夫來到籍田。籍田是古代天子專有之田，所以又稱為帝籍、耕籍、王籍等，（《初學記》卷14）籍田設在國都南郊。先舉行對先農的祭祀，然後天子手扶耒耜耕地，來回手推三次，諸侯五次，卿大夫七次，士九次，最後由籍田官率農夫耕完籍田。古文獻中一般稱籍田千畝。籍田耕畢，宣告天下開始春耕。同樣，諸侯也設有籍田，一般在國都東郊。漢代專設有籍田令丞，歸大司農管轄，具體負責籍田。漢代籍田地點不固定，從幾代帝王耕籍的情況看，有鉅定、鈎盾、上林苑等地。而對先農的祭祀遍及各地郡縣。東漢時籍田「種百谷萬斛」（《後漢書·禮儀志上》引《漢舊儀》），專設有籍田倉。晉武帝時耕籍於國都東南。

唐代貞觀三年（629）唐太宗準備行耕籍禮，建先農壇於東郊。孔穎達議：「禮，天子籍田南郊，諸侯東郊，晉武帝猶東南，今帝社仍東壇，未合於古。」（《新唐書·禮樂志四》）太宗以東方為春氣萌發之地仍耕於東郊。可見此時已沒有專門的籍田

設置，只是作爲耕籍的禮儀而實行。明代設立先農祭壇，並設有籍田，行耕籍禮後，應天府尹及上元、江寧兩縣令率農夫耕完籍田，天子并於先農壇旁宴勞百官耆老。民間雖無籍田，但先農的祭祀卻十分普遍。籍田種植穀物也十分廣泛，北魏時在籍田內分塊種植九種顏色不同的農作物。籍田內的收穫物主要是作爲帝王祭祀時的供品。天子的耕籍禮顯示了古代對農業的重視，由天子在籍田推耕後的全國春耕，也體現了古代國家政權組織農業生產的職能。

### 12. 先蠶

祭祀先蠶是與祭祀先農相對應的一項吉禮。按《禮記・祭義》所述，古代天子諸侯有公桑蠶室，在臨近河川的地方築宮養蠶。按《禮記・月令》所記，周代早春二月，王后率領百官夫人到北郊公桑實行祭祀先蠶之神，親自採擷桑葉餵蠶的禮儀。公桑是爲周王室所設置的桑田。在奉先蠶禮時日，列侯命婦充任的「蠶母」，走在隊伍前面，王后身穿盛服，頭插十二笄，帶領公主、妃嬪、諸侯夫人、公卿妻、女尚書、女尚衣等宮廷女官攜帶筐子和鈎子到公桑田去。公桑內立有先蠶壇、採桑壇和蠶宮。禮節開始時，先奉祭先蠶，祈求蠶業興旺，然後王后率眾夫人到公桑林中。王后親自剪取嫩桑枝三條，公主妃嬪各剪五條、公卿大夫以下各剪九條，桑枝剪下以後交付蠶母，蠶母送入蠶宮，放在蠶簿上餵蠶。公桑田裡餵養的蠶所生產的絲，主要是供給在祭祀中所穿著的吉服。

漢代有公桑田，另設繭館。蠶室規模很大，可以餵養千簿桑蠶。漢代立先蠶爲二神，稱爲菀窳公主和寓氏公主。公桑設在東郊。晉代籍田在東郊，公桑與籍相對，設在西郊。明代設在北郊。總的來說，先蠶的禮儀是與在籍田裡奉祭先農的禮儀大致相

同，它同樣也反映了養蠶絲織業在古代經濟生活中的地位和封建國家倡導農桑的社會職能。

### 13.宗廟

宗廟是古代天子諸侯大大士等祭祀祖先，奉拜祖先神位的地方。祭祀祖先是古代禮制中的一個重要內容，因此宗廟的設施也就格外隆重。相傳宗廟之制始於堯舜時代，夏商均有營建。周代宗法制度逐漸嚴密，宗廟禮儀繁瑣。周代天子七廟，實際上分為三部分：中間為太廟，供奉遠祖之神；從天子以上六代皆立廟，按周代宗法制度，分為三昭三穆，父子不並坐，分列兩邊。從六代以上至太祖的歷代天子不再設廟，其神主奉列太祖廟內，天子崩，新君立，即頂掉原第六代祖廟而遷入太祖廟，所以稱這些未立廟的歷代帝王為毀廟之主。諸侯立五廟，二昭二穆與太廟。大夫三廟，一昭一穆與太廟。士一廟，後世又稱為家廟。庶人不設廟，祭於寢，即在所居家室祭祀祖先。

宗廟均設歷代神主，即俗稱的「牌位」，因其用木製成，又稱為木主，《說文》稱其為「祏」。《論語・八佾》篇稱木主「夏後氏以松、殷人以柏、周人以栗。」木主刻有諡號。宗廟上有帝王死後封號，即後世所指的天子廟號。宗廟祭祀由小宗伯掌管。關於諸侯公卿等廟，據《公羊傳・文公十三年》所述，諸侯廟稱世室，又稱太室，公卿廟稱為宮。漢代特別重視宗廟，宗廟內禮儀隆重，規模宏大豪華。漢代奉高祖廟為太廟。據《漢舊儀》卷 1 載：高祖廟「蓋地六頃三十畝四步，祠內立九旗，堂下撞千石鐘十枚，聲聞百里。」可見其規模。宗廟又是極其森嚴的所在，任何人不准擅自進入，高聲喧嘩。景帝時臨江王劉榮占廟地，御史大夫商丘成在宗廟堂下醉歌，二人皆畏罪自殺。

漢初宗廟禮儀由奉常負責，景帝時改奉常為太常。漢代其他

諸侯國也立有宗廟。《漢書・夏侯勝傳》稱「武帝巡狩所幸郡國凡四十有九，皆立廟」。《漢書・韋玄成傳》記漢時「凡祖宗廟在郡國六十八，合百六十七所」。可見宗廟繁多。宋代時採魏晉王肅說，認爲周代文王、武王功大，立廟不遷，別立二廟稱爲「二祧」，於是立九廟。明代孝宗時也設立九廟。宋後又爲不配食宗廟的太后設殿奉祀，稱爲「奉慈殿」，爲帝王建立衣冠殿稱爲「奉先殿」，每日焚香。歷史上帝王也有不立七廟的情況，如三國吳孫權只在長沙立其父孫堅廟，南京朱爵橋南立兄孫策廟而已。歷代宗廟的建置已成爲皇權家天下的象徵和體現。

### 14.祫禘

祫祭與禘祭是在宗廟內大規模祭祀祖先的名稱。祫禘之祭只限於天子諸侯宗廟才有權舉行這樣隆重的祭禮。祫禘相傳亦源於有虞氏時期，夏商兩代沿襲。周代禮制，天子諸侯三年喪期滿後，舉行除去喪服的祭禮，稱爲「禪祭」。然後改喪服爲吉服，喪禮也改爲吉禮，舉行大祭。大祭分爲祫和禘，三年喪滿，首先在十月舉行祫祭，以後每三年一祭。第一次祫祭後次年春四月舉行禘祭，禘祭每五年舉行一次。古人認爲：四月陽氣在上，陰氣伏下，是最能體現尊卑的時候，所以四月禘祭。而十月是五穀成熟的季節，先公先王應骨肉合聚受饗，所以十月祫祭。

祫祭與禘祭的不同在於它們的祭祀作法，祫祭時，把宗廟裡的全部神主遷到太祖廟內，按照昭穆排列，奉獻太牢舉行合祭，具體儀式由大宗伯執掌。禘祭在祭禮、祭品上同祫祭沒有差別，只是單合聚毀廟之主到太祖祭壇，分爲昭穆排列，其他各廟神主不遷，各廟分別單獨祭祀，祫祭在等級上高於禘祭。漢時祫禘隆重，《漢書・平帝紀》記載平帝時「祫祭明堂。諸侯王二十八人、列侯百二十人，宗室子九百餘人征助祭」，可以想見其規模。漢

後祫禘屢見於史籍，但關於二者的禮儀格式劉歆、馬融、王肅、鄭玄、杜預等解釋不一。由於先秦關於禮制記述的雜亂，後世的祫禘也不一致，不過它的基本禮儀和祭祀時間並沒有多大改變。

## 15. 薦新時享

遵循時令在宗廟的祭祀稱爲時享，在每年新的農作物下來或以其它物品的奉獻稱爲薦新。時享和薦新是對宗廟的祭禮。除去祭品外與祫禘是對宗廟祭祀四個等級不同的禮儀。

相傳有虞氏四時奉祀祖先，春祭稱爲礿，夏祭稱禘，秋祭爲嘗，冬祭爲烝。同代時享，春祭稱祠，夏祭爲禴，秋冬仍爲嘗烝。時享奉以太牢、血祭祖先，然後奏樂。周代薦新分爲九次，四季新鮮物品須先奉獻宗廟，然後天下才可食用。二月獻羊羔，四月獻小豬及新麥，七月嘗新穀，八月獻蔴，九月獻稻，十二月獻魚。漢代又增加水果奉獻。唐代開元禮記薦新獻物爲五十餘種。薦新實際上是附在時享下進行的，有時二者很難分開。後世時享薦新時間不一致，如漢代改爲五時時享，除四時外，臘月也要進奉。宋代皇祐三年（1058），由於太常寺王洙上言：「每內降新物，有司皆擇吉日，至涉三四日而物已損敗」，於是宋代薦新「更不擇日」。（《宋史・禮志》十一）梁天監年間，時享的殺牲改爲以大餅和蔬菜進獻。時享薦新後世並不嚴格，尤其是在戰亂和大災荒年代，基本上不舉行這種頻繁的祭祀。

## 16. 功臣配享

功臣死後配食於先王也是在宗廟祭祀時的一種禮制。古代天子爲勤勉臣下效忠王室，於是用功臣配享的方法，贏得後世臣下的盡忠，這無疑是帝王統治術的一個內容。根據古文獻記載，殷代已有功臣配享，《尚書・盤庚上》稱：「茲予大享於先王，爾祖

其從與享之」。周代彝鼎銘文也有關於功臣配享的記載。按周代禮制，功績分為六種，即對天子盡忠、對國有功、對民有獻、能成大事、善治政、有戰功的大臣或庶民均可配享。每年冬季時享宗廟，按照功臣生前職位高低、功績大小，分別設立神主。大夫以上排在各帝王廟兩廂，大夫以下的士或庶人分列庭院，不得入室。冬季時享稱烝，功臣享受烝祭。由於三年一度的祫祭也是在十月時享進行，所以功臣也同樣享受到祫祭的禮遇，其後人把先人能配享看成是莫大的榮耀。漢代以後，隨著中央專制的不斷強化，功臣配享雖同樣進行，但格式下降。功臣神主全部擺放庭院，公卿與庶人並列，宋代不設神主，只設方七寸厚一寸半的位板，配享功臣只在板上書名。明代功臣分列西廡檐下，帝王不再致祭。

另外，漢後的功臣配享人數不一，少則幾人，多則數十人，也有不配享的，如宋欽宗廟不列功臣神位。功臣配享具體人員也有更改，如明太祖、成祖二廟皆以劉基、姚廣孝配享，後因姚廣孝曾為髡徒，出身低賤，於是世宗時免去神位，遷至大興隆寺，不再配享。關於配享時間，漢後亦不固定。由於後世對於祫祭禘祭解說不一，後世的功臣也有放在夏四月禘祭時舉行的，如五代梁時即從禘祭，也有祫祭禘祭二時舉行的，不過較多的是一年四季即時享時配享。

### 17.天子七祀

天子七祀是指對國內鬼神的祭祀。商代天子五祀，即門、戶（住室屋門）、灶、行（道路）、中霤（住室中央之神）。周代天子七祀，除商代五祀外，增加司命、泰厲。司命為主宰功名命運的星神，泰厲為沒有祭享的遊散鬼神。周代對它們的祭祀含義擴大，如門祭指國門之祭，這就意味著是對國家邊防安定的祝

願。行為道路，也意味著祈求國家的交通便利、暢通無阻。中霤擴展為國家的統治中心。同時，周代認為戶、灶、中霤、門、行五祀代表了國家機體中的脾、肺、心、肝、腎。遍祭會確保整個國家機器的正常運行。

周代除天子外，諸侯奉行五祀，大夫三祀、士二祀、庶人一祀，或祭戶，或者祭灶。漢代隨著陰陽五行說的流行，改天子七祀為五祀。春祭戶、夏祭灶、秋祭門、冬祭井、六月祭中霤以順五時。五時祭品亦各不相同，祭戶用牛，祭灶用雞，祭門用犬，祭中霤用豕，祭井用魚。唐代開元制訂新禮，為遵循周制，改五祀為七祀，宋遼金元皆奉行七祀，明又改為五祀，各代祭祀時間也不盡相同，其等級均為小祀。宋代以後，諸侯以下祭祀在祭禮中廢除，但在民間卻流傳很廣，逐漸演化為民間習俗，近代貼門神祭戶和臘月初八祭灶就是周代庶民一祀或祭戶或祭灶的演變。

### 18.釋奠

釋奠是古代學校奉祭先聖先師的祭禮，它是與我國官辦大學的產生和古代教育的興起相關聯的。周代禮制，凡開始建立學校，首先要舉行祭祀先聖先師的釋奠之禮。先聖指周公，先師不固定，凡是後世認為有道德從事教育者，都奉為先師。周代釋奠禮比較簡單，不立尸，單陳設酒食而已。另外，學生入學還要舉行「釋菜」禮，即讀書人入學以蘋、蘩等物祭祀先聖先師的舞蹈禮。釋菜又作「舍采」。《周禮·春官·大胥》有「春、入學，舍采合舞」。秦漢以後，隨著儒家在封建社會思想領域的獨尊地位，儒家創始人孔子與周公作為先聖先師，有時還單獨尊奉孔子。漢代建太學、舉行釋奠禮。東漢明帝時，郡縣在學校舉行鄉飲酒禮，奉祀先聖先師周公孔子。晉孝武帝時，帝王親蒞太學，釋奠先聖先師並會見六品以上百官。

唐初於國子學立周公、孔子廟，四時祭祀。貞觀二十一年（647）增設儒生左丘明等二十二人奉享。唐代後，國學專立孔子爲先聖，尊顏回、孟子等十人爲「十哲」，奉爲亞聖，尊孔子弟子七十二賢及前代儒生二十一人爲先師。歷史上也有設其他人爲先聖先師的，如南北朝時，由於認爲黃帝時的倉頡是文字的創造者，於是立倉頡神主奉祀如同先聖先師。隨著封建社會中對儒學的尊奉，釋奠禮進一步擴大，由單純的學校祭禮轉化爲對儒學的崇拜，孔子被封爲至聖、玄聖等，十哲封爲公，七十二弟子封爲侯，祭禮分三次進行，稱爲三獻。明代定每年二月由丞相、翰林學士、國子祭酒到國學舉行祭祀先聖先師的三獻禮。明洪武十五年（1382），朱元璋命禮部尚書劉仲質等制定釋奠禮，並頒行天下學校。嘉靖九年（1530）改先聖先師神主爲木塑雕像。釋奠禮在古代歷史上經久不衰，說明儒學在我國歷史上的地位和影響。

### 19.巡狩

巡狩是古代帝王出巡的禮儀，歷代視爲大禮。它的實際的內容和作用可分爲三部分：一是出巡境內，祭祀沿路所經的山川；二是借出巡封國或郡縣，視察各地政治、經濟狀況；三是以巡狩出遊，作爲國家太平興旺的體現。巡狩禮相傳源於唐虞時期，二月東巡泰山，五月南巡衡山，八月西巡華山，十一月北巡恆山。《尚書・舜典》有：「歲二月，東巡狩。」周代改爲十二年一巡狩，二月出發，沿途所經封國，諸侯在國界邊迎接。沿途如有百歲老人，天子迎見。沿途命太師採集民間歌謠，觀察當地風俗。命典市官員審定各地物價；命典禮官觀察各地氣候，日出日落時間，同時考校封國諸侯的車服、禮樂是否符合禮儀定制，防止臣下僭越，並檢查諸侯的祭祀情況。

秦漢以後，天子巡狩的政治意義進一步加強，秦始皇多次出巡，除巡查地方之外，還立刻石自頌功德，並借巡狩海上求神仙長生之藥。漢武帝巡狩規模浩大，行程達一萬八千里。漢以後，帝王巡狩前，先向天帝、宗廟、社稷拜謁，然後出巡，沿途所經郡縣，消耗大量人力物力，使地方上疲憊不堪。隋煬帝時巡狩隨從達十餘萬人。明代洪武五年（1372），定出巡禮儀更是格外隆重威嚴，皇帝巡狩所經之地，官員組織清掃道路，官民不許開門觀望，如沿途遇上，需靜立行禮，官員迎駕，在路右邊叩頭俯伏，候車駕走後才可起身。巡狩是和平時期帝王檢查地方政治、經濟，了解地方物產民俗的大巡遊。秦漢以後，帝王巡狩大多視情況而定，沒有具體的時間。

### 20.封禪

封禪是古代帝王到泰山舉行祭祀天地的一項盛大活動。封指築土增高，在泰山上增土表示增地之高，指祭天；禪指到泰山南側小山梁父山築壇祭地。泰山壇稱為壇，梁父壇稱為墠。封禪是古代帝王改朝換代必須進行的一件大事。

相傳封禪始於無懷氏，伏羲、黃帝、顓頊、帝嚳、堯、舜等均封於泰山，禪於泰山附近的亭亭山、雲雲山、社首山。孔子曾到泰山見到易姓稱王刻石封禪的七十二家，其他萬餘。這實際上只是傳說而已。見於史籍記載的封禪是秦始皇。戰國時，齊魯間儒生認為五嶽中泰山最尊，是天帝降臨的地方，所以在泰山封禪。漢武帝元鼎年間，汾水中得寶鼎，認為這是政權永固的象徵，於是東上泰山封禪，在泰山之顛立石刻，石高三丈一尺，壇和墠均長十二丈見方，高三尺。東漢以後，隨著讖緯神學的泛濫，封禪被解說得更為重要，認為是帝王長生不老，昭揚祖宗功德的首要大事。由於帝王封禪宣示聖明是國家太平的體現，所

以，封禪後往往大赦天下，頌歌昇平。除了帝王封禪外，歷史上也有臣下封禪的。如《漢書・霍去病傳》：「霍去病伐匈奴，封狼居胥山，禪於始衍。」也有不在泰山封禪的。如唐代武則天萬歲通天元年（696）在中嶽封禪，封於嵩山，禪於少室山。

由於封禪活動的荒誕，又由於一次封禪要消耗大量的人力物力，後代一些有識之士也反對封禪。如南朝梁時許懋、唐代魏徵均勸諫停止封禪。南宋後封禪與郊祀合而爲一，形式上逐漸廢棄。現在泰山玉皇頂上的古代刻石，還保留著宋前一些帝王封禪的遺迹。

21.禜

禜最初是古代禳除災害的祭禮。《左傳・昭公元年》說：「山川之神，則水旱癘疫之災，於是乎禜之；日月星辰之神，則雪霜風雨之不時，於是乎禜之。」可見它是一種範圍廣泛的禳災祭禮。後漢時開始以禜祭單獨求晴，演化爲一種與雩相對的祈求放晴，免除水災的祭禮名稱。由於五天帝中赤帝主晴，所以禜祭時祭服祭品祭器全部爲紅色。禜祭時間不定，一般是在大雨雪不止的情況下舉行的。《隋書・禮儀志二》記載禜祭的情況是「霖雨則禜京城諸門，三禜不止，則祈山川嶽鎮海瀆社稷，又不止，則祈宗廟神州，報以太牢。」如地方大雨，州縣禜祭城門，繼之禜祭當地山川之神。祭品用少牢。唐玄宗天寶十三年（754）秋，大雨六十天不止，舉行大禜祭。由於婦女主陰，唯恐助長水陰，下詔禁止婦女上街入市。宋代禜祭先在相國寺、興國寺等地方舉行，如果大雨不停，帝王減飲食，撤宮樂，遍祭京城神廟。等到雨停後再在廟寺內祈禱祭祀。遼太祖神册四年（919）十月，烏爾呼部下大雪，遼太祖禜祭禱告天帝。元代時遇有大雨，使外國僧侶主持禜祭。禜祭是在古代人類對自然現象認識低下的情況下

出現的，它在歷史上的長期延續也說明了這種狀況。

### 22.高禖

對高禖神的祭祀是古代帝王祈求得子的禮儀。由於傳宗接代，繼承王位被古代統治階級認爲是一件重要的大事，所以祭祀高禖的禮儀相當於在方丘對地祇的祭祀，相當隆重。它是由古代的神話傳說演變而來的。

相傳高辛氏時期，玄鳥（燕子）產下一鳥卵，女子簡狄吞到肚裡，於是感覺有孕，後來生下商的始祖契。後人認爲玄鳥是天媒，尊奉其爲神，就把媒改爲禖，稱爲高辛氏禖，簡稱爲高禖。後世就稱祈求得子的禮儀爲高禖。先奉史籍也有稱爲郊禖的。清人王引之在《經義述聞·禮記上》就有釋高是郊的假借字說法。周代禮制，每年早春二月是燕子回歸的時候，於是在高禖祠裡舉行祭祀，祭品用太牢。天子親自致祭，王后帶領有身孕的妃嬪行禮。有身孕的妃嬪身帶弓韣（弓箭袋），向高禖神主奉獻弓箭。弓箭是古代男子習武的象徵，用此來祈求能夠得子。漢初未立高禖祠。漢武帝時二十九歲得子，十分高興，於是在京城南郊建立高禖祠，使東方朔、枚皋爲禖祝官。後世高禖祠大體都有建置。南北朝時，禮官認爲玄鳥意味春天來臨，春季爲青帝所掌，於是高禖祠改奉青帝，以太昊配享。宋代時又改以伏羲氏和高辛氏配享青帝，壇上仍設有高禖神位，後又增設簡狄和姜嫄配祭。金代又增設女媧氏神位。祭祀時間歷代都在春二月，祭品用太牢。

### 23.祓禊

祓禊是古代去邪除災而舉行的一種儀式。祓指去邪除災的習俗方式，禊有使清潔的含義。由於祓禊最初常在宗廟、社稷壇舉行，舉行時要殺牲，然後把血塗在身上以去災，而且整套禮儀由

女巫掌管，所以在古代禮書中將其歸入吉禮。按《周禮·春官·女巫》稱：每年三月上旬巳日，人們要到水邊祭祀，並用浸泡過香草的水洗浴周身，認爲這樣可以祓除疾病和災難。這種禮俗最早見於鄭國。鄭國每年三月上巳日（第一個巳日），男女會聚溱水洧水河畔，在水邊對無主的魂魄祭奠，手執蘭草，以祛除不祥。

初期的祓禊時間、地點、方式均不相同。孫詒讓《周禮正義》解釋較爲詳細。漢代祓禊分爲三月上巳、九月重陽兩次舉行，而以三月上巳日最爲流行。三月氣候轉暖、春意盎然，正是結伴踏青的好時光。祓禊沐浴的活動也更爲普遍，連皇帝和皇后也曾在灞上祓禊。魏晉以後三月上巳日祓禊改爲三月初三日，祓禊也由古代吉禮逐漸向大衆化的風俗轉化，具體時間隨各地氣候情況有所變化，有的九月，有的七月十四日。魏晉時代祓禊流傳很廣，尤以江南地區最爲流行，魏晉時清談成風，文人學士也往往在祓禊日聚會飲酒，吟詩作賦。王羲之《蘭亭詩序》就記敘了在祓禊時的情景。帝王祓禊，對臣下賜宴賞賜。唐宋時還官修畫舫，以助遊興。同時還有游水嬉戲。普通士民也把這一天作爲春遊洗浴，去邪消災的時日，在鄉村並伴有其它活動。隋代以後，由於祓禊已完全從古代的祭禮演變爲民間廣泛流行的習俗，所以隋後有關禮儀的古書中基本上不再記載。

### 24.諸雜祠

古代吉禮繁雜廣泛，各個朝代除沿襲前代的一些禮儀外，往往又增加了一些爲當時所需要的禮儀。這些名目繁多的吉禮很難一一分列，所以史書禮書中專門羅列諸雜祠。這些雜祠有的曾盛行一時以後絕迹，有的由國家執掌管理的祭禮轉化爲民間習俗，有的一直沿襲到近代，大體上可以歸類爲幾個方面：

### ⑴對歷史人物的奉祭

周代立杜主祠，祭祀被周宣王無辜殺害的右將軍杜伯。唐代立姜太公廟，以張良配享。宋代立祠較多，如立靈顯王廟祀李靖，立廣濟王廟祀秦蜀太守李冰，立靈濟公廟祭唐代涪州刺史陸弼。宋徽宗時作寶成宮祭祀黃帝、夏禹、周成王、周公旦、召公奭等人。金世宗立貞獻郡王廟祭女真文字的創造者葉嚕和古神。元文宗天曆元年（1328）立關侯廟祀漢將關羽，明代萬曆年間追贈關羽為三界伏魔天帝，神威廣遠天尊。成化十三年（1477）又下詔立漢壽亭侯廟。明憲宗時立誠敬夫人祠，祭祀馮寶妻冼氏。清代乾隆年間在鳳山書院立宋代先賢六子祠，祭祀宋儒周敦頤、程頤、程顥、張載、邵雍、朱熹等。除去祭祀這些在前代有功，對後世有影響的人物外，也有由帝王興趣隨便立祠的。如宋敏求《長安志》15 卷記載：秦始皇巡遊途中，宮廷美人死，葬在山上，山下立美人祠。民間立廟祭祀前代地方上有影響的人物更多，大半散見於各地方志。

### ⑵對神鬼怪異的祭祀

祭祀神鬼怪異，反映了人類認識水平低下和帝王祈求政權穩固的心理。這類雜祠大都是神話傳說。秦文公時在陳寶北阪（今寶雞附近）得寶石，寶石之神的鳴叫像雄野雞，夜間飛過光輝如流星，便在陳寶立祠奉祭其神。獻公時，「櫟陽雨金，秦獻公自以為得金瑞，故作畦畤櫟陽，而祀白帝」（《史記‧封禪書》）。《水經注‧渭水》引《列異傳》稱：秦文公二十七年（前739），武都南山有大梓樹，伐樹時隨砍隨合，四十人也砍不斷。夜裡聽見樹鬼稱穿紅衣用灰塗缺口可以伐掉。於是用這方法砍倒樹，樹變成牛跳入水中。秦文公立怒，特祠祭祀樹神。楚昭王在河邊飲酒，一金人出水中獻劍，於是立曲水祠。秦穆公女弄玉隨蕭史乘風吹簫昇天，於是立鳳女祠。秦始皇所立雜祠更多。傳說始皇開

闢御道，路上有二白羊相鬥，人到變成土堆。始皇路過此地，有自稱白羊之神的兩個人參見，於是立句羊神廟。秦始皇東遊海上立八神祠。漢武帝時有兩彗星出現，被認爲不祥，於是立祠祈求太平。福建閩縣有龍迹山，盛傳該地有飛龍出現，宋代太平興國時立廟祭飛龍。對鬼神怪異的祭祀有時也是帝王統治的手段，如漢武帝滅兩粵，粵人信鬼，於是立粵祠祭鬼神，無形中減少了粵人反叛的可能。

### (3)對山川星宿之神的祭祀

由於這類雜祠過於雜亂繁多，無法完全併入山川和諸星等條，所以歷代禮書把這些內容歸之於雜祠類。唐宋之後，對山川星宿之神立祠更多。如唐玄宗開元年間立龍池祠，唐莊宗立祠祭熒惑星。宋代立德安公廟祭夷門山神，立炳靈公廟祭泰山神，立昭聖、靈惠二廟祭泉神和三水府神。馬當山、金山、採石山、焦山、吳山立廟祭山神和潮神。其他民間立祠祭山神、河神、城隍土地等更是多如牛毛。

古代禮書和方志所載的雜祠名目繁多，無法完全統計。宋代政和元年（ 1111 ），詔令毀雜祠，當時所毀祠廟 1,038，就這個數字，也可以窺見雜祠的數量了。

## ㈡嘉禮

嘉是善良美好的意思。所以，歸於嘉禮的禮俗大多是慶賀喜樂、和平歡會的活動。嘉禮中的禮俗起源相當早，如冠禮、婚禮等可以追溯到原始社會，對後世的影響也更廣泛，直到近代還可以看到它的遺迹。嘉禮歷代變動也比較大。《晉書·禮志下》說：「周末崩離，賓射宴饗之禮則罕復能行，冠婚飲食之法又多遷變」。從基本內容上講，它包括男女成年、婚姻禮、朝賀天子、州縣的歡會聚宴等。

## 1. 冠禮

冠禮是古代表示男女青年成年的禮節，包括男子加冠和女子加笄兩種形式。冠禮的起源可以上溯到原始社會，氏族部落的男女青年到達一定年齡時必須舉行成年禮，這樣才可以成為氏族公社的正式成員，享受應有的權利並履行應盡的義務。周代的冠禮就是由這種成年禮發展演變而來的。

據《儀禮·士冠禮》和《禮記·冠義》等記載，古代男子二十歲舉行冠禮，但據其它古文獻所載並非完全是二十歲而冠，其實冠禮的年齡並不嚴格。整個冠禮可以分為加冠儀式和取「字」兩部分。古人有名有字，但字是在加冠時取的，以此來作為人生的新起點。周代的冠禮上下禮儀雖有差異，但在規定上還不嚴格。漢代以後等級森嚴，男子冠禮的政治意義大大加強，歷代禮儀都有關於各級冠禮的規定，歷代帝王也相當重視，宋徽宗甚至還親手寫定《冠禮沿革》命禮儀局執行。漢後冠禮上下之間有了很大程度的不同，大體可以分為以下幾類：

### (1)天子加元服

天子加元服，就是天子的冠禮。漢代中央專制進一步強化，在制訂新禮中，改天子冠禮為天子加元服。天子冠禮始於階級社會奴隸制國家的產生時期，即「諸侯之有冠禮，夏之末造也」（《孔子家語·冠頌》）。天子冠禮時間不定，也不受年齡限制。這是因為天子往往幼年即位，即位後由於不能獨立施政，往往由他人代為攝政，天子冠禮後要舉行「帶劍」儀式，表示此後天子開始獨立治理國家。由於種種原因，天子冠禮年齡不一，周文王十二歲、周成王十五歲，秦代歷世大抵二十歲時舉行冠禮。《荀子·大略》篇說：「天子、諸侯十九而冠」。天子冠禮在祖廟舉行。周公給成王舉行冠禮命史雍作頌辭，教導成王實行德治仁政。帝王冠禮的禮節繁瑣，具體作法各代也不一致，但卻是相當

隆重的禮節。據《左傳・襄公九年》所記：天子冠行以祭祀大禮，奏以金石之樂，在宗廟舉行。另外，天子冠與天子婚密切相連，由於帝王傳宗接代是一件大事，所以天子冠禮年齡有時也盡量提前。《左傳・襄公九年》引季武子的話說：「國君十五而生子，冠而生子，禮也。」

### (2)皇太子加元服

皇太子加元服是皇太子冠禮的名稱。爲了區別皇室其他諸子，突出作爲帝王繼承人的皇太子的地位，唐代時期禮儀改皇太子冠爲加元服。其實漢代時期，皇太子冠禮已經同帝王加元服幾乎相等。漢代的太子冠禮在正月舉行，禮儀大致同於天子加元服。晉代十五歲冠皇太子，南齊冠皇太子二品以上京官齊到東宮拜謁。由於唐代正式改太子冠爲太子加元服，所以《新唐書・禮樂志七》記載皇太子加元服的禮儀相當詳細。冠禮前，選司徒一人作賓，卿一人爲贊冠（戴冠者）。舉行冠禮前一月，衞尉在京城重明門外設立賓位、贊冠位、皇太子位。行冠禮當天，宮庭內官和九品以上京官穿上朝服，天剛亮就會聚東宮。賓與贊冠者先參謁天子，天子一一親授他們行冠禮的權利，然後在東宮舉行規模宏大的太子冠禮。帝王冠稱爲通天冠，舉行冠禮時四加（按禮儀程序戴四次），太子冠稱遠游冠，凡三加。戴上帽子後由賓起「字」。冠禮結束，到宗廟祭告祖先。表明成爲正式的皇太子。太子冠禮意味著已經確定王位繼承權，帝王本人也相當重視。大中祥符八年（1015），宋眞宗親自制定皇太子冠禮。明初制定皇太子冠禮，十二至十五歲爲太子冠禮的年齡，改太子冠後祭告宗廟爲祭告天地，而且不在東宮而設在奉天殿進行。清代末年還曾爲光緒舉行過冠禮，這種禮儀從漢後到清末，成爲冠禮的一項獨立內容。

### (3)皇室子孫冠

唐代以前，皇室子孫冠禮同皇太子冠禮相同。隨著唐代改太子冠爲太子加元服，皇室子孫冠才和太子冠從禮制上分開。從實際內容來看，皇室子孫冠禮同太子加元服基本相同，只是：A. 朝臣不全部參加；B. 冠禮後依次拜謁皇室尊長，不祭告宗廟和天地。這種冠禮在制定禮儀時也是一項獨立的內容。

⑷大夫士、庶人冠

這類冠禮包括的人較廣，由於各階層的人政治身份、經濟狀況不盡相同，他們的冠禮也不可能完全一致。根據《儀禮‧士冠禮》所記，周代男子二十歲行冠禮。如《禮記‧冠義》所說：「古者聖王重冠」，周代冠禮在宗廟舉行，加冠青年的父親稱爲主人，主人筮日筮賓，即用占卜的方法選擇日期和由哪一位賓加冠。舉行冠禮時，主人迎賓入門，在廟裡設好賓位和冠者位，賓把冠服給冠者三加，先加由黑麻布作的緇布冠，表示此後可以有做官的權利。次加用白鹿皮做的皮弁，表示從此可以應徵作戰。最後加赤黑色平頂爵弁，表示從此有權進行祭祀。三加冠後，來賓敬酒，去見母親，再由來賓取「字」，從此名、字完備。然後去見兄弟姑姊，最後戴禮帽穿禮服去見國君卿大夫和鄉先生。主人用酒款待所請的賓，送給賓束帛和儷皮，賓送走後冠禮宣告結束。

周代的冠禮對後世影響很廣，在禮制上，天子王室冠禮雖作爲一項獨立內容，但基本上還依照周代冠禮的程序。後世其他人的冠禮雖也依照這個程序，但根據貧富貴賤而簡化了。

2. 笄禮

笄禮是與冠禮相對應的女子成年禮，女子在出嫁前一般要舉行笄禮，笄即俗稱簪子，是婦女盤髮用的首飾。按周代禮制，女子年十五許嫁已受納徵禮（詳見婚禮）後要舉行笄禮，如果未曾

許嫁，至遲二十歲時也要舉行笄禮。笄禮由主婦（被笄者母）和女賓主持，行笄禮時把頭髮捲成一定髮式，插上笄。同男子冠禮一樣，女子笄禮時也要取「字」。女子笄禮後到祖廟接受女子德、容、言、功等教育，以適應婚後的家庭生活。按《公羊傳・僖公九年》稱：女子笄禮還有一種含義，即如果笄禮後死去，可以作為成人之禮埋葬。秦漢以後關於笄禮歷代禮書記載不多，《續通典・禮十一》和《宋史・禮志十八》記載有宋代公主笄禮情況：宋代公主十五歲時不管是否準備出嫁，都要舉行笄禮，其中笄禮中的裝束服飾特別華貴隆重，禮儀也相當煩瑣。但大體上依照周代笄禮。《續通志》還談到宋代和明代庶人女子笄禮，其行禮程序和所用服飾是相當簡單和粗陋的。

### 3. 婚禮

　　婚字古書中往往寫作婚或昏。上古時期人類的婚姻形態是區分人類早期社會生活各個階段的重要標誌之一，它演化為古代禮俗中的婚禮，至少是在人類進入原始社會後期，形成父系氏族以後的事。也即是人類的婚姻形態進入對偶婚乃至一夫一妻制的時代。相傳伏羲氏時已有婚禮的雛形。伏羲氏時，嫁娶用儷皮（成對的鹿皮）作為聘物。夏商已開始有屬於禮儀範疇的婚禮。周代認為婚禮是「將合二姓之好，上以事宗廟，而下以繼後世」（《禮記・昏義》）的大事，所以周代婚禮隆重詳細。《儀禮・士昏禮》記周代婚禮，六禮之儀始備。六禮指納采、問名、納吉、納徵、請期、親迎。納采指男家向女家送禮表示求親；問名是問清女子姓名占卜吉凶；納吉是在祖廟卜得吉兆後到女家報喜，預告婚姻成功；納徵即宣告訂婚；請期是選定完婚吉日；親迎是迎親。由於周代禮制規定服喪時不娶，有時請期到親迎這一階段要拖三年之久。

　　六禮中納徵和親迎最重要，禮儀也相對隆重。納徵時男女交換禮物，稱爲「贄」，男方的贄一般爲玉帛，女方的贄是榛、栗、棗之類表示虔誠。親迎時一定要先告祖廟才啓行。六禮中除納徵外，其餘五禮全部用雁。古人認爲，大雁秋往春來，北方屬陰、南方屬陽，男女分陽陰，大雁來往於陰陽之間，是聯繫夫婦的象徵。又有一種說法，認爲大雁是鍾情之鳥，雌雄一方死去，另一方哀鳴不食而死。後世儒家雖對六禮解釋不完全相同，但基本上可以看出周代婚禮的輪廓。周代限定男女婚齡即「丈夫三十而娶，女子十五而許嫁，二十而嫁」（《禮書綱目・冠昏記補》）。在婚姻締結中，媒人起著重要作用，這一方面是選擇的需要，同時也是表明「明媒正娶」維護禮教的需要。周代婚禮中，天子與庶人並沒有嚴格的區分，漢代以後，隨著封建專制的不斷強化，作爲上層建築的禮儀也有一定調整，根據等級不同，大體上分爲以下幾類：

### (1)天子婚禮

　　天子婚禮古書中稱爲「納后」或「册立皇后」，這在古代婚禮中是最隆重的禮節。周天子納后使同姓諸侯主婚。漢代立后，雖名義上仍遵照周制六禮，但無論在內容和形式上都有擴大。禮品奢侈，禮儀隆重，充分顯示了古代的「帝王之尊」。呂雉爲漢惠帝劉盈娶魯元公主女兒爲后，聘禮黃金兩萬斤。東漢册立皇后，天子御章德殿，百官侍立，太尉奉皇后玉璽，皇后面北，皇帝面南，太尉在西側，宗正、大長秋等官東側侍立。宗正讀立皇后册文，皇后向皇帝行禮，禮畢坐於皇帝右側，表示名分已定，然後太尉通過宮廷女官授予皇后玉璽。鐘鼓齊鳴，臣下拜賀，正式稱爲皇后，大赦天下。唐代改親迎爲册立大典，對六禮中所用執事人員、納采名目、納吉卜筮、納徵器物、問名過程等敍述不厭其煩，使帝王婚禮幾乎變成祭禮中的宗教儀式。宋代以後，天

子納后大體依照唐代開元禮，變動不大。

### (2)天子册妃嬪

按《周禮‧天官冢宰》所記：天子後宮立有六宮三夫人，九嬪
二十七世婦、八十一御女。但沒有册立妃嬪的禮典。漢代開始有
册立妃嬪的大禮。漢後歷代天子册立妃嬪也不一致，但大體同册
立皇后類似，只是禮儀不如前者隆重。它表現在

A. 天子不親臨，不受百官朝拜；

B. 由承制官宣讀所封妃嬪册命；

C. 不授璽寶。被册立的妃嬪由皇后率領到宗廟進行祭祀禮
拜。

但由於所立妃嬪的等級不同，所以在禮儀、禮品等方面也有
區別。宋初廢册立妃嬪禮。如眞宗大中祥符七年（1014），封婉
儀楊氏爲淑妃，翰林院草擬詔書，交付中書省，對外不宣布。宋
仁宗後重行册立妃嬪禮。它實際是帝王婚禮的一個部分，不過
《通志》、《通典》及一些禮書中專設爲一條，只是爲渲染帝王禮儀
的顯貴罷了。

### (3)皇太子、公主婚禮

皇太子及公主婚禮也是皇室婚禮中的一個組成部分。漢代叔
孫通開始制定太子納妃的禮儀。漢制，太子納妃由奉常出迎，其
六禮大略相當於天子納后祀。六禮的具體操辦官員全部由帝王親
自任命。北齊皇太子納妃，皇帝派使者納采、問名。納吉禮并入
納采禮一起進行。派司徒和尚書令行納徵禮；請期派太常、宗正
作爲使者；親迎派太尉出迎。婚後第三天，太子妃到昭陽殿拜見
皇帝，到宣光殿參謁皇后，然後選擇吉日，羣臣拜見太子和太子
妃。隋唐以後的太子婚禮基本上仿照北齊禮儀，變動不大。

周代天子公主婚禮未見專門記述，只見《公羊傳‧莊公元年》
有：「天子嫁女於諸侯，必使諸侯同姓者主之（主婚）」。這大

概同東周後王室衰微有關。關於諸侯公主婚禮所記也不具體。《左傳‧桓公三年》稱諸侯女嫁，由「上卿送之」。《穀梁傳‧桓公三年》：「送女，父不下堂，母不出祭門，諸母兄弟不出闕門。」並稱：「送女踰竟（同境），非禮也。」可見上卿送到國境，另一方必會派人來迎接。正式公主婚禮的記載亦始於漢代。漢時公主的婚禮在皇宮內舉行，精簡了六禮變成為帝王的賜婚，與公主成婚者必須入贅於皇室。晉代初年，司空王朗上疏請改公主婚為出嫁。南北朝和唐代均有公主婚制。貞觀年間，侍中王珪之子娶太宗女南平公主，公主曾行盥饋禮、拜舅姑（公婆），貞觀後再無這種家庭禮儀。在少數民族政權中也有公主婚禮。遼代公主婚，由帝王和皇后主婚，男方家族進宮與皇族飲酒歡會。公主婚禮的最大特點是以皇室女方為主，這同樣也是為了維護帝王之家尊嚴的需要。

### (4)公侯大夫士庶人婚禮

《儀禮‧士昏禮》除六禮外，還有「合卺」、「同牢」、「見舅姑」等禮節。周代以後的婚禮大體上是參照這些婚禮進行的，只是根據等級貴賤的不同，婚禮的實際內容也不相同。漢平帝時，光祿大夫劉歆制定婚禮，公侯以下必須按照婚禮儀式舉行。東漢時儒者鄭眾根據《周禮》，制訂《百官六禮辭大略》，具體制訂百官婚禮六禮的禮儀。其中規定納徵禮物三十種，而且都有具體名目，具體數量。同時也還編寫了各級婚禮時所頌的謁文和贊文。北齊時對於官員一品以下所用聘禮或陪嫁都有明確規定。唐代傳統的婚俗吸收了很多少數民族的婚俗，增加了「攔門」、「催妝」、「下婿」、「合髻」（男女剪髮為信物，合在一起）」、「交拜」、「弄婦」等禮俗。在婚儀中，都用吉祥話或詩歌對唱，反映出唐代詩歌在現實生活中的廣泛影響。

宋代婚禮規定：皇室納采用雁、有爵祿的用羊、庶人用雞，

而且簡化六禮，只保留「納采」、「納吉」、「納成（請期）」和「親迎」。宋代城市商品經濟發達，這時出現了男女在公共場所會面的「相親」。如果雙方中意，男子在女子髮髻上插入金釵稱為「插釵」，如不中意，男方送采緞二匹稱為「壓驚」。南宋朱熹又合并北宋四禮為「納采」、「納成」和「親迎」三禮。金代明昌年間定婚娶聘禮為三等，一等一百貫，二等五十貫，三等二十貫。明代婚禮對近代影響最大。定婚前通過媒人以書信求婚，女方同意後選擇吉日納采，然後用紅羅或銷金紙（金色花紋紅紙）寫上女子行第年齡歲庚，稱為「庚帖」，授於男方。納徵時用暗紅色的一束帛。親迎時男女雙方在家廟祭告祖先，新郎備轎到女家迎親，主婚人接新郎，男方向女方父母行四拜禮。然後花轎迎娶到男家舉行婚禮，同牢（入洞房）、合巹。婚後次日先拜家廟，後拜公婆，新婦盥饋（下廚作飯）奉饌公婆。明代規定，男十六歲，女十四歲以上可以按這套婚禮嫁娶。婚禮通過話本小說、評彈歌詞、戲劇表演得到了表述與再現，成為後世婚禮的傳統習俗。

### 4. 受朝賀

天子受臣下朝賀的吉禮是與封建專制國家的形成與發展密切相連的，是由周代的朝會演變為專制皇帝服務的嘉禮。《藝文類聚》五引晉代張亮的話說：「秦漢以來有賀，此皆古之遺語。」秦代以前也有賀禮，如《史記·秦本紀》稱穆公三十七年，「霸西戎，天子使召公過，賀穆公以金鼓」。《戰國策·趙策四》秦昭襄王「攻魏，取寧邑，諸侯皆賀」等。但秦前的賀禮，是指大國稱霸和有功績的情況下天子對諸侯、諸侯之間的賀，它只是秦漢後天子受朝賀禮的雛形。

正式的臣下朝賀大禮見於秦始皇二十六年（前 221），這一

年秦平定六國，在中國歷史上首先建立起一個統一的郡縣制的封建國家。秦以十月爲歲首，並在十月接受臣下朝賀。漢初叔孫通定朝賀禮，元旦平明，宮廷準備朝賀大禮，陳設兵車將士，矗立旗幟。功臣、列侯、將軍等官員站立西邊，丞相以下文官站在東邊，皇帝乘輦登殿寶座，臣下齊聲稱賀，呼萬歲。朝賀由謁者官主持。臣下根據品位高低向皇帝奉賀各種禮品，向皇帝奉獻壽酒，朝賀禮由御史監察。漢代朝賀在正月舉行。《後漢書·禮儀志中》注引《漢儀》稱：臣下朝賀也是其他臣服於漢的外國朝貢的時候，漢代蠻、貊、胡、羌等少數民族政權的使者曾到長安舉行朝貢禮。東漢時天子元旦受朝賀更爲隆重，班固在其名篇《東都賦》中細緻描繪了這一場面：「春王三朝、會同漢京。是日也，天子受四海之圖籍，膺萬國之貢珍，內撫諸夏，外綏百蠻，乃盛禮行樂供帳，置乎雲龍之庭，陳百僚而贊羣后，究皇儀而展帝容。於是庭實千品、旨酒萬鍾、列金罍、班玉觴、嘉珍御、太牢饗⋯⋯」隋代以後，定朝賀在元旦和冬至兩次舉行。宋代分爲元旦、五月朔、冬至三次進行，朝賀時往往有鄰國使者參加。明代朝賀大典百官在預先三日演習禮儀，朝賀時文武官員發給牙牌、懸帶出入，無牌者拘捕問罪，這是爲了帝王安全而採取的措施。

歷代朝賀大禮極其隆重，朝賀時往往又是臣下與帝王奉詩唱和、歌詠昇平的時候。隋煬帝有《冬至乾陽殿受朝賀詩》：「端拱朝萬國，守文繼百王，至德慚日用，治道愧時康。」隋代牛弘、許善心等寵臣皆有答對詩。唐太宗正月受朝賀，賦詩答和：「百蠻奉朝班，萬國朝未央，雖無舜禹迹，幸欣天地康。」臣下魏徵、顏師古、岑文本、李百藥都有奉和應詔詩。詩的內容無疑是歌頌帝王功績、天下昇平的，但由此也可以看出古代朝賀禮的大致狀況。

## 5.經筵

經筵是古代帝王講習經典的禮儀。戰國初期，魏文侯曾請儒門賢人段干木講治政之道，自己站著恭聽，這件事被後世儒生傳爲美談。宋代以後開始正式設立經筵。《正字通》注經筵爲「王者講讀之處」。隨著儒學在封建社會中地位的不斷提高，帝王也把學習經典作爲治國之道。宋代立侍講、侍讀等官員，帝王與他們講論經史，講官由大學士、各部尚書、侍講、侍讀、國子監祭酒中委派。明代宗景泰元年（1450）開設經筵，以內閣大學士等官員侍講。清康熙二十四年（1685）設立經筵，有清一代，經筵不絕。初期的經筵只在每年的春秋二仲月（即二月、八月）舉行，後改爲每月三次，明代除經筵外，又設立「日講」。《明實錄·景泰元年九月》御史許仕達上言：「今陛下欲實明聖學以立大本，……則當於經筵之外，延儒臣深明理學者，……即與講求經史，……務求通貫，驗之於史，會之於心，以應萬世無窮之變」，開始增添日講，明代對於侍講官特別恩遇，帝王皆尊稱他們爲「先生」。清代命滿、漢官員各八人擔任經筵講官，每年經筵滿漢各二人侍講。

由於經筵是帝王學習前代典章制度，制訂方針政策、增長知識的重要方法，所以都比較重視，有的也相當認眞刻苦，如宋哲宗「視事畢，不俟進食，即御經筵」。（《宋史·哲宗紀》）清聖祖玄燁六十年「孜孜不倦」（《皇清通志·禮略七》）。無疑，帝王經筵的目的，是爲了「臨政不惑，得於內者深，而出治之本立矣」（《明史·楊守陳傳》）。爲了統治的需要，經筵的規模也相當隆重。清代經筵禮前，舉行對皇師、帝師、王師、先聖先師的告禮。經筵時朝臣參加，皇帝到文華殿，滿漢官員侍講官各二人分兩次講四書及其他經書。講完後對講官賜坐賜茶，皇帝根據所講，闡發經義，講述體會，官員跪下聆聽，皇帝講述完畢，百官

行禮朝拜。皇帝回宮，在太和門東廊，賜官員酒宴。經筵所講歷代各有不同，內容相當廣泛，前朝典籍、祖宗謨訓都屬於侍講內容，帶有很大程度的實用性。

### 6. 讀時令

讀時令是受上古時期「迎氣」活動的影響轉變而來的一項禮儀。漢代迎氣的祭禮合併於郊天禮，不再單獨舉行，迎氣所奉迎的五方天帝也併於郊天的祭禮。但是郊天禮並不包含迎氣申明時令，催人農作的作用。漢代重農抑商，對於皇帝也需要採用一定的禮儀來申明農時，知道季節物候。所以，漢代後開始為帝王讀時令。東漢時開始設讀時令，每年新春伊始，太史向帝王上新年曆，宣讀時令。漢時一年分為五時，五時由五天帝主掌，五天帝又代表五方位和五種顏色。所以，在以後的每逢時令來臨時讀時令，尚書、三公、郎中侍立。太史宣讀時令，帝王也根據每一時令穿上各種顏色的袍服，以和該項時令相適應。讀時令完畢，賜宣讀官酒一杯。有時帝王也在讀完時令後下達關於根據農時季節的詔書，或敦促祭祀，或勸勉農耕。唐代讀時令在明堂舉行，五品以上官員參加，太常卿讀時令，除新年曆外，還誦讀《禮記·月令》，宋代仍有讀時令的禮儀，宋後讀時令的禮儀基本上廢而不行。

### 7. 三老五更

三老泛指老人，晉杜預注《左傳·昭公三年》說：「三老，謂上壽、中壽、下壽，皆八十以上。」五更亦指老人，漢代蔡邕認為更字為叟的假借，五更即五叟。五叟也有不同的解釋，如《後漢書·禮儀志》注引宋均語：「老人知五行更代之事者」，把五更指為懂得陰陽五行更代的老人。三老五更合在一起泛指古代贍

養老人的官員、制度，有時還作爲處所的代稱。

我國自古就有尊老之風，古代的太學設立也是由贍養老人的機構演變而來的。相傳有虞氏時期即有養老制度，夏商也設有養老機構。周代興辦大學辟雍，其中也有專門養老的處所。《禮記‧王制》篇記五十歲在鄉間養老，六十在國都，七十在太學。三代時的養老，有國老和庶老之分，國老即退休的官員；庶老是一般平民。《禮記‧文王世子》篇稱舉行釋奠禮時，「遂設三老五更羣老之席位焉」。鄭玄注：「三老五更各一人也」，擔當者是：「皆年老更事致仕者也」。看來這是以退休官員擔承的三老五更官員，他們的職責是管理養老機構。

爲了宣揚孝悌，天子像對待父親一樣對三老，像對兄長一樣對五更。即「尊事三老，兄事五更」（《後漢書‧明帝紀》）。漢代的三老分爲國三老、郡三老、縣三老和鄉三老，即從中央到地方都設立三老，不過地方上的三老主要是掌管教化。東漢舉行天子會見三老五更禮，這是把三老五更列入嘉禮的主要原因。歷代的三老五更大多見於記載，如東漢明帝時任命李躬爲三老，桓榮爲五更，二人都曾爲朝廷重臣。安帝時設三老兩人，以魯丕、李充爲三老，靈帝時以袁逢爲三老。曹魏時王祥爲三老，鄭小同爲五更。北魏孝文帝時在明堂養老，尉元爲三老，游明根爲五更。三老五更俸祿不一，東漢時賜三老五更爵關內侯，食邑五千戶。地方三老五更以二千石俸祿。東漢明帝永平二年（59）詔，賜天下三老人酒一石、肉四十斤。三老與五更在待遇上沒有差別，只在禮儀上三老高於五更，三老可以扶「王杖」，而五更不扶。王杖長九尺，頂端雕成鳩形，鳩是長壽之鳥，永遠不噎氣，以此祝老人長壽。

三老五更是爲退休官員而設的，尤其漢後，一般的老年平民不可能得到統治者的照顧，尤其是在災荒或戰亂時期，廣大年老

百姓顛沛流離、凍餓而死。三老五更，隋唐之後，雖然一度也設立過這種機構，但沒有規定具體人選，使這種古代流傳的養老制度，最終也成爲一種形式而已。

## 8. 鄉飲酒

鄉飲酒禮是古代地方上宣揚教化的禮節，由於這種禮儀在舉行時大多聚會飲酒，所以稱爲鄉飲酒。按《宋史·禮志十七》解釋，古代鄉飲酒禮有三種：

第一種，鄉間的賢能鄉老和退休官員每隔三年的正月在鄉間聚會飲酒。

第二種，在舉行對鬼神的祭祀時，鄉間父老在學校飲酒。

第三種，春秋兩季州縣令長率領舉行鄉射（詳見軍禮）時，先舉行鄉飲酒禮。

不過，以一般的情況來看，第一種情況是比較普遍的，這也正是《儀禮·鄉飲酒》所記述的那種禮節。周代官員七十歲辭職還鄉，大夫以上稱爲父師，大夫以下的士稱爲少師，退居鄉間教學。每隔三年的正月，鄉間選出賢明的人與父師、少師聚會飲酒，這種禮儀是提倡要「尚齒尊賢」。即尊敬年老與賢明者。漢代鄉飲酒禮改爲每年十月在學校內和祭祀先聖先師的禮儀一起進行，鄉飲酒時用玉卮盛酒。東漢時郡縣道在學校舉行鄉飲酒禮。唐代尤其重視鄉飲酒，認爲這是在地方上行使教化，懲惡勸善的重要方法。唐貞觀六年（632），唐太宗下詔，以《鄉飲酒禮》頒布天下，命令各地州縣按此執行。鄉飲酒禮又是檢查地方人士品行優劣的方式，在鄉飲酒禮時，賢明有道德者按年齡排列就席，品行不端者被拒之門外。南宋朱熹對鄉飲酒禮曾有過詳細考證與說明。明初洪武元年（1368），朱元璋詔令中書省制定鄉飲酒禮。洪武十六年頒布《鄉飲酒禮圖式》，令天下參照執行。明代鄉

飲酒禮又是申明封建律文的機會，每次舉行鄉飲酒時，以刑部所編申明戒諭書爲律令誦讀宣揚。《河南通志・禮樂》記載，河南地方鄉飲酒禮每年正月十五和十月初一日在學校舉行。舉行時「祝長幼盡忠盡孝」，然後飲酒、讀律令。從這裡明顯看出這項禮儀對維護封建統治、麻醉人民所起的作用。清道光二十三年（1843）清政府爲了節約全國各地的財政經費，明令廢除鄉飲酒禮。至此，在我國古代沿襲三千年之久的這項禮儀才正式廢除。

## (三)賓禮

賓禮指互相交往，以賓相待的禮節。在實行分封制的周代，賓禮名目繁多，使用尤其廣泛。按清人姚彥渠《春秋會要》所列，其中就包括朝聘天王、王聘諸侯、列國朝見、諸侯會盟等十個部類。由於先秦史籍的散佚，這些賓禮的具體禮儀的記述都不完備。漢後隨著中央集權國家的建立，賓禮的項目逐漸縮減，鄭樵《通志》中也單列有封贈前代帝王後裔的三恪二王禮一條。

### 1. 朝覲

朝覲是古代諸侯朝見天子的禮儀，覲是諸侯朝拜天子的名稱。唐代孔穎達在疏《儀禮・覲禮》時引鄭玄的話說：「覲，見也，諸侯秋見天子之禮。春見曰朝、夏見曰宗、秋見曰覲、冬見曰遇。」可知覲禮是秋天朝見天子的專稱。孔穎達又說：「三時禮亡，唯此存爾」。現在《儀禮》中也只有《覲禮》一篇。至於朝、宗、遇禮，雖然其名稱保留下來，而且古文獻中也往往提到關於朝、宗、遇的史實，可是具體禮儀卻不得而知，只是孔穎達提到一句：「朝宗禮備（完備）；覲遇禮省（簡單）」。估計在基本形式上，四者都差不多。另外，一些古書中提到的「朝覲」，這裡的朝是諸侯拜見天子的通稱，和「春見曰朝」不是一回事。

周代諸侯五年一朝，拜見天子。在將要出發前，諸侯到祖廟和禰廟（父廟）祭奠拜告，命太祝太史祭告社稷山川和其宗廟。出發時把祖和禰神主載上車子一起出行，路上臨時住舍，先行祭禮然後就寢。到國都附近天子賜舍，舍即館舍，秦漢後成為諸侯的「湯沐邑」。朝覲屬賓禮。《周禮・春官・大宗伯》稱「以賓禮親邦國」。由大宗伯屬下大行人接待諸侯，然後確定天子受覲的時間。諸侯朝覲時天子不下堂，下堂而見諸侯是天子失禮。同姓諸侯站東邊，異姓站西邊。覲見時又是天子檢查諸侯的時候，諸侯的圭和璧是天子賞賜的，代表了諸侯的身份和權力。覲見時諸侯把圭璧交給天子，如果天子認為無過失，把圭璧還給諸侯，如認為諸侯有過，不還圭璧，候改正再還，如三年不還圭璧，削去諸侯爵位。朝覲禮不包括異族部落的晉見。漢代初年分封諸侯，還保留覲見禮，諸侯停留長安二十餘日，覲見分四次，漢代還曾有過諸侯「秋請」（見《漢書・吳王濞傳》）天子的記述。漢代以後，分封諸侯在形式上基本削除，作為諸侯晉見天子的朝覲禮也併入天子受臣下朝賀的嘉禮中。

## 2. 聘禮

聘禮是周代諸侯國之間聯繫交往的禮節。孔穎達疏《儀禮・聘禮》引鄭玄的話說：「大問曰聘，諸侯相於久無事，使卿相問之禮，小聘使大夫」。又說：「比年小聘、三年大聘。」看來這種禮儀在初期是諸侯國之間按期派遣使者互相問候的賓禮。它分為大聘小聘，大聘三年一次，派卿為使者；小聘每年一次，派大夫為使者。

按《儀禮・聘禮》，這種禮節的過程如下：卿或大夫接受聘禮的使命後，先到禰廟告祭，國君授予旗（紅色曲柄旗，表示使者身份，後世發展為「節」），接任命後，使者不回家，在郊外就

宿，表示已有君命在身。行時帶副使，孔穎達疏說：「上公七介、侯伯五介、子男三介」，介即副使，根據國君等級，副使分為七、五、三人。在行進的道路上，如果借道其他邦國經過，派副使獻上禮物，請允許借道經過。到達要聘的諸侯國境使副使通報，對方派士在邊境迎接，到國都郊外派大夫郊勞。使者稱爲賓，賓到近郊後張開旐，大夫隨同而行。大夫接至朝門，安排使者就宿，使者沐浴休息等候接見，大夫設宴招待隨從。會見時國君及夫人親自到王宮大門內迎接，使者獻禮問候，國君答謝，命卿與大夫招待，獻的禮物稱爲略，表示願友好相處。

初期的聘禮是和平時期諸侯國通行的禮節，後期尤其是戰國時期變爲諸侯國訂立軍事同盟，施行外交手段的重要方式。《左傳·文公十二年》：「秦伯使西乞朮來（到魯）聘，且言將伐晉」。戰國初的合縱連橫，也大致以遊說之士的聘禮出現，即如《儀禮·聘禮》所說：「聘禮，君與卿圖事」。後世的聘禮擴大爲中原王朝與鄰國的使者往來。軍事與外交鬥爭也是聘禮的實際內容與含義。

### 3. 三恪二王后

三恪二王后是對前朝後裔封贈的賓禮。相傳舜繼位後，稱堯的兒子丹朱爲「賓」，封於虞地，故又稱爲「虞賓」。並恩准虞賓不稱臣。大禹封丹朱爲唐賓，舜的兒子商均爲虞賓，同樣都不爲夏的臣下。正式的三恪二王后始於周代。孔穎達疏《禮記·郊特牲》中說：「周家封夏殷二王之后以爲上公，封黃帝堯舜之后以爲三恪」。又說：「所存二王之后者，命使郊天，以天子之禮，祭其始祖受命之王，自行其正朔、服色。」恪是尊敬的意思，即「敬其先聖而封其後，與諸侯無殊」。這就把三恪二王后的禮儀解釋得具體而清楚。

　　後世儒家吹捧周代仁政，並贊揚孔子「興滅國、繼絕世」的思想，如宋太祖建隆元年（1960）詔曰：「封二王之后，備三恪之賓，所以示子傳孫、興滅繼絕」。（《宋史‧禮志二十二》）所以，這一封贈三恪二王后的賓禮，雖屢經朝代興替卻被保留下來。漢後對前代帝王後裔基本上都有封贈。漢封殷後代為紹嘉侯，成帝時以孔子後裔為殷的後代；周後代為承休侯。平帝時又改殷後為宋公、周後為郑公。晉武帝泰始元年（265）十二月，封魏廢帝曹奐為陳留王，宣稱其「永為晉賓」（《晉書‧武帝紀》）。唐代禮儀完備，盡量套用周代三恪二王之數，唐初封隋後為酅公。開元後，唐玄宗尊周、漢二代為二王，並上商的後裔為三恪。天寶後期，楊國忠自稱其為隋後，又改以隋去商為三恪。明代廢三恪之說，只封元順帝孫子邁達哩巴拉為崇禮侯。三恪二王后的賓禮，實際上只是緩和統治階級內部矛盾，籠絡前代遺臣、收買人心的一種手段。另一方面，由於被封贈的前代帝王後裔還可以仍舊沿用本朝的曆法、服飾及其他制度，所以它對研究前代的歷史也提供了一定的方便。

### (四)軍禮

　　軍禮指在戰爭或其它軍事活動中所舉行的禮節。它的範圍也很廣泛，除了在整個戰爭過程中貫徹始終的禮節外，它還包括其它部分。按《春秋會要》所記，有校閱、蒐狩、出師、乞師、致師、獻捷、獻俘等項內容。後世軍禮名目增加。它有戰爭前的準備，平時的軍事訓練和軍事研究，戰爭前的動員和人力組織，戰爭後的一些禮節。另外還包括對馬神的祭祀、救日食的合朔伐鼓、驅除鬼疫的儺禮。戰爭勝負是決定一個國家生死存亡的關鍵，歷來統治者非常重視。為了祈求戰爭的勝利，軍禮中夾雜了大量的迷信活動，諸多祭祀和軍禮同時進行，所以在一些禮書中

往往又把一些軍禮歸屬爲吉禮。

### 1. 出征

軍禮中的出征指帝王親征時的一系列禮儀，其它將帥出征的禮儀往往列爲禮制中的專條。古代天子出征是一件大事，所以也必須有一套與帝王的尊貴身份相適應的禮，它大體上可以分爲以下幾個部分：

(1)類、宜、造的祭祀

類又寫爲禷，它的意思是祭天，《尚書・舜典》裡說：「肆類於上帝」。在軍禮中，是指天子出征前對天帝的祭祀祝告。出征前一天，皇帝身穿戎服，乘包著獸皮的車駕，率領出征將士到圜丘行出征類禮。皇帝奉酒，將軍隨皇帝行禮，下級軍官和軍中文職人員分列兩邊，類也是出征前祭天的專稱，它無非是祈求天帝庇佑，贏得戰爭勝利。

所謂宜，據《爾雅・釋天》裡的解釋說：「起大事、動大衆，必先有事乎社而後出，謂之宜」。它指的是出征前天子到社稷的奉拜。社稷是政權的象徵，又是國家領土的庇佑者，宜祭也是祈求社稷神對戰爭的佐助。造指天子親臨宗廟的祭拜。天子出征，到父廟祭告，所以古文獻中常有「造於禰」的記述。造祭以後，帝王還把祖禰神主從廟中遷出，隨軍出行，每晚駐紮後帝王祭告祖禰。類、宜、造的出征前的祭禮，往往對軍隊的士氣也有一定的影響，在心理上對出征將士也有一些作用。

(2)禡祭

最初的禡祭指在出征前對黃帝、蚩尤的祭祀。相傳黃帝與蚩尤的涿野大戰，使後世認爲他們是兵法的最早發明者。秦始皇祠八神，第三位神主就是蚩尤。漢代以後，禡祭的範圍擴大，它包括對黃帝蚩尤的奉拜和對軍營大旗的祭祀。漢代禡祭「釁鼓」，

即殺牲把血塗在鼓上。另一方面，禡祭也由出征前的祭禮擴大爲在出征到達地方的隨時祭祀。軍中大旗稱爲牙旗，所以又有「祭牙」的軍禮。明太祖洪武元年（1368），定親征禮儀，立有旗纛廟，一年三祭，即使無戰事時也按時祭祀。

### (3)雜祭

出征過程中的祭禮名目繁多，而且歷代所祭情況各有不同。周代天子出征，派遣有關官員去祭祀路途中的山川之神。漢後出征時的雜祭名目越來越多。如宋太祖建隆元年（960）親征澤州，在所經道路兩邊十里內令州縣長官祭祀山川神廟、名臣陵墓、佛院道場。宋太宗親征北漢前祭祀風伯雨師。遼出征時在軍中立先帝、道路、軍旅神三神主，隨軍安營奉祀。明代出征雜祭名目更爲繁多，除上述的雜祭外，還有對戰船、金鼓、號角、銃炮、弓弩、飛輪、飛石等武器之神的祭祀，另外還供奉行軍布陣的陣前、陣後神和五猖惡神。明成祖時又增添了火雷神。這些雜祭不但在出征時舉行，而且戰爭結束以後，每月初一、十五在教場要由神機營提督官員負責祭祀。

### (4)班師

天子親征班師有三種情況：如果大敗，或加罪臣下予以責罰，或天子親自到宗廟反省自責。如果戰和或取勝，就要舉行盛大的慶祝大典。天子爲了維護帝王尊嚴，即使戰和也要稱戰勝。帝王戰勝班師，要舉行凱旋儀式，沿途奏樂，百官到城外迎接。回朝後舉行報功和獻俘。天子根據將士功績進行賞賜，然後進行獻俘儀式，俘虜多半是敵方首腦或將領。帝王發落完畢，率領有功將士遍祭宗廟社稷、山川海瀆，並把戰爭中敵方的馘（砍割敵方軍士的左耳，用以計功）懸在宗廟南門外邊，用以炫耀戰功。祭祀後進行釋奠禮，最後舉行盛宴。

## 2. 軷祭

軷是古代祭道路之神的名稱，行軍時道路的暢通無阻對戰爭的勝負有一定的影響，所以往往在戰事時舉行軷祭禮。軷祭也被列為軍禮。周代的軷祭十分簡單。按《周禮·夏官·大馭》的記述，周代軷祭稱為「犯軷」。《周禮·夏官·戎僕》也有「犯軷，如玉路之儀」。犯軷時築土成山的形狀，以「菩芻棘柏」（在山上插的草和荊棘）為神主，祭後「犯軷遂驅之」。關於軷祭的祭物，《詩經·大雅·生民》中說：「取羝以軷」。天子祭路神用狗，諸侯用羝羊，都是取奔走迅速，道路暢通的意思。隋代改軷祭為帝王巡狩出遊時舉行。天子將行時，在京城門外設一土壇，旁邊挖一土坑，然後在壇上祭路神。祭後把祭品埋在土坑裡填平，以讓路神享受。最後帝王所乘車從上面輾過去，祝願道路暢通無阻。軷祭屬小祀，帝王並不直接行祭禮，只是派有關官員奉行而已。

## 3. 田獵

田獵最早是天子所舉行的打獵活動。天子、諸侯田獵四季各有名稱：春天田獵稱為蒐，夏季稱為苗，秋季稱為獮，冬季稱為狩。春秋以後，戰爭增多，田獵除單純打獵的活動以外，逐漸演化為國君在農閒或戰爭前訓練軍隊，加強戰備的軍事演習。《左傳·隱公五年》有：「皆於農隙以講事也」。「講事」，即指軍事訓練。《國語·齊語》也有：「秋以獮治兵」。春冬兩季是農閒時候，所以古文獻中的「蒐」與「狩」比較常見。田獵之禮多在京城附近舉行。秦穆公曾在咸陽郊外舉行冬狩。漢代田獵大多在上林苑舉行。唐太宗在驪山田獵，唐玄宗在渭水濱田獵。宋太祖建隆二年（961）在東京郊外田獵。明代田獵常在郊天後舉行。歷代田獵的具體情況也大致相同。以南朝劉宋為例，宋文帝元嘉

二十五年（448）五月在宣武場行大蒐禮。田獵前一天，用布圍場地四圍。左、右領軍將軍爲監督，大司馬指揮。三通鼓後，皇帝戎裝乘馬，舉行圍獵。天子首先射飛禽，臣下依次射獸。獵畢舉行大宴。古代的田獵也是檢閱軍隊的時候。《公羊傳·桓公六年》徐彥疏：「比年簡徒謂之蒐，三年簡車謂之大閱，五年大簡車徒謂之大蒐」。田獵時也檢閱徒（步兵）和戰車。

### 4. 講武

講武是古代講演兵法、列陣教習，加強武備的軍禮。它本身帶有很大的實用性。它的出現是同春秋後戰爭頻繁和戰爭規模擴大相聯繫的，也是古代軍事學發展的產物。講武開始於戰國時代，秦代改名叫「角抵」（《漢書·刑法志》）。秦代尤重視軍事，於每年十月，國君乘車到長安水南門外，令五營軍士列成八陣，稱此爲「乘之」，進行講武演習。漢設南北軍，定時講武。立秋後演習陣法。東漢時舉行講武前，在東門外殺牲，稱爲「貙劉」（又稱貙獲）。然後教習孫吳兵法和司馬兵法。元帝後講武曾一度停止，東晉後重又恢復。講武是爲加強軍事而舉行的演習，又是戰爭前的軍事準備。所以關於講武的具體時間多無嚴格規定。每當大戰前夕，帝王親臨演武場，鼓舞士氣，操演行軍布陣，並讓將領研習兵法，醞釀作戰方案。歷代的講武人數和操練方式也不相同，規模最大時達數十萬人。唐玄宗開元元年（713）十月曾在驪山腳下講武，調兵二十餘萬。講武時相當嚴格，大都按實戰要求。如在這次講武時，兵部尚書郭元振指揮不當，玄宗要處斬，多虧臣下求情才從輕處以流放。講武不僅操練步兵，對騎兵、水軍也進行操練。宋太祖趙匡胤伐江南前，在東京朱明門外開講武池，教習水戰。元世祖時也教練水軍，遼太宗時在南郊講武，操練騎兵。講武這一訓練軍隊的禮儀形式對於提

高軍隊素質，加強軍事力量起了一定的作用，同時對我國古代軍事學的發展也有一定的推動作用。

### 5.命將出征

古代天子命將出征也有一套完整的禮儀。在命將出征前，天子先到祖廟進行告祭，大將及隨軍將吏到祖廟接受天子任命。《左傳・閔公二年》稱：「帥師者，受命於廟，受脤於社」。脤是周代王侯祭社稷所用的肉，即大將在宗廟接受任命，在社稷壇接受祭品。大將出征時，不舉行類祭和禡祭，由於不是天子親征，所以其軍隊稱為「小師」。大將在軍中不拜君父。如果打了敗仗，天子、大夫等身穿素服哭泣三日，將帥用草繩自縛，露右肩請罪。漢代以後，命將出征包括「命將」和「出征」兩個層次，不過這兩個內容往往是在一起進行的。「命將」即册立將帥，也即俗語所說的「登壇拜將」。楚漢相爭時，韓信以一介布衣為大將，就是用的這種禮儀。劉邦選擇吉日，築拜將臺，親自拜韓信為大將，統領三軍。北齊時册立將帥，太卜先行卜吉日，皇帝於拜將日遍告宗廟，然後祭壇拜將，將帥登壇，皇帝把象徵權力的鉞和斧一一授予大將，並宣稱：「從上至天，將軍制之；從下至泉，將軍制之」。表示授予將帥全權。拜將以後，將帥自行調度，準備出征，不再接受節制。其出征儀式大體仿照周代將帥出征禮。明代改命將出征為遣將禮，大將雖受任命，但出征仍受帝王節制，拜將在奉天殿舉行，不再築壇。明太祖洪武元年（1368）制定遣將禮，皇帝穿戎服，百官相從，授予將帥節和鉞，鼓樂齊鳴，百官相送，大將率軍士將領到宗廟行禮。回到軍中，擇日宰雞灑血祭旗出征。除了築壇拜將以外，歷史上也常有賜尚方劍、賜宴奉酒等方式命將出征，不過不如築壇拜將的禮儀隆重。

### 6. 宣露布

　　露布是古代發布的軍事文告，這種曉喻全軍，繼而曉喻天下的告示往往以帝王名義或以朝廷名義頒發，所以漢代以後都把宣露布列入軍禮。露布是由三代時的「誓」或「誥」演變而來的，戰國時期稱為「檄」。露布一詞最早見於東漢，廣泛使用在南北朝以後，隋代開皇年間詔令牛弘、裴政制定宣露布禮。露布大體可以分為以下幾種情況：

　　第一，作為戰爭勝利後的文告而張懸公布，這是宣露布被列為軍禮的主要方面。《魏書·彭城王勰傳》稱：「露布者，布於四海，露之耳目，必須宣揚威略，以示天下。」作為這種形式的露布，大都是「張皇國威，廣談帝德」（封演《封氏聞見記》卷4）的頌歌溢美之辭。古代戰爭有三種情況：

　　(1)對異族的戰爭。

　　(2)軍閥混戰或統一戰爭。

　　(3)鎮壓農民起義。

　　所以，作為報捷的露布的性質也有所不同。

　　第二，在戰爭中進行鼓動宣傳的文告也稱為露布。如《世說新語·文學》記載晉時桓溫北伐：「會須露布文，喚袁倚馬前令作，手不輟筆，俄得七紙，殊可觀。」這種形式的露布要求簡練扼要，旗幟鮮明，富有號召力和鼓動性，起草要迅捷，發表要及時。三國陳琳討曹操檄、唐代駱賓王伐武則天檄，雖然沒有稱為露布，但大體上也是這種類型。

　　第三，在戰爭過程中傳遞的緊急報警文件有時也稱作露布。封演《封氏聞見記》卷4說：「所以名露布者，謂不封檢而宣布，欲四方速知，亦謂之露版。」這種表示警急的露布稱為露版。有時為了表示緊急，在露版上插上羽毛，古稱「羽檄」，即後世俗稱的「雞毛信」。禮典制訂露布大多為帝王發布，其實經常是將

帥出征，以將帥名義發表的，像上述後兩類就是這種情況。

露布開始寫在簡牘或帛上公布於衆，東漢後多寫在紙上，以上三種形式的露布也有不同的書寫方法。作爲狹義的軍禮中的露布，基本上是第一種。

### 7. 祭馬祖

祭馬祖是對戰馬之神的祭祀，古代由於馬匹在車戰及整個戰爭中有特殊作用，所以對馬神的祭祀被列入軍禮。周代祭馬神按四季進行，把對馬神的祭禮分爲四種，即「春祭馬祖」、「夏祭先牧」，「秋祭馬社」，「冬祭馬步」。（《周禮・夏官・校人》）所謂馬祖指天駟，也即天馬。《爾雅・釋天・釋星名》說：「天駟房也」。古人認爲二十八宿中的房宿代表天馬，天馬是馬祖的象徵，所以祭馬祖也就是祭祀房星。春天是馬駒成長的季節，春天祭馬祖時帶上馬駒，祈求馬祖保佑馬駒成長。先牧指最早牧馬之神，夏天是放牧的季節，祈求草原茂盛，便於放牧。馬社指最早訓練馬匹，使之馭御車輛的人。《世本・作篇》稱相土作乘馬，對馬社的祭祀也就是對相土的祭祀。古人認爲，秋天是教習馬乘駕的時候，所以秋祭馬社。馬步指災害馬之神，冬天馬最易生病，所以冬天祭馬步。具體祭祀時間均在每季仲月的剛日（即甲丙戊庚壬日），祭祀時在大澤邊舉行。隋唐沿襲周代的祭馬祖禮。宋代定馬祖四祭爲小祀。明初改四季仲月祭馬祖爲春秋兩季仲月（即二月、八月）舉行。明太祖洪武五年（1372），四祭合併，築馬祖壇，在春二月舉行。並在南京建立馬神祠，明成祖遷都北京，又在通州建馬神祠。隨著後世馬匹在農業、商業上的廣泛運用，祭馬祖的禮儀也由單純的軍事意義增加了農業和商業的內容。

## 8. 合朔伐鼓

「合」指的是在地球上看到行星遮蓋住太陽光線的現象，亦即日蝕，「朔」指月蝕，亦即農曆初一日。「伐鼓」指出現這些現象時擊鼓的禮儀。由於古代對自然現象認識的膚淺，認爲出現這些現象是不祥之兆，所以用伐鼓來祛除災害。《尚書·胤征》篇已有關於合朔伐鼓的記述。如有合朔，瞽宗（盲人）擊鼓，嗇夫（官名）乘車奔馳傳報，平民奔跑躲避。周代隨著陰陽五行說的產生，人類認識的演變，認爲日屬陽，月屬陰，陽尊陰卑，日又是天子的象徵。所以，合朔伐鼓的禮儀單在日蝕時舉行，並名之爲「救日禮。」周代禮制，如果出現日蝕，天子罷舞樂，穿素服，舉行擊鼓禮，並自責反省。「如諸侯皆在而日食，則從天子救日。」（《禮記·曾子問》）諸侯也有伐鼓禮，天子伐鼓在社稷壇，諸侯在朝門。月蝕時不舉行伐鼓禮，只由王后率後宮人員反省而已。漢代合朔伐鼓更爲具體。先由掌管天象的太史報告日食日期，日食當天，天子穿素服，不升殿，太史登靈臺，觀察天象，日食一出現，立即擊鼓，太祝向天致辭，代表帝王自責，侍臣聽到鼓音，穿紅衣帶劍侍立宮庭，三臺令史以上的武職官員在京師要道帶劍侍立，負責京城守備的衞尉帶兵環繞皇宮，守備戒嚴，防止出現突然變故，宋代建隆元年（960）五月日蝕，掩藏兵戈鎧冑。

合朔伐鼓其實是維護帝王尊嚴的象徵性禮節，由於日代表帝王，日蝕會預兆帝王的災難，所以有些禮書列爲凶禮，稱爲「天地大裁（同災字）」。不過在歷史上，帝王本人的認識能力對這種禮儀有直接作用。如唐德宗不信日蝕災異之說，德宗至宋初，此禮被廢除。

## 9. 時儺

儺是驅除疫鬼的意思，又稱爲「大儺」。時儺即按時令舉行這種禮儀。它是由古代的神話傳說發展演變而成的。相傳顓頊有三個兒子，不幸夭折，變爲厲鬼，傳布災疫，爲了驅趕厲鬼，周時奉行大儺禮。《禮記·月令》記周時每年三儺，分別在三月、八月、十二月舉行。漢代改爲每年一次，即在臘月舉行。在舉行儺禮時，挑選貴族子弟一百二十人，年齡在十歲到十二歲之間，這些專門舉行儺禮的子弟稱爲「侲子」。《昭明文選·東京賦》稱：「侲子萬童、丹首玄制」。稱爲萬童，當然是誇張。他們戴著紅色的帽子，穿著紅褲子和黑上衣，由僕射官率領，午夜時分，手執火把，跳著舞，表現著捉鬼驅邪的動作。在宮庭內周轉三圈，最後由宮門出來，表示已把鬼疫驅趕走。

時儺其實是由原始巫舞發展而成的，漢時時儺有「方相舞」和「十二神舞」。唐代開元禮也有時儺。宋代時儺規模進一步擴大。據孟元老《東京夢華錄》記載，宋代宮庭儺禮發展到侲子千餘人。宋代以後宮庭儺禮未見記載。明代邱濬《大學衍義補》建議實行時儺禮，但實際上並未實行。但是，由於時儺的獨特表現形式，加上它又是以驅除鬼疫爲內容的禮儀，很容易被下層平民羣衆接受。宋代以後，這種規模盛大的儺舞在民間流傳很廣，逐漸成爲人民喜聞樂見的一種娛樂方式。它的內容也更加豐富，出現了表現勞動人民生活、民間故事和神話傳說的節目。有些地區還產生了以這種舞蹈形式爲基礎的「儺戲」。時儺也逐漸從帝王禮儀中脫胎出來而轉化成民間流行的習俗。

### 10.射禮

射是古代六藝之一。六藝指禮、樂、射、御、書、數。早期射的含義是學習軍事、訓練武技。它的起源大概可以追溯到弓箭的產生時代，在甲骨文和金文中也可以看到習射的記載。周代禮

的範圍擴大，射逐漸成爲一種象徵性的禮而歸於軍禮之中，根據等級地位的不同，射禮又分爲大射和鄉射：

### (1)大射

大射是指天子、諸侯、大夫等舉行射的禮儀，它常在京城舉行。周代禮制，在祭祀天帝前往往舉行大射，射場裡設立射箭靶子，古書中稱爲「侯」。侯上蒙獸皮，標上中心，中心叫「鵠」。天子大射設立三侯，分別蒙上虎、熊、豹皮；諸侯設熊、豹二侯；大夫設麋侯。侯從中心到邊緣都按距離塗上各種不同的顏色，天子三侯塗五色，依次爲紅、白、蒼、黃、黑，又稱爲「五正」。三侯五正是只有天子大射才能設立，也是天子身份的象徵。《周禮‧考工記‧梓人》稱：「張五采之侯，則遠國屬。」諸侯三正，卿大夫二正。大射時凡不中箭靶者，不准參加祭祀。

大射禮在後世同樣有所擴大。北齊時舉行大射，每年兩次，即三月三日和九月九日。大射禮皇帝、皇太子、百官均參加。從上到下，每人射箭數均有規定。爲了檢測臣下的習武程度，每箭所射靶子的部位也均有規定。帝王大射時鼓樂齊鳴，射中的時百官歡呼慶賀。這一年兩次大射的禮儀一直延續到唐末。五代時戰爭頻繁、政局不穩，南方割據政權又荒廢軍事，大射禮被廢除。宋太宗時重新議定大射禮。遼、金、元的大射遠不如前代隆重，基本上是習武遊戲和民間習俗。每年五月五日、九月九日百官大射。大射在擊毬場裡舉行，柳枝頭部去皮，插在地上，作爲「侯」。射時按尊卑次序，一人在箭靶柳枝旁，射時用平箭頭，如果箭發中的，柳枝頭就會被截掉，旁邊的人用手接住截斷而飛起來的柳枝頭，表示成功。明代重新制定大射禮，從天子到下屬按品位把侯分爲七等。明清兩代，大射禮基本上又恢復到唐代以前的狀況。

(2) 鄉射

鄉射是地方上舉行的射禮。按周代禮制，它又分為兩個內容：

首先，按《儀禮・鄉射禮》鄭玄注所說：「州長春秋以禮會民而射於州序之禮。」可見鄉射每年分春秋兩季舉行。序是周代學校的名稱，在序舉行的射禮，甲骨文和金文中也有記述。這類鄉射禮在《儀禮・鄉射禮》中記載相當詳細，具體作法十分煩瑣，它的主要目的就是講習禮儀、教武於民。

其次，按《周禮・地官司徒・鄉大夫》記述：周代每三年一次舉行薦賢的大比。鄉老、鄉大夫或地方官吏向天子獻「賢能之書」，然後在鄉間進行鄉射禮。鄉射禮後，地方鄉老官員把鄉民招集一起，宣揚教化，講述薦賢的五個方面，即和（父子、鄰里和順）、容（容貌莊重）、主皮（善射）、和容（懂樂理）、興舞（懂各種禮儀中的舞）。周代以後，由於選士的方法在中國歷史上屢經更改，鄉射禮的這個內容逐漸廢而不用。

從上述鄉射禮的兩個內容來看，延續到後世的是第一種鄉射方式。這種地方性的鄉射禮根據地方官員的重視程度也有不同的表現，它逐漸並為地方學校中的一個教育的內容和環節。明洪武三年（1370）五月，朱元璋下詔命國學和郡縣生員皆習射，每月初一或十五日在公共場地舉行，不過內容已由單純的射箭擴大為學習各種武技和講習兵法等軍事內容了。

## (五) 凶禮

凶禮的主體部分指的就是喪禮。它包括人去世後從治喪到埋葬的一系列禮節。喪禮中的葬儀和喪服、喪期隨死者地位的差別和與死者關係的不同有很大的差別，同時也體現出男女有別的封建觀念。五禮中喪禮和吉禮相連，一般喪期過後都轉化為祭禮，

喪禮範圍也小得多。除了喪禮之外，凶禮還包括一些對天災人禍的哀悼。例如出現饑饉、戰敗、寇亂等情況時進行的哀弔也歸於凶禮。

### 1. 喪葬

喪葬包括喪和葬兩部分，喪是禮儀上的程序，葬是具體作法。喪又是人死去的代稱。它們在周代都有具體明確的記述和規定。據《禮記‧曲禮下》解釋：「天子死曰崩，諸侯曰薨，大夫曰卒，士曰不祿，庶人曰死。」可見周時的喪根據等級貴賤的不同各有專稱。所以，隨之而來的葬禮也有按等級規定的區別。古文獻中關於喪葬禮記載也有明確劃分，帝王的葬禮，歷代禮書中都有描述。另外，《儀禮‧士喪禮》和《儀禮‧既夕》等篇中也詳細記述了周代庶人喪葬禮的基本程序，下面分別說明：

### ⑴大喪

古代禮書為了突出帝王的顯貴，把帝王的喪禮稱為大喪。周代記天子大喪較為簡略。周代禮制：天子崩後，大僕擊鼓，向四方宣告帝王去世。小宗伯在京城門上懸掛緣冠（喪服冠），大僕在宮門懸掛喪服式樣。天子大喪後第三天，太祝、太卜等宗教官員穿喪服。貴族官員穿喪服五日，京城中的庶民百姓穿素服七日，天下諸侯服喪服三個月。漢代時皇后喪也稱為大喪，大喪制也日益森嚴詳密。歷代禮書中記載凶禮，天子大喪為第一位，當然是與封建專制的不斷強化密切相關。天子崩後未有謚法前，稱為大行皇帝，皇帝棺木稱為梓宮。帝王死，百官守靈。帝王大喪，全國上下各個等級的喪服、喪期、喪儀都有不同的規定與要求。大喪期間，國內禁止一切其它活動。漢文帝反對重服傷生，死前，下遺詔命全國臣民設奠弔哀三天。明太祖洪武十五年（1382）馬皇后死，全國舉行大喪禮，京城禁止屠宰四十九天，

其它地區三日，停止音樂、祭祀、嫁娶、娶宴一百天。不過帝王大喪也有比較節儉的。如魏武帝曹操遺詔說：「天下尚未安定，未得遵古，百官當臨殿中者，十五舉音，葬畢便除，其將兵屯戍者，不得離部。」（《晉書·禮志中》）宋太祖趙匡胤大喪遺詔：「諸道節度防御、團練使、刺史、知州等，不得輒離任赴闕。」（《宋史·禮志二十五》）

帝王的葬儀也是極其隆重的。原始社會和奴隸社會初期，酋長或天子的墓葬除有大量的隨葬品外，還有大量人殉。春秋末期還保留有人殉制度。如秦穆公死，人殉多達 117 人。後世雖改用俑來代替人殉，但帝王大喪的隨葬品卻越來越豪華。漢代帝王尸身盛以金縷玉衣，即用玉片聯綴為衣像鎧甲狀，以黃金為縷絲，以保護屍體。這種玉衣又稱為「玉匣」或「玉柙」。漢代根據等級不同，玉衣分為金縷、銀縷、銅縷等，現在的考古發掘也發現了這幾個種類的玉衣。據滿城漢墓遺址出土的兩套金縷玉衣來看，每塊玉片的大小和形狀都經過細緻的設計和精細的加工。每件玉衣就有兩千多塊玉片，可以想見帝王大喪的豪華。

### (2)士喪禮

關於士喪禮，《儀禮·士喪禮》的記述特別詳密。人將死時稱為「屬纊」（《禮記·喪大記》），屬是放置，纊是新絮，古人把新絮放置在臨終者的口鼻上，看是否斷氣，屬纊也成為臨終的代稱。人剛死舉行始死復的儀式，始死復即招魂復魄的儀式。古人認為，人有魂魄，魂是人體出入的氣息，魄是人的感覺。人剛死，魂先脫離人體，只要招回魂返歸魄，人就可以起死回生。舉行始死復時，把死者生前的冠服或首飾放在死者旁邊，這些裝束是死者的魂非常熟悉的東西，所以魂不會迷失而復魄。當然，這些迷信的觀念絕不會使死者起死回生。下一步是楔齒（把牙齒楔開，便於含飯）、綴足（把兩腿放平直，便於入斂）、奠帷（吊

起帷幕，遮開死者，布置靈堂，用酒祭奠）。這時宣布家有喪事，首先向國君報喪，稱爲「赴君」。以上是士喪禮的第一個程序。

士喪禮的第二步是收斂死者。首先給死者沐浴，稱爲「差沐」。差沐根據死者等級也有不同的規定。差沐完後飯含。飯含是爲了怕死者飢餓，在死者嘴裡放上米飯或其它物品。飯含之禮根據死者身份不同所含物品也各異。天子飯含珠玉，公卿大夫含金玉，庶人含銅錢。沐浴飯含後第三天給死者換衣服，稱爲小斂。天子諸侯用錦衾裹，大夫用縞衾，士庶人用緇衾。然後把屍身放入棺木中釘蓋，稱爲大斂。《禮記·曲禮下》稱：死者「在牀曰屍，在棺曰柩」。《說文解字》稱棺又名櫬。《左傳·襄公二年》杜預注棺又名櫬。小棺叫椑。相傳有虞氏時已有瓦棺。殷代開始使用棺槨葬。棺直接盛放屍身，槨是套在棺外的大棺。大斂後把棺木放在庭院西邊的臺階上，稱爲殯，然後開始舉行大斂的祭奠。

第三步是弔喪和哭奠。其實，有些弔喪在收斂時就已經進行了。哭奠是在收斂後進行的。死者奠帷後，靈堂布置就緒，首先國君使人弔喪，稱爲「弔襚」，即弔喪時贈給死者家屬衣衾，這種作法影響較廣，流傳很久。在整個弔喪過程中，無論是同僚或親朋好友、死者家屬一直哭泣。弔喪完畢後，給死者立銘，把死者的官職及生前功德寫在白旗上，又稱爲銘旌大旗。後世發展爲神道碑和墓志銘。哭奠按照和死者關係不等所定的五服而規定哭泣的時間、次數。直系血親要朝夕哭奠。哭奠是舒發胸中悲苦、顯示孝道的方式，古書記載哭奠常有悲痛哭泣而死的。在弔喪中，死者守靈家屬對來弔親友回拜稽首，以頭觸地九次。弔喪和哭奠一起結束。

最後一項內容是安葬，先由筮者「筮宅兆」。筮宅兆是用占

卜方法選擇埋葬地點。晉代郭璞著有《相經》，按地勢起伏，五行方位相地風水。此書對後代影響較大。晉後改筮宅兆爲相地風水安葬。然後是視槨視器，即檢查槨和隨葬品。按《士喪禮》所言，夭折不能有槨。視器即檢查明器，明器即陪葬物品。助喪事的貨財叫賻、車馬叫賵、珍玉古玩叫贈、衣被叫襚。下一步是卜葬日。周代禮制，天子崩後第六日殯，七月葬；諸侯五日殯，五月葬；士大夫庶人三日殯，三月葬，這種禮的規定是爲了和宗廟的數目相吻合。出殯時把靈車送到墓地進行「窆柩」，又叫翔，均是安葬棺木的意思。安葬完畢後到宗廟哭拜。北魏胡太后時，開始讓和尚在死者死後的七七四十九日裡念經，超度亡魂。這種做佛事的習俗流傳極廣，一直到清末民國時還有實行的。

士喪禮的內容龐雜煩瑣，其中對每一過程中喪禮的參加者所站的位置、具體禮節的作法都有說明。對於死者家屬何時哭泣、哭泣次數、表情動作都有表述，實在是不勝其煩。關於喪禮，除《士喪禮》一篇外，還有《儀禮·既夕》篇。既夕指安葬前一日，如鄭玄注所說，它實際上是《士喪禮》的下篇，它們較全面地記述了周代的喪禮。

周代喪禮的最大特點是等級分明，唐代賈公彥疏該篇說：公、侯、伯分有不同的等級禮儀，而且它們本身還分爲三等，「各有上中下及行喪禮」。除了在葬禮過程中不同的禮儀外，在其銘旌題辭中也可以看到等級的差異。漢代以後，縱使有錢的富商大賈，其喪葬豪華奢侈，但表現在碑銘中仍然有著不可踰越的等級界限。

### 2. 山陵

山陵是對帝王墳墓的通稱。酈道元《水經·渭水注》中說：「秦名天子冢曰山，漢曰陵，故通曰山陵矣。」但董說《七國考》

卷 10 中又說：「秦惠文始以墓稱陵」。不過漢代以後，帝王墳墓往往簡稱爲陵。秦漢以前沒有墓葬，即所謂「古也墓而不墳」（《禮記・檀弓上》）。根據現代考古情況，殷及西周的墳還沒有陵墓，即沒有俗話說的墳頭。春秋以後，開始有陵墓。一般說來，帝王在世期間就要爲自己修造陵墓。如秦始皇生前用 72 萬人爲自己建造陵墓，「墳高五十餘丈，周迴五里餘」（《史記・秦始皇本紀》《集解》）。秦代以後，墳地開始種植柏樹。漢代以後，帝王陵墓都有封號，如西漢共有陵墓十五座，十二座是帝王陵，其餘三座是皇后或太后陵，每陵都有封號。漢高祖劉邦陵爲長陵，惠帝劉盈陵爲安陵等。唐代十八陵。明代除太祖孝陵在南京鍾山外，成祖以下的陵墓都在北京。

歷代陵墓附近都建有陵廟，稱爲寢廟，並設有專職人員管理。陵廟附近實行移民，這些移民在官員管轄下負責守衛陵墓，他們所交納的租稅供祭祀用。如《太平寰宇記》卷 26 記述：漢初遷徙關東豪族到長陵、茂陵各萬戶，其餘各陵五百戶。這些移民不歸屬郡縣，由負責祭祀的太常管轄。漢武帝的茂陵「守陵、漑樹、掃除，凡五千人，陵令屬官各一人，寢廟令一人，園長一人，門吏三十三人，候四人」（《長安志》卷 14 引《關中記》）。唐代的陵墓，大致情況同漢代，唐對陵墓於清明節時舉行祭祀，每月初一和十五日及時令節氣時也舉行小祭，小祭時只奉獻果品食物，獻時令衣物等。五代時戰亂不息，帝王經過陵廟時舉行朝拜禮，平常只命本地官員奉祀朝拜。宋代春秋兩季命宗正卿朝拜。

明代專門設立祖陵祠祭署機構，明代的陵墓有嚴格的管理制度，帝王曾親自設計規劃修築陵墓。明代的陵墓被視爲禁地，凡車馬經過陵墓和守陵的官民進入陵內，百步外下馬，違犯的處以重罪，凡在陵園裡折取寸木，處以死刑。明代還用宮女殉葬，多

的數十人。清代陵墓窮極豪華。山陵制貫穿整個古代社會。歷代山陵由於陪葬物品名貴奢華，大多被盜發。周太祖郭威有鑒於此，囑其死後用瓦棺紙衣入葬，只令三十戶民守陵，這是相當節儉的，不過歷史上也僅此一例罷了。

### 3.喪期

喪期指穿孝服處於喪事階段的時期。由於與死者的關係不同，居喪服孝的時間也不一致。相傳黃帝時已有喪期，稱爲「心喪」。親人去世，一生內心悲傷，永遠不會平復。《易傳‧繫辭下》說：「古者喪期無數」，就指的是這種心喪。唐虞時定喪期爲三年。周代喪期比較具體，喪期長短和喪服的不同之間聯繫，大體有以下幾種。

(1)三年喪

三年喪實際上是兩周年，這是時間最長的喪期，包括子爲父、父去世後爲母、妻妾爲夫、母爲長子等幾種情況。三年喪在家庭中是大喪，是最悲痛的喪期。漢代以後封建社會提倡孝道，許多人在墓旁建草棚居喪，如《後漢書‧韋彪傳》稱韋彪「父母卒，哀毀三年，不出廬寢。」

(2)期年喪

期年喪又稱兩年喪，實際上是一周年，這是父在爲母、夫爲妻、爲兄弟、妻爲娘家父母等的喪期。

(3)九月喪

九月喪範圍較廣，男子爲出嫁姊妹和姑母、爲從兄弟（堂兄弟），婦對夫的祖父母、叔父母及自己的娘家兄弟等都是九個月的喪期。

(4)三月喪

範圍更廣。男子爲同族曾祖父母、族祖父母、族父母、同族

兄弟，女婿、岳父母、舅父母等是三個月的喪期。

周代喪禮中的喪期對後世影響很大，尤其是其中的重男輕女、重嫡輕庶、血統親疏的劃分等特點對後世起很大作用。周代的喪期制度後世雖不一定完全行施，各個時期也屢有改變，但大體上不超出這個範疇。

除以上周代喪期外，天子大喪的喪期也是歷代禮書中凶禮的一個內容。大喪喪期的基本特點是期限不定，因人而異。漢文帝前，大喪期一般為三年，文帝提倡節儉，臨終遺詔命天下吏民服喪三天。成帝重又提倡大喪期三年。平帝時王莽恢復周禮，也提倡三年。平帝死，王莽令六百石以上官員服喪三年。三國時魏文帝曹丕和蜀劉備大喪期三日。晉代重又行三年喪。唐宋以後，天子大喪期屢有改更，總不外在三天和三年之間，有時根據服喪者親疏貴賤不同也同時並用，所穿喪服也不相同。

### 4. 喪服

喪服是在舉行喪禮時所穿的服裝和裝飾。一般來說，安葬以後，喪服便除去。賈公彥疏《儀禮·喪服》篇說，三代以前，未有喪服制度，後世為渲染悲哀的氣氛，使喪禮顯得更隆重而製作喪服。喪服包括冠、服、鞋及麻衫等。周代的喪服分為五個等級，即五服。五服的名稱是斬衰、齊衰、大功、小功、緦麻。

#### (1)斬衰

斬是用剪刀直接把麻布斬斷作成服裝，衰又為縗是粗麻布做成服裝的名稱，喪服主要是上衣，上衣斬衰不縫邊，使斷處外露，以表示極大的哀痛。斬衰喪服制還包括苴絰（粗麻腰帶）、杖（哭喪棒）、絞帶（胸部交叉麻繩帶）、冠繩纓（麻冠用麻繩作纓）、菅屨（草鞋）等。斬衰期間不准洗臉修鬢。斬衰是五服中最重的喪服。子和未嫁女為父、妻妾為夫、諸侯公卿大夫為天

子都是斬衰。服斬衰的女子還有喪髻，稱爲「髺衰」，它是用麻繫著的髮髻。後世對斬衰喪服特別重視。明代曾修有《孝慈錄》，專門對斬衰作了說明。

(2)齊衰

因爲喪服裁邊較整齊，所以叫齊衰。在五服中齊衰次於斬衰。按喪期不同，服齊衰者又分爲幾種情況：

A、齊衰三年：父卒爲母，母爲長子。

B、齊衰一年，齊衰一年又分爲杖期和不杖期，杖是用手持杖，表示悲痛不能直立。父在爲母，夫爲妻用杖稱杖期；男子爲伯叔父母、兄弟，婦爲娘家父母，媳爲公婆，孫爲祖父齊衰不用杖，稱爲不杖期。。

C、齊衰五月：爲曾祖父母喪。

D、齊衰三月：高祖父母之喪。

(3)大功

功指織布及製做喪服之功，它的製作較精細。大功次於齊衰，是用熟麻布製成的喪服。大功喪期一般九個月。男子爲出嫁的姐妹及姑母，堂兄弟、未嫁的堂姐妹都是大功。婦爲娘家兄弟、爲丈夫的祖父母、伯叔父母也是大功。

(4)小功

小功爲五月喪期。小功次於大功，比大功製作更加精細。男子爲伯叔祖父母，堂伯叔父母、堂姐妹、外祖父母，婦爲丈夫的姑母姐妹等都是小功服。

(5)緦麻

緦是製喪服用的細麻布，是五服中最輕的一種，它比小功服更爲精細。喪期爲三月。緦麻服喪的範圍十分廣泛，包括同姓宗族的高祖父母、曾伯叔祖父母、族伯叔父母、族兄弟及未嫁族姊妹，其中還包括外姓中岳父母、舅父母、外孫、外甥、婿等。

　　喪服本身的特點就是愈是簡陋粗糙、質地粗劣愈是重服。喪服中所分的五服反映了宗法制度下的親疏關係，五服也成爲後世論及親疏關係的代稱，它與喪期互相聯繫，在喪禮中密不可分。這些喪服對後世也有較大的影響。

### 5. 輓歌

　　輓歌是在送葬時唱的歌。據《左傳》魯哀公十一年（前484），吳伐齊，齊國大將公孫夏令齊國將士唱送葬輓歌《虞殯》。後世便把虞殯作爲輓歌的起源。《晉書·禮志中》認爲，正式的輓歌出於漢武帝時的「役人之勞」歌，歌聲抒發了悲愴的情緒，象徵著安葬送終。崔豹《古今注·音樂》認爲：漢高祖時田橫自殺後，五百門人在海島唱《薤露》、《蒿里》然後自殺。漢武帝時，李延年把《薤露》定爲王公貴人安葬時的輓歌，《蒿里》定爲士庶人的輓歌。輓歌由輓郎送葬時歌唱，有哀樂伴和，渲染淒涼氣氛，表達對死者的哀悼和悲憾。晉代挑選六品官員以上的子弟六十人爲輓歌郎，專爲帝王和顯貴送葬時唱輓歌。唐代帝王葬禮，輓郎二百人，分別排列在送葬隊伍兩邊，沿途唱輓歌。宋代對送葬時的輓郎人數有如下規定：三品以上官員葬，唱輓歌者分成六行，走在送葬隊伍前列，每行六人，共三十六人。四品四行，十六人。五品六品官員輓郎八人。七品八品六人。九品輓郎四人。明清兩代也有類似規定。輓郎的服飾要求統一，歷代都有規定。輓郎在行進中，兩邊的執紼，紼是拉柩車的繩子，中間的持翣，翣是木製大扇，上邊繪有圖畫。另外還披鐸，鐸由銅做成，隨著行進的步子發出聲響，作爲輓歌的節拍。輓歌也屬於喪禮中的一個組成部分，它雖不占有什麼位置，但它也同樣反映出喪禮由於等級不同而存在的差別。

## ㈥禮容及其他

　　禮容是在舉行禮節或日常生活中的容貌動作、表情姿態和方位尊卑。我國素有待人接物講求禮貌的傳統習慣，所以古人對這些也很重視。另外，古書中也用一些特殊動作的專用詞彙刻劃人物內心世界和渲染環境氣氛，也抽出來進行解釋。《儀禮》、《呂氏春秋・士容》均記述了古代禮容。《釋名・釋姿容》列舉了八十七種禮俗動作，具體詳贍，可以參考。

### 1. 坐

　　古人坐的姿式和現代的坐有很大程度的不同。上古時期，還沒有我們現在所使用的桌椅，室內只有放在地上的「几」，所以在議事、看書、飲宴吃飯時只能「席地而坐」。几邊鋪有席，坐的姿式也需要保持能和几相適應的高度。王先謙解釋古代坐的狀態說：「古人坐以兩膝向後，如今跪形。」（《釋名疏證補》）即坐的時候脫掉鞋，雙膝跪地，臀部放在兩足上，它的基本姿勢和現在所說的雙膝跪地的樣子差不多。所以古代「坐，通名跪，跪名不通坐也」（《禮記・曲禮上》孔穎達疏）。

　　坐的姿式廣泛用於日常生活及天子宴會臣下的場合中。為了維護禮教，體現尊卑，對坐的姿式也有著不同的要求。天子宴會羣臣時，臣下的坐就不能臀部完全放置在兩足上。為了表示恭敬，臣下單屈左足或右足，只用一足支撐臀部，即如《禮記・玉藻》篇所說：「坐左納右，坐右納左。」納是放置鞋子的意思，鞋放在不坐足的那一邊。為了上下有別，表示對父輩的尊敬，「父子不同席」（《禮記・曲禮上》），兒子只能站立，不能和父親同坐在一條席上。為了內外有別，男女不能坐在一起，即使許嫁女子也不能和兄弟坐在一起。古人強調坐時要挺直上身，坐的

姿態要莊重肅穆，《禮記·曲禮上》說：「坐如尸」，坐的姿態要像祭禮中象徵神主的「尸」一樣正襟危坐。

另外，從坐的姿式中又引申出表示卑下和貧賤的「坐行」。所謂坐行，即用雙膝向前行走。《左傳·昭公二十七年》稱：「執羞者坐行而入」。羞同饈，是食物，進奉食物的下等人只能跪著行走，進奉饍食。《戰國策·秦策三》記伍子胥窮途潦倒時有：「坐行蒲服，乞食於吳市。」不過，隨著後世桌椅的出現，坐的姿式也自然發生了改變。

### 2. 箕

箕的本義是古代的農具，用於打場時的揚穀去糠。它的基本形狀為 L 形，類似現代的簸箕。根據它的這種形狀，古人在論及姿容時又引出箕的姿式。箕也屬於坐的範疇，不過它是坐下後兩腿向前伸而不是向後。一般說來，古代嚴肅的禮儀中是不允許有這種箕的姿式的，即「箕踞傾倚，威儀不肅」（《三國志·蜀志·簡雍傳》）。《禮記·曲禮上》也說：「立毋跛，坐毋箕。」孔穎達疏：「謂舒展兩足，狀如箕舌也。」箕的動作基本上是在反常情況下出現的，它具有憤怒、嘲弄、輕視、放任隨便、不拘禮儀等感情色彩和性格特徵。箕坐是兩腿合併前伸，如果兩腿前伸岔開，稱為「箕踞」，更加重了這種輕慢程度。《史記·張耳陳餘列傳》中記漢高祖劉邦「箕踞罵」，活神活現了劉邦侮弄臣下的無賴模樣。《莊子·至樂》中記述莊子「則方箕踞，鼓盆而歌」，以箕踞的姿式鼓盆高歌抒發了脫俗超世的行止。王維《與盧員外象過崔處士興林亭詩》：「科頭箕踞長松下，白眼看它世上人。」是嫉世妒俗的名句，也以箕踞的姿式表示了對勢力功名的輕視和嘲弄。無論箕坐或是箕踞，即使在現實生活中也是極不尋常的舉動，在會議和家庭中這種箕坐的模樣，也是既不嚴肅，

又不禮貌的。

### 3. 跪、跽

跪和坐有些相像，但在定義上並不相同。張自烈《正字通》引朱熹的解釋說：跪和坐都是兩膝著地，但「以尻（陰臀部）著踵（足後跟）而稍安者爲坐，伸腰及股而勢危者爲跪。」可見二者的區別是上下腿合攏，臀部落在足跟爲坐；身體挺直，臀部離開兩足跟爲跪。坐不用力，跪則用雙膝支撐身體。跪廣泛用於行拜、叩禮時，和拜、叩等動作連在一起，從而有「跪拜」、「跪叩」等禮節。

但是，跪並不是一個單獨性的動作。顧炎武在《日知錄》卷28《坐》中說：「古人之坐，皆以兩膝著席，有所敬，引身而起，則爲長跪矣。」這裡所說的「長跪」，就稱爲「跽」。《說文解字》稱：「跽，長跪也。」跪必須和其它動作聯繫在一起，而跽可以作爲一個完整的禮節性動作。《說文解字》段玉裁注說得很清楚：「繫於拜曰跪，不繫於拜曰跽。」

我國古人文筆簡潔，用字精審，往往一字就可以點出在特定環境中的特別情況。和「箕」一樣，跽也屬於這類範疇。劉熙《釋名・釋姿容》解釋跽說：「忌也，見所敬忌，不敢自安也。」進而指出跽的動作是受心理活動支配的，是在思維高度緊張的情況下不由自主而出現的。了解跪跽動作出現的特定環境，無疑對於閱讀古書或是熟悉歷史人物都會有一定的方便。

### 4. 拜禮

拜是和跪相聯繫的禮儀動作，我國古代素有重禮節，貴禮容的悠久傳統，在這些禮俗當中，跪拜禮是較爲常見、流傳較爲長久的禮俗動作。按照《周禮・春官・大祝》的記述，周代的拜禮分

為九種，亦即所稱的「九拜」，九拜的名稱分別是稽首、頓首、空首、振動、吉拜、凶拜、奇拜、褒拜和肅拜。按照鄭玄注和賈公彥疏的解釋，稽首拜是頭叩地，前額緊貼地面停留一段時間，稽就是停留的意思。頓首是額碰一下地面，然後擡起。空首是頭垂下至手部，不接觸地面。振動拜的振是振鐸之振，鐸是送葬時敲擊的樂器，動為慟，表示悲傷慟哭，又解釋稱慟為董，董是兩手合拍相擊，總之，振動是在喪禮時的拜禮。吉拜和凶拜是吉禮和凶禮中的拜禮。奇拜的解釋較多，第一、奇為單數，即在行拜禮時跪下一條腿；第二、拜一次稱奇拜；第三、奇解釋為倚，倚著節或杖行禮。褒拜的褒為報，報拜即再拜。肅拜只伏手低頭，這是九拜中最輕的拜禮，只在軍中實行，婦女行拜禮也只用肅拜。

　　九拜是根據拜的對象不同而採取的不同的跪拜禮，按照拜禮的輕重，可以分為下表所列的四個等級：

| 等　　級 | 名　　稱 | 對象和使用場合 |
|---|---|---|
| 一 | 稽首　振動<br>凶拜　褒拜 | 臣對君、用於朝覲和凶禮 |
| 二 | 頓首　吉拜 | 適用於平輩之間和吉禮中 |
| 三 | 空首　奇拜 | 天子諸侯回報臣下的拜禮 |
| 四 | 肅拜 | 用於軍中，也是女子的拜禮，行肅拜時，男用左手，女用右手伏地 |

在這四個等級的拜禮中，稽首禮最重，只適用於臣下拜見天子諸侯。大夫的家臣對大夫不准行稽首禮，只使用頓首，其用意是：「非尊家臣，以避君也。」（《禮記‧郊特牲》）除了朝見天子諸

侯外，對作爲天子的代表也施稽首禮。如天子派人授爵，「則下席再拜稽首」（《儀禮・士相見》）。天子派使者慰問，也「再拜稽首」（《禮記・曲禮下》）。頓首次於稽首，一般用於平輩之間，春秋時期的諸侯會盟互相之間行頓首禮。後世也把頓首作爲同輩之間表示身份的代名詞，特別是秦漢後平輩間的信札，在開篇或信末往往有頓首的字樣，以此來表示同輩間的關係。空首又次於頓首，一般用於上對下，天子回報臣下的拜禮。但是，歷史上天子對臣下用的空首禮是十分少見的，很難想像作爲帝王之尊的天子向臣下跪拜行空首禮的情景，只不過是一種形式而已。周代天子的空首禮，也只有像周公召公這樣的同姓諸侯向周天子行稽首禮時，天子才回報空首禮。肅拜是最輕的拜禮，作法快速簡潔，比較適用於軍中和適應戰爭的需要。

九拜禮的產生，是在等級制度日益森嚴，從而使禮儀日益複雜、日益規範化的情況下出現的。它在民間的區分並不明顯，即使在封建社會的後期，這些拜禮也逐漸合併，也沒有周禮中所敍述的那樣規範，那樣嚴格了。

### 5. 稽顙

顙是前額的意思，稽顙是在家居喪拜賓客的禮節。其實它是由九拜中的稽首禮發展而成的，但它不包括於九拜禮中，所以往往成爲單獨的禮俗。稽顙的具體作法和稽首基本一樣，也是前額觸地，作一段時間的停留。但稽首時的禮容比較肅穆莊重，而稽顙是在家有喪事的拜禮。《禮記・檀弓下》稱：「拜稽顙，哀戚之至隱也，稽顙，隱之甚也。」孔穎達疏：「稽顙者，觸地無容。」古人提倡孝道，在家有喪事時，爲了表達極度悲哀的情感，往往大哭流涕，痛不欲生，尤其是居父母喪更是如此。賓客赴喪，孝子稽顙，伏地不起，哀號悲戚。爲了表示悲傷，孝子還

在臉上抹上泥灰，身著斬衰，不能和稽首拜的莊重姿容相比，所以孔穎達稱稽顙是「無容」。稽顙禮一般用於對父母服三年喪者，其餘期年喪或九月、三月喪者大多用凶拜和振動。三年喪者第一年行稽顙禮，一年後也改爲稽首。

### 6. 歷階

歷階是上臺登階，古書中又寫作「歷級」或「票階」。它是在非常情況下的登臺階動作。古代的殿堂建築都有臺階，舉行祭祀或是朝覲會盟時，都有禮儀規定的上臺程序。《禮記·曲禮上》記述正常上臺階的動作是「拾級聚足，連步以上。上於東階，則先右足；上於西階，則先左足。」按照這種要求，上臺階時，根據臺階的方位，先擡左腳或右腳都有規定。爲了表示莊重恭敬，上臺階要一步一停，停時兩腳合併，成爲「聚足」，並在一個臺階上有一定時間的停留。但是歷階卻不顧禮容要求徑直而上，衝上臺階。孫希旦說：「歷階即票階，謂升階不聚足也。」（《禮記·檀弓下》集解）「不聚足」就是歷階的基本特點，它違反了禮制中的禮容要求，往往反映了當時的緊急狀態和焦急心情。

《穀梁傳·定公十年》記載，齊、魯兩國國君聚會，「齊人鼓噪而起，欲以執魯君。」當時孔子在場，站在堂下。在這種緊急的情況下，孔子「歷階而上」，大步衝上堂去，護衛魯定公。《史記·平原君列傳》記述的「毛遂自薦」的掌故，也有「毛遂按劍，歷階而上」表示了毛遂看到平原君與楚王商討合縱「日出而言縱，日中不決」的焦躁心情。「歷階」一詞，顯示了在特定的環境下違反正常禮制的登臺動作。

### 7. 揖禮

揖是表示友好和辭謝時的拱手禮，它的作法較簡單，一般是

雙手合抱，向前推手，即組成揖禮。它是上對下和平輩之間所用的習慣性禮節。行揖禮時要站立，離開坐位。如《禮記・曲禮上》述：「揖人必違其位」，揖禮一般用在聚宴歡會時或者天子受朝覲時，主人和天子向來賓或諸侯行揖禮。

揖禮根據對象不同，也有區別。按《周禮・秋官・司儀》的記述，周代諸侯朝覲天子，天子向諸侯行揖禮，表示謙讓歡迎。天子的揖禮分為土揖、時揖和天揖。按鄭玄注的解釋，土揖是「推乎小下之也」，即雙手揖禮向下，其高度不超過身體的中部，這是下等的揖禮，主要用於對異姓婚姻。時揖是「平推手也」，即雙手揖在身體中部的高度，這是中等揖禮，用於對異姓諸侯。天揖是「推手小舉之」，即雙手小舉，超過身體中部，這是上等的揖禮，用於和周天子同姓的諸侯。所以，周代王室的揖禮，一方面是作為歡迎的禮節，另一方面又體現出被迎者的身份和地位。

民間也盛行揖禮，不過民間的揖禮沒有等級的差別，只是單純表示歡迎和辭讓。朱駿聲《說文通訓定聲》稱：「凡辭讓之意禮用揖。」《儀禮・鄉飲酒》稱：「賓揖介」，介是副賓，正副賓之間的揖禮就成為互相謙讓的表示動作。後世的揖又逐漸成為和睦謙讓的代名詞。《後漢書・劉祐傳》有「延陵高揖，華夏仰風」。李賢注：「揖，讓也。」《漢書・禮樂志》：「揖讓而天下治者，禮樂之謂也。」這裡的揖含義有很大程度的擴大，已演變為對整個社會風尚的說明，另外，由揖禮又引伸出「長揖」，長揖是不分尊卑的相見禮，它不推手，只拱手高舉，自上而下。古書中的長揖一般用來刻劃落拓之士或不媚權貴的人物性格。如《漢書・高帝紀上》：「酈生不拜，長揖。」《明史・海瑞傳》也有「御史詣學宮，屬吏咸伏謁，瑞獨長揖」。

### 8. 左右方位

古代在臣下拜賀帝王，軍中將士分列兩旁，聚會宴飲和祭禮、喪禮等一系列禮儀活動中都有左右方位尊卑的規定。以左邊為尊的稱為「尚左」，以右邊為尊的稱為「尚右」。辨明方位的尊卑在禮儀活動中是十分必要的。《禮記・檀弓下》就有孔子與門人弟子論及尚左尚右的記述。由於歷代對尚左或尚右不一致，即使同一朝代，在不同場合下也有尚左尚右不同的情況。古代學者對此作過很多考述。如宋代戴埴的《鼠璞》、清人左暄的《三餘續筆》、錢大昕的《十駕齋養新錄》、虞兆隆《天香博偶得》等，都有這方面的考證和研究。最為完備的是清人趙翼的《陔餘叢考》，根據趙翼的考訂，把歷代的尚左或尚右情況列表說明：

| 三 代 | 朝官　　　吉禮 | 尚左 |
| --- | --- | --- |
| | 燕飲、凶事、兵事 | 尚右 |
| 戰國 | 尚右（軍中尚左） | |
| 秦 | 尚右 | |
| 兩漢 | 尚右 | |
| 六 朝 | 朝官 | 尚左 |
| | 燕飲 | 尚右 |
| 唐 | 尚左 | |
| 宋 | 尚左 | |
| 元 | 尚右 | |
| 明 | 尚左 | |
| 清 | 尚左 | |

鄭玄注《禮記・檀弓下》說：「喪尚右，右陰也；吉尚左，左陽也。」所以三代時吉禮尚左，凶禮尚右。三代時的軍禮尚右，

但在實際上，三代的軍禮並不完全如此，根據整伍的等級不同也不一致。《孔叢子・問軍禮》稱：「將帥尚左，士卒尚右。」在軍營中，如果是將軍分列以左方爲尊位；如果是士卒分列，以右方爲尊位。秦漢以後，由尚左尚右又引申出顯示身分官職變化的含義。如「左遷」表示官位下降，而「右擢」則爲官級提升的代名詞了。

9. 堂室方位

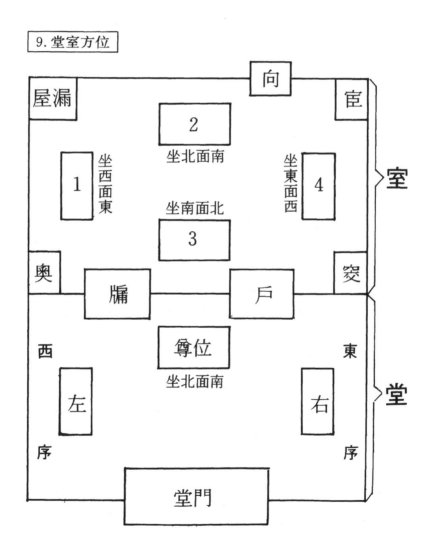

注：室中1、2、3、4爲尊卑次序，堂中的左右，各代尚左尚右情況不一，參見左右方位條。

　　尚左尚右一般是指殿堂或露天場合中的方位尊卑，還不能完全體現古代其它的方位尊卑的情況。顧炎武的《日知錄》，凌廷堪《禮經釋例》和李如珪《禮經釋宮》中所提到的「室中以東向爲尊」就不能憑借尚左尚右來進行解釋了。爲了弄淸這個問題，必須對古代的堂室制度作簡略的說明。

　　《儀禮》中的許多篇幅，都提到過貴族的廟或寢，無論是廟或寢都是堂室結構。堂和室相連，是一個統一的建築整體。堂室共用一個地基，稱爲堂基。根據主人的地位尊卑、堂基的高低和堂下臺階的多少均有差異。堂在前，室在後，堂大於室、堂室之間用牆隔開。牆西邊有窗，稱爲牖，東邊開有室門，叫作戶，用於在堂室間進出。堂兩邊的牆稱東序和西序，堂前有兩楹柱，南邊是堂室結構的正門。室的北牆開有窗戶，稱爲向。室內四角稱爲隅。《爾雅・釋宮》：「西南隅謂之奧，西北隅謂之屋漏，東北隅謂之宧，東南隅謂之窔」。奧是室內祭祀之所，所以奧在四隅中最尊。堂是人們社交、議事、行禮的場所，不住人，室內住人。當然，一般的平民百姓是很難具備有堂室結構的住宅的，因爲庶民的行禮，祭祀都在寢室內進行，所以《禮記・王制》篇稱：「庶人祭於寢」。

　　堂上的方位以坐北面南爲最尊，由於尚左尚右不一，兩邊的方位尊卑也不一致。在室內，由於西南隅的奧最尊，所以室內最尊的方位是坐西面東，即「以東向爲尊」。其次是北邊面向南，再次是南邊面北，最卑的是東邊面向西的坐位。《史記・魏其武安侯列傳》中有：「（武安侯）嘗召客飮，坐其兄蓋侯南鄉（向），自坐東鄉，以爲漢相尊，不可以兄故私橈」。在《項羽

本紀》對室內方位的尊卑作了更爲明確的描述：「項王即日因留沛公與飲。項王、項伯東嚮坐，亞父南嚮坐。亞父者，范增也。沛公北嚮坐，張良西嚮侍」。

## 10. 犧牲

一般來說，犧牲指在祭祀時所供獻的牲畜。在《說文解字》把犧和牲合在一起，統指祭品。但在《禮記·曲禮下》和《周禮·地官·牧人》的注疏中，把犧牲分別解釋，認爲牲指牲畜，而犧只是作爲一個形容詞修飾牲畜，把犧解釋爲「純毛」（毛顏色統一）。《尚書·微子》中有「攘竊神祇之犧牷牲。」孔氏傳：「色純曰犧、體完曰牷、牛羊豕曰牲。」看來孔氏傳的解釋比較具體貼切。但是，作爲一個專用詞彙，無論是犧牲或犧牷牲，基本上可以理解爲祭祀時所獻的祭品——牲畜。

古代祭祀天地宗廟神祇山川等，一般都採取殺牲取血，供獻犧牲的方法。但根據祭祀的等級，犧牲也分爲不同的等級。單獨的犧牲分爲太牢和少牢。太牢又稱大牢。《公羊傳·桓公八年》何休注：「牛羊豕凡三牲曰大牢」。也有專指用牛爲太牢的。《大戴禮·曾子天圓》稱：「諸侯之祭，牛曰太牢。」少牢低於太牢。《儀禮·少牢饋食禮》鄭玄注稱：「羊、豕曰少牢」。即少牢只用羊和豬。太牢和少牢一般用於大祀和中祀，小祀只用雞、魚、狗等作祭品，但這些不屬於犧牲的範疇。除了祭祀對象不同而採用不同的犧牲外，主祭者本人的身份對使用犧牲的等級也有不同。《禮記·王制》稱：「天子社稷皆大牢，諸侯社稷皆少牢」。另外，犧牲只能用雄性。《禮記·月令》有：「犧牲毋用牝」。

犧牲的毛色必須純一，但它的具體毛色是和各代五德終始所遵奉的顏色相一致的。傳說夏代尚黑、殷代尚白、周代尚赤，所

以犧牲在三代也使用黑白赤。古代改朝換代，除了政權的更替以外，「其變者唯正朔、服色、犧牲、徽號、器械而已」（《後漢書·魯恭傳》）。祭祀時所用的犧牲是比較講究的，歷代差不多都設有專門飼養犧牲的機構。在舉行祭禮前，爲了表示虔誠恭敬，唯恐犧牲不潔淨，提前對所用犧牲進行洗滌。大祀犧牲提前九十天洗滌；中祀三十天；小祀十天。在洗滌時，如發現犧牲有傷或有疾病的，剔除不用，如瘦弱不夠肥壯標準的，另闢欄餵養，待合格後選用。在選擇犧牲的整個過程中，如果是大祀，天子要親自察看，以示重視。中小祀遣官巡察。具體進獻犧牲時的禮節更是零碎煩雜。《儀禮·特牲饋食禮》、《少牢饋食禮》和《有司徹》中詳盡地記載了這些禮節。後代的一些禮書對此也有不同程度的記述。

### 11.玉帛

玉指玉器，帛指絲織品。玉帛連成一詞有兩種含義。從廣義來說，它泛指在舉行各種禮儀時的禮器。《論語·陽貨》記孔子說：「禮云禮云，玉帛云乎哉」。從狹義上說，玉帛指古代諸侯參與會盟或朝覲天子時所拿的禮物。《尚書·舜典》記諸侯朝見天子：「五玉、三帛、二生、一死」。孔氏傳：「五等諸侯執其玉」。公侯伯子男五等諸侯在朝見天子時，各自拿著象徵身分等級的玉器。孔氏傳：「三帛，諸侯世子執纁（淺紅色帛），公之孤執玄（黑中透紅色的帛），附庸之君執黃。「諸侯世子，公的遺孤，附庸國的國君各拿著紅黑黃三種不同顏色的帛朝見天子。卿和大夫拿羔和雁稱爲二生，士拿死雉稱一死。諸侯在朝覲天子後，如果認爲諸侯沒有過失，天子便把五等諸侯玉一一發還。其餘的三帛二生一死都是給天子的貢品，不再發還。因此，玉帛既體現了臣下的身份，又是呈獻給天子的貢品，當然，後世臣下所

進的貢品，比這要大得多，儒家記述解釋周代的貢品，就是要宣揚周代的德治仁政。玉帛同時又是表示臣服的象徵。《左傳·哀公七年》記大禹在涂山會聚諸侯，「執玉帛者萬國」。由於玉帛多用於朝覲或諸侯會盟時，後世往往把玉帛作為表示和平友好的代稱。「化干戈為玉帛」也成為變戰爭敵對為和平友好的俗語。

（李勤德）

# *7* 冠服制度

## 一、研究冠服制度的重要意義

　　冠服制度，即古代人衣著穿戴的總稱，又叫「服章制度」，或「服飾制度」。這是我國古代歷史上重要的典章制度之一。

　　歷代的統治階級都非常重視冠服制度的制定。因為冠服制度明確規定了不可逾越的等級界限，以維持尊卑貴賤的地位，所以歷代統治階級都把它納入國家頭等重要制度「禮」的範疇，作為禮制的重要內容之一。這種制度，貫穿在統治階級生活中的一切領域，如朝覲、祭祀、宴享、兵戎、喪葬、家事等。所謂古代社會的吉、凶、軍、賓、嘉五禮都離不開冠服制度。因此，冠服制度的研究具有重要意義。

　　研究冠服制度，可以使我們深入了解古代社會的經濟發展、政治制度、風俗習慣、禮儀道德等社會生活各個方面的情況。而我國大量的文獻典籍和歷史文物都與服飾的內容有關。古代服飾的研究，有助於我們深刻理解古代文獻和歷史文物，有助於我們更好地繼承民族文化遺產。

　　我國是文明古國，有著燦爛的文化。工藝美術是我國古代文化重要組成部分，而古代服飾又是工藝美術的重要組成部分，研究古代服飾，吸取其精華，不僅對於我們今天物質文明與精神文明的建設有著借鑒意義，而且也為我們整理研究和閱讀古籍提供

極大的方便。

# 二、我國歷代服飾簡況

中國，古代亦稱「華夏」，又稱「中夏」，以後並由此而衍生出「中華」的名稱。《尚書・武成》關於「華夏」的傳、疏：「冕服采章曰華，大國曰夏」，「華夏爲中國也」。意爲中國是有服章之美的大國。由此可見服飾之美是偉大中國的象徵。我國各個歷史時期的服飾都有其不同的風貌，這是同當時的經濟基礎、政治制度、生活環境、社會習俗以及審美觀念分不開的。

## (一)原始社會

猿進化到人以後，在很長時期內還保持著裸體，人們並不以爲恥辱。隨著生產力的發展，社會的進化，人們有了裝飾的觀念，開始用獸皮或樹葉縫綴起來，圍在兩胯之前。這種裝飾一不是爲了禦寒，二不是爲了遮羞，而是男女間借以相挑誘，招引異性的裝飾。這可能是南方民族裙裳的起源。

距今約一萬八千年的「山頂洞人」已開始使用骨針縫製獸皮作爲衣飾。這枚長達 82 毫米的骨針，是我國迄今發現最早的縫紉工具。從新石器時代彩繪的陶器上，可以看到穿衣服的人物圖案。在仰韶文化許多遺存中，有大量的陶石紡輪、紡甎等工具。當時人們採剝野麻纖維，使用紡輪和紡甎捻成麻紗，再用簡單的織布機織成麻布。從陶器上還發現布紋痕迹與麻布殘片，每平方公分經緯線各 10 根。這些粗麻布是人們的主要衣料。

在父系氏族社會時期的吳興錢山漾良渚文化遺址中，發現不少苧麻織物和絲織物。用苧麻纖維織成的平紋細麻布，比過去粗麻布有顯著的進步。絲織物有絹片、絲帶和絲線。經鑒定原料是

家蠶絲。早在五千年前，我國江南地區的養蠶繰絲事業就已相當
普遍。絹片是用較細絲線織造的平紋結構織物，經緯密度每平方
公分 48 根。這種絲織物的發明，是我國對世界物質文明的重大
貢獻。

傳說黃帝、堯、舜時期用絲麻作衣裳。這些所謂的聖人觀察
到美麗的錦雉羽毛──「翬翟之文」而染絲麻成五彩做衣裳，觀
察鳥有冠，有胡，獸有角有頗，而做冠冕纓緌，以爲首飾。《周
易·繫辭下》：「古者庖犧氏之王天下也，仰則觀象於天，俯則
觀法於地，觀鳥獸之文與地之宜，近取諸身，遠取諸物，於是始
作八卦，以通神明之德，以類萬物之情。」這些傳說已帶有階級
社會的色彩，成爲階級社會統治者制定服章制度的根據。

## (二)先秦時期

先秦是我國古代各種制度產生的重要時期，也是「冠服制
度」產生、發展和完善時期。

夏代只有一些傳說，而沒有實物可考。商代給我們留下了一
些有關服飾的資料。從河南安陽出土的玉雕、石雕和陶塑的人
像，可以看到頭戴扁帽，身穿右衽交領衣，下穿裙裳，腰間束
帶、裹腿，腳穿翹尖鞋的奴隸主，和免冠、穿圓領衣於上帶枷的
奴隸形象。這充分反映了古代華夏族上衣下裳，束髮右衽的裝束
特點，也說明短衣小袖是中原民族固有的式樣。帽式的頭飾在商
代就已出現了。

根據安陽和江川李家出土文物，可考見商代武士一般頭戴銅
盔，身披皮甲，包括頸甲、背甲、臂甲和脛甲。

商代婦女的髮式，有的上聳而向後傾，上面除玉笄外，還插
有一枚或數枚古琴式扁平玉簪和垂於額間成組列的小玉魚。有的
長髮垂肩，可能以帛束額，頭頂後部插著三枚玉簪，耳上戴有環

形耳飾。女奴則是頭髮上梳，盤在頭頂。

西周、春秋和戰國時期確立了冠服制度。從金文、《尚書》、《詩經》等古文獻中，可以看到玄衣、袞衣、黃裳、繡裳等名稱。後人充實的「三禮」則明確規定了服章制度，對以後各朝代都有很大影響。

西周時期，上層統治階級仍然把上衣和下裳分開。根據出土文物可見到上衣前面多作「矩領」，用較寬帶子束腰，腰下腹前繫有一片斧形的裝飾，（如圖1）。據沈從文先生研究認為，用皮革塗朱或彩繪的名叫「韋韠」，用絲綢繪織繡花的叫「韍」，即金文中的「赤芾」象徵特別身份的裝飾，後來叫「蔽膝」，由於身份不同，彩繪裝飾也就不同。

圖1：周代雕玉人形

西周時還有一種男女都穿的長至膝部的衣，把衣襟繞到背後，然後用絲製腰帶束結，一般情況前面都結成蝴蝶式形狀。

上述兩種服飾的不同特徵，分別為深衣和褒衣博帶所吸取。

　　春秋戰國時期，服裝方面有很大變化，這就是上層社會興起了寬衣博帶的著裝。這可能與儒家提倡宣傳尊卑貴賤的禮制有關，把寬衣博帶視為尊貴加以推崇。而勞動人民仍然穿著行動方便的小袖短衣的服裝。

　　春秋戰國時期還出現了深衣。深衣之制，可詳見《禮記‧玉藻‧深衣》兩篇。深衣的特點是將過去上下不相連的衣和裳連接在一起，領叫袷，成方形，後世所謂方領。

圖2：戰國穿深衣的彩繪女俑

由於「被體深邃」，所以叫深衣。它的下擺不開衩，而是將衣襟接長，旋轉而下，繞襟身後。（如圖2）

　　不論寬袍大袖，還是裹身的深衣，都是領緣較寬，衣多華美，紅綠繽紛。秀美的花紋，出於印、繪和繡等不同加工。領緣則使用較厚的重織錦，如文獻中所說：「衣作繡，錦為緣」。

　　戰國時期又出現了所謂的「胡服」。胡服是指我國北方草原游牧民族的服裝，特點短衣小袖，長褲穿靴。這種服制傳至中原是由戰國時期趙武靈王「胡服騎射」開始的。這是由於戰國時期騎兵逐漸取代車兵為主要兵種的原因。因此它主要在軍隊中流行。但從商周兩代來看短衣小袖始終是中原勞動人民的服裝，所以，也可能是中原人民的衣飾，後來影響到羌戎。

　　這時還盛行佩玉的習俗。玉，有硬玉和軟玉兩種，質地為結晶緻密的塊狀，具有晶瑩剔透，色澤奪目的特點，自古以來為人們所喜愛。早在我國新石器時代就被人們用來製造生產工具，但更多的則做成裝飾品。浙江餘姚河姆渡遺址第四文化層發現的二

十八件用玉和螢石製作的裝飾品，是我國迄今發現最早的玉飾件，距今約七千年。到了階級社會，玉除了成爲統治階級的裝飾品外，還作成爲祭祀天地的禮器。據《周禮·大宗伯》中「以蒼璧禮天，以黃琮禮地」的記載，說明玉器已開始脫離實用而轉變爲禮器。所以，商周時代玉的生產規模和工藝技術水平都達到了一定水平。春秋戰國時期就更達到了相當高度。當時貴族的佩玉玩玉習俗很盛，不論男女都佩帶玉飾。禮製玉器種類很多，有璧、琮、圭、璋、璜等，並出現了玉製生產工具和戈、矛、戚、鉞、刀等的儀仗用器。春秋以來，經過讀書人的渲染，說玉有七德或十德，賦予人格、品德的象徵，因此佩玉在一般服飾上得到了廣泛的應用。按照古禮都成組列佩玉，大致有兩種情況，一種爲郭寶鈞《古玉新詮》所擬戰國時的佩玉組合圖（圖3），一種爲舊說佩玉組合圖（圖4）。

玉除了成組佩帶外，還有單獨佩帶的，這就是環與玦。環，

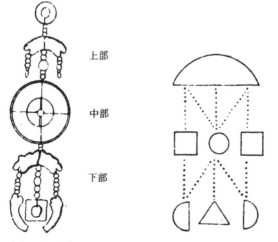

圖3：《古五新詮》
　　所擬佩玉組合圖

圖4：舊說佩玉組合圖

是環形玉，當中的空心直徑與四周玉的寬度相等。古代環佩多指婦女的佩飾。玦是環玉缺了一塊。玦的名稱來源於「決」，而形狀又是環形斷開，所以古人常以玦寓決、斷之義。《荀子‧大略》：「絕人以玦，反絕以環。」楊倞注：「反絕，反（返）其將絕者。」賜玦則決，賜環則還。

戰國時，趙武靈王「胡服騎射」還把帶鉤的應用傳到中原。帶鉤是用來束結革帶用的，初期只限於將士們甲服應用，後來一般貴族王公的袍服上也應用了，逐漸代替了絲縧。初期用的是外來語，稱為「師比」或「犀毗」。漢代時極為盛行俗語有「賓客滿堂，視勾各異」，成為上流社會所追求的時髦工藝品和裝飾。它是用銀、銅、玉、骨、象牙等不同材料做成的，形狀、大小有千百種，小的一寸左右，大的有一市尺。大約到東漢晚期為新型的銀質九環帶所代替。

春秋戰國時期戰爭頻繁，將士們都穿帶甲的戰袍。據沈從文先生的研究，這時期出現的甲有如下幾種：一種是用犀和野牛皮作成，上塗丹漆彩繪花紋，稱為「犀兕之甲」。用鯊魚皮作成的叫「水犀甲」，用繩編組成的叫「組甲」，用縑帛中夾厚綿納成的叫「練甲」。頭盔有青銅和鐵的，頭盔上鑄成獸面。特別重要處是頭盔上插二鳥羽，這就是所說的「鶡冠」。《古禽經》說：「鶡冠武士之服，象其勇也。」應劭《漢官儀》稱：「虎賁，冠插鶡尾。鶡，鷙鳥中果勁者也。」（圖 5）

西周春秋戰國時男女都用「笄」固定髮髻。女子成年著笄，古稱「及笄」，表示成年，可以結婚。男子一般單用，多橫貫頭頂椎髻，或用小冠圈將髮髻套住，用骨笄穿過冠圈孔中把頭髮固定住。婦女一般用雙笄，斜豎插於頭頂兩旁髮際。笄，製作的很精美，笄頭有各種式樣，其中鳥狀笄頭，刻約五、六分大小的水鳥，有的眼部還加嵌兩粒小小松綠石，形態極其生動逼真。這種

圖5：洛陽出土的鶡冠

鳥狀笄，後來發展為漢代的金雀釵。

　　古代兒童和未成年男女，髮多作小丫角，或稱「總角」，「丱角」。《禮記・內則》稱：「翦髮為鬌（剪髮時留下的髮），男角女羈。」每年三月末，擇日給未成年的男女小孩剪髮，男孩頭頂兩旁各留一小撮，把髮梳理後，結成小丫角；女孩頂門正中留一小撮編成小辮。當男女逐漸長大時，髮不再剪，男的在頭頂上盤成髮髻，加上冠巾，如《釋名・釋首飾》所說「士冠，庶人巾」。女的髮辮後垂或結成不同形式，簪以雙笄，表示成人。

### (三)秦漢時期

　　有關秦代服制，從古文獻中可得知一、二。據《史記》所載，秦迷信陰陽五行家說，以水德而王天下，因此服制崇尚黑色。這可能是指帝王及其貴族們在祭祀時所穿之服，和當時社會普遍穿

著並不一致。根據目前出土的歷史文物，如陶俑、畫像磚，特別
是兵馬俑，可考見秦代服飾的大略情況。一般平民身穿曲裾袍服
（圖6），下穿緊口肥褲。兵士皆穿窄袖短袍，外罩鎧甲，甲片
較大，形如後來的兩當鎧，肩部有覆膊，式樣極短。有的在袍服
外面罩上全甲服，如戰車馭手，這可能是因爲戰車馭手站在前面
極容易被箭射中的緣故。腳下穿的有絡鞮（高勒靴）、方口翹頭
履、方口翹尖履，方口齊頭履。頭部巾裹，多式多樣，巾子包頭
較爲簡單，兜鍪可能用皮革做成，有的頭戴冠子。一般步兵，髮
髻向上聳而多數略偏右，髮辮編結十分複雜。

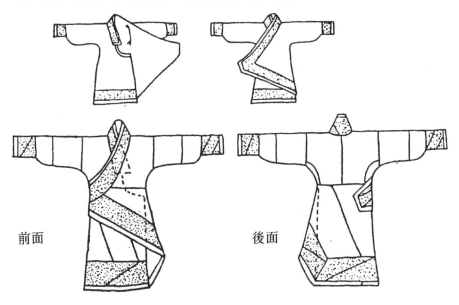

前面　　　　　　　　　　　　　　後面

圖6：曲裾

西漢時期的服飾雖然繼承秦制，但受楚國的影響也很大。勞
動人民一般頭戴小帽、斗笠或裹巾子。衣，下齊膝，捲曲窄袖，
右衽繫腰，穿窄褲，腳穿麻平底圓頭鞋。西漢時期官與吏一般服
飾相差不多，戰國時的寬袍大袖和深衣還比較流行。但由於行動
不便，又費布帛，所以到了東漢時一種直裾的襜褕（短衣）就流

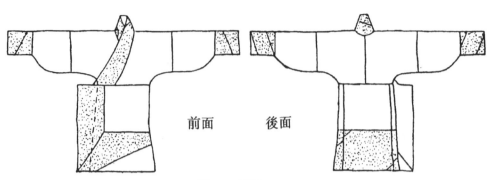

前面　　後面

圖7：直裾

行開來。（如圖7）襜褕再發展就是唐宋時代的交領袍。

　　漢代是封建社會成熟時期，官階等級有嚴格區別。一是冠服顏色和材料有一定的限制。紅衣爲上，青綠較次，吏卒衣黑，平民衣白，罪犯衣赭。官吏穿絲衣，商人和百姓只能穿本色的麻布衣。二是腰間組綬是區別官階的重要標誌。這種組綬制度《漢官儀》中有詳細記載。組與綬都是絲織的帶子。組是用來繫腰的一條絲縧。綬約三指寬，織有丙丁紋的絲縧，用來繫印，以不同顏色和緒頭多少分別等級，與官印一同由朝廷頒發，通稱「印綬」，或稱「璽綬」。印分玉、金、銀、銅。按規定，退職或死亡，要一同繳還。綬的長短寬窄不一樣，帝王長過兩丈，短的一丈七、八尺（漢尺約當今市尺六寸半）。佩帶在腰的右側。貯綬有「綬囊」，平時佩於腰間，用皮革做成，叫鞶囊，畫虎頭的叫「虎頭鞶囊」。

　　西漢時期冠晃有了一定發展。禮服的晃，基本上遵循「周禮」的規定。一般常服，西漢初期是約髮不裹頭，「士冠，庶人巾」，體現比較明顯。地位高戴冠子，身份低著巾子。西漢後期出現了一種帽箍式的幘，叫「平上幘」，有人字形頂的叫「介幘」。幘，在漢代低級差吏中通行。高級官吏可戴「前高後卑」的梁冠。梁的多少說明職位的高低。漢代不同職務的人，可戴不

同名目的冠；如長冠、遠遊冠、通天冠、進賢冠、及將軍的武冠等。

漢代貴族婦女的頭飾，本於周代的六笄六珈制。《後漢書‧輿服志》下詳細記載了不同身份的裝飾。從出土文物可見到有金雀釵、步搖和雙耳垂珠等裝飾，有的婦女頭上還戴巾幗。

漢代的鞋，有馬王堆漢墓出土的青絲翹尖履，新疆東漢墓的絲鞋，長沙出土的皮鞋和樂浪出土的厚底舃，這些都爲貴族男女所穿，一般平民百姓則穿麻鞋和草鞋。

漢代兵士服裝，根據《周禮‧司服》注、《晉書‧輿服志》，一般身穿黃赤色短衣，頭著赤幘，古稱「緹衣」。腿上打裹腿，稱「行縢」，先秦也叫「邪幅」，實際上春秋以來就成爲兵卒和旅行者的一種習慣的著裝。

## (四)魏晉南北朝時期

魏晉南北朝是我國古代服裝史上變化發展時期，特別是北朝比較明顯。

魏晉時仍有東漢的遺風，但已有變化。上層統治者仍然穿博大的交領袍，但腹前圍著至膝的襜衣，頭上小冠子約髮，有的外罩漆紗籠巾，腳穿高齒履。婦女身穿拽地長衣，外圍裙裳，有的上身外穿兩襠，梳椎髻垂鬢，飾以步搖。但由於常年戰亂，飢荒遍地，經濟困難，加上禮制解體，人們衣著趨於簡便，並逐漸成爲社會風氣，頭上巾裹有帢及「折角巾」等。

東晉南朝上層社會流行一種與漢代袍服不同的「衫子」。衫，古指短袖單衣。《釋名‧釋衣服》：「衫，芟也，衫末無袖端也。」這種衫子男女都穿。晉《東宮舊事》稱：「太子納妃，有白縠，白紗、白絹衫」，晉《修復山林故事》稱：「梓宮有練單衫、複衫、白紗衫、白縠衫」。可知是當時上中層社會通用便服。還

有一種自膝以上的交領上襦（短袄），與裙裳合用，裙外露上及腰部，束腰較緊。

東晋南朝婦女頭飾，出現了頭部加假髮，使兩角餘髮下垂及耳，出現了大髻。雙鬟髻等式樣。頭飾頗講究，《晋紀》所載：「元康中，婦人之飾有五兵佩，又以金銀玳瑁之屬，爲斧、鉞、戈、戟以當笄。」據沈從文先生研究，「五兵佩」本於漢代流行的「蚩尤弄五兵」的銅帶鈎。蚩尤一般多作人熊形象，手足和頭部各執兵器一種。常見有二式，一爲劍、戟、戈、盾、弩；一爲刀、戟、戈、盾、弩。第二種時代較晚，影響及於唐代，《唐六典》載，用金銀作的不少，有的長達一尺。

腳下穿的叫屐。屐頭，開始是婦圓男方，至太康年間，婦人屐也成了方頭。

東晋南朝武衛士，上穿紫衫，外罩革制兩鐺鎧，褲褶。頭戴小冠或平上幘。《晋書・輿服志》：「平上幘，服武吏也。」介幘，爲文官戴進賢冠時所配戴。

北朝在少數民族政權統治下，胡服成爲社會上司空見慣的裝束。一般漢族勞動人民受胡服影響較深，偏窄緊身，袖小，衣長不過膝，圓領對襟開衩等特點都吸收進來。

北朝貴族由於漢化政策，把漢族統治者崇尚的寬袍大袖則吸收過去。婦女髮式有雙螺髻、雙丫髻，宮中女官還頭戴籠巾。

北朝武士有的頭戴兜鍪，鶡尾冠，身著明光鎧、兩鐺鎧，下著褲褶，腳穿短統靴。

## ㈤隋唐五代時期

隋唐五代社會經濟發展，民族關係和對外聯繫加强。貴族們的服裝更加華麗，邊疆民族的服裝和亞洲一些國家的服飾對漢族服飾有一定影響。但對勞動人民的限制也更加嚴格。

　　隋唐時袍服較前有改進，出現圓領衫。這種圓領衫，終唐沿用三個世紀，到五代才在圓領下加一個襯領，宋又繼續沿用約三個世紀。

　　隋唐時期，烏紗幞頭、圓領衫、紅鞓帶、烏皮六縫靴，雖然名義上為上下通服，而實際在使用材料、顏色及腰帶裝飾上是有區別的。勞動人民不許穿紅著綠，只能穿本色麻布衣。式樣也受限制，如衫子兩旁開衩較高，而且衣短袖小，名叫「缺胯四褑衫」。就是一般下級差吏，平時必須將衣角提起，紮在腰間，便於服役。勞動人民腳上只能穿線鞋、蒲鞋或草鞋，甚至於赤足。

　　隋唐貴族服裝，有朝服與官服之別。朝服，又叫「具服」，是官吏陪祭、朝賀、大宴時穿的。官服是官品之服，又叫「公服」。不論朝服、公服都有一定等級區別。特別是有關朝服的規定，煩瑣得驚人，有許多不同名目。公服用不同顏色、花紋作等級區別。「品色服」是隋代開始出現的，至唐代形成制度，成為以後各朝代官服制度上一大特色。唐代皇帝服色為柘黃，三品以上服紫，四品五品服緋，六品七品服綠，八品九品服青。婦人從夫之色。平民衣白，士兵在漢衣黃赤，隋代衣黃，唐代衣皂。公服上的花紋，因品級不同而有區別。

　　官品等級還表現在腰帶上的鑲嵌及帶頭上使用的材料。漢代在革帶上裝有豪華的帶鉤，唐代的革帶不用帶鉤而用帶扣繫結，另在帶身裝帶銙。帶銙是一種方形的飾片，官品不同，所用材料也不同，分別用玉、犀、銀、鐵等製作成。

　　隋唐五代，上自皇帝，下至黎民百姓，頭上都戴幞頭。幞頭又稱「四帶布」或「折上巾」。是由漢代的帩頭、幅巾演變而來。頭裹幞頭時兩個巾角朝前繫住髮髻，其餘兩個巾角在腦後繫一結，多餘部分自然垂下。頭巾的質料一般用黑色紗羅，所以後面垂下的巾角也是軟的，因此叫「軟腳幞」。據記載幞頭來源於

北周。《新唐書・輿服志》載，唐初馬周向李世民建議說：「裹頭者，左右各三襵，以象三才，重繫前腳以象二儀」，李世民接受建議，大力提倡，並為宋元二代所沿用。唐代幞頭由於時間、地點以及宮庭習慣，個人愛好等種種原因，有各式各樣。除軟腳外，又有用銅鐵絲撐起來的硬腳。硬腳又分出翹腳、展腳、長腳等名目。

唐代女裝也有一定特點，主要由裙、衫、帔三件組成。裙長拽地上繫至胸，上著衫子，衫子下擺有的裹在裙腰裡面。唐代習慣，多著半臂衫子。「半臂」，又稱「半袖」，是從魏晉以來上襦發展出的一種圓領，或翻領，對襟或套頭的短外衣。袖長至肘，身長及腰。帔，是一種肩上披著的長圍巾一樣的帛，也叫帔帛。帔帛，舊稱「奉聖巾」，「續壽巾」。馬縞《中華古今注》認為始於開元時期。《事林廣記》引《實錄》說：「三代無帔。秦時有披帛以縑帛為之，漢即以羅。晉永嘉巾制絳暈帔子，開元巾令王妃以下通服之。」唐代中原一帶婦女還喜歡穿西域裝，著翻領小袖上衣，條紋褲、線鞋，戴一頂卷簷胡帽。

貴族婦女腳下穿的鞋，據沈從文先生研究大致有三種式樣，第一種為官服履，通稱「高牆履」，前頭高昂一片，呈長方形，由南北朝「笏頭履」發展而來。第二種受西域或波斯影響的軟底透空錦勒靴。第三種尖頭而略作上彎樣子，近於漢代勾履鞋。唐代的各種履，有的用草編成，有的用彩色線或麻線結成（如圖8）。

隋唐五代時期婦女的頭飾十分華麗。隋與唐初，時興平雲式髮髻，以後逐漸向高聳發展。從文物圖象中可看到以下幾種：平雲盤桓式、圓鬟椎髻、半翻髻、拋家髻、螺髻、雙鬟望仙髻、驚鵠髻、百合髻、高髻、垂鬟髻、垂練髻、雙髻等。（詳見遼寧美術版《藝用服飾資料》188～215 頁）婦女首飾不斷發展。唐初婦

漢代歧頭履
（馬王堆出土）

南北朝笏頭履
（鄧縣）

高齒履
（閻立本列帝國）

重臺履
（唐仕女圖）

圖 8：歷代的女鞋

女喜戴帷帽（圖 9）到武則天時更流行。帷帽是用來避人窺視之用。北齊和隋的習慣，婦女出門，必用紗罩頭及身，原名「冪羅」也叫「冪帷」或「冪羅」。唐初發展爲硬胎笠帽下垂網簾的帷帽。天寶以後廢掉。到開元時發展爲透額羅網巾，以後又轉化爲蓋頭、勒子、即遮眉勒，宋元明清一脈相承不廢，由青年婦女裝飾，進而成爲中老年婦女防風禦寒的工具。隋唐貴族婦女喜歡兩鬢滿戴金翠花鈿，有髮髻上嵌珠寶斜插步搖。晚唐元和時期喜頭戴花冠。對宋代影響較大的是婦女頭上插幾把小梳子做爲裝飾。用小梳作裝飾始於盛唐，流行於中晚唐。梳子講究用金、銀、犀、玉或象牙等材料做成。插在頭上，露出半月形梳背，梳的數量不等，有的多到十來把，但總的趨勢逐漸減少，而規格逐漸加大，到宋元時期竟長達一尺二寸。唐代貴族婦女面部化妝也很複雜，額上塗「額黃」，眉間貼「花

圖 9：唐初婦女戴帷帽

鈿」，鬢畔畫「斜紅」，兩頰點「妝靨」，再加上「米粉」、「口脂」、「眉黛」等。

唐代兵士都外罩鎧甲，內穿戰袍，頭戴兜鍪，腳穿烏皮六縫靴。《唐六典》記載了唐代鎧甲共有 13 種：「明光甲、光要甲、細鱗甲、山文甲、烏鎚甲、白布甲、光絹甲、布背甲、步兵甲、皮甲、水甲、鎖子甲、馬甲。」明光、光要、細鱗、山文、烏鎚、鎖子皆鐵甲，餘者以所用之物命名，或所用之兵命名。宋元明清各代兵士所用之甲與唐代無大差別。

## (六)宋元時期

宋代服飾大體沿襲唐制。宋代勞動人民裝束，男子身穿交領或對襟短衣，束腰帶。交領衣的應用，上起商周，下及元明，其中除唐是圓領為主外，沿用時間最長，成為兩宋城鄉人民通服。此外，有的穿唐式圓領缺胯衫子，為了便於勞動，衣角上提紮腰帶間，有的上穿對襟背心，或叫缺袖兩襠衫，下穿小口褲。頭梳椎髻，上裹巾子，巾裹無一定式樣，有的頭戴笠帽。婦女穿交領衣、長裙，髮式為椎髻。兩宋時期勞動婦女頭飾的一個重要特點，是普遍搭薄紗，通稱「蓋頭」，是由唐代帷帽發展來的。一般用薄質紗羅作成，講究的用紫羅作成，叫「紫羅蓋頭」。宋元時農家婦女下田勞動或平時這種頭飾都不離頭上，但到明清時，除了新娘子還使用外，其餘平民頭上已不多見。

宋代一般低職公差吏卒，按規定頭戴曲翅幞頭，或戴額部破開的幞頭（圖 10），身穿圓領缺胯衫子，衣角一端提起，紮在腰帶間，腿纏行縢。

《宋史·輿服志》士庶服禁上規定，田農、市民、小商販、雜藝人，以及下級差吏，都只許穿黑白衣，宋初穿黑衣，還得特許，一般只准穿粗白麻布衣。

圖 10：南宋中興禎應圖中吏卒和市民

　　宋代文人和退職文吏，頭戴高裝巾子，身穿交領襴衫。高裝
巾子多式多樣，因屬不同名人所戴，名稱各異，有東坡巾、程子
巾、山谷巾、高士巾等。「襴衫」，是衣服寬博而加襴。按《唐
書・車服志》：「是時士人以棠苧襴衫爲上服」。《宋史・輿服
志》：「襴衫以白細布爲之，圓領大袖，下施橫襴爲裳，腰間有
襞積，進士及國子生，州縣生服之。」這種「襴衫」又有交領和
圓領的區別。此外，還有一種名叫「直掇」式的對襟衫也是退職
官僚和士大夫所穿的服裝。

　　宋代貴族官僚服飾，亦分禮服和常服。天子禮服見《宋史・
輿服志》，這是來源於《唐六典》所規定的天子六服。大宴時皇帝
穿赭黃、淡黃袍衫，玉裝紅束帶，皂紋靴。常服則穿赭黃、淡黃
袾袍，紅衫袍。頭戴方型硬胎展翅烏紗帽。由唐代的圓領小袖衫
改爲衣身圓大的「大袖寬衫」。

文武高級官員衣紅紫，花色名目依官品而不同。束身衣帶亦區別等級，最貴重的為「紫雲鏤金帶」。其次為各種犀角帶，其中以通天犀為最上品，再次是用玉金銀作帶版鑲嵌。普通公吏是牛角鑲嵌的角帶。

宋代官員所戴襆頭，後人稱「宋式襆頭」，用以區別「唐式襆頭」。北周時以軟帛垂腳，唐代以羅代繪腳有上曲和下垂，五代漸變平直。宋代君臣通服平腳，乘輿或騎馬則服上曲。初時以藤織、草巾子為裡，紗為表，而塗以漆，後因塗漆之後外表變得堅硬，就去掉藤裡，前為一折，平施兩腳，稱為「烏紗帽」。硬翅兩側平伸極長，用鐵絲撐起。據宋人記載，因為百官入朝站班時喜歡交頭接耳談論私事，加長展腳使彼此有一定距離，便於殿上司儀值班鎮將的監督。

宋代皇后皇妃服飾據《宋史‧輿服志》載，有四種：一褘衣、二朱衣、三禮衣、四鞠衣。各種衣服隨禮節需要，穿著不同，顏色繡紋也因之各異。頭戴用金銀裝飾並鑲嵌珠寶的龍鳳花釵等肩冠。以冠上花朵多少區別尊卑。皇后冠上大小花朵多至 24 株，與帝王通天冠梁數相等，皇太后冠上花朵數目與皇后的相同。皇妃冠上大小花減至 18 株，與皇太子冠上梁數相同。這是禮服，平時穿戴並不這樣煩瑣。

一般貴族婦女穿著也頗華麗。宋代婦女漸不戴帔帛，而且多著小袖對襟衫子，有二長條花邊由領而下，蓋在下裙之外，近似今日的短大衣，當時稱為「旋襖」，是由唐代上襦發展而成。宮官佩「玉環綬」多繫在腰的正中。婦女髮髻向高大發展，為歷史上所少見，朝廷一再發出禁令制止。周輝《清波雜志》卷 8 說：「皇祐初，詔婦人所服冠高毋得過七寸，廣毋得踰一尺。梳毋得逾尺，以角為之。」由於髮髻高大，因而出現了高冠長梳。高冠有重樓子冠（圖 11）、花冠等。唐代貴婦戴花釵，即「花

樹」。宋代流行花冠。這些花冠
多仿效牡丹芍藥等名花製作而
成。《洛陽花木記》、《牡丹譜》、
《芍藥譜》中所列舉的名花,都被
仿效作婦女頭上的裝飾品,反過
來許多花又以婦女花冠來命名。
王觀的《芍藥譜》詳細記載了宋代
各種花冠的名稱、式樣和尺寸。
有一種叫「一年景花冠」,集一
年四季名花:春之桃杏花、夏之
荷花、秋之菊花、冬之梅花於一
冠。

　　另外,纏足的陋習出現於五
代末,至北宋中晚期貴族婦女中
已較普遍,嚴重地摧殘了婦女身
心的健康,並對以後有很大影響。

圖11:重樓子冠

　　元代,蒙古貴族統治了中國。這一時期的服飾,既流行著漢
族習慣的服裝,又流行蒙古族習慣的服裝。《碎金》記載,當時衣
飾繁多,名目各不同,並有南北服之分。這些不同名目的服裝,
由於缺少實物與圖樣,已很難具體說明。從現存文物可以看到元
代漢族勞動人民和一些文人保存唐宋時代的服裝式樣。勞動人民
穿圓領或交領齊膝短衣,頭裹巾子,腳穿草鞋。文人穿宋式圓領
服和宋式交領儒服,頭戴元式唐巾。宋式圓領和唐式的區別在圓
領內加有襯領。據《三才圖會》說明;元式唐巾與唐宋巾的區別在
於後垂二帶,形如匙頭而向外分張。

　　蒙古族男女均穿寬大長袍,用帶子繫腰。女子衣左衽。男子
多把頂髮當額下垂一小絡,如桃式,餘髮分編兩辮,繞成兩個大

環垂在耳後。

元代貴族官僚的禮服和官服等級森嚴，《元史·輿服志》及《元典章》有詳細規定。禮服受前代和周禮影響較大。平居之服以顏色、質料和花朵大小區別官品。顏色以紅紫爲上，青綠次之，檀褐居下。衣服質料，大官穿紗羅，小官用無文羅或芝麻羅。從花朵上看，三品以上綢緞花朵直徑五寸，以下遞減，官服則用龍蟒緞衣，以龍爪分等級。男貴族戴盔式或折邊帽及四方瓦楞帽。貴族婦女身著交領長袍，頭戴罟罟冠（如圖 12）。冠用俄錦做成，上綴珠玉，高約一尺。

盔帽　　罟罟　　折邊帽

圖 12：元代貴族官僚的禮服和官帽

蒙古族因長期生活在漠北，天寒地凍，因此利用皮毛時間較長，皮毛除用做衣服外，許多還使用在用具上。大毛類重銀狐、猞猁，小毛類重銀鼠、紫貂，其餘不下數十種。

蒙古貴族除了應用華美的金錦和珍貴的毛皮外，還在衣帽、帶板和鞍具上大量使用珍珠寶石。據沈從文先生研究，當時使用的寶石種類極多，紅的四種，綠的三種，鴉鶻七種，貓眼二種，

甸子三種，其中「祖母綠」和「貓兒眼」是他們特別珍視的寶石。這種使用寶石之風影響到明清兩代的統治者。

### (七)明清時期

明代對各階層人物的衣著有明確的嚴格規定。

洪武十四年（1381）下令：「農衣綢、紗、絹、布。商賈只衣絹、布。農家有一人為商賈者，亦不得衣綢、紗。」這道命令體現了中國封建社會歷來執行的重農抑商政策。表面上看農民政治地位高於商賈，但事實上絕大多數農民只能穿麻棉布的暗色衣服。從明代的版畫中可見到勞動人民身穿交領短衣，夏天穿短褲，有的頭裏巾子，有的戴笠帽或束髮。

明代對讀書人、小商販和一般市民規定了兩種帽式，頒行全國，即「四方平定巾」與「六合統一帽」。「四方平定巾」式樣方整（圖 13 ），「六合統一帽」有六瓣金縫，上圓平，小綴

圖 13：明代的「六合統一帽」與「四方平定巾」

簷，俗稱瓜皮帽，是明朝統治者用來表示天下統一鞏固之意。此外巾帽種類很多，唐宋元以來舊式樣都依然流行。如巾有唐巾、宋巾、元巾、東坡巾、山谷巾、萬字巾、鑿子巾、凌雲巾等。帽有夌簷帽，即元代的鈸笠圓帽、瓦楞帽、五彩帽、金線帽等。明對巾帽裝飾也有規定，巾必有環，帽頂用珠。但環與珠不許隨便使用，庶人巾環不得用金、玉、瑪瑙、珊瑚、琥珀，未入品者與此同例；庶人帽，不得用頂或只許用水晶與香木。此外，朱元璋還頒行了一種使用便當的網巾，官員可戴在巾帽下起約髮作用，百姓則可單獨使用。

　　明代中層社會的婦女，穿戴十分講究，衣服都要配搭成套。比較流行的有雲肩和比甲。比甲與衣著配色有關，是明代婦女服飾不可缺少之物。婦女頭上的金銀首飾有百十來種，髮髻上如何置用都有一定的規定。秋冬時節，中老年婦女頭裹遮眉勒，青年婦女頭戴貂鼠或海獺的「臥兔」（圖 14）。

　　對官僚貴族的服飾，明政府規定的更具體。據《七修類稿》記載：「洪武二十三年三月，上見臣衣服多取便易，日至短窄，有乖古制。命禮部尚書李源名等，參酌時宜，俾有古儀。議：凡官員衣服，寬窄隨身。文官自領至裔，去地一寸，袖長過手復回到肘，袖樁廣一尺，袖口九寸；公侯駙馬與文職同。耆民生員亦同，惟袖長過手復回不及肘三寸，庶民衣去地五寸。武職官去地五寸，袖長過手七寸，袖樁廣一尺，袖口儀出拳。軍人去地七寸袖長過手五寸，袖樁廣七寸，袖口僅出拳。」這種規定，明確了官民服飾的等級體制，但重點是對官僚的限制。官服形狀，近似唐代圓領服，但尺寸寬博，用紵絲或紗羅絹做成。據《明史・輿服志》官服顏色規定一至四品官服緋袍，五至七品官青色袍，八九品官綠色袍，未入流、雜職官，袍、笏、帶與八品以下同。

　　花樣，一品大獨科花，徑五寸；二品小獨科花，徑三寸；三

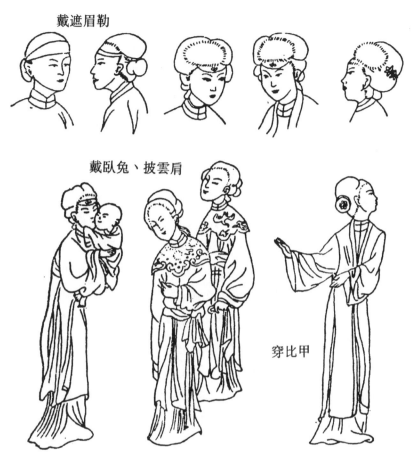

戴遮眉勒

戴臥兔、披雲肩

穿比甲

圖 14：明代中層社會的婦女服飾

品散答花，無枝葉，徑二寸；四品五品小雜花紋，徑一寸五；六
品七品小雜花紋，徑一寸；八品以下無紋。表示官品等級的還有
一個重要標誌，這就是官服胸背上的方圓補子。補子一般比清代
的大些，約市尺一尺二寸到一尺五寸，一般多是預先織成。補子
上花樣文官是：一品二品仙鶴、錦雞；三品四品孔雀雲雁；五品
白鷳；六品七品鷺鷥，鴻雁；八品九品黃鸝、鵪鶉、練鵲。武官
一品二品獅子；三品四品虎豹；五品熊羆；六品七品彪；八品九
品犀牛、海馬。明代貴族都喜戴金冠，從皇帝到大臣，從男到女

都戴，因此名目繁多。但平時官吏都戴烏紗帽。至於「蟒袍玉帶」明代還不是普遍著裝，只有個別官員才有蟒衣。《續通志·器服略》載：「獨錦衣衞堂上官大紅蟒衣」，有時也賜與宰輔及少數民族酋長。玉帶，明清時只一品官才有。

　　清代是我國多民族國家鞏固時期。服飾方面，既體現了多民族的特點，又體現了漢民族服裝的繼承性與封建社會的等級性。

　　清初勞動人民男女的裝束與明代差不多。男子頭上椎髻，有的裹巾子，有的戴頭笠，身穿對襟短衣，有的下肢打裹腿。婦女頭裹巾子或加遮眉勒，身穿對襟或交領衣，長裙。

　　中層社會婦女衣飾講究，穿對襟外衣、長裙，有的加雲肩。這時衣服變化的一個重要特徵是領高寸許，領間嵌一道窄窄牙子花邊，有拈金也有彩織，上有一二領扣，狀如一蝶，後爲綢子編的短扣所代替。婦女便服在領下外罩柳葉式小雲肩。雲肩較早見於隋代敦煌畫觀音菩薩身上，唐時吐蕃貴族婦女使用，元代男女通行四合如意式大雲肩。婦女鞋子，出現了以香樟木爲高底的鞋，式樣有杏葉、蓮子、荷花諸式。

　　清代貴族服制十分煩瑣，爲歷代所僅見，可能與歷代服飾影響有關。等級森嚴，十分明顯，表現在箭袖、蟒服、披肩、翎頂各品級都不相同。此外，四季服、外套、所用皮毛、當胸補子、朝珠等都區別嚴明。如帽上的頂珠隨品級不同，顏色和質料也各異。頂戴一、二品紅色，三、四品藍色，五品白色，六、七品金色，八、九品銀色。有軍功的人，皇帝還賞以用孔雀毛做的花翎，戴在帽頂上垂向後方。花翎，即孔雀花翎，有三眼、雙眼、單眼之分。三眼花翎賞給親王貝勒，雙眼花翎特恩賞賜，單眼花翎賞五品官以上。蟒袍，也因品級而有所不同。一、二、三品九蟒，蟒皆五爪，四、五、六品八蟒，七、八、九品五蟒，蟒皆四爪。蟒袍外邊用石青、玄青緞子、寧綢、紗等作外褂，前後開

衩，胸背各綴比明代官服略小的方形補子。補子上依官品等級繪
繡不同鳥獸圖案。文官鳥形，武官獸形。一品文鶴，武麒麟；二
品文錦雉，武獅；三品文孔雀，武豹；四品文雁，武虎；五品文
白鷳，武熊；六品文鷺鷥，武彪；七品文鸂鷘，武犀牛；八品文
鵪鶉，武犀牛；九品文練雀，武海馬。此外，御史、按察使、提
法使等均繡獬豸。大禮時有披領，還有玉金板作裝飾的帶、朝靴
等。文武官員的夫人，服飾依其丈夫的品級而異。此外男子身上
平時佩服掛件，清初只二、三種，以後越來越多，經常是一大串
分列腰際。據沈從文先生研究，包括香荷包、扇套、眼鏡盒、京
八寸的小煙袋，火鐮以及割肉用的刀叉等等。吸旱煙在清初還是
新鮮事物，一般人是禁止用的。眼鏡，據明人記載，宣德間傳入
中國，清初才較多使用。至於官僚文人把佩戴眼鏡作爲裝飾，可
能是在嘉慶道光以後。

　　清代男子都剃髮梳辮，喜穿長衫和馬褂。馬褂初爲營兵之
服，康熙以後才日趨普遍。另外還有不帶袖子的坎肩和套褲，也
是男子常穿之服。滿族婦女時興旗袍，外罩馬甲。髮式有如意
式、一字式和大拉翅。貴族婦女還喜穿一種高跟在足心的花盆底
鞋。

　　我國從秦朝開始就形成了統一的多民族的國家，經過一千
八、九百年的發展，在清王朝統治的二百六十多年裡，更加鞏固
和壯大。因此，各民族光彩奪目的服飾又使中華民族的物質和精
神文明爲之生輝。據《中國古代服飾研究》所引《皇清職貢圖》一
書，可見到以下幾個民族的服飾情況。

### 1. 回族

　　衣著特徵爲男戴紅頂貂帽，穿金絲織錦衣，束錦帶，穿嵌花
革鞮。婦女辮髮雙垂，約以紅帛綴珠爲飾。其冠與男子相同。

### 2.藏族

男戴高頂紅纓氈帽，穿長領褐衣，項掛素珠。女披髮垂肩亦有辮髮者，或時戴紅氈涼帽。富家者則多綴珠璣以相炫耀。衣外短內長，以五色褐布爲主。足皆穿革鞮。

### 3.維族

男戴紅頂黑簷帽，穿長領齊膝衣。婦女披髮四垂，戴瓜皮小帽，衣用各色褐布。

### 4.苗族

衣用蠟繪花於布再染成各色，去蠟後花紋似錦，短衣，短裙、裹腿。衣元襟衽，挈領自首以貫於身。男用青布裹頭，女以馬尾雜髮，編髻大如頭，攏以木梳。男喜歡吹蘆笙。

### 5.彝族

男子青布纏頭，或戴斗笠，布衣長衫。婦女青布蒙首或戴范帽，穿布衣，纏足穿履。男女都喜著披風。

### 6.壯族

男子藍布纏頭，穿交領齊膝長衣、長褲。婦女梳環髻，遍插銀簪，戴銀項圈，穿對襟錦邊短衫，係純錦裙。

### 7.傜族

男女喜穿青藍色短衣短裙，衣緣深色。男束髮或用花帕纏頭。婦女髮盤髻，用竹箭爲簪，長尺餘，七枝、五枝或三枝，插於髮髻。

### 8. 哈薩克族

頭人喜戴紅白方形高頂皮邊帽，穿長袖錦衣，縈絲縧革鞮。婦人辮髮垂肩，耳貫珠環，錦鑲長袖衣，冠履與男子相同。勞動人民男女則多氈帽褐衣。

### 9. 白族

與當地漢族人民風俗無區別，男戴斗笠或纏頭，穿交領短衣，短褲。婦女裹巾子，穿對襟短衣和短褲。也有穿短衣披羊裘的。

### 10. 傣族

男子喜用青布裹頭，簪花，或編竹絲為帽，青藍布短衣短褲，白布纏脛。婦女盤髮，用色帛絲彩線裹頭，線端分垂而下。耳綴銀環，穿紅綠衣裙，用小合包二三枚，各貯白金於內，時時拿在手。

### 11. 黎族

男椎髻在前，首纏紅帛耳垂銅環。婦女椎髻在後，首蒙青帕，出嫁時用針刺面為蟲蛾花卉狀穿長僅過膝的筒式裙。

### 12. 高山族

男子剪髮束以紅帛，衣用布二幅，聯如半臂，垂尺許於肩肘，腰圍花布。寒衣叫縵披，其長復足。婦女與男人服飾相同。男女都喜用銅鐵環束腕，有的重疊數十個。

### 13. 赫哲族

居住地區寒冷，以漁獵為生。衣著特別，夏以樺皮為帽，冬

則貂帽狐裘。婦女帽如兜鍪。衣多用魚皮而緣以色布，邊綴銅鈴，與鎧甲相似。

（羅連舉）

# 8 學校、選舉與科舉

## 一、學校教育的發展演變

　　學校教育應是有一定的場所和設施，供教者和受教育者集於一起，有組織地進行傳授知識和培養技能的教學活動。這樣的教育，在迄今爲止所有已發掘的原始遺存和典籍記載中，還沒有發現。在我國從夏、商、西周時起，古代的教育制度，才處於萌芽階段。這時，生產力的發展，私有制的產生，階級對立的出現，社會進入奴隸制時代，原始社會那種不分場合、時間，不拘形式，隨時隨地對勞動者進行平等教育已不復存在。代之而起的是由於生產競爭和階級區分的需要，伴隨腦力勞動和體力勞動分工的出現，一種嶄新的教育組織形式產生了；但仍然和氏族的祭天、祭祖、信奉鬼神、征伐、議事結合在一起。既有專門負責傳授經驗的長者，即教者，他們或是部落的英雄，氏族的酋長，德高望重的長者，結合氏族的活動而對青少年一代進行教育，又有專門接受教育的生徒。同時一些議事廳堂，祭壇、行禮的場所初步固定下來，用以進行教育，因而學校教育制度，在這種條件下便開始萌生。

　　我國的夏代已進入奴隸制社會階段，文字產生，文化知識有了發展和積累，並留有文獻記錄，維護奴隸主利益的禮制也初步制定。如《孟子・滕文公上》說：「夏曰校」，這個「校」，便是

古代教育制度的萌芽。學校是官辦的。即「學在官府」，官師一體，政教合一。統治階級爲培養奴隸主的繼承人及其國家官吏，知識爲官府奴隸主所壟斷。隨著朝代更迭，後興起的朝代總要吸取前代統治經驗，西周就吸取夏、商的教訓，不再單純崇尚武力，迷信鬼神，採取「敬天保民」的方針，提倡教化，周公制禮作樂，興學設教，實行「德政」，重視「禮樂」，教育內容充實而豐富了。雖然教育活動與政治活動、生產競爭仍然結合在一起，比如征伐前的宣誓儀式，勝利後的慶功、獻俘，生產、朝宴、祭天、祭祖，圖騰崇拜等等，但學校的類型畢竟多了。據《禮記》等古籍記載，夏代已有「庠」、「序」、「校」，到了商殷和西周，又有「學」、「瞽宗」、「辟雍」、「泮宮」等相當於教習的場所。不過這些場所和議事、祭禮相摻合的地方，一校兼數用，沒有單獨演習六藝的學校。

## (一)春秋戰國～秦

從春秋戰國到秦的統一，這是我國古代學校教育制度的形成時期。在社會經濟發展的推動下，由奴隸制社會逐步過渡到封建社會，五百年間，王室漸衰，諸侯爭雄，列國併立，諸子蜂起，百家爭鳴，私學大興，養士成風。孔子首創私人講學，主張「有教無類」，打破奴隸主貴族壟斷學校教育的局面。繼孔子之後，墨子、孟子、荀子等也興辦私學，廣收門徒。在私學廣泛發展的基礎上，在齊國出現了著名的「稷下學宮」。諸子百家，私學林立，學術爭鳴，大放異彩，爲我國學術乃至思想發展史上的黃金時代。官學衰落，私學成爲學校教育的主體，與官學並行。其教育目標，明確提出培養「士」、「君子」等統治人才。教育對象不再限於奴隸主貴族子弟，地主以及農民和手工業者的子弟，也都有了受教育和參與政治的機會。教育內容除六藝外，隨著諸子

學派的形成，開始注重經學的教學。儒家思想主張集中表現在
「六經」裡，逐漸取得統治地位，對後世教育發展產生了深遠的
影響。這時有專職教師任教，教學活動逐漸與征伐、儀禮分離，
場所也不在議事廳，學校成為專門教育機構，並負有「選士」、
「取士」的職能。這些都標誌學校教育制度完全確立。為教育發
展開創了新局面。與此同時，湧現出許多著名的教育家。他們各
有自己的教學思想、教育主張和教學原理。如孔子的「因材施
教」，啟發誘導，強調學、思、行的結合，時習與溫故等原則和
方法。孟子則主張深造自得，啟發思維，循序漸進。有《大學》、
《學記》和《弟子職》等一些系統論述學校教育的專著問世。

秦朝的統一，建立起我國歷史上第一個中央集權制的封建帝
國。為鞏固統一的封建政權，和政治經濟一樣，文化教育也相應
地採取了一些措施，如書同文，統一全國文字；行同倫，統一倫
理習俗；立博士、設三老，統管從中央到地方的文教；頒挾書
令、禁遊宦，防止「以古非今」，「惑亂黔首」；禁私學，實行
「以吏為師」、「以法為教」。這些措施有積極的一面，對於鞏
固統一起了積極作用，對於形成中華民族的共同心理狀態和文化
傳統發生了深遠的影響。可是另方面，禁私學又不設官學，企圖
以政策法令代替文化教育，否定傳統文化和歷史遺產，實行高壓
和恐怖政策，用燒、殺、禁來解決思想和學術領域的爭論和分
歧，採取「焚書坑儒」的極端殘暴措施，引起「天下愁怨」。由
於這些文教政策的失誤，加速了秦王朝的滅亡。

## (二)兩漢～魏晉南北朝

**兩漢與魏晉南北朝時期是我國古代學校教育正式確立時期。**
在這個時期裡，西漢武帝採納了董仲舒的奏議，實施「獨尊儒
術」政策，於是儒家經學在學校教育中佔據統治地位，儒家經典

定為學校必讀教材。除「五經」、《論語》、《孝經》外，也重視辭賦、小說、尺牘、字學的教學。《蒼頡篇》、《急就篇》就是當時的識字教材；「熹平石經」便是東漢政府公布的標準教科書。漢朝吸取秦朝經驗，官學私學並重。逐步完善官學制度，官學又分中央設立和地方設立兩大類型。屬中央設立的全國最高學府是太學，其他如國子學、鴻都門學、四姓小侯學、儒學、史學、文學、玄學、道學、宗學、總明觀、樂雅館等。屬地方設立的有郡國學、縣道邑校、鄉庠、聚序等。私立的有書館、精舍、精廬等。各級各類官學的教學人員有固定編制，建立和健全教學管理制度，教學組織形式和教學方法也有進一步改進和提高。東漢時接收匈奴派遣子弟來長安入學，是我國最早的留學生教育。此一時期，與教育密切相關的「選士」制度，由漢朝起實行的「察舉」，至魏晉又被「九品中正」制所代替，學校教育成為「養士」重要場所。

### (三)隋唐五代～宋

**隋唐五代至宋，是我國古代學校教育大發展時期。**隋朝統一全國，創立科舉制，唐宋皆為我國經濟空前發展強盛時期，文化教育、科學藝術均得到長足的進步。學校教育制度相當完備，教學內容更加充實而豐富，教學組織形式更加靈活多樣，學校管理制度日臻完善。教育目標不僅限於培養封建政權的各級官吏，也重視培養科技管理人才。

教學內容，唐以經學為主，孔穎達等撰《五經正義》，令天下傳習。另外也講求詩辭歌賦，創建醫學、算學、書學、律學、崇玄學等專門學校。宋則以程朱理學為主，當然仍是儒家經義的發展。唐朝學校教育規定了統一教材，除《五經正義》外，玄宗注《孝經》刻成「石臺孝經」、文宗所刻「開成石經」，這些石經成

為當時校勘和注釋流傳中的儒家經義的範本。宋朝除「五經」、《論語》、《孝經》外，又增加了《孟子》、《大學》、《中庸》、《蒙求》、《太公家教》等書。還出現了《三字經》、《百家姓》一類童蒙讀物。

　　唐宋的學校類型較多，官學私學兩大系統並存，在太學、國子學外，中央又設有崇文館、弘文館、醫學、崇玄學（學習老、莊道家思想）、諸王宮學、四門學、廣文館、律學、書學、算學、武學、畫學等。地方在府州縣學外，又有監學、市學、鎮學等。私立蒙學教育更加普及，有私學、蒙館、家塾、冬學等等。唐宋時期由於科學技術發展，需要專門科技人才，隸國子監設司天臺，聘有天文、曆數博士，就天文、氣象、曆算等內容招生授課。宋代別設校書館、文學館、書畫院、武學監軍等具有學校性質的館院。另外有些專門藝術機關和團體，如教坊，專掌歌舞音樂的教育。這時期中央政府任命各級教育行政長官，如國子監設祭酒、司業，地方設長史。太學教師有博士、助教、直講等職稱。其他如學校管理、教學計劃、考試制度、學籍管理、休假制度等日趨條理化制度化。特別值得提出的是書院教育。唐時的「麗正書院」本是修書、藏書地方，五代初具學校性質，宋代大為興盛起來，官府和私人均有設立，作為學校教育的補充。書院多擇清幽僻靜處，依山建舍，招聘學術名流，擁立山長，廣聚生徒，講授儒家經義，間亦議論時政。多為交流學術，更具教學與研究性質，形成學術團體和流派。學術活動空前活躍，研究空氣比國子監、太學更濃。此期間，外國留學生增多，中國科技文化走向世界。印刷業發展，書籍的廣布流傳，學校教育的發展也起到推動作用。但是，由於學校教育與科舉制度並行，科舉設科，必然使學校教育的分科和專業與之相適應，由於科舉制的流弊，使學校教育受到削弱，對於追求仕途的舉子，學校教育幾乎流於

形式。

## ㈣元明清

元、明、清時期是我國古代學校教育發展的鼎盛時期，同時也由此而轉向衰落與瓦解時期。這三個朝代的統治者均以程朱理學爲統治思想，學校教育和科舉考試都以朱熹所注「四書」爲內容，統治階級協調了科舉與學校關係，在科舉制影響下的學校教育，讀書做官目的更加明確。教育對象仍然是地主官僚子弟和少數庶民子弟。教學內容，既然程朱理學佔據統治地位，除「五經」、《論語》、《孝經》外，又添《性理大全》、《朱子全書》。清代開始設包括滿蒙八旗子弟和部分漢人及其他民族子弟的一類民族學校。重視民族語言教育，設翻譯館。科舉有翻譯科。在中央設立的國子監、太學以外，還設有蒙古國子學、回回國子學、旗學等。地方設立府州縣學外，還有都司儒學、諸路蒙古學、衞學、土苗學、社學等。私立的有塾學（私塾、坐館）、義學等。教學組織形式也有某些改進，比如元朝國子學設置伴讀生，負責輔導所屬生員的功課，另招有陪堂生。私人辦學也制定教學計劃。明代國子監規定歷事制度，培養施政組織能力。書院教育逐漸納入國家教育軌道，如清朝允許各省遍設書院，各書院分別頒請經籍，亦稱欽定賜書，視書院爲省立大學，縣亦設書院，較爲普及。私塾館和義學就更爲普及了，受教育的對象就更爲廣泛，爲唐宋所不及。

明清雖然均是閉關鎖國，但仍接納鄰國的留學生來華學習，如日本、朝鮮、安南、琉球等，後期俄羅斯也派子弟來華留學。這一時期，由於某些帝王政治腐敗，科舉考試營私舞弊，往往使國子監變成販賣太學生資格的交易所，官場賣官鬻爵，科場搞形式主義，學校教育形同虛設。由於科舉考試辦法拙劣，形式僵

化，考題摘自「四書」，答案限定朱熹《四書集注》，規定必須用「八股文」，文體死板呆滯，不許考生自由發揮，毫無創造生氣，束縛思想，戕害人才，嚴重地阻礙科學文化的自由發展，學校教育淪爲科舉附庸。隨著資本主義入侵，舊學校教育制度愈顯腐敗無能，雖有洋務運動引進一些近代科學技術和外國語文藝美教育，終於挽救不了崩潰瓦解之勢。清末維新運動，廢書院創辦學堂，北京首創京師大學堂，後續有天津西學學堂，上海有南洋公學。學堂教育在各省相繼實行，所有舊的國子監、書院、私學館等等，逐漸退出歷史舞臺。光緒二十七年（1901）清政府將全國書院一律改爲學堂，分別成立省立大學、府立中學、縣立高級小學校。實行新學制，分初等、中等、高等三級教育體制。光緒三十一年清政府成立中央教育行政機構——學部，詔廢科舉，標誌中國古代舊學校教育體制徹底瓦解，代之而起的近代資本主義教育制度，開始確立。

總觀我國古代的學校教育，兩千多年來，從官學到私學，從太學到書院，從中央到地方，形成一套體系完備的教育制度。在爲國家和地方培養和輸送統治人才方面，在傳播王朝政令和施行教化方面，在培養士風，重視操守，培養愛國精神與忠君思想相統一方面，起到了積極作用，擴大了統治基礎，鞏固了封建政權。尤其在後期，書院和私學的普及，打破官府的文化壟斷，學術得到一定程度的自由發展，在印刷技術發明和普遍應用以後，書籍大量刊刻發行，對傳播和整理古代文化起到「薪盡大傳」的重要作用，同時積累和總結記錄了豐富的教學經驗，這些直到今天，在整理研究古籍中，還是須要我們批判繼承的。

# 二、古籍中常見的古代教育詞語

## 【校】

夏代舉行祭祀禮儀和教習射御傳授書數的場所，初具學校性質。「校者教也」，古代教育又與宗教儀禮相結合。《孟子·滕文公上》：「夏曰校，殷曰序，周曰庠。學則三代共之。」漢代稱縣、道、邑、侯國所設立的學校曰校。

## 【庠】

古代的學校。《漢書·儒林傳序》：「鄉里有教，夏曰校，殷曰庠，周曰序。」又《孟子·滕文公上》：「設為庠、序、學、校以教之。庠者養也……皆所以明人倫也。」兩說稍差異，但共指殷周時期鄉黨所設立的學校是無疑的。又常與序合稱庠序，皆指學校。（參見「校」）

## 【序】

周代的學校。《禮記·學記》：「黨有庠，術（遂）有序。」一般作鄉學解。「序者射也」，原本教演射御之所，庠主養老，後來統於禮樂教育。又與庠合而稱庠序，皆指學校的意思。（參見「庠」）

## 【辟雍】

西周時期的國學，或稱大學。為天子所設。《禮記·王制》：「大學在郊，天子曰辟雍，諸侯曰頖宮。」又蔡邕《明堂月令論》：「取其四面周水，圜如璧」的意思，故曰辟雍。設於西

郊，又稱西雍。後漸與學校分離，僅爲祭祀之所。

### 【頖宮】

西周時諸侯所設之大學，因別於天子所設的辟雍，故稱頖宮，二者皆爲環水而築的學宮。（參見「辟雍」）

### 【瞽宗】

殷周時行祭祀與教習的場所，又或稱學宮、大學。周制五學之一，又稱西學。《周禮・春官・宗伯下》「大司樂」條，說大司樂職掌大學教法，治理王國學政。請有德行道藝的人來施教於國子，死後尊奉爲「樂祖」，在瞽宗祭祀他們，紀念他們曾以樂德、樂語、樂舞來教育國子們。說明瞽宗旣是禮樂教習場所，又是祭祀先賢的地方。（參見「五學」）

### ◙附：西周學校系統表

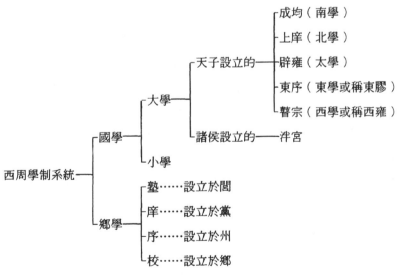

囲：顧樹森：《中國歷代教育制度》29頁

## 【五學】

周代五所最高學府。中央者爲辟雍，王者所居，是天子讀書的地方。南爲成均，北爲上庠，東爲東序，西爲瞽宗。成均、上庠、東序、瞽宗四學，皆爲教育國子所設。其中以成均居尊，後世常取成均爲大學通稱。

## 【太學】

先秦的太學。西周已有太學之稱，始見《大戴記・保傳》：「帝太學，承師問道。」漢代武帝元朔五年（前 124）始置太學，立五經博士，教授弟子五十人。已非獨爲天子讀書之學府。東漢太學更爲發展，歷魏晉、隋唐、宋、元、明、清，或設太學，或設國子監，或兩者同時並立。雖名稱不一，制度稍有變異，均爲教授王公貴族子弟的最高學府，傳授儒家經典。時或爲國家最高教育行政機關，又稱國學或國子學，凡就學生員，皆稱太學生、國子生。

## 【鄉校】

西周時，凡辟雍、成均、上庠、東序、瞽宗，皆設於都城，城中謂之國中，皆屬國中之學。國中與四郊並舉，如今之稱城裏與城外之別。城外所設之學爲鄉學。《左傳・襄公三十一年》：「鄭人欲毀鄉校」，同於夏之鄉學。

## 【州序】

商周時期地方學校。《周禮地官》：州長「春秋以禮會民而射於州序」，即州的最高長官，教民以禮儀在州序。孟子曰：「殷曰序」，即商之州學，主教習射獵。

### 【黨庠】

周時地方學校。《學記》：「黨有庠」。孟子曰：「周有庠」。庠字古義爲養老之所。蓋因執教者多以年老而德高望重者爲之。黨爲地方區劃，黨庠應是地方學校。

### 【家塾】

周時地方學校。《學記》：「家有塾」。非一家一戶所設。周制：五家爲比，五比爲閭，四閭爲族，五族設一家塾，即五百家所設的學校。

### 【郡國學】

漢代地方學校，與中央所設太學、國子學相對稱。史籍所載爲武帝時蜀郡郡守文翁所創，各郡效仿。（《漢書‧循吏傳‧文翁》）武帝設置博士弟子員，正式承認學官制度後，郡縣也可以應博士弟子選舉，郡國才普遍設立官學。

### 【縣道邑侯國學】

漢代地方官學。西漢時分封制與郡縣制並存，諸侯王國轄區相當於郡，合稱郡國，列侯所食之縣稱侯國。郡國以下，分屬若干縣、道、邑。凡郡國所設官學稱學，而縣、道、邑、侯國所設立的學校稱校。無論是學或校，各置經師一人，執掌教授儒家經典。

### 【鴻都門學】

東漢時文學藝術學院。專門研究文學藝術，因置設在洛陽鴻都門而得名。靈帝光和元年（178）爲宦官所置，原欲與太學相抗衡。諸生由州郡、三公舉用辟召，或出爲刺史、太守，入爲尚

書、侍中，多有封侯賜爵者，士人君子恥與爲伍。敎學內容有辭賦、小說、尺牘、字畫等。

【四姓小侯學】

東漢時貴胄子弟學校。又稱宮邸學。明帝時有外戚樊氏、郭氏、陰氏、馬氏四大家族，專門爲四姓子弟開辦。四氏非爲列侯，故稱小侯。後來招生對象擴大，不論姓氏，匈奴亦遣子弟入學。

【宗學】

歷代王朝爲皇族子弟所設的學校。漢平帝元始五年（5），王莽攝政，詔各郡國設宗師，訓導宗室子弟。北魏設皇宗學。唐高宗爲宗室及功臣子弟設小學。宋紹興十四年（1144）始建宗學於臨安，分小學與大學，初限於「南宮北宅」的皇室子孫，後疏遠宗室子弟也可入學。明代宗學規定學習「五經」、「四書」、《史鑒》、《性理大全》和《皇明聖訓》，孝順事實及爲善陰騭等書。清代設宗學、覺羅學；又合併宗室、覺羅子孫共爲一學，名盛京宗室覺羅官學，學習滿漢文字、經史文藝，並重騎射。雖名稱因時各異，但性質一致。

【旗學】

清代八旗子弟學校的總稱，包括八旗官學、八旗學堂，以及滿洲、蒙古、清文義學，景山官學，咸安宮官學等。八旗官學始設於順治元年（1644），分八旗爲四處，每處立官學一所，專教親貴以外的八旗子弟，設伴讀十人，勤加教習。招每佐領選取二名，以二十名學漢文，餘皆習滿文，尤重騎射。隸國子監管轄，訓練比國子監嚴格。

## 【盛京八旗官學】

清代旗學之一。康熙三十年（1691）設，分左右兩翼各二所，選送各旗俊秀幼童，敎讀滿漢文，兼習騎射。

## 【八旗敎場官學】

清代旗學之一。雍正元年（1723）設，性質課程內容大致與宗學同。

## 【書院】

唐宋至明淸時一種獨立的敎育機構，爲學校敎育制度的補充。大體可分兩種類型：

(1)唐代中書省修書或侍講的機構，開元六年（718）設麗正書院，十三年改名集賢殿書院。設置學士、直學士、侍讀學士、修撰官等。掌管校勘經籍，徵集遺書，辨明典章，以備顧問應對，是修書藏書場所，不具講學受業場所性質。

(2)宋至明淸演爲私人或官府所立講學、肄業之所。早在唐貞元年間，李渤隱居讀書於廬山白鹿洞，南唐時就其遺址建學館，以授生徒，號爲廬山國學。宋朱熹於此讀書講學，改稱白鹿洞書院，爲藏書講學之所，與石鼓書院，睢陽書院、岳麓書院，號爲四大書院。創辦者或爲私人，或爲官府，一般選擇依山傍林，幽靜名勝之地建舍藏書。集名流學者講學其間，廣收生徒，多爲歷屆落榜舉子。主持者往往被擁立爲山長，自制學規。經濟多靠地方官紳捐施學田。敎學方法靈活，以講學爲主，採用個別鑽研答疑、互問與集衆講解相結合，研習儒家經典，爲準備應舉服務。間亦議論時政，學術研究空氣濃厚，對學術思想發展有一定影響。元代各路州府皆設書院，明淸普及全國。爲科舉服務更加鮮明，漸具地方學校性質，多爲官辦。淸末廢除科舉，大都改爲學

堂。

## 【學堂】

即學校。始見《漢書・循吏傳・文翁》顏師古注:「文翁學堂於今猶在益州（今四川成都）城內。」西漢景帝末年,文翁出為蜀郡守,提倡教化,建學宮教育下縣子弟,稱此學宮為文翁學堂。《北齊書・權會傳》、《舊唐書・袁天綱傳》、段成式《酉陽雜俎》所出現的學堂一詞,均有教授生徒、研習課業之所的意思。清末興辦近代教育,光緒二十八年（1902）頒布《欽定學堂章程》,通稱學校為學堂。辛亥革命後,民初教育部公布《壬子學制》,改學堂為學校。

## 【國子監】

又稱國學。為歷朝國家最高學府。漢魏設太學,自西晉咸寧二年（276）設國子學,招五品以上官僚子弟入學就讀。後稱國學、太學,隸屬太常寺。北齊改為國子寺,隋代改為國子監,兼有部分教育行政機構的職能。唐代的國子學、太學、四門學、律學、書學、算學、廣文館等皆屬國子監學。宋沿唐制。元代分別設立國子學、蒙古國子學、回回國子學,均稱國子監。明分南北二監,北監設北京,又稱北雍;南監設南京,又稱南雍。清僅北京設國子監,入監讀書者稱國子監生。光緒三十一年（1905）設學部,國子監遂廢。

## 【學校】

教育機構。《孟子・滕文公上》:「設為庠、序、學、校以教之。庠者,養也。校者,教也。序者、射也。夏曰校,殷曰序,周曰庠,學則三代共之。」學校之稱本於此。《三國志・吳志・

薛綜傳》：「建立學校，導之經義。」古代一般稱學，清末辦近代教育稱學堂，民初統稱學校。

## 【儒學】

(1)儒家學說的簡稱。《史記・五宗世家》：「（河間獻王）好儒學，被服造次必於儒者。」劉歆著《七略》將古代典籍分爲七大類，其《諸子略》首列儒家，成一學派。漢武帝利用政治權力，「獨尊儒術」，把以孔子爲代表的學說及其經典，定爲統治思想。《漢書》有《儒林傳》，新舊《唐書》、《元史》等均有《儒學傳》。至宋代，以中國封建倫理「三綱」、「五常」爲中心，吸收佛教和道教的思想和修養方法，主要經典是《四書》、《五經》，直至明清。

(2)元明清時於各府、州、縣均設學，供生員讀書，主授儒家經典，稱儒學。

## 【史學】

研究歷史的學科，又稱歷史學。《晉書・石勒傳》：「任播、崔濬爲史學祭酒。」唐代又爲科舉科目。如穆宗長慶年間，設立三史科，即應舉者要通習三史：《史記》、《漢書》、《後漢書》。

## 【玄學】

魏晉以後，以學習道家學說爲中心內容始成爲一獨立學科。南朝宋文帝時期於太學設儒學、玄學、文學和史學四科。唐代尊崇道教，開元二十九年（741），設玄學，稱「通玄學」，爲學校名。於京師、東都各招百人，諸州無常員。習《老子》、《莊子》、《文子》、《列子》。每年隨貢舉例送尚書省，准明經例考試。天寶元年（742），置博士，助教。後稱崇玄學或崇玄館，

諸州改崇玄學爲通道學，置博士，不久即罷。

### 【文學】

古代學校教育學科之一。東漢獻帝建安八年（203）曹操專權，令郡國各修文學。《宋書‧雷次宗傳》：「上留心藝術，使丹陽尹何尚之立玄學，太子率更令何承天立史學，司徒參軍謝元立文學。」所學內容不外詩辭歌賦。

### 【四門學】

古代的學校。北魏孝文帝於太和（477～499）中，遷都洛陽，詔立國子太學、四門小學。樹小學於都城之四門，故名。大選儒生，設置四門博士四十人。北齊時，四門學有博士、助敎各二十人，學生三百人。唐代隸屬國子監，爲大學，博士助敎各三人，學生一千三百人。其中五百名爲七品以上官吏子弟，餘下八百名額招庶民之俊異者。所學內容爲「五經」、《論語》、《說文》、《字林》、《三蒼》、《爾雅》等，間習時務策。

### 【律學】

古代敎習法律的學校。西晉始設，置律學博士，以律令爲專業，兼習格式法令。後秦姚興設律學於長安，召各郡縣散吏入學，成績優秀者選任郡縣獄吏。唐宋律學，皆隸國子監。置博士、助敎各一人。收學生五十名。凡八品官吏以下及庶民通其學者爲招生對象。研習斷案律令及古今刑書、新頒條令等。

### 【算學】

唐宋時培養天文、數學專門人材的學校。唐設在長安，隸國子監，宋設在汴梁，隸太史局。以《孫子算經》、《五曹算經》、

《九章算術》、《海島算經》、《張建丘算經》、《夏侯陽算經》、《周髀算經》爲教材，是謂算經專業。另外學習《綴術》、《緝古》、《記遺》、《三等數》，屬天文應用數學，計算星辰的運行。授徒三十人。凡八品官吏以下及庶民能通其學者，皆可入學。

## 【書學】

唐宋培養書法人材的學校。唐隸國子監，置博士二人，招生三十名。對象爲八品以下官吏子弟以及庶民工書法者。以《石經》、《說文》、《字林》爲教材。《宋史·選舉志》：「書學生習篆、隸、草三體，明《說文》、《字說》、《爾雅》、《方言》，兼通《論語》、《孟子》義。」徽宗時立，後併入翰林書藝局。

## 【武學】

古代軍事學校。唐代科舉始設武舉科，未有相應學校。自北宋慶曆三年（1043）始設。不久廢。熙寧五年（1072）又設，置教授，教習諸家兵法，分析歷代用兵成敗的戰例，並撥配兵伍，列陣指揮實習。元豐年間改置博士、教諭，招生限百名。南渡後於紹興間重設武學。明代置衛武學，中央和地方均設，教育對象有年輕的軍官和應繼軍官祿位的子弟，崇禎時令各州府縣皆設武學生員。教學內容爲儒家經典加軍事科目。清代軍事指揮人才多來自滿洲八旗官學，每歲各旗將訓練成績優良者選送京師。

## 【社學】

元明清三代的地方學校。《新元史·食貨志》載元政府勸農立社，縣屬農村，五十家爲一社，不及五十家者，與近村合爲一社。擇年高的老農爲社長，專以教勸農桑爲務。每社立一所學校，故稱社學。農忙務耕，農隙使子弟入學，有教師教讀經書。

教材有《孝經》、《小學》、《大學》、《論語》、《孟子》。《續文獻通考‧學校考》載元世祖至元二十三年（1286）大司農司上報諸路立有 2066 所社學。明弘治十七年（1504），令各府州縣建立社學，選擇明師，使十五歲以下幼童入學讀書。教學內容，增加法律常識，兼讀《御制大誥》及律令，講習冠婚喪祭之禮。八歲以下蒙童，入學先讀《三字經》、《百家姓》和《千字文》。清代各省除府州縣學外，農村普遍設有社學，擇通曉文藝，行誼謹厚者為社師。學齡限於十二歲以上，二十歲以下。

### 【蒙古字學】

元代所設蒙文學校。至元六年（1269）令諸路置蒙古字學。是年八思巴作蒙古新字成，頒令生徒習之。生徒除諸路、府、州官子弟外，餘為民間子弟。入學優惠，免除雜役。

### 【陰陽學】

元明兩代地方所設的天文專科學校。元至元二十八年（1291）始令諸路置陰陽學，後遍及各府、州。教授天文術數。術數精通者，每歲報呈省府赴都試驗，錄取留司天監供職。

### 【蒙古國子學】

元代所設蒙古文最高學府。至元八年（1271）詔設京師。延祐二年（1315）有生員百人，蒙古人 50，色目人 20，漢人 30。後來增至二三百人。教習八思巴所製蒙古新字，並令中書省下達諸衙門，凡詔誥文書奏章並用蒙古字書寫。

### 【回回國子學】

元代所設回回文字最高學府。至元二十六年（1289）置。元

初只用畏吾兒字及漢字，至元六年始頒蒙古新字，因與西域諸國交通頻繁，但新字不甚通行。蔥嶺以西諸國多用回回文字，實即波斯文字。西域學者益福的哈魯丁，通波斯文，聘爲回回國子學教授。

## 【四譯館】

又稱四夷館，魏晉至唐宋時招待外賓的賓館。明清時爲我國最早的外語學校。設翻譯邊疆地區少數民族語言文字和外國語言文字的翻譯機構，兼培養翻譯人才。明永樂五年（1407）置。時因朝貢使者驟多，特設蒙古、女直（女眞）、西番（西藏）、西天（印度）、回回、百夷（傣族）、高昌（維吾爾）、緬甸八館。置譯字生，通譯語言文字。正德、萬曆時，相繼增設八百（揮族）、暹羅二館。凡十館總曰四譯館，隸翰林院。據《春明夢餘錄》記，明初，館址在京都東華門外（今南京市中山門以西一帶）。正德三年（1508）選譯字生 107 名，嘉靖十六年（1537）選譯字生 120 名。清初撤銷蒙古、女直二館。乾隆十三年（1748）並入會同館，更名「會同四譯館」。

## 【冬學】

宋時於冬閒所辦的學校。錢大昕《十駕齋養新錄》卷 16 引陸游詩：「兒童冬學鬧比鄰」句，注云：「農家十月乃遣子入學，謂之冬學。」所讀《雜字》、《百家姓》等書。

## 【學官】

古代掌管學校教育的官吏，又稱校官。如漢代設五經博士、博士祭酒、博士、助教。唐宋以後執掌各級儒學的教授、司業、提學、學政、教諭等。明清兩代規定有不同等級和名目，府學稱

教授，縣學稱教諭，各設訓導副職，負責管教在學生員，統稱學官或校官，別稱廣文。一般尊稱老師。

## 【博士】

學官名。始設於戰國末期至秦，初掌古今史事待顧問書籍典守之職。後漸轉爲在學術上專通一經或精於一藝，可以從事教授生徒的官職。如教授諸子、詩賦、術數、方技皆設博士。漢承秦制，隸屬太常。西漢武帝建元五年（前 136）始置太學，立五經博士，以通曉經義者爲之。晉代設國子博士。唐代凡國子監所屬各科均置博士，都府、州縣學亦置博士一人，爲教授官，不同於執掌禮儀的太常博士。宋代凡屬國子監各學科皆設博士，太學博士又稱「太博」，從八品。明清有國子博士、太常博士。

## 【太學博士】

西漢武帝建元五年（前 136）始置太學，是中央國學。以儒家經典爲教學內容，同時置五經博士，教授生徒。首席博士稱僕射，東漢改稱祭酒。博士再不是秦代「掌通古今」的史官、顧問、待詔了。雖也兼奉使、議政之職事，但主要是隸於太常，始爲學官。

## 【五經博士】

漢魏學官名。西漢武帝開始置太學，以通曉經義之士，任五經博士，教授生徒。「五經」是《易》、《尚書》、《詩》、《禮》、《春秋》的總稱。漢初的經學分「古文經」與「今文經」兩派，武帝所置五經博士爲今文經學，至西漢後期，王莽篡漢，古文經學一度擡頭，增設六經；至東漢劉秀即位，廢古文經博士，復爲五經。而立今文經學十四博士：《易》有施、孟、梁丘、京氏；《尚

書》有歐陽、大小夏侯；《詩》分齊、魯、韓三家；《禮》有大小戴；《春秋》有嚴（彭祖）、顏（安樂），各以家法教授。魏晉又增至 19 名。因一經常有幾家，對各家之說亦別輕重，故設置博士人數屢有變化。漢代五經博士不獨專指教授弟子，還兼有奉使、議政之職。後世乃漸轉為獨立的學校教授官名。隋唐則在國子監普遍置博士，不獨五經立經學博士。明制，五經博士多授於儒家裔孫，清亦因之。學官一經世襲，則「五經博士」徒有其名。

## 【博士祭酒】

漢學官名。《通典·職官九》載，孫卿在齊為三老稱祭酒，漢吳王濞年老朝覲，為劉氏祭酒。後漢置五經博士 14 名，舉聰明而有威望的一人為祭酒，為博士之首席。又稱博士祭酒。原稱僕射，東漢改稱祭酒。西晉初立國子學，改稱國子祭酒。隋唐以後，改國子學為國子監，依舊置祭酒，改稱國子監祭酒。再不隸屬太常，主管國子監，為學校教育行政長官。宋元明時祭酒官秩四品。清初沿襲明制，光緒三十一年（1905）推行新的學校教育制度，廢除祭酒，設學部，稱學部尚書，為國家教育部門最高長官。

## 【國子祭酒】

魏晉學官名。（參見「博士祭酒」）

## 【祭酒】

學官名。（參見「博士祭酒」）

## 【司業】

學官名。隋大業三年（607）設國子監司業，又稱國子司業，協助祭酒主管監務，教授生徒，歷代相沿襲，清末廢除。

## 【國子主簿】

學官名。漢代以後，中央各機關及地方郡、縣官署衙門均設置主簿，執掌文書簿籍，主管印鑒，爲掾吏之首。自西晉始於國子學置主簿，稱國子主簿。明改稱典籍，清沿明制。清末隨國子監同廢。

## 【教授】

學官名。本指傳授知識，講課授業。如《史記·仲尼弟子列傳》：「子夏居西河教授，爲魏文侯師。」《後漢書·郅惲傳》：「惲遂客居江夏教授」。漢唐兩代所置博士，教育諸生，均可視爲後世教授之職。自宋代始，除宗學、律學、醫學、武學等設教授傳授學業之外，各路的州、縣學均設教授，主管地方學校課試等事。明代府學設教授，清沿明制，府廳各學均置教授，官秩正七品。

## 【助教】

學官名。西晉咸寧四年（278）於國子學置，協助國子祭酒、國子博士教授生徒。南北朝至隋相沿設置。唐代於國子學、太學、廣文館、四門學、律學、太醫署均設助教。宋沿唐制，明清兩代僅國子監設助教。

## 【教諭】

學官名。宋代始置，限於京城小學和武學。官秩正九品。《新元史·選舉志》：凡師儒經朝廷任命者稱教授，路、府、州學

置之；由禮部、行省、宣慰司任命者稱教諭，路、州、縣及書院置之。元、明、清三代皆設縣學教諭，列知縣下，主持文廟祭祀，宣講儒家經典和皇帝詔訓。教誨和管束生徒。

### 【學正】

學官名。宋代始於國子監置學正五名，主管學規、考教訓導，位在助教之下。元代凡由禮部、行省、宣慰司任命的管理路、州、縣學的學官也稱學正。《明史・選舉志》記載，明初改應天府為國子學，後改國子學為國子監，設祭酒、司業及監丞、博士、助教、學正、學錄、典籍、掌撰、典簿等官。分「率性、修道、誠心、正義、崇志、子業」等六堂為太學生講肄之所。黃佐《南雍志》載記，六堂由助教、學正、學錄分居之，舊制學正十名，後有削減。清沿明制，設官同，六堂仍舊，學正六名。清代州學學官稱學正。

### 【訓導】

學官名。唐宋以後，為地方官學所設，協助教授、教諭教育生員，位在教諭之下。明代府學四名，州學三名，縣學二名。清沿明制。

### 【學錄】

學官名。唐以後在中央官學即國子監所設的學官，協助博士、助教、學正等管理教務。分學錄和職事學錄二種，位在學正之下。宋代國子監職事學錄五名。唯元代地方官學、路學也設學錄，協助教授教育所屬生員。明代沿襲宋制。清代學錄與學正同為國子監六堂助教副職，六名。

## 【教習】

學官名。明制選進士入翰林院學習,令翰林院學士執教,稱為教習。清於翰林院設庶常館教庶吉士,由滿、漢大臣各一人執教,亦稱教習,又選翰林院侍講、侍讀等官任小教習。後各官學仿此例亦設教習。清末興辦學堂乃至書院,稱教師為教習。

## 【學政】

學官名。清代所設,又稱「提督學政」。各省置一名,掌管學校政令,負責歲、科兩試。順治時(1644~1661),僅順天、江南、浙江省區置學政,其它省區稱學道。雍正四年(1726)廢學道,各省遍設提督學院,命官則稱某省學政。因兼主考試(包括武科),又加提督銜。由翰林官和進士出身的部院官中選派,任期 3 年。光緒三十二年(1906)改為提學使。亦稱「督學使者」、「學政使」。俗稱「大宗師」、「學臺」。如張之洞,同治進士,歷任翰林院侍講學士、內閣學士等職。同治十二年(1873)授四川學政。

## 【山長】

書院的主持人。五代至宋初,書院多依山傍林置建,其主講並總領院務者稱山長。如蔣維東隱居衡嶽講學,受業者稱蔣為山長。書院如係私創,則由師生擁立。南宋後期,書院漸由官辦,山長則多由州學教授兼任。後由吏部選派,同州學教授並為學官。元明相沿襲,清乾隆時曾一度改稱院長,清末仍復舊稱。

## 【宗師】

西漢末平帝元始五年(5),王莽攝政,於郡國置宗師以教育皇親宗室子弟。選有德義者充之,尊為「宗卿師」。清代尊學

政爲「大宗師」或「文宗」。

## 【國學】

西周學校分國學、鄉學兩大類。國學又分大學、小學。大學有天子所設和諸侯所設兩類。稱大學有成均、上庠、辟雍、東序、瞽宗；諸侯所設則稱頖宮。凡大學、小學，教學內容皆爲六藝：禮、樂、射、御、書、數爲主；小學尤以書、數爲主。後世國學爲京師官學通稱。尤專指太學和國子學。

## 【鄉學】

西周學校系統，與國學相對而言。泛指地方閭、黨、州、鄉所設之塾、庠、序、校。後世因稱地方所辦的學校爲鄉學。

# 三、選舉、科舉制度及其演變

選舉和科舉是我國古代選拔人才的兩種方法。選舉是通過鄉舉里選，將人才送至上級機關乃至中央；科舉是通過分級分科考試，擇優錄取，授以官職。漢魏以前基本是選舉，輔以考試；隋唐以後基本是科舉，輔以推薦。

選舉制度起源很早，可追溯到「天下爲公」的原始社會。部落聯盟中實行習慣性的「選賢與能」的民主制度。由於當時生產力低下和社會分工的需要，人們推選富有生產經驗的勞動能手和具有指揮才能的戰鬥英雄，或氏族內德高望重、辦事公道的長者，來充當部落聯盟的組織者、管理者和保衛者（酋長）。如果他們不稱職，可以在公議堂通過大會罷免。「選賢與能」所反映的是原始社會選舉產生首領的情況。而當社會生產力不斷發展，私有制產生，原始社會瓦解，進入有階級的奴隸制社會後，選舉

方式和被選舉資格都由統治者所把持和控制。較普遍地實行世襲制，稱爲世卿世祿；而中下層，特別是基層統治人才，方可由選舉產生。原始社會「選賢與能」的平等選舉，不復存在。在我國歷史發展的不同時代和不同階段，在奴隸制和封建制兩種不同的形態裡，選舉和科舉的形式和內容，都有很大的發展變化。並且創造出各種不同的形式和多樣的選舉辦法，在很大程度上影響著學校教育的發展。兩千多年以來，學校教育也像僕從一樣，爲維護統治階級利益，培養和選拔統治人才效力。人們也正是通過學校進入社會和官場。這樣，選舉和科舉只是手段，而學校教育成爲階梯和門徑。

## (一)夏、商、周

夏、商、西周是實行世襲制，選舉取士範圍有限。夏商時期在君主左右任職的巫史和宗室貴族大都是世襲的，只有家臣是君主從奴隸中選拔的。西周時期大夫以上的官職是從士中選拔的。西周時期的士既是貴族的最底層，又是軍隊的骨幹，通稱武士。經策命取得低級爵位和低級官職的叫「命士」。選士的主要方法是由鄉里薦舉，即所謂鄉舉里選。薦舉的辦法，在基層，必須以族人的評論爲基礎，選出「秀士」，由諸侯貢於天子，再入大學學習。學成之後，由天子試其射藝，方可授予一定官職。

## (二)春秋戰國

春秋戰國時期選士制度多有變化，鄉舉里選依然存在。諸侯自立，各有創制。如戰國時西方秦國，採納商鞅變法，實行獎勵軍功，廢除世卿世祿制度，官職全由君主隨時任命或撤換。始於春秋時期的養士之風，至戰國尤盛。私學勃興，士，形成爲一個特殊階層，多是貴族後裔，也有少數庶民子弟。他們與西周時的

武士不同，主要是有一定知識技能，出於政治上的需要，君主（國君）、諸侯、王、卿、相，競相養士。他們往往是智囊團、被儲備的人才，而各諸侯國政治、軍事、外交的成敗，往往取決於用這批士人的多少或有無得力之士人。

## (三)秦

秦始皇為鞏固封建制中央集權，堅決廢除分封制和貴族世襲特權，對士階層採取削弱乃至取消政策，實行焚書坑儒，企圖依靠獄吏和嚴酷法律來維持統治，選士制度和學校教育遭到破壞。

## (四)漢

西漢的選舉取士，有三種方式：一是察舉；二是以察舉為主，考試為輔；三是徵辟。其他有任子、納貲、軍功等途徑，甚至有請託行賄等不正當手段。察舉科目繁多，主要有賢良方正、秀才（茂才）、孝廉、博士弟子、童子科等。被薦舉者，須有一定資格和名望，有的要經過考試，有的不經考試，即可授予官職。或有的先授郎官，然後調補他職。博士弟子、童子科，須分別試以射策和文字，擇優送入太學深造，授以郎官。選舉取士的手續和方法，賢良方正多由中央就近畿輔人才直接選送；秀才、孝廉由郡國長官徵求地方名士，或在屬吏中擇優選派；博士弟子由太常選拔，或由郡國選送。取賢良方正之士，在各科中占重要地位，但入選較多的則是孝廉科。「徵辟」的形式有兩種：一種由皇帝直接徵聘入朝，多授予博士或待詔稱號，侍從左右，以備顧問。另一種是由三公、將軍、郡國守相等自辟賢士，充當幕僚，通稱掾史。漢代的選舉制度與學校教育並行，但選舉取士的範圍不限於學校培養的人才。學校教育只是選舉的輔助機關，以培養和儲備可選之士；或深造已選入之士，以備授官。因此，選

舉制度流弊甚多，主要表現兩個方面：

一是以財富作爲候選資格的重要標準，不是量才舉用，而是唯財是用，被選爲官者皆是富豪之家子弟，一般勞動人民根本沒有入選資格。所謂賢良、孝悌、廉潔缺乏客觀標準，多由世家大族互相吹捧，弄虛作假，並非都有高尚道德品行和眞才實學。

二是東漢以後，選舉漸爲以閥閱爲標準的等級制度所左右，「以族爲德，以位爲賢」，根本排除勞動人民。貢舉則以閥閱爲前提，郡國官吏和宦官把持操縱取士大權，朋比勾結，培植薰羽，所選之士皆爲「徒講交游，不重實學」，「拜門奔競，貨略囑託」之輩，充分反映出政治的腐敗。

## (五)魏晉南北朝

魏晉南北朝創「九品中正」制，又稱「九品官人法」。州郡各設中正官，考察所屬轄域人才高下，分九等錄用。中正官由各州郡推選有「聲望」者擔任。郡之中正官稱大中正，州的中正官稱小中正。經小中正品第的人才送郡大中正考核後送司徒，司徒核實後交付尙書選用，每十萬人舉一名，由吏部授官。完全是一種維護世族豪門政治特權的官吏選拔制度。由豪門士族操縱選士大權，評定人物「唯能知其閥閱，非復辨其賢愚」，庶姓寒門雖有高才，也難躋身於士族。魏襲用漢代察舉孝廉辦法，晉代對察舉的孝廉、秀才形式上一律要經過考試。孝廉試經，限於儒家經典和六藝；秀才試策，限於政治、經國大事。實際仍按九品等第授官。

## (六)隋

隋文帝革除「九品中正」制，打破士族壟斷，仍採用薦舉辦法選官。至煬帝大業二年（606）始設進士科，又或曰「明經」

與「進士」兩科並設，實行科考取士。先由州郡策試，及格後貢之於朝，即所謂鄉貢，再由朝廷策試錄用。錄取標準，重在策試，而不在德望門第。創立進士科考試制度，結束了鄉舉里選的選士制度。科舉制創立之初，雖較選士制度有所進步，然世族制度並沒有重大改變，門第高者仍可獲得高官厚祿。

## (七)唐

科舉制在唐朝逐漸發展得更加完備。科舉取士分三條途徑進行。由學校出身的叫「生徒」、由州縣考送的叫「鄉貢」、由皇帝直接考選的叫「制舉」。前兩類設有一定科目，故稱「常科」。後一類制舉為選非常之才，隨帝王好尚而定，不拘常格，又稱「特科」。常科有秀才科、明經科、進士科、明法科、明書科、明算科等。秀才科因取士較嚴，有「舉而不第者坐其州長」的規定，自貞觀以後，漸漸無形廢止。另有俊士、一史、三史、三傳、開元禮、道舉、童子舉、弘文崇生舉等非常設科目。制舉科目繁多，有賢良方正直言極諫科、才識兼茂明於體用科、博通墳典達於教化科、識洞韜略堪任將帥科、不求聞達科、高蹈邱園科等百餘種。概括起來就是制舉與常科兩類。武則天時始設武舉。常科考試由尚書省屬禮部主持。於春季舉行，又稱「春闈」，主考官稱「考功員外郎」，後改禮部侍郎主掌。偶爾皇帝臨時委派中書舍人主持，稱「知貢舉」。每年考一次，對參加省試的舉子資格有許多規定。

省試及第後，還必須參加吏部試，又稱「釋褐試」或「關試」。釋褐是指脫去布衣，換上官服，意即做官。吏部試及格便可授官。吏部試內容有四：身（體貌豐偉）、言（言辭辯證）、書（楷法遒美）、判（文理優長）。凡通過吏部試，發給授官文憑，稱「告身」。進士初官九品。科舉考試的主要內容是《五經

正義》，但如史科、明經、明法、明書、明算等科，則考所習專業課程。錄取標準各有不同。考題分量、形式因科而異。答卷有口試、筆試之分，文體別有規定。錄取並不完全根據成績擇優，還要有知名人士向考官推薦獎譽。在所有的科目中，明經、進士二科最受重視。自高宗、武后至玄宗時期，進士科特被推崇，「縉紳雖位極人臣，而不由進士者終不爲美」。自進士科特受優崇之後，便成爲重要入仕途徑。進士科考中尤難，故唐時有「三十老明經，五十少進士」的謠諺流傳。科舉主要指進士舉，成爲唐代籠絡知識分子，選拔統治管理人才的重要手段。唐太宗曾面對科場而得意地說：「天下英雄，入吾彀中矣」。儘管考試辦法瑣細，手續煩雜，頗似嚴格，實際上唐朝的科舉制度很早就產生了請托、通關節、私薦或場外議定等現象和風氣，甚至有先定及第人的情況，科舉弊端日益嚴重。

## (八)宋

宋代科舉基本沿用唐制，更有許多重大改革。科舉取士的途徑，仍大體分三類：由太學選送的稱「學選」、由州縣貢入禮部的稱「常貢」、制舉率由舊章。從哲宗元符二年（1099）至徽宗宣和三年（1121）曾一度停止二十多年，即王安石實行變法期間，新法是在太學中頒行三舍法，分外舍、內舍、上舍。外舍優秀者升入內舍，內舍優異者升上舍，上舍上等可以不經殿試而直接授官，中等免省試，下等免鄉試。取士全歸學校。變法失敗後，科舉仍復舊觀。

宋初「常貢」有進士、九經、五經、開元禮、三史、三禮、三傳、學究、明經、明法等科，遠不如唐繁多。進士科仍受重視。神宗時，罷諸科，僅存進士一科。哲宗時，將進士科一分爲二；經義、詩賦兩科，分別考試。經義科以經義定取捨；詩賦科

以詩賦定去留。考選時，秋季取解，冬集禮部，春季考試，考取得中者在尙書省列名發榜，稱進士。制舉仍無定制和定額。宋朝稱制舉爲大科，時有停罷，間或舉行，應試者亦不踴躍。常科考試，宋初每年舉行一次，後改三年一次。除正科外，還設有恩科，恩科不定年。常科分州府試、禮部試和殿試三級。各州由判官試進士，錄事參軍試進士外諸科，禮部試也稱省試。主考官仍稱知貢舉，同知貢舉。宋太祖開寶元年（973），爲防止考試不公現象發生，正式建立殿試制度，在省試或稱禮部試後，由皇帝在殿廷主持最高一級考試，決定錄取名單和名次。殿試及第後直接授官，再不經吏部試。所有及第者均視爲「天子門生」。太宗太平興國八年（983）殿試後分三甲錄取放榜。眞宗景德二年（1005），三甲又分五等，分別賜予「及第」、「出身」、「同出身」等名義。一甲三名皆稱狀元。至南宋唯一甲第一名爲狀元。狀元禮遇最隆，賜紫囊、金帶、靴笏，鄉里立狀元額碑，州縣官設宴慶賀。

宋朝科舉取士多於唐朝，授官更爲優越。進士一等多數可授至宰相，因稱進士科爲宰相科。王安石反對科舉，認爲科舉決非取士良法，賢者未必能取，不肖者反倒借此舉進，主張廣興學校，爲國家多培養有用人才。南宋理學家朱熹也曾批評科舉「專務記覽爲詞章，以釣聲名取利祿而已」，純係「忘本逐末，懷利去義，而無復先王之意」。

### (九)遼、金

遼代不重視科舉，所設科舉專爲收籠漢人做官。太祖以後，中斷科舉幾十年，直至景宗保寧八年（976）始詔復南京禮部貢院。聖宗統和六年（988）正式恢復貢舉。貢舉基本採用唐制，每年舉行一次，錄取120人，最多不過70多人。自興宗重熙元

年（1032）起，始隔三年舉行鄉、府、省三級考試的制度。鄉試合格稱鄉薦，府試合格稱府解，省試合格稱及第。分詩賦、經義兩科，三年一試進士，按考取名次授官職。殿試第一名授奉直大夫、翰林應奉文字，第二、三名均授從事郎。

金朝的科舉考試，規定女眞族與漢人分科進行。女眞籍錄取人數較多，入仕之途比較容易。太宗完顏晟於天會元年（1123）曾第一次開科取士，次年二月又連續舉行兩次科舉，但開科無定，取士無定額，多草率從事。遷都燕京以後，始定三年一次貢舉。命題限於「五經」、「三史」正文，設有詞賦、經義、策論、律、經童、宏詞（制科）等科。前三科取爲進士，律科、經童科中取爲舉人。考試分鄉試、府試、會試、御試（殿試）四級。四級皆中，則授以官職。御試五次落選，則賜及第，稱做恩例。又有特命及第者，稱爲特恩。女眞籍舉子參加進士考試前，須先試射。宏詞科試詔、誥、章、表等文體。鄉試第一名稱解元，省試第一名稱省元，又稱會元，殿試第一名稱狀元。狀元例授翰林院應奉文字，官從七品以上。其它翰林官亦從進士及已仕者中選考，一般進士初授從八品官，三任始授縣令。進士禮遇優厚，應試控制極嚴，後期施行軍士監檢考場，不僅對私挾書籍的搜查甚嚴，而且有進入考場必須先沐浴更衣之舉。

## (十)元

元代仁宗皇慶二年（1313）始行科取士。蒙古人和色目人分爲一組，漢人和南人分爲一組。考試內容重經義而輕詩賦。經義從《大學》、《中庸》、《論語》、《孟子》中出題，以朱熹《四書集注》爲標準答案，開以朱注四書試士的先河。遂使程朱理學統治了元明清三朝的科舉，學校教育受到影響，必然以程朱學說爲內容進行教學。考試分鄉試、會試、御試三級。御試後，蒙古、色目人

為一組放榜;漢人和南人為一組放榜。第一名賜進士及第,授六品官;第二名以下及第二甲,授正七品,第三甲授正八品。所授官職,兩榜相同。如蒙古、色目人願試漢人、南人科目,中選者,加官一等。流官子弟願試中選者,優升一等。仿宋三舍升貢之制,從中央各國子學中,得貢士若干人,稱「貢生」。成宗大德八年(1304),規定從國子生中,蒙古、色目、漢人三年各貢一名。大德十年,規定從二百生員中,上述三種人各貢二名。至大四年(1311)復定國子學試貢法。具體為蒙古人授官六品,色目人正七品,漢人從七品。考試方法,對蒙古人較寬,色目人稍嚴,漢人最嚴。仁宗延祐二年(1315)始詳定貢生制度。

## ㈡ 明清

明清的科舉制度發展到登峰造極地步。兩朝大體相同,考試方法極為嚴密,為歷代所不及。反映仕途競爭愈演愈烈,弊端多方暴露,消極作用也日甚一日。學校教育純粹變為科舉制的附庸,思想受到禁錮,科舉發展受到局限。

學校既已成為科舉必由之路。國子監的學生稱監生,也是一種出身,無須科考,亦可得官。由是推行捐監,實際等於買官賣官。監生享有不受地方官吏管轄、免除徭役、不受笞刑、包攬詞訟等等特權。正式科考分鄉試、會試、殿試三級。明初監生可直接授官,有的則一開始便授予布政使、按察使、參政、參議、副使、僉事等要職。其後隨科舉制度的發展,會試落第的監生還可選授小京官,或授予府的佐僚及州縣的正官以及教授等職。清朝則多授予教授。明代落第舉人地位與監生略同。清朝選用舉人的辦法幾度更改,順治時規定,舉人會試三科不中的准予銓補知縣,一科不中的許就教職,以州學正、縣教諭錄用。雍正、乾隆年間,曾實行「明通榜」制,即在參加會試落第者卷內,選文理

通順的舉人補授出缺的學官，於正榜外續出一榜，稱明通榜。乾隆後又定大挑之制，即三科以上會試不中的舉人，取其中一等的以知縣用，二等的以教職用，由此途得官知縣者，稱大挑知縣。大挑，六年舉行一次，挑選標準，重形貌和應對。秀才不授官，可聘爲幕僚。明清兩朝的科舉制雖十分昌盛，但其流弊亦不可勝言。特別是以形式死板，束縛思想的八股文取士，是導致科舉制度衰退的重要因素。顧炎武《日知錄》云：「文章無定格，定一格而後爲文，其文不足言矣。唐之取士以賦，而賦之末流，最爲冗濫。宋之取士以論策，而論策之弊亦復如之。明之取士以經義，而經義之不成文。」（卷 16「程文」）清又甚於明代，足見八股文毫無價值可言，其流弊更甚於前。遂使天下千百萬舉子，競習八股濫調，以此作爲進身階梯。這是統治階級籠絡知識分子，束縛思想，維護封建專制統治的毒辣手段，誤人子弟，戕害人才，所謂「儒冠多誤身」。

選舉取士是我國古代重要選拔人才制度，各個朝代及一些帝王，都是根據當時的歷史條件，採取不同的制度和措施，用來維護統治階級利益，爲其統治服務的。從先秦的鄉舉里選，到兩漢的薦舉，經過魏晉的「九品中正」制，到隋唐科舉制度的建立，歷經宋元明清各代的完善發展，及至清末隨同封建制度一起退出歷史舞臺，均操在統治階級手裡。無論是選士或是科舉，措施不同，方式方法各有差異，但其本質，都是統治階級內部分配政治權利的辦法。科舉制要比選舉制進步，首先與門閥脫鉤，任官不問閥閱，打破士族壟斷政權的局面，加強了中央集權，擴大和鞏固了封建統治基礎，使官僚政治得以更新血液。若從另方面看，科舉制度實行，也促進學校教育發展，對傳播和發展文化科技有一定影響，使統治階級的統治思想得以普及於全國。即在特定的歷史條件下，有它積極的一面。此外，也積累了許多考試經驗，

如命題筆試、口試、抽籤、密封等方法，可以爲後世借鑒。

# 四、選舉、科舉名詞

## 【選士】

秦漢以前，推薦才能秀異的人做官，稱爲選士。《禮記·王制》：「命鄉論秀士，升之司徒，曰選士。」後來泛指選舉可以受官的士人爲選士。

## 【造士】

指學而有成之士。《禮記·王制》：「升於司徒者不征於鄉，升於學者不征於司徒，曰造士。」造，有成的意思，能習禮則爲成士。不征是不攤派徭役。《魏書·李訢傳》：「是以昔之明主，建庠序於京畿，立學宮於都邑，教國子弟，習其通藝，然後選其俊異，以爲造士。」造士可以被選舉爲官吏。

## 【秀士】

指才德優異之士，具有被選舉的資格和條件。《呂氏春秋·懷寵》：「舉其秀士而封侯之，選其賢良而尊顯之。」選士制度，經鄉舉里選，如任鄉官，必須以族人的評論爲基礎。如由諸侯貢之於天子，入大學學習，再由天子試其射藝，並授予一定官職。清代稱秀才曰秀士。

## 【俊士】

周代稱選取入學的人爲俊士。《禮記·王制》：「司徒論選士之秀者，而升之學，曰俊士。」後世用以通稱才智出眾的人。如

《荀子・大略》：「天下國有俊士，世有賢人」。

## 【命士】

西周時期，士屬貴族最低階層，凡經策命取得最低級爵位或授以最低級官職的士人，皆稱命士。古代命官受爵，用策書為符信，稱策命。《周禮・春官・內史》：「凡命諸侯及孤卿大夫則策命之。」即由內史把君主授官爵的命令寫在簡策上，是謂天子策命。

## 【選舉】

廣義指選賢擇能。《淮南子・兵略》：「選舉足以得賢士之心」。古代選舉指選士任官而言。科舉實行以前，官吏多以選舉任命，輔以考試。隋唐以降，科舉創興，選士屬禮部，包括考試分科和學校教育。任官屬吏部，掌管銓選與考績。正史之《選舉志》，即包括科舉考試和任官考官。

## 【察舉】

漢代選舉制的一種形式。有考察和推舉兩層意思。沿用古代鄉舉里選的說法，由侯國和州郡地方長官在各自轄區內隨時考察、選取人才，推薦給上級和中央，經過試用和考核，任命官職。主要科目有孝廉、賢良文學、茂才等科，為漢代重要出仕途徑之一。後來察舉孝廉又分操行、通經、明法、才略四科。賢良方正還經皇帝策問、對策、或射策等方式考核，開創分科考核的先例，繼而遂有隋唐分科考試的科舉制度。察舉弊病很多，大權操於地方官之手，借以營私，科舉制實行後，仍偶爾用之。

## 【徵辟】

亦稱「辟除」。徵是皇帝徵聘社會知名之士到朝廷充任要職；辟是「置府辟吏」，即高級官吏任用屬僚。徵辟是漢代選舉官吏制度的一種形式，或稱朝廷詔聘爲徵，三公以下請召爲辟。如《後漢書・蔡玄傳》：「學通五經，門徒常千人，共著錄者萬六千人。徵辟並不就。」又可解作上調。如《後漢書・霍諝傳》：「（宋光）位極州郡，日望徵辟。」

### 【孝廉】

漢代選拔官吏的科目之一。孝廉是善事父母、行爲清廉的人士，始於董仲舒的奏請。與賢良文學同由各郡國所屬吏民中薦舉，郡、國各舉一人。實際上多爲世家大族所壟斷，互相吹捧，弄虛作假。時有：「舉秀才，不知書；舉孝廉，父別居」的童謠流傳。一經舉爲孝廉，一般被任爲郎官。魏晉時，演爲「九品中正」制，爲豪門士族所把持，寒門素族不得薦舉爲上品。隋唐始廢孝廉科，僅存秀才科。明清時偶爾稱舉人爲孝廉，至清後期漸爲貢舉之一種。

### 【秀才】

別稱茂才、茂才異等。即優秀之士人。東漢避光武帝劉秀諱而改稱茂才。漢至唐初，均爲薦舉人才的科目之一。後爲一般讀書人的泛稱。唐時稱考進士科的舉子爲秀才。宋時泛稱應舉人爲秀才，明清時專稱府、州、縣學的生員爲秀才。

### 【賢良方正】

漢代選拔官吏的科目之一。賢良方正，意即品性賢良，行爲舉止端正。始於漢文帝時。爲詢訪政治得失，文帝詔「舉賢良方正能直言極諫者」（《漢書・文帝紀》），並親自策問，中選即授

官。武帝時，又「詔有司舉賢良文學士」（《漢書・晁錯傳》），簡稱賢良或賢良文學。名稱雖異，但性質無大區別。東漢光武帝初，賢良與方正分開提。以後仍提賢良方正。數次詔舉，為非常設制科，儒生往往借此取得入仕資格。

## 【貲選】

古代選拔官吏的方法之一。西漢時有貲五百萬錢以上的人可以為郎，自備車馬服飾，到京城長安等候政府選用，稱為「貲選」。如西漢張釋之「以貲為騎郎」。實際是以資財為選官的資格，還不等於用錢買官，但後世卻將出錢捐官的人稱為貲郎。

## 【貲郎】

漢魏時憑有一定家資而被選做官的人稱貲郎。

## 【制舉】

又稱制科。皇帝臨時設置的考試科目。始於西漢，盛於唐宋，與常科相對。漢代先由地方選舉送至中央，皇帝親自在殿廷特詔考試，應試者不限於未出仕的知識分子，在職的中下層官吏皆可應詔，旨在選拔非常人才。唐宋時，凡已應試進士、明經等科的舉子，無論中與未中，均可參加制舉，考試內容與時間，由皇帝臨時決定。制舉科目繁多，唐代多達百種以上。取中者即可授予較高官職。宋代制科不多，廢置無常。高宗以後設博學鴻詞科。明清沿襲。清有孝廉方正科、經濟特科等。又殿試因例由皇帝策問，所以殿試一般亦稱制舉。

## 【對策】

古代考試方法之一。凡選舉制被薦舉的人，科舉制應舉的

人，一般由皇帝主考，將政事或經義方面的問題，寫在簡策上，應試者按問題做出答案，稱爲對策。或曰回答策問稱對策。如《史記・平津侯傳》：「太常令所徵儒士各對策，百餘人，（公孫）弘第居下。」至清代，指參加殿試者對答皇帝的策問。

## 【策問】

皇帝對應制舉或殿試者進行口試，提出政事或經義方面疑難問題，稱爲策問。回答策問即稱對策。如西漢文帝時的晁錯，武帝時的董仲舒，皆以回答賢良科的策問而著稱，史稱賢良對策。

## 【射策】

古代考試方法之一。始於漢代，主試者（多由皇帝）將政事或經義方面的問題，書寫在簡策上，按問題大小難易分爲甲乙科，列置案上，不使試題暴露，應試者任意抽取簡策，作出解答，稱爲射策，射有投射中的之意。

## 【九品中正】

又稱九品官人法。魏晉時期，統治者爲維護世族特權，而採取新的官吏選拔制度。漢獻帝延康元年（220），曹操死，曹丕嗣位魏王，採納吏部尚書陳羣的建議，各州郡置中正官。將州郡士人，定高下等第，按才能評爲上上、上中、上下、中上、中中、中下、下上、下中、下下九品，每十萬人舉一人，由吏部授予官職。品評原則以「家世」爲重，選舉結果是「上品無寒門，下品無世族」。高品做大官，低品做小吏。此種制度成爲世族豪門操縱政權的工具。隋開皇年間廢除，爲科舉考試制度代替。

## 【科舉】

　　古代考試制度。隋文帝開皇年間廢除「九品中正」制，實行科考，又稱「開科取士」。煬帝大業二年（606）始設進士科。唐代除設進士科外，又增設秀才、明經、明法、明書、明算、一史、三史等科。武則天始設武舉。因分科取士，故稱科舉。考試內容，基本是儒家經典，因科專業而異。宋以後專解儒家經義。明清以「四書」文句爲題，文章限用八股文，解釋必據朱熹的《四書集注》。分級考試，即鄉試、會試、殿試三級。元明清三代略有變異。清除有上述三級考試外，另行地方主持的縣試、府試、省試三級。考試只給予出身，即做官資格，經吏部試後，方可授官。但基本以科考得官。至光緒三十一年（1905），推行學校教育，科舉遂廢。

### 【科目】

　　科舉名目。科舉是分科考試，科的名目繁多。唐制有秀才、進士、明法、明字、明算等，見於史載者五十餘科。又有大經小經之目，故稱科目。所試科目，大體與當時學校設置課程，所習專業相一致。既是分科考試，因而也是分科教學，考科與學科一致。既是考科，又是學科。如儒學、玄學、文學、算學等。

### 【科名】

　　即科目名稱。因科舉以分科取士，嘗謂某人以某科及第。如進士及第、明經及第。亦可泛指科舉及第。如唐杜牧《樊川集》18卷：「或以吏理進官，或以科名入仕。」唐代科舉以進士科爲上，學究科爲下，時謂「好及第，惡科名」，此又專指學究科。

### 【科甲】

　　漢唐取士無論選舉或科舉，考試皆分甲乙丙等科，宋代殿試

又分一甲、二甲、三甲錄取。後世因通稱科舉爲科甲。亦兼有名列前茅的意思。明清特指由舉人和進士入仕者爲科甲出身。

### 【科第】

選舉制時，原爲根據法令條規而品定人才次第等級。如《漢書·元帝紀》永光元年（前43），「詔丞相、御史舉質樸、敦厚、遜讓、有行者，光祿歲以此科第郎、從官。」即每歲依此四科考校，品定人才高下而授官。科舉制實行後，又指科舉登第。如唐白行簡《李娃傳》：「今秀士苟獲擢一科第，則自謂可以取中朝之顯職，擅天下之美名。」

### 【科場】

科舉考試的場所。引申爲考試或科舉。

### 【科試】

科舉分科考試稱科試。清代所命各省學政官，主持的鄉試亦稱科試。

### 【歲考】

亦稱科考、歲試。明清鄉試前的預試。歲考合格者方可參加鄉試。明代由提學官主試。《明史·選舉志》：「提學官在任歲，兩試諸生，先以六等試諸生優劣，謂之歲考。」清代由各省學政官主試。清初實行六等淘汰辦法，即一、二、三等有賞，四等以下有罰，或免除參加鄉試資格，道光以後稍寬，一般只評一、二、三等，四等絕少。因鄉試三年一次，歲考（歲試）亦三年一次。

## 【歲試】

漢代注重太學考試，西漢每年一試，稱歲試。清代對生員三年一次考試稱歲試。詳見「歲考」。

## 【科考】

見「歲考」。

## 【策括】

為應付科舉考試，模擬歷屆試題，而私纂的類似問題解答提要。宋蘇軾《議學校貢舉狀》：「近世士人纂類經史，綴緝時務，謂之策括。」雖編選諸多條目，解答詳盡，然弊病很多，「臨時剽竊，竄易首尾，以眩有司」，造成巧取名譽，不務實學、投機僥倖的不良之風。

## 【策學】

與策括同樣為應付科舉考試而編輯的短文集。《新唐書·薛登傳》：「煬帝始置進士科，後生復相馳競，赴速趨時，絹綴小文，名曰策學。」是一種以虛浮為貴，不務實學的考試風氣。

## 【策試】

漢代選舉考試方法，即以對策、射策考選人才稱策試。對策用於特殊薦舉，往往皇帝親臨考問，又稱策問。射策創始於武帝，多用於太常受業博士以後的考試。《後漢書·徐防傳》：「伏見太學試博士弟子……每有策試，輒興諍訟，議論紛錯，互相是非。」所言是考博士弟子的策試方法。隋唐以後，制科考試亦實用對策，射策方法，亦屬策試。

## 【策論】

科舉考試項目。宋慶曆後科考項目有經義、詩賦、策論。應試者按問題逐條對答，議論政務時事，提出見解和措施。

## 【明經】

科舉考試科目名。指通解經義而言。有能通五經、三經、二經、一經者，各成一目。應一經考試者稱學究。清代稱貢生亦曰明經。

## 【學究】

唐代科舉考試科目名。通一經而考取者稱學究。所謂「通」，往往只憑記誦經文，未必融會貫通。故世俗重進士而輕學究。宋神宗時廢除此科。後世漸轉為對書生的通稱，也指食古不化，咬文嚼字一類的文人。

## 【武科】

科舉考試科目名。專為選拔武官而設。始於唐武則天時，又稱武舉。分別考試長垛、馬射、步射、平射、筒射、馬槍、翹關、負重和評品身材等。宋代有武舉、武選，先試騎射，以射定高下。明成化十四年（1478）始設武鄉試、武會試。武舉六年一試，先策略，後弓馬。後改三年一試。崇禎四年（1631）始行武殿試。清由兵部主武會試，督撫主考武鄉試，武科試分別由各省學政主持。外場考弓箭技術，內場考試兵法理論，實際只要默寫《武經》而已。所試級別和參試資格以及錄取名目，與文舉同，只冠以「武」字，如武院試、武童生、武狀元。

## 【武舉】

即武科的別稱。又爲武舉人的簡稱。詳見「武科」條。

## 【解元】

又稱鄉元。科舉考試，鄉試錄取第一名稱解元。唐代舉進士者皆由地方解送入試，因有此稱。

## 【童子科】

又稱童子舉。唐宋時特設科目之一。唐制十歲以下能通經者，宋制十五歲以下能通經作詩賦者，經考試合格後給予童子科出身並授官。

## 【孝悌力田】

漢代選拔官吏的科目之一。始於惠帝。名義是選薦有孝悌德行和努力從事農耕者，中選者受賞賜，免除一切徭役。實則擴大封建統治基礎。孝悌力田與三老同作鄉官，掌管教化，魏晉時廢。

## 【孝廉方正科】

清代特設制科之一。漢代有孝廉和賢良方正兩科，清合二而一。雍正時，由督撫薦舉孝廉方正，授予六品頂戴。乾隆後，由地方官保舉，送經吏部考察，合格者授以知縣等官。

## 【狀元】

科舉制殿試第一名。唐代舉人赴京應禮部試，都必須投狀，送上自己的作品和自我介紹，因稱第一名爲狀頭。因是殿試一甲第一名，亦稱殿元。又因居鼎甲之首，又稱鼎元。爲科名中最高榮譽，常任命爲翰林院修撰。

## 【狀頭】

即狀元。此稱早見於唐代，李翱之女閱盧儲文卷，認爲盧必中狀元。李翱擇盧爲婿。後盧果狀元及第。成婚之日作《催妝詩》云：「昔年將去玉京遊，第一仙人許狀頭。今日幸爲秦晉會，早教鸞鳳下妝樓。」

## 【榜眼】

科舉制殿試一甲第二名。北宋初，殿試一甲二、三名皆稱榜眼，意爲榜中雙眼，後專屬第二名，第三名稱探花。一般授翰林院編修。

## 【探花】

科舉制殿試一甲第三名。唐代殿試發榜後，及第進士要在長安慈恩寺題名，俗稱雁塔題名。並於杏園舉行「探花宴」。宴席上，以少年俊秀者二三人爲探花使，遍遊名園，折取名花。探花之稱始於此。宋代又稱探花郎。南渡後，專指殿試一甲第三名爲探花。元明清三代沿襲，常授翰林院編修。

## 【鼎甲】

科舉制殿試前三名稱一甲，第一名稱狀元，第二名稱榜眼，第三名稱探花，以三者喻鼎之三足，故稱鼎甲。

## 【傳臚】

傳臚本漢代官名。取臚字上傳語告下之義，宋代科舉唱傳殿試登第姓名，稱傳臚。《明史‧選舉制》：「會試第一爲會元，二三甲第一爲傳臚。」然世多僅稱二甲第一名爲傳臚。

## 【進士】

本意指貢舉人才，以受官爵。始見《禮記・王制》：「大樂正論造士之秀者，以告於王而升諸司馬，曰進士。」隋唐均設進士科，考中者稱進士。再經禮部試或吏部試即可授官。進士科在唐代諸科中最被重視。歷代相襲成俗。明清時，凡舉人經會試考中為貢士，貢士經殿試賜出身者為進士。殿試一甲三名稱賜進士及第、二甲稱賜進士出身、三甲稱賜同進士出身。

## 【進士科】

科舉制選拔官吏的科目之一。隋初廢除九品中正制，煬帝大業二年（606）始置進士科，為科舉制創立之始。唐代漸趨完備，尤以此科為貴，玄宗時，平均每年錄取進士約三十人。進士科平均每百人有一兩人得第；明經科平均每十人有一兩人得第。考中明經、進士較難，故有「三十老明經，五十少進士」的諺語。宋以後，漸為科舉唯一科目。凡舉人都可在禮部入試，合格者賜進士及第，或賜進士出身、同進士出身。進士科重文辭，考試以詩賦為主，詩賦題目和用韻，都有一定程式，詩多用五言六韻，又稱試帖詩。唐代稱應進士科考試者為進士；明清兩代稱貢士經殿試中取賜出身者為進士。

## 【舉人】

初意為選用人才。《左傳・文公三年》：「君子是以知秦穆公之為君也，舉人之周也。」引申為應舉之人。漢代詔令郡國首相薦舉人才，故謂之舉人。章帝建初元年（76）詔：「每尋前世舉人貢士，或起畎畝。」舉人身份之稱始見於此。實行科舉制後，唐代各地鄉貢入京應試者通稱舉人。明清演為鄉試取中者的專稱，成為一種出身資格。俗稱「老爺」或孝廉，可不經會試或會

試不第而直接入仕，授以知縣、教諭、教習、史館謄錄等職。

### 【舉子】

俗稱科舉應試的士子。

### 【鄉試】

最初一級的科舉考試。科舉考試分三級：一鄉試、二會試、三殿試。明清兩代，每三年考試一次，在京城和各省城舉行。由皇帝派正副主考官主考。清代參加鄉試的舉子，須是通過本省學政巡迴科考，成績優良的秀才（或稱庠生）。取中者稱舉人。第一名稱解元。鄉試通常於秋季舉行，又稱秋闈，或秋試。逢「子、午、卯、酉年」分三場，為正科。其它遇慶典加科稱恩科。考試內容為「五經」、「四書」、策問、試帖詩、八股文等。

### 【大比】

泛指科舉考試。《明史‧選舉志》：「三年大比」。意即三年考試一次。一般稱大比之年。

### 【秋闈】

鄉試以秋八月舉行，因稱秋闈。

### 【春闈】

唐代常科考試在春季舉行，考場曰闈，故稱春闈。明清會試也在春季舉行，也稱春闈或春試。

### 【會試】

科舉制二級考試。《明史·選舉志》：「鄉試……次年，以舉人試之京師，曰會試。」明清時每三年一次在京城舉行，一般規定在鄉試後第二年春天，禮部主持，因又稱禮部試、禮試、禮闈、或春試、春闈。別於鄉試，逢辰、戌、丑、未年稱正科。如前年鄉試遇有慶典加科稱恩科，則次年會試又稱會試恩科。由皇帝特派正副總裁任主考官。各省鄉試所選出的舉人皆可應考。一般要進行複試。考試內容主要是八股文和試帖詩。考期初定二月，後改三月。分三場舉行。考中後稱貢士，第一名稱會元，錄取後始得參加殿試資格。唐代進士考試由吏部考功員外郎主持，後世由尚書省禮部侍郎主持，科舉遂為禮部職司。因由尚書省主持，又稱省試。

### 【禮部試】

參見「會試」。

### 【省試】

參見「會試」。

### 【會元】

科舉制鄉試選中者稱舉人，到京參加會試，取中稱貢士，第一名稱會元。

### 【殿試】

科舉制最高級考試。會試以後，由朝廷對所錄取的貢士，在殿廷上親自策問，也稱廷試。《明史·選舉志》：「會試……中試者，天子親策於廷，曰廷試，亦曰殿試。」唐武則天時始行，歷代相沿至清末廢。

## 【進士及第】

科舉考試賜給殿試一甲的出身稱號。

## 【進士出身】

科舉考試賜給殿試二甲的出身稱號。

## 【同進士出身】

科舉考試賜給殿試三甲的出身稱號。

## 【縣試】

清代由各縣主持的科舉考試。考期多在二月。應試者先向本縣禮房報名，填寫姓名、籍貫、年齡、三代履歷，並取得本縣廩生保結，方可應試。通常考五場，分別試八股文、試帖詩、經論、律賦等。錄取後才有參加府試資格，爲選拔官吏的一種預備考試。

## 【府試】

清代由府（或直隸州、廳）主持的科舉考試。考期多在四月。應試對象是所屬各縣經縣試錄取的舉子。報名手續與縣試略同。府試錄取始得參加上一級院試資格。又稱府考。

## 【院試】

清代由各省學政主持的考試。應試對象是府試錄取的舉子。因學政又稱提督學院，故各行省的考試稱院試。又因學政也稱提學道，故沿稱院試爲道考。報名參試手續與縣試、府試略同。考試地點，選在學政所在駐地；邊遠府（廳）縣，分期案臨考試。先副試，後正試，錄取者稱生員，揭曉名次稱「出案」。再分送

府、縣學宮，稱爲入學。

## 【童生試】

明代由提學官和清代由各省學政所主持的地方科舉考試，包括縣試、府試和院試三個階段。只有經院試合格取得生員（秀才）資格，送入府、縣學宮稱爲入學，所以又稱三級考試爲入學考試。三年內考兩次。遇「丑、未、辰、戌」年爲歲考，「寅、申、巳、亥」年爲科考。應試者不分年齡大小，都稱童生，或稱儒童，文童。這種考試又稱童試、小考、小試、小場。

## 【童生】

明清科舉考試，凡應考生員（秀才）之試者，無論年齡大小，皆稱童儒，或文童，俗稱童生。

## 【諸生】

指儒生。《史記・曹相國世家》：「（曹）參盡召長老諸生，問所以安集百姓。」又泛指衆弟子。唐韓愈《昌黎集・進學解》：「國子先生晨入太學，召諸生立館下。」明清時，經省各級考試錄取入府縣學宮學習者稱生員。生員有廩生、增生、附生、例生等名目，統稱諸生。

## 【廩生】

科舉制生員名目之一。明代府學生員四十人，州學生員三十人，縣學生員二十人。是爲定額，每人每月供給廩膳米六斗。《明史・選舉志》：「（生員）初設食廩者謂之廩膳生員。」後簡稱廩生。清沿明制，名額待遇視州、縣大小而定。廩生可依次升入國子監，稱歲貢。

## 【增生】

科舉制生員名目之一。超正額以外的生員，稱增廣生員，簡稱增生。不享受廩膳米待遇。清沿明制，增生經歲試、科試兩次考試成績優秀者，可取得廩生名義，但無廩生待遇。因其成績較好，資歷較深，亦稱補廩。

## 【附生】

科舉制生員名目之一。明代府、州、縣學的生員皆有定額或曰正額。正額生員，享廩膳米供給，稱廩生。正額之外，增加名額不享廩膳米，稱增生。後來增而又增，謂附學生員。《明史·選舉志》：「於額外增取，附於諸生之末，謂之附學生員。」簡稱附生。清代沿襲。

## 【庠生】

明清時府、州、縣學生員的別稱。

## 【監生】

明清時入國子監肄業的統稱監生，由提學官或學政考取，或地方保送，或皇帝特許，或捐資均可取得入監資格。《明史·選舉志》：「入國學者，通謂之監生。舉人曰舉監，生員曰貢監，品官子弟曰蔭監，捐資曰例監。」明代監生可以直接授官，如果未入府、州、縣學而想應鄉試，或未得科名而想入仕者，都必須先捐監生，作為出身，即當官的資格。可見捐監者，不一定在監習課，凡買監生資格者，多為做官而捐。清代亦如是，落第監生多授教職。

## 【舉監】

　　科舉制監生名目之一。明清時以舉人資格入國子監讀書稱爲舉監。詳見監生條。

### 【貢監】

　　科舉制監生名目之一。明代以貢生資格入國子監讀書者，稱貢監。貢監又分歲貢、選貢、恩貢、納貢。清代沿襲。

### 【蔭監】

　　科舉制監生名目之一。明清時有品級的官員子弟不經考試而取得監生資格者，稱蔭監。《清史稿・選舉志》：「蔭監有二：曰恩蔭、難蔭。」恩蔭是指逢皇家慶典時賜予京官四品以上，外官三品以上，武官二品以上官員的監生資格。難蔭是指其先代爲國殉職的官員而賜予給子弟以監生資格。

### 【例監】

　　科舉制監生名目之一。明代始於景泰六年（1455），以邊事需要，令天下納粟納馬者可以入監讀書，開捐納財物買取監生資格之先例，固稱例監，亦稱捐監。清代沿襲明制。

### 【恩監】

　　科舉制監生名目之一。清代由皇帝特許給予監生資格者，稱爲恩監。

### 【貢生】

　　本指人才貢獻給皇帝。明清時生員如考選入京師國子監，稱貢生。貢生有多種名目。《明史・選舉志》：「有歲貢、有選貢、有恩貢、有納貢。」《清史稿・選舉志》又多拔貢、優貢、副貢、

例貢。包括通過考試，地方選送、擇優保送以及捐納財物等手段和途徑而取得貢生資格，也就是取得監生資格和做官資格。

## 【歲貢】

科舉制由廩生依次升入國子監生稱歲貢。既是監生名目之一，又是生員名目之一。是古代諸侯國每年向中央政權推選人才的制度。如《漢書・食貨志》：「諸侯歲貢少學之異者於天子，學於太學，命曰造士。」明清沿襲歷史傳統，每年從府、州、縣學中選送年資長久的廩生，升入國子監肄業，稱為歲貢。《明史・選舉志》：「貢生入監，初由生員選擇，既命各學，歲貢一人，故謂之歲貢。」《清史稿・選舉志》：「歲貢，取府、州、縣學食廩年深者，挨次升貢。」別稱歲進士，又稱挨貢。

## 【選貢】

科舉制生員經考選而升為監生者稱選貢。《明史・選舉制》：南京祭酒章懋「乞於常貢外令提學行選貢之法。」即明代於歲貢之外，考選生員充貢入監，選貢由此始。清實行拔貢。

## 【恩貢】

科舉制由生員升為監生的一種。明清時凡遇皇帝登極或其他慶典，頒布為「恩詔」之年，是年除按常例歲貢之外，加選一次，稱為恩貢。《明史・選舉制》：「恩貢者，國家有慶典或登極詔書，以當貢者充之。」清沿明制。

## 【納貢】

科舉制由生員升為監生的一種。明清時，凡由生員納捐而取得貢生資格者稱納貢。

### 【拔貢】

科舉制由生員貢爲監生的一種。清代由各省學政主持，從生員中考選，擇優保送，又稱拔貢生。清初規定六年一次，乾隆七年（1742）改爲十二年（逢酉年）選考一次。名額，府學限二名，州、縣學限一名。考試分兩次進行，先赴會考，優等再赴朝考。入選者，一等可直任七品京官，二等任知縣，三等任教職。不合格者罷歸，稱廢貢。

### 【優貢】

科舉制由生員升爲監生的一種。清制每三年由各省學政從儒學生員中考選一次。每省數名。亦無錄用條例。同治中曾規定優貢經廷試後可錄任知縣，但非常制。

### 【副貢】

科舉制鄉試取爲副榜，可以充貢生，稱副貢。

### 【例貢】

科舉制由生員升監生的一種。凡生員未經考選而援例納捐，取得貢生資格而入爲監生的叫例貢。雖非正途，總可做官。《清史稿・選舉志》：「由廩、增、附生或俊秀監生援例報捐貢生者，曰例貢。」

### 【五貢】

清科舉制五種貢生的總稱。包括恩貢、拔貢、副貢、歲貢和優貢。《清史稿・選舉制》：「恩、拔、副、歲、優，時稱五貢。」均作正途出身資格。唯捐納而得貢生資格，在五貢之外。

## 【優監】

科舉制由附生直升入為監生者，稱優監。

## 【副榜】

科舉考試，正榜外附加榜示。亦稱備榜。明淸兩代，鄉試會試，均在正榜之外，另發備榜，表示除正卷外，另取若干名。鄉試副榜始於嘉靖，按規定正榜五名，副榜一名，名爲副貢，不得參加會試，下科仍可應鄉試。會試副榜始於明永樂，中副榜者不得參加殿試，准下科再應會試。

## 【金榜】

科舉制，殿試後揭曉錄取名次的佈告。取中皆稱進士，又稱進士榜，或甲榜。因用黃紙書寫，又稱黃甲。多由皇帝點定，俗稱皇榜。中進士，稱金榜題名。唐鄭谷《贈楊夔》詩：「看取年年金榜上，幾人才氣似揚雄。」

## 【生徒】

科舉制稱學校出身的舉子爲生徒。舊時學校也稱受業的學生爲生徒。

## 【鄉貢】

科舉制，省試、殿試中，由州縣考送而來的舉子稱鄉貢。

## 【常科】

科舉制度爲設科考試，所開設的科目有定制的爲常科。如唐代的進士科、明經科等。與不定的制科有所不同。

## 【出身】

為科舉考中者所規定的身分、資格。唐代中禮部試者稱及第，中吏部試者稱出身。宋代稱中殿試一甲三人曰賜進士及第；二甲曰賜進士出身；三甲曰賜同進士出身。明清時經科舉考試選錄者稱正途出身。

## 【三元】

科舉考試以名列第一者為元。鄉試第一名稱解元，會試第一名稱會元，殿試第一名稱狀元。統稱三元。

## 【連中三元】

譽稱連續考中解元、會元、狀元謂連中三元。

## 【經義】

科舉考試規定答卷所用文體之一。以儒家經書中文句為題，應試者作文闡明其中義理。其制始於宋代，規定必須依據朱熹《四書集注》作題。明清以後，逐漸形成固定格式稱八股文體。並限定字數。

## 【制義】

明清時科舉考試答卷所用文體名，也稱「制藝」，即八股文。文章作法略仿宋代經義篇章，擬古人語氣，即所謂代聖賢立言。每篇規定由破題、承題、起講、入手、起股、中股、後股、束股八部分組成。並規定後四股必須形成排比對偶句式，形式死板，束縛思想，不准自由發揮。又稱時藝、時文、八比。

## 【八股文】

即制藝，或稱時藝，例如《清史稿・選舉志》：「科舉之法不同，自明至今，皆出於時藝。」詳見「制藝」條。

## 【帖括】

科舉考試答卷所用文體名稱。唐代舉明經科以「帖經」試士。《文獻通考・選舉二》：「凡舉司課試之法，帖經者，以所習之經，掩其兩端，中間唯開一行，裁紙為帖。」後來，應試者多，考官常選偏僻章句為題，考生便總括偏僻隱幽的經文，編成歌訣，死背硬記，例如《新唐書・選舉志》說：「明經者但記帖括」，應付考試。明清時，八股文也稱帖括。

## 【墨卷】

科舉考試，試卷名目之一。明代鄉試、會試、考場內應試人答卷一律用墨筆繕寫，《明史・選舉志》：「考試者用墨，謂之墨卷。」

## 【硃卷】

科舉考試，試卷名目之一。明清時，為嚴防科場舞弊，防備考官辨識考生筆迹，凡鄉試、會試考場內，應試者本人的原卷，即墨卷，須由謄錄人用朱（硃）筆謄寫，只編號碼，不寫姓名，送給評卷官批閱，謄寫的試卷稱朱卷。又考中者把自己的答卷刻印送人，也稱硃卷。

## 【總裁】

考試官名。清代簡派主持會試的大臣，負責總閱試卷，決定取中名次。多以大學士或官品在一二品的翰林進士出身的職官充任。初為四至七人，後簡為四人，以為常制。

## 【主考】

科舉考試官名。主持鄉試考試。明代由朝廷選派，負責總閱試卷，分別去取，核定名次，並將取中者名單及試卷報奏皇帝。清沿明制。主考名額，明代每省限二人，清代每省亦限二人，分正副職。

## 【座主】

唐代進士科考試稱主試官爲座主。

## 【座師】

明代舉人、進士稱主考官或總裁官爲座師。清代沿用。

## 【同考官】

明代鄉試、會試協同主考官或總裁閱卷官之官職稱同考官。名額，鄉試限四人，會試限八人。因在闈中各居一房，又稱房考官，簡稱房官、房考。試卷先經同考官初閱，加以批語，薦送主考或總裁批閱。

## 【簾官】

科舉考試之監考官。明代鄉試、會試科場有內簾、外簾之分，分別監督考場，統稱簾官。清沿明制。

## 【監臨】

鄉試之監考官稱監臨。《清史稿·選舉志》：「以大員統攝場務，鄉試曰監臨。」大員者，如順天府以府尹任，各省初以巡按御史或巡撫擔當。除正副主考官、同考官外，全考場辦事人員，統歸監臨調派監督。掌受卷、彌封、謄錄、對讀、收掌、印卷等

事。

自漢代起，同年被舉爲孝廉者稱同年。科舉實行後，又稱同科考中者爲同年。唐代以同舉進士爲同年。明清時，鄉試、會試同時考中者亦稱同年。

科舉考中者對主考官自稱門生。

科舉稱同科考取秀才者爲同案。

科舉登第人員的記錄或名冊。又名登科錄。唐代稱考中進士名冊爲「登科記」。宋代稱「題名錄」。詳載鄉試、會試考中人數、姓名、籍里、年齡，以及主考官以下官職姓名，三場考試題目，中舉名次等。

記錄同科考中的人名冊。始於宋代，有《紹興同年小錄》。清代鄉試、會試發榜後，凡同時考中者編刊一冊，有以名次爲序，亦有按年齡長幼爲序者。

科舉考試，一種糊名考試方法。爲嚴防主考官或同考官辨識考生姓名而徇私舞弊，故將試卷姓名彌封。《宋史·選舉志》記

載：宋代太宗雍熙時，規定殿試試卷糊名。眞宗詔令禮部試一律糊名，以爲常制，也稱糊名。

（邴玉喜、樂兆玉）

# *9* 謚號與謚法

## 一、謚法概述

### (一)謚號

　　古代的皇帝、王公大臣以及士人，除了自己的名、字、號，還有所謂謚號（通常只稱「謚」）。有的甚至以謚號傳世，而其本名反而不大爲人所知。如春秋時期的「五霸」：齊桓公、晉文公、秦穆公、宋襄公、楚莊王，這些都是謚號。歷代帝王也是如此，如漢武帝（簡稱，本爲漢孝武帝）、唐玄宗、宋神宗等，人們也都習慣稱謚。還有很多人的文集，也用謚號來題名，如范仲淹有《范文正公集》，歐陽修有《歐陽文忠集》，朱熹有《朱文公集》等。謚號是死後才有的，《逸周書‧謚法解》上說：「謚者，行之迹也。」就是說，謚號是對死者生前事迹的概括，這似乎有點蓋棺論定的味道。

### (二)謚法的起源

　　謚法起源於周。《逸周書‧謚法解》說：「維周公旦、太公望，開嗣王業，建功於牧之野。終將葬，乃制謚，遂敍謚法。」因此相傳，謚法是周公創造的。到了秦始皇統一六國，他認爲「太古有號毋謚，中古有號，死而以行爲謚。如此，則子議父，

臣議君」（《史記・秦始皇本紀》），因而廢除諡法。實際上，他是怕死後得不到好的評語才廢除諡法的。但是，漢朝仍然恢復了諡法，並且一直到清代沿用不廢。王國維 1927 年自沈昆明湖，早已被推翻的清小朝廷還賜給他「忠愨」的諡號。似乎可以說，諡法制度是與中國幾千年封建制度相始終的。

諡法產生於周代，其適應了皇權在政治上忠君敬上的統治思想，反映了封建專制的等級差別和尊卑觀念。臣下只有生前盡忠盡職，死後才能得到一個好的名聲（諡號）。所以，諡法是爲封建統治階級的根本利益服務的；因之，它成爲中國封建社會千古不易的一種政治制度。

### (三)美諡與惡諡

諡法制度的建立，最初的目的是希望通過表彰善行，懲罰惡行，起到「美刺」的作用（鄭樵認爲最初沒有惡諡）。《古史考》說：「諡禮，待葬而諡，所以尊名也。其行善善惡惡爲諡，所以勉爲善也。」（見《藝文類聚》卷 40）《五經通義》也說：「諡者，死後之稱，累生時之行而諡之。生有善行，死有善諡。所以勸善戒惡也。」（同上）一般說來，諡號有美、惡之分。如「經天緯地曰文」、「克定禍亂曰武」、「危身奉上曰忠」、「善事父母曰孝」、「清白守節曰貞」、「正己攝下曰肅」等都是美諡；「雍遏下達曰幽」、「殺戮無辜曰厲」、「好樂怠政曰荒」、「華言無實曰誇」等都是惡諡。但也有一些諡號是既不美，也不惡，而是表示哀憫同情的，如「中年早夭曰悼」、「未家短折曰殤」、「在國逢難曰愍」等。例如漢有「殤帝」劉隆，唐有「哀帝」李柷，都是因爲短命而有此諡。

《逸周書・諡法解》說：「大行受大名，細行受細名。行出於己，名生於人。」可知最初還是要根據生前品行功德的大小優劣

認眞審議評定的。大約在唐以前，諡號還是具有一定的褒貶作用。但到了宋以後，幾乎就只有美諡，而無惡諡了，諡法也就因此而徒具形式。如帝王的諡號就是一味稱頌，名不副實。宋欽宗是亡國之君，靖康之變，被金兵俘虜，狼狽不堪，死後反而得到「威儀悉備曰欽」的美諡。明神宗更是敗國之君，而其諡卻是至高無上的「神」。由此可見，諡號總是帶有統治階級的立場和觀點，而且，往往是十分虛假而不可信的。

## （四）單字諡與複字諡

最早的諡號本來只用一個字，如文、武、恭、定、成、康等，每個字都有它一定的內涵。後來發展到兩個字，大約是覺得一個字不足以概括其生前行迹，就用兩個諡號合起來作爲一個諡號。如唐顏眞卿諡「文忠」、虞世南諡「文懿」、李靖諡「景武」、尉遲敬德諡「忠武」等，都是複字諡。也還有三個字的諡號，《禮記・檀弓下》記載：「（衞）公叔文子卒，其子戍請諡於君，曰『日月有時，將葬矣，請所以易其名者。』君曰：『昔者衞國凶饑，夫子爲粥與國之餓者，是不亦惠乎！昔者衞國有難，夫子以其死衞寡人，不亦貞乎！夫子聽衞國之政，修其班制以與四鄰交，衞國之社稷不辱，不亦文乎！』故謂夫子貞惠文子。」兩個字以上的諡號也往往省稱一個字，如貞惠文子只稱公叔文子（公叔是其氏），秦惠文王只稱秦惠王，漢孝武帝只稱漢武帝，蜀漢諸葛忠武侯只稱諸葛武侯。

## （五）請諡、議諡、賜諡

諡號一般是在死者將葬之時議定的，臣下必須經過親友向朝廷請諡，然後經過朝臣議諡，奏報皇帝，最後由皇帝批准賜諡這樣幾道程序。《唐會要》卷79《諡法上》記載：「諸職事官三品以

上，散官二品以上身亡者，佐史錄行狀申考功。考功責歷任勘校，下太常寺擬謚訖，復申考功，於都堂集內省官議謚，然後奏聞。」議謚的時候，常會遇到反駁意見，叫「駁謚」。遇到這種情況，往往要經過多次反覆，才能最後定奪。

## (六)改謚

改謚就是對原謚加以更改。有些謚號或者不足以表彰死者的功德或者評價失當，與生前行迹名實不副，則要加以改謚。《唐會要》卷 80《謚法下》「繆」字條下「贈司空留國公封德彝」，後面有一段附注文字：「太宗初謚曰『明』。後治書侍御史唐臨追駁曰：『包藏之狀，死而後發，猥加贈謚，未正嚴科。』太宗令百官詳議。民部尚書唐儉等議曰：『罪暴身後，恩結生前，所歷之官，不可追奪，請降贈改謚。』詔從之，乃謚曰『繆』。」這便是改謚的例子。

## (七)追謚

追謚是對已故前賢或王公大臣追加謚號。例如漢追謚孔子為「褒成宣尼公」；唐追謚孔子為「文宣」、周太公為「武成」；唐睿宗景雲二年追謚上官婉兒為「惠文」等等。

## (八)私謚

私謚是與朝廷賜謚相對而言的。一般是指沒有官職或官職低微的文人儒士死後，他的學生或朋友贈送的謚號。例如東漢夏恭卒，諸儒共謚為宣明君；陳寔卒，海內赴弔者三萬餘人，共謚為文範先生；東晉陶淵明卒，顏延之為他作誄，謚為靖節徵士；元末吳萊卒，他的學生宋濂等議謚為淵穎先生，並解釋這兩個字的含義是「經義元深為淵，文詞貞敏為穎」。

# 二、歷代諡法用字薈編

諡法用字的資料，最早見於《逸周書·諡法解》，共收諡字108 個。此後，歷朝諡字不斷增多。到了宋代，蘇洵著《諡法》4卷，這是一部集大成的諡法專著，共收諡字168 個。鄭樵《通志·諡略》收諡字210 個（只列諡字，未出釋文）。明清兩代基本上沿用前朝諡字，諡法著作中新增諡字不多。本編根據《逸周書·諡法解》、漢劉熙《諡法注》（清王仁俊輯本）、唐張守節《史記正義·諡法解》、宋王溥《唐會要》、蘇洵《諡法》、鄭樵《通志·諡略》、明郭良翰《皇明諡記彙編》、清王士禎《國朝諡法考》等重加整理而成。

❖　　　　❖　　　　❖　　　　❖

### 神

民無能名曰神、聖不可知曰神。

### 皇

靖民則法曰皇。

### 帝

德象天地曰帝。

### 王

仁義所往曰王。

### 公

立志及衆曰公。

---

| 侯 |

執應八方曰侯。

| 君 |

賞慶刑威曰君、從之成羣曰君。

| 聖 |

揚善賦簡曰聖、敬賓厚禮曰聖、行道化民曰聖、窮理盡性曰聖。

| 賢 |

仁義合道曰賢。

| 文 |

經天緯地曰文、道德博聞曰文、勤學好問曰文、慈惠愛民曰文、愍民惠禮曰文、錫民爵位曰文、施而中理曰文、忠信接禮曰文、剛柔相濟曰文、修治班制曰文、修德來遠曰文。

| 武 |

克定禍亂曰武、剛强直理曰武、闢土拓境曰武、折沖禦侮曰武、率衆以順曰武、刑民克服曰武、夸志多窮曰武、威强睿德曰武、保大定功曰武。

| 成 |

禮樂明具曰成、安民立政曰成、刑名克服曰成、持盈守滿曰成、逐物之美曰成、通達强立曰成。

康

安樂撫民曰康、溫柔好樂曰康、豐年好樂曰康、
令民安樂曰康。

獻

聰明睿哲曰獻、向惠內德曰獻、智質有聖曰獻。

懿

溫柔賢善曰懿、愛民質直曰懿、柔克有光曰懿、
體和居中曰懿。

元

始建國都曰元、行義悅民曰元、能思辯眾曰元、
主義行德曰元、忠肅恭懿曰元、宣慈惠和曰元。

章

法度明大曰章、敬愼高亢曰章、出言有文曰章。

釐

質淵受諫曰釐、小心畏忌曰釐、有伐而還曰釐。

景

由義而濟曰景、耆意大慮曰景、布義行剛曰景。

宣

善聞周達曰宣、施而不祕曰宣、誠意見外曰宣。

**明**

照臨四方曰明、任賢致遠曰明、總集殊異曰明、
獨見先識曰明、譖訴不行曰明、能揚仄陋曰明、
察色見情曰明、思慮果遠曰明。

**昭**

明德有功曰昭、聖聞周達曰昭、容儀恭美曰昭、
昭德有勞曰昭。

**正**

內外賓服曰正。

**敬**

畏天愛民曰敬、齊莊中正曰敬、夙夜就事曰敬、
受命不遷曰敬、難不忘君曰敬、陳善閉邪曰敬、
衆方克就曰敬、夙興夜寐曰敬、善合典法曰敬、
夙夜警戒曰敬。

**恭**

尊賢貴義曰恭、敬事供上曰恭、尊賢敬讓曰恭、
既過能改曰恭、執事堅固曰恭、愛民長悌曰恭、
執禮御賓曰恭、卑以自牧曰恭、治典不易曰恭、
蔽親之闕曰恭、尊賢讓善曰恭、淵源流通曰恭。

**莊**

嚴敬臨民曰莊、威而不猛曰莊、履正志和曰莊、
死於原野曰莊、勝敵志強曰莊、屢征殺伐曰莊、

武而不遂曰莊、兵甲亟作曰莊、睿圉克服曰莊。

**肅**

剛德克就曰肅、執心決斷曰肅、正己攝下曰肅。

**穆**

布德執義曰穆、中情見貌曰穆。

**戴**

典禮不愆曰戴、愛民好治曰戴。

**翼**

思慮深遠曰翼、剛克爲伐曰翼。

**襄**

闢土有德曰襄、甲冑有勞曰襄。

**烈**

有功安民曰烈、秉德尊業曰烈。

**桓**

克亟成功曰桓、闢土服遠曰桓、闢土兼國曰桓、
克敬勤民曰桓。

**威**

賞勸刑怒曰威、以刑服遠曰威、猛以剛果曰威、
猛以强果曰威、强義執正曰威。

### 勇

率義恭用曰勇、率義死用曰勇、懸命爲仁曰勇、
後身爲義曰勇、持義不撓曰勇、知死不避曰勇、
勝敵壯志曰勇。

### 強

和而不流曰強、中立不倚曰強、守道不變曰強、
死不遷情曰強、自勝其心曰強。

### 毅

強而能斷曰毅、致果殺敵曰毅。

### 剛

強毅果敢曰剛、追補前過曰剛。

### 克

秉義行剛曰克、愛民作刑曰克。

### 壯

勝敵克亂曰壯、武而不遂曰壯、威德剛武曰壯、
死於原野曰壯、屢行征伐曰壯。

### 果

好力致勇曰果。

### 圉

威德剛武曰圉。

**魏**

克威捷行曰魏、克威惠禮曰魏。

**安**

好和不爭曰安、兆民寧賴曰安、寬容平和曰安。

**定**

安民大慮曰定、安民法古曰定、大慮慈民曰定、純行不爽曰定、純行不二曰定。

**簡**

正直無邪曰簡、治典不殺曰簡、一德不懈曰簡、平易不疵曰簡。

**貞**

圖國忘死曰貞、清白守節曰貞、大慮克就曰貞。

**節**

好廉自克曰節、謹行節度曰節。

**白**

內外貞復曰白、涅而不緇曰白。

**匡**

貞心大度曰匡、以法正國曰匡。

**質**

名實不爽曰質、中正無邪曰質。

### 靖

寬樂令終曰靖、恭仁鮮言曰靖、柔德安眾曰靖。

### 眞

肇敏行成曰眞、不隱無藏曰眞。

### 順

慈和遍服曰順、和比於理曰順。

### 商

昭功寧民曰商。

### 原

思慮不爽曰原。

### 夷

安心好靜曰夷、克殺秉政曰夷。

### 思

大省兆民曰思、念終如始曰思、追悔前過曰思、
謀慮不偕曰思、道德統一曰思、外內思索曰思、
柔質慈民曰思。

### 考

大慮行節曰考。

古籍知識手冊 3

文化知識

譽

　狀古述今曰譽。

胡

　保民耆艾曰胡、彌年壽考曰胡。

昴

　綜善典法曰昴。

使

　治民克盡曰使。

顯

　行見中外曰顯。

和

　柔遠能邇曰和、號令悅民曰和、不剛不柔曰和、
　推賢讓能曰和。

玄

　含和無欲曰玄。

高

　德復萬物曰高。

光

　功格上下曰光、能紹前業曰光、居上能謙曰光。

| 大 |
| --- |

則天法堯曰大。

| 英 |
| --- |

出類拔萃曰英。

| 睿 |
| --- |

可以作聖曰睿。

| 博 |
| --- |

多聞強識曰博。

| 憲 |
| --- |

賞善罰惡曰憲、博聞多能曰憲、行善可記曰憲、
聖善周達曰憲。

| 世 |
| --- |

承命不遷曰世。

| 軍 |
| --- |

治典不法曰軍。

| 堅 |
| --- |

磨而不磷曰堅，彰義掩過曰堅。

| 趦 |
| --- |

意慮深遠曰趦。

## 德

綏柔士民曰德、忠和純備曰德、強直溫柔曰德、
勤恤民隱曰德、富貴好禮曰德、忠誠上實曰德、
輔世長民曰德、寬衆憂役曰德、剛塞簡廉曰德、
諫爭不威曰德。

## 孝

慈惠愛親曰孝、能養能恭曰孝、繼志成事曰孝、
協時肇享曰孝、干蠱用譽曰孝、秉德不回曰孝、
從命不忿曰孝、幾諫不倦曰孝、善事父母曰孝、
五宗安之曰孝、慈愛忘勞曰孝、尊仁愛義曰孝。

## 忠

危身奉上曰忠、危身惠上曰忠、盛衰純固曰忠、
推賢盡誠曰忠、廉公方正曰忠、慮國忘家曰忠、
臨患不反曰忠、居安不念曰忠。

## 惠

柔質慈民曰惠、愛民好與曰惠。

## 仁

慈民愛物曰仁、克己復禮曰仁、
貴賢親親曰仁、殺身成人曰仁、
能以國讓曰仁、蓄義豐功曰仁。

## 智

尊明勝患曰智、默行言當曰智、

推芒折廉曰智、臨事不惑曰智、
察言知人曰智、擇仁而往曰智。

**愼**

沈靜寡言曰愼、敏以敬事曰愼。

**禮**

奉義順則曰禮、恭儉莊敬曰禮。

**義**

制事合宜曰義、見利能終曰義、先君後己曰義、
取而不貪曰義、爲民除害曰義。

**慧**

柔質愛諫曰慧。

**周**

行歸忠信曰周、事君不黨曰周。

**敏**

應事有功曰敏。

**信**

守命共時曰信、出言可復曰信。

**達**

質直好義曰達、疏通中理曰達。

**寬**

含光得眾曰寬。

**理**

才理審諦曰理。

**凱**

中心樂易曰凱。

**清**

避遠不義曰清。

**直**

治亂守正曰直、不隱其親曰直、肇敏行成曰直。

**紹**

疏遠繼位曰紹。

**欽**

敬事節用曰欽、威儀悉備曰欽。

**益**

遷善改過曰益、取人之長曰益。

**艮**

小心敬事曰艮、溫艮好樂曰艮。

度

　心能制義曰度。

類

　勤政無私曰類。

基

　德性溫恭曰基。

慈

　視民如子曰慈。

鼎

　追改前過曰鼎。

齊

　執正克莊曰齊、資輔共就曰齊。

深

　秉心塞淵曰深。

溫

　德性寬和曰溫。

讓

　推動尚義曰讓。

**密**

追補前過曰密。

**莫**

德正應和曰莫。

**介**

執一不遷曰介。

**厚**

強毅敦樸曰厚、思慮不爽曰厚。

**純**

中正精純曰純。

**敵**

行見中外曰敵。

**素**

達禮不達樂曰素。

**勤**

能修其官曰勤。

**謙**

卑而不可踰曰謙。

| 友 |
|---|

睦於兄弟曰友。

| 震 |
|---|

治典不殺曰震。

| 祁 |
|---|

治定不陂曰祁、治典不殺曰祁。

| 儆 |
|---|

衆方益平曰儆。

| 攝 |
|---|

追補前過曰攝。

| 廣 |
|---|

美化及遠曰廣、所聞能行曰廣。

| 淑 |
|---|

言行不回曰淑。

| 革 |
|---|

獻敏成行曰革。

| 平 |
|---|

治而無眚曰平、執事有制曰平、布綱治紀曰平。

| 懷 |

　仁慈短折曰懷、失位而死曰懷、執義揚善曰懷。

| 僖 |

　質淵受諫曰僖、小心畏忌曰僖、小心恭愼曰僖。

| 悼 |

　中年早夭曰悼、肆行勞祀曰悼、恐懼從處曰悼。

| 愍 |

　在國逢難曰愍、禍亂方作曰愍、使民悲傷曰愍、
在國遭憂曰愍。

| 哀 |

　恭仁短折曰哀、早孤短折曰哀。

| 殤 |

　未家短折曰殤、短折不成曰殤。

| 隱 |

　違拂不成曰隱、不顯屍國曰隱、見美堅長曰隱、
懷情不盡曰隱。

| 易 |

　好更改舊曰易。

| 懼 |

思慮深遠曰懼。

聲

不生其國曰聲。

息

謀慮不成曰息。

丁

述義不克曰丁。

舒

舉事而遲曰舒。

沖

幼小短折曰沖。

野

質勝其文曰野、敬而不中禮曰野。

儉

菲薄廢禮曰儉。

夸

華言無實曰夸。

惑

滿志多窮曰惑。

| 攜 |

怠政外交曰攜。

| 躁 |

好變動民曰躁、未及而動曰躁。

| 伐 |

剛克好勝曰伐。

| 靈 |

亂而不損曰靈、好祭鬼神曰靈、死而志成曰靈、
死見神能曰靈、極知鬼神曰靈。

| 幽 |

雍遏不達曰幽、動靜亂常曰幽、早孤鋪位曰幽。

| 厲 |

暴慢無禮曰厲、愎狠遂過曰厲、殺戮無辜曰厲。

| 荒 |

縱樂無度曰荒、昏亂紀度曰荒、好樂怠政曰荒、
外內從亂曰荒、從禽無厭曰荒、從樂不返曰荒。

| 桀 |

賊人多殺曰桀。

| 煬 |

逆天虐民曰煬、去禮遠眾曰煬、好內怠政曰煬。

| 戾 |

不悔前過曰戾。

| 刺 |

暴慢無親曰刺、不思妄愛曰刺、愎狠遂過曰刺。

| 醜 |

怙威肆行曰醜。

| 愛 |

嗇於賜與曰愛。

| 虛 |

涼德薄禮曰虛。

| 榮 |

寵祿光大曰榮、先義後利曰榮。

| 蕩 |

好內遠禮曰蕩、狂而無據曰蕩、好智不好學曰蕩。

| 聞 |

色取仁而行違曰聞。

**墨**

貪以敗官曰墨。

**僭**

言行相違曰僭、自下陵上曰僭。

**頃**

墮覆社稷曰頃、震動過懼曰頃、陰靖多謀曰頃、
敏以敬愼曰頃、甄心動懼曰頃。

**亢**

高而無民曰亢、知存而不知亡曰亢。

**干**

犯國之紀曰干。

**褊**

心險不容曰褊。

**專**

違命自用曰專。

**抗**

逆天虐民曰抗。

**比**

事君有黨曰比、擇善而從曰比。

**輕**

薄德弱志曰輕。

**苛**

煩酷傷民曰苛。

**願**

弱無立志曰願、思厚不爽曰願。

**要**

以勢致君曰要。

**潔**

不汙不義曰潔。

**繆**

名與實爽曰繆。

**湯**

除去殘虐曰湯。

**慇**

行見中外曰慇。

**長**

敎誨不倦曰長。

裕

　強學好問曰裕。

修

　勤其世業曰修。

恪

　敬共官次曰恪、盛容端嚴曰恪、溫恭朝夕曰恪。

通

　物至能應曰通、事起而辨曰通。

知

　官人應實曰知。

靜

　柔德考衆曰靜。

譽

　狀古述今曰譽。

穰

　凶年無穀曰穰。

（王能憲）

# *10* 避諱知識

## 一、避諱的含義

「避諱」一詞，有兩個含義：

一是，說話時遇有犯忌觸諱的事物，不直說該事該物，改用旁的話來表述。如明代陸容撰《菽園雜記》卷 1 載：「民間俗諱，各處有之，而吳中為甚。如舟行諱住，諱翻，以箸為快兒，幡布為抹布。」「箸」與「住」同音，「快」諧聲為「筷」，故「箸子」改叫「筷子」。《紅樓夢》第 15 回「現今還有香火、地畝，以備京中老了人口，在此停靈」中的「老」，就是「死」的避諱詞。此種避諱，是修辭學上辭格之一。

二是，民國以前，對於君主和尊長的名字，避免直接說出或寫出，必須用其他方法避開。如在漢代，臣民不准說和寫「邦」字，凡遇到「邦」皆改作「國」，是避高祖劉邦名。因避其妻呂后名雉，便將「雉」改叫「野雞」。淮南王劉安避父名長，故其所著《淮南子》中凡「長」字都寫作「修」。此種避諱，亦稱「避名諱」，流行於我國君主制度時代，用於朝廷議事、外交活動、官場交往、拜會親友等一切莊重的場合，以及政府公文、各種著作中。

我們在這裡所談的避諱，即指避名諱，這是我國特有的習俗。

# 二、避諱的起源

諱字，《說文》曰：「誋也」（告誡），《廣雅・釋詁三》曰：「避也」。主要是誡避人名。對人名誡避的原因，可概括爲三：

## (一)名，人的靈魂標誌

《禮記・禮運》：「夫禮之初……及其死也，升屋而號，告曰皋某復。」據孔疏「人死以後，其家人登上屋頂，向北高呼死者之名三次，招他的魂回歸體魄，借以復生，復生不了，然後才浴屍而行葬禮。據此可見：人的名即人的魂，即人的命之所繫。」（《文史哲》1985 年第 1 期周國榮《姓名說》）這種「叫魂」的迷信習俗，早在原始社會就有。按當時的通例來看，一個人的靈魂，即是該人的個人圖騰，也是該人命名的主要依據，更是該人生命之所繫。我國歷史上的避諱制，其最初淵源極可能就是這「名＝魂＝命」，所導致而產生出來的。

## (二)維護等級制度

隨著社會等級制度的確立，人們的貴賤界限逐漸分明，尊卑觀念日趨增強，便不准言及君主和所尊者之名，藉以維護等級制度。於是出現了爲尊者諱、親者諱、賢者諱的習俗，以表尊尊親親之意。

## (三)表敬意

《禮記・曲禮上》：「男子二十冠而字。」《儀禮・士冠禮》：「冠而字之，敬其名也。」說明古人對名是非常敬重的，除名外還要以隆重的儀式取字，就是爲了敬名避名。古時，對人直呼其

名是非常失禮的，故子避父名、朋友間問字不問名、君王不呼臣名而稱卿，皆表敬意。

《左傳・桓公六年》說：「周人以諱事神，名，終將諱之。」可知周代已有避諱。避諱究竟始於周代何時，據清代學者趙翼推斷，起於東周之初（見《陔餘叢考》卷 31《避諱》條）。其主要根據如下：

雖《尚書・金縢》有「惟爾元孫某」（孔穎達疏：元孫武王，某名，臣諱君故曰某）之語，然《金縢》之眞僞不可和。而祀文王之詩曰：「克昌厥後」，戒農官之詩曰：「駿發爾私」。皆直犯周文王、武王之名，則知西周初期不避諱。

晉以釐公名司徒而廢官名「司徒」爲「中軍」，宋以武公名司空而廢官名「司空」作「司城」，魯以獻公名具、武公名敖而廢山名「具敖」曰「其鄉」。考數公之生，皆在西周後期，若其時已有避諱，豈肯故犯，而使他日復改官、山名稱乎！必是數公取名時尚無諱禁，到後來避諱法行，才不得不廢官、山之名。

避諱起於東周之初，則有確證。如五木，是古代賭具，因五子皆白，故五木之戲又稱五白，齊國避桓公名小白，遂改「五白」曰「五皓」。於此可知，東周前期已有因避諱改詞語的諱例。


# 三、避諱的對象

避名諱，按其對象可分爲公諱與私諱。公諱，亦稱國諱，指全國臣民都要敬避的尊者之名；私諱，亦稱家諱，指家族內避宗親長者之名。此外，還有使臣避出使國之諱，乃至迷信、身殘而避諱。

## (一)公諱對象

### 1. 避在位君主名

新君一即位，即避其名，是歷代通行的避諱制度。如秦始皇嬴政，又名正，便改「正月」爲「端月」，或讀作「征月」。東漢自建國始便避光武帝劉秀名，以「茂」代「秀」，改「秀才」爲「茂才」。

有的帝王，除避其大名外，還要避其小名（乳名）、初名、表字。如：南朝梁武帝蕭衍，小名阿練，國人皆把「練」（白色的熟絹）改叫「絹」；唐憲宗李純，初名淳，改「淳州」爲「睦州」，「淳于」姓改姓「于」；三國吳主孫皓，字元宗，吳令「孟宗」改名「孟仁」。

### 2. 避廟諱

廟諱，指本朝君主宗廟裡供奉的祖先名字。避廟諱，包括：本朝已死帝王，如唐太宗死後，歷六帝至代宗時，仍避其名，凡遇「世」字，以「代」或「系」字代，「民」皆改作「人」；未登極死後追尊帝號者，如漢丞相曹操，被其子魏文帝追尊爲武帝，故凡遇「操」字皆改作「度」，改漢末書法家「杜操」爲「杜度」；開國之君的先人，如宋太祖趙匡胤的祖父名敬，凡「敬」字皆以「恭」或「欽」字代；嗣子繼承帝位，避其生父之名，如東漢避安帝之父劉慶名，「慶」姓皆改姓「賀」。避廟諱是歷朝通制。漢代仿春秋以來諸侯設五廟之制，僅避五廟之祖諱。六朝以後，避諱之風漸盛，發展爲避七廟之祖諱。七廟以外祖先的神主遷於祧，不再避諱。

### 3. 避太子名

金主海陵王完顏亮的太子名光英，改「鷹坊」爲「馴鷙坊」。還有避王孫之名的，如十國吳越王錢鏐之孫名弘佐，官名中「左」字都改作「上」。

### ４. 避后妃名

如東晉成帝杜皇后諱陵，改「陵陽縣」叫「廣陽縣」。簡文鄭太妃名阿春，故以「陽」代「春」，廷臣議事引《春秋》必改稱《陽秋》，孫盛著書名《晉陽秋》，檀道鸞著書也題名《續晉陽秋》。

### ５. 避皇后祖、父名

如北宋仁宗劉皇后之祖父名延慶，殿前副都指揮使「李昭慶」改名「李昭亮」，澶州巡檢「石慶孫」改名「石元孫」。後父名通，「通進司」改稱「承進司」，各州「通判」改叫「同判」，凡有「通」字的州縣都改名。

### ６. 避權貴名

唐代牛僧孺，在穆宗、文宗時，累官同平章事，封奇章郡公，權震天下，時人呼之爲「奇章」。北宋哲宗時，章惇爲相，其從官安淳見之，但稱「亨」。後蔡京在相位，權勢甚盛，朝廷百官和地方官府皆避其名，如京東、京西，並改爲「畿左」、「畿右」之類。南宋丞相秦檜當國，勢焰熏天，士大夫不呼其名，而稱之曰「咸陽」。此宋末年，徐伸知常州，自諱其名，有一縣令白事，言已三狀申府未施行，徐怒形於色，責之曰：「君爲縣宰，豈不知長吏名，乃作意相侮？」此縣令也是好犯上之人，乃大聲曰：「今此事申府不報，便當申監司；否則，申戶部，申臺，申省，申來申去，直待身死即休。」（見李贄《理譚》）

## 7. 避權臣祖、父名

僅東晉、晚唐、北宋末有此諱例。東晉權傾中外的征西大將軍桓溫之父名彝，兼避「夷」字，「平夷郡」改為「平蠻郡」，改「夫夷縣」為「扶縣」，「夷道縣」改作「西道縣」。唐末身任四鎮節度使的梁王朱全忠，其祖父名信、父名誠，天祐二年（905）七月全忠請鑄所轄各縣印，昭宗批准去掉縣名內「城」字，同年九月昭宗命將「武成王廟」改為「武明王廟」，十月以後又詔改凡有「成」、「城」、「信」等字的縣名。北宋徽宗時執國政的太師蔡京之父名准，當時改「平准務」為「平貨務」。

## 8. 避孔子名

北宋時追尊孔子為「至聖文宣王」，此後便避其名，改「瑕丘縣」為「瑕縣」、「龔丘縣」為「龔縣」，讀經史時凡「孔丘」讀作「孔某」、「丘」讀作「區」，詩中以「丘」為韻的字讀作「休」。金朝亦避孔子諱，如泰和五年（1205）章宗詔有司，如進士名有犯孔子諱者，令其改易。清代，凡「丘」字皆加「阝」為「邱」，故「丘」姓改為「邱」。

## (二)私諱對象

私諱多是子女避祖、父名，如宋代文學家蘇軾避祖父名序，代人作「序」改為「敘」，其父蘇洵則改「序」作「引」。也有避從父之名的，如科學家沈括避伯父名同，其著《夢溪筆談》稱「混同江」為「混融江」。

## (三)使臣避出使國諱

為尊重出使國避諱習俗，若使臣之名犯諱，則權且改易。如宋仁宗慶曆三年（1043），宋賀遼國主生辰使丁億，犯遼太祖耶

律億名，改名「丁意」。同年，宋賀遼國母正旦使李維賢，因遼在位之君景宗名賢，「維賢」改稱「寶臣」。又唐代封演《封氏聞見記‧避諱》載，唐御史大夫韋倫出使吐蕃，以御史苟曾爲判官，出發數日後，有人謂倫曰「吐蕃諱狗，大夫將一苟判官，何以求好？」倫遂派人快馬回朝奏請此事，德宗皇帝令「苟曾」改「荀曾」，出使歸來，曾遂姓荀，未復舊姓。

### (四)迷信、身殘避諱

宋人王楙所撰《野客叢書》載有迷信避諱例，如：隋朝初建，國號爲「隨」，楊堅以此字近遁走，遂去「辶」作「隋」；「疊」字古寫爲「疊」，王莽以三日太盛，改從三田，作「疊」；古之「對」字，丵下從口，爲「對」，漢文帝以口多非實，改從土，作「對」。明人錢希言的《戲瑕》載，前秦第二個君主苻生，瞎一眼，不准人言殘、缺、傷、毀、偏、只、少、無、不足、不具等字、詞，左右諱旨誤犯而死者，不可勝記。

## 四、避諱的種類

### (一)改各種名稱

因避諱所改之名稱，主要包括：

### 1.改姓名

避諱改姓者很多，如《通志‧氏族略》舉出漢至唐避國諱有九姓攺易。戰國時思想家「荀卿」，漢代避宣帝劉詢嫌名（與人名字‧音相近的字），稱其爲「孫卿」，是避諱追改前人姓。

避諱改名之例，不勝枚舉。改名之法有四：

改一字。即名有二字，改換其中的諱字，如唐武后名曌（照），懿德太子「李重照」改名「李重潤」。

去一字。即去掉雙字名中諱字，如唐中宗名顯，唐人追改南齊征南大將軍「陳顯達」為「陳達」。

以字行。即廢其名，稱其表字，如武后父名士彠，唐御史大夫韋仁約，以「約」音同「彠」，故以字「思謙」行世。

起新名。即全廢其名二字，另起新名，如武后之母諱真，唐中書令「魏真宰」改名「魏元忠」。

### 2.改地名

因避諱改地名的事例，幾乎各朝都有，多是改州、郡、縣名，如金世宗之父名宗堯，改「宗州」為「瑞州」，章宗名璟，改「景州」為「觀州」。梁避武帝父名順之，改「順陽郡」為「南鄉郡」。隋避煬帝名廣，「廣武縣」改作「雁門縣」。

改山脈、河流、園林、陵墓及宮、門等名稱，也屬改地名範疇。如北周文帝宇文泰，小字黑獺，改「黑水」為「烏水」。三國魏齊王名曹芳，「芳林園」改叫「華林園」。清康熙帝名玄燁，「玄武門」改稱「神武門」。

### 3.改官名

如貞觀二十三年（649）六月，唐高宗李治即位，避太宗廟諱，改「民部尚書」為「戶部尚書」。七月，避高宗名，又改「治書侍御史」為「御史中丞」，各州「治中」改為「司馬」，「治禮郎」改「奉禮郎」。明熹宗名由校，「校尉」改叫「官旗」。五代後唐馮贇升任同平章事，因其父名璋，明宗命改「同平章事」為「同中書門下二品」。

官名，為國諱而改，是各朝定制。為人臣家諱而改，為一時

權宜之計。

### 4. 改書名

如唐代改《神淵》（東漢趙曄撰）為《神泉》，改《世本》為《系本》，是避高祖李淵、太宗李世民名。南宋熊克撰《中興小歷》，後亡佚，清修《四庫全書》時，從《永樂大典》中錄出此書，因避高宗諱弘歷，改名《中興小紀》。

### 5. 改物名

因避諱改物名，包括改動、植物與物品名稱，如唐避代宗李豫嫌名，改「薯蕷」為「薯藥」，至宋避英宗名曙嫌名，再改叫「山藥」。十國吳王楊行密據揚州，州人皆把「蜜」叫「蜂糖」。十六國後趙高祖石勒名胡，故胡物皆改名，如「胡餅」（燒餅）曰「麻餅」，「胡豆」曰「國豆」。其侄石虎即位是為武帝，遷都鄴城，鄴人稱「白虎幡」為「天鹿幡」，又避先帝廟諱，呼「馬勒」（帶嚼口的馬籠頭）曰「轡」，「勒菜」曰「香菜」。

也有的帝王，避物名改己名，是避諱的特例。如漢平帝，本名箕子，名同用器「箕」（簸箕），故於即位後的第二年改名「衎」。三國魏元帝原名璜，因半璧形的玉叫做「璜」，故其即位時即改名「奐」。

### 6. 改干支名

如唐高祖之父名昺，兼避「丙」字，故唐修晉、梁、陳、北齊、周、隋、南、北八史，所用干支記年、日，皆把天干的「丙」寫作「景」，今本多回改為「丙」，但有的尚未改正。太平天國認為地支中「丑」對革命不吉利，改「丑」為「好」。

## (二)改各種名號

因避諱所改之名號，主要包括：

### 1.改前朝年號

如唐避中宗名顯，改高宗年號「顯慶」爲「明慶」。遼避天祚帝耶律延禧嫌名，改興宗「重熙」年號爲「重和」。

### 2.改前人封號

如唐睿宗之女封隆昌公主，宋人修《新唐書》於諸公主傳稱作「崇昌公主」，是避唐玄宗李隆基名而追改。

### 3.改謚號

如宋避仁宗趙禎嫌名，凡他人謚號中的「貞」字皆改爲「正」。孔子，於唐追謚文宣王，宋眞宗大中祥符元年（1008）加謚玄聖文宣王，五年以避始祖廟諱玄朗，改謚「至聖文宣王」。

## (三)改經史文字

因避諱，前人所著經史書籍中的文字，多有被改易之處。如《詩經·閟宮》「荊舒是懲」，是秦避始皇父莊襄王名子楚而改「楚」爲「荊」。《論語》中有「衆惡之必察焉，衆好之必察焉」，《梁書》撰者姚思廉避其父諱察，在《劉孝綽傳》中引此句，改作「衆惡之必監焉，衆好之必監焉」。《梁書·蕭子恪傳》有「殷鑒不遠，在夏後之代」句，「代」本作「世」，是唐人避唐太宗諱轉抄時改「世」爲「代」。

## (四)改通常用語

如晉代追尊司馬師為景帝，避其廟諱，改稱「京師」為「京都」。避康帝名岳，「山岳」改稱「山岱」。唐高祖祖父名虎，以「獸」或「龍」字代「虎」字，便有「不入獸穴，焉得獸子」、「畫龍不成反類狗」的改動。避唐太宗名，改「庶民」作「庶人」。十國吳越王錢鏐，又小字婆留，故吳越民間說「留住」為「駐住」。

## (五)避諱改數字

春秋吳王夫差女名二十，故吳兒諱二十為念。（見《戲瑕》）《中華大字典》「念」字條：「二十也。廿，俗音讀同念，遂相沿以念為廿。宋時已然。」說明以「念」代「二十」起於避諱。

## (六)禁捕鯉畜豬

唐皇姓李，故《唐律》規定：「取得鯉魚即宜放，仍不得吃，號『赤鯶公』。賣者杖六十，言『鯉』為『李』也。」（見唐段成式《酉陽雜俎·廣動植二》）說明唐代因避諱禁捕鯉。又清陳梓《一齋雜著·雜言上》載：「末世多嫌諱，正德（明武宗年號）時禁民畜豬，以國姓朱也。」可證明武宗時，為避己姓，不准百姓養豬，豈非貽笑千古？

## (七)避家諱辭官

如南朝宋著名史學家范曄，避其父名泰的嫌名，不受「太子詹事」一職。北魏李延實，本為平民，因是莊帝長舅，即破格授以「侍中太保」，以官名犯祖父名寶，抗表固辭。唐中書舍人衛洙，升外任滑州刺史，以父名次公，奏請改授閑官，懿宗認為嫌

名不諱，任命令已下達，命其到任就職。避祖、父嫌名辭官，是當時風尚；避祖、父正諱（與名相同的字）辭官，是唐宋定制。唐代諱制明確規定：府號犯祖、父之名，不得任該府職，如父名衞，不得於諸衞任官，或祖名安，不得任長安縣職。官稱犯祖、父之名，不得任該官，如父名軍，不得作「將軍」，或祖名卿，不得居卿職。授官時，若觸祖、父名諱，應當即聲明，如冒榮受職，處徒刑一年。

## 五、避諱的方法

避諱常用的方法有 7 種：

### (一)改字

#### 1. 改爲同音字

如晉避宣帝司馬懿諱，遇「懿」用「益」字代，《蜀志》改張懿爲張益。范曄著《後漢書》，避父名泰，改郭泰爲郭太、鄭泰爲鄭太。

#### 2. 改爲同義字

如隋避文帝楊堅名，遇「堅」字改作「固」。避煬帝名，「廣」以「大」或「博」字代。

#### 3. 改爲異體字

如清避宣宗名旻寧，遇「寧」字改作「甯」。穆宗名載淳，凡遇「淳」皆寫作「湻」。

## (二)減筆

書寫時遇到應避諱的字，少寫筆劃。如宋避太祖趙匡胤名，「匡」寫作「匡」，「胤」寫成「胤」。避太祖之父名弘殷，「殷」字減筆作「殷」或「殷」。明末避熹宗名由校，「由」字減筆爲「由」。避諱減筆，多是減末筆。另有，一字中含有諱字，也作減筆處理，如唐避太宗諱，從「世」之字改從「云」，從「民」之字改從「氏」，故「葉」寫作「葉」，「泯」寫成「泯」，「痕」從「氏」遂與「痕」字混。

## (三)增筆

如宋高宗趙構初立，有姓犯其嫌名「句」者皆改易，若鉤光祖、鉤紡、苟譡，原皆姓「句」，即增「金」爲「鉤」，增「糸」爲「絇」，增「艹」爲「苟」。又據明代李贄《理譚》載，五代後唐時，臨淄縣令石昂以公事拜見宣武軍監軍楊彥朗（宦官），彥朗以家諱「石」，遂改「石昂」爲「右昂」，昂赴庭責彥朗曰：「內侍何以私害公？昂姓石，非姓右也。」彥朗大怒，昂即解官歸家。

## (四)折字

《理譚》載：「晉高祖諱敬瑭，析敬字爲文氏苟氏。至漢乃復舊。至宋朝避翼祖諱，復析爲文爲苟。」如北宋宰相文彥博，本姓「敬」，其曾祖時避後晉石敬瑭名，遂改姓「文」，後漢時復姓「敬」，至北宋初，其祖父避趙匡胤的祖父名「敬」，再改姓「文」。

## (五)合字

如張大淵,仕北周爲州主簿,入隋以平陳功擢潭州總管。唐代李延壽撰《北史》時,爲避高祖廟諱,將其名「大淵」二字合爲一字,寫作「奫」,稱之爲「張奫」。

## (六)空字

### 1.空其字

如蕭子顯著《南齊書》,避梁武帝父蕭順之名,遇「順之」字則不寫,留出兩個字的空格。

### 2.作空圍

如《南齊書》豫章王蕭嶷傳,有「前侍幸□□宅」之語,□□下注「順之,宋本諱」,此是幸蕭順之住宅。該書魚腹侯蕭子響傳,在應寫蕭順之名處也畫□,其下注一「順」字。今本《南齊書》皆直書蕭順之名,是據《南史》而改。

## (七)以「某」、「諱」字代

如《史記‧孝文本紀》「子某最長,純厚慈仁,請建以爲太子。」其中的「某」字,即代替景帝名「啓」。《宋書‧武帝紀》不書劉裕名,在應寫其名處寫「劉諱」。東漢許愼撰《說文解字》,避光武、明、章、和、安五帝名,不書秀、莊、炟、肇、祜五字,僅注「上諱」二字以避諱。

## 六、避諱的演變

由於歷代統治者對避諱的重視程度不同,因而各朝的避諱制

度有寬有嚴，避諱風氣時盛時衰，避諱方法也不盡同，各有特點。但總的發展趨勢是漸嚴漸繁。

## (一)從習俗到定制

春秋以前，避諱只是一種社會習俗，尚無固定的制度。秦漢專制主義中央集權制形成以後，避諱逐漸形成社會共同遵循的常規。按《禮記·曲禮上》所載，主要的有：

**1. 不諱嫌名**

即尊者、親者、賢者之名的同音字和近音字，可不避。

**2. 二名不遍諱**

即名有二字，不必都避。

**3. 父母在避祖父母名**

即父母尚在，避祖父母之名；父母去世，不避祖父母之名。

**4. 君所無私諱**

即言於君前，不避家諱。

**5. 大夫之所有公諱**

即避君諱。

**6. 詩書不諱**

即讀書時照正音讀，可不避。

**7. 臨文不諱**

即寫作時照正體寫，可不避。

### 8.廟中不諱

即在神前不避，已祧之祖不避。

## (二)定制從寬到嚴

**秦漢因是專制主義的中央集權制形成初期，避諱還比較寬。**如歷代避諱多改人名、地名，而秦僅改地名「楚」為「荊」（避秦始皇父名子楚），李斯獄中上二世書有「北逐胡貉」，不避胡亥名。兩漢歷史名著《史記》、《漢書》，以及現存東漢刻碑，對漢諸帝名有避有不避。這說明秦漢時避諱尚不甚嚴。然漢律已有觸諱犯法的規定，故漢宣帝元康二年（前 64）詔曰：「今百姓多上書觸諱以犯罪者，朕甚憐之。其更諱詢，諸觸諱在令前者，赦之。」（《漢書·宣帝紀》）東吳景帝為四子取名字，太子名𩅦（音灣）、字莔（音迄），次子名𩆜（音觔）、字𦥜（音礥），三子名壾（音莽）、字昷（音舉），四子名㰀（音褒）、字𤊅（音擁）（《三國志·吳書·孫休傳》注引《吳錄》孫休詔）。此八字，世人少用，以使人難犯易避。曹魏初年未明定避諱制，至末年元帝時才議定：奏事、上書、文書，及吏民，皆不得觸王諱。可見三國時諱禁亦不嚴。

兩晉朝廷曾多次討論避諱，所議之事為杜佑載入《通典》禮篇104卷。**屢經廷議，使避諱漸至嚴密。**這與皇帝要求廣避有關，如「鄭太妃諱，雖經朝議，多數以為不應諱。然君之所諱，臣無不諱之說」（陳垣《史諱舉例·晉諱例》）。所以，凡春字地名都改作陽字，議禮之臣引《春秋》必曰《陽秋》。東晉避后妃諱特多，並列入諱榜，令天下同諱，是一朝定制。南北朝避諱無定制，寬嚴隨人意而異。如《南齊書·百官志》所載有不少帶丞字的官名，

《州郡志》中又有承縣，說明該書作者蕭子顯，對其曾祖蕭承之的
正諱「承」和嫌名「丞」皆不避。而文惠太子蕭長懋，為避其曾
祖蕭承之的嫌名「丞」，則拒不受職祕書丞。南齊高帝蕭道成，
又不避父蕭承之的嫌名「成」。可見，避與不避，均由自定。

禮有明訓「不諱嫌名」，而隋文帝竟明令天下避其父名忠，
並避嫌名中，凡官名、地名的「中」字都改為「內」，說明**隋代
避諱又較南北朝為嚴**。唐初統治者深感避諱太嚴，給朝廷議事、
詔誥章奏、撰文著書、社會交往帶來不便，便在總結歷代避諱制
度的基礎上，先後作出放寬諱禁的規定。因此，唐代避諱法令本
寬，可是避諱風氣卻很盛。如唐高宗顯慶五年（660）詔曰：
「嫌名不諱，今後繕寫舊典文字，並宜使成，不須隨義改易。」
但實際生活中，往往兼避嫌名，故唐人注《史記》、《漢書》、《文
選》，撰晉、梁、陳、北齊、周、隋、南、北八史，對唐廟諱嫌
名多有改易，是因修史諸文人有廣避習尚，不因朝廷下令而改。
五代的梁、周諱禁較嚴，而中間的唐、晉、漢三朝，其君主皆出
自少數民族，諱禁稍寬。

**避諱之嚴，宋、金至極**。宋代皇帝，多數有兩個字的初名，
初名實際是已廢之名，也要敬避，不許兩字於同一文中使用。淳
熙（孝宗年號）、紹熙（光宗年號）時，規定避諸帝嫌名特多，
一般在十字以上，避高宗「構」的嫌名竟達五十五字。如此，士
人科場答卷，稍疑似諱字，則不敢用，如稍有觸犯，往往被暗中
除名落榜。金亦實行嚴諱制，如金章宗泰和元年（1201）詔，並
避始祖以下廟諱小字。別朝均無此種規定，說明金代避諱又較前
為嚴。金諸帝也廣避嫌名，如金世宗初名裦（同褎），規定避同
音字二十八個。遼，則無廣避習俗，**避諱較寬**。遼、金人有兩種
名字：遼、金國語名字，用作彼此相呼；漢文名，用於詔令章
奏。避諱，是專避漢名。

**明朝初期不避諱**。明代諱例，見於萬曆以後所印書籍。崇禎三年頒旨天下：避太祖、成祖及孝、武、世、穆、神、光、熹宗廟諱。可見，明代避諱稍嚴，已是末世。所以，明末學者沈德符指出：避諱一事，本朝最輕。（《史諱舉例·明諱例》）

清朝，自康熙帝避漢名玄燁始有避諱。**雍正、乾隆時避諱最嚴**。例如：

### 1. 嚴懲觸諱者

雍乾時文字獄中，以詩文筆記對於廟諱御名有無敬避，為順逆憑證。如乾隆四十二年（1777），江西舉人王錫侯撰成《字貫》60卷，因凡例中寫有康熙、雍正廟諱玄燁、胤禛及乾隆帝名弘曆，被仇人王瀧南告發，處以大逆罪，全家抄斬。江西巡撫海成、布政使周克開、按察使馮廷丞，皆以不能查出叛逆，從重治罪。

### 2. 避歷代有為之君名

乾隆時編輯《四庫全書》，唐人李延壽撰《北史·文苑傳敍》有「頡頏漢徹，跨躡曹丕」之句，宋人李廌撰《濟南集·詠鳳凰臺》有「漢徹方秦政」之句，館臣即遭痛斥。乾隆帝認為：秦始皇無道，曹丕為篡逆，顯斥其名，尚無不可，而漢武帝是「振作有為之主」，「豈得直書其名，與秦政、曹丕並論乎！」飭令改「漢徹」為「漢武」。曉諭四庫全書館臣曰：「於校刊書籍內，遇有似此者，俱加簽擬改，聲明進呈，毋稍忽略。」並將此諭載入《四庫全書總目·卷首·聖諭》），以明示後人。這表明，清朝不僅避本朝廟諱，對歷代有作為君主的名字也要敬避。

## （三）少數民族入主中原，從不避諱到定諱制

如金滅遼後，正當宋人避諱極盛之時，與宋人接觸頻繁，漸習此俗。入主中原以後，更受宋人嚴諱的薰染，制定避廟諱、御名和專避漢文名、廣避嫌名的避諱制度。元初諸帝，不習漢文，也不避諱。至後期仁宗延祐年間才規定：不得全用御名、廟諱。而元朝皇帝名皆音譯，字數較多。這樣，除不得直呼其名外，便無避諱可言。所以，《廿二史札記》有專條：「元帝後皆不諱名」。清入關之君為世祖福臨，其第二子福全，父子名同一字，說明清初無避諱。入關久，始效宋明人避諱之法，定諱制，避康熙帝漢名玄燁，「玄」以「元」代，「燁」以「煜」代。此後，避諱漸至嚴密，至雍正、乾隆時避諱之嚴，超過歷代。

## （四）避諱對象的增加

避諱形成之初，是避當時在位君主之名。秦始皇時，便避其父名子楚，漢代擴大為避五廟之祖，後來增加到七廟。到南宋光宗紹熙元年（1190），詔曰：「今後臣庶命名，並不許犯祧廟正諱，如名字見有犯祧廟正諱者，並合改易。」（《宋史》108卷《禮志》）又《日知錄》卷23載：楊阜，三國魏明帝時關內侯，距漢初已遠，其奏議引《尚書》「協和萬邦」作「協和萬國」，猶避漢高祖諱。唐太宗時長孫無忌等撰《隋書》，改《忠節傳》為《誠節傳》，稱苻堅為苻永固，仍避隋文帝及其父諱。十國後蜀所刻石經，遇唐高祖、太宗名皆不書。此避前代諱，為當時習尚，至清避歷代君名，已成定制。可見，避諱的發展，從活人延及到死人，從今人延及到古人，並且所避祖先的世次，所避古人的時代，越推越遠。

《史記・封禪書》：「野雞夜雊。」注：「野雞，雉也。呂后

名雉，故曰野雞。」因避呂雉諱，改雉爲野雞。《孝文本紀》：「子某最長，請建以爲太子。」某，指漢景帝啓。蔡邕《獨斷·上》言：「禁中者，門戶有禁，非侍御者不得入，故曰禁中。孝元皇后父大司馬陽平侯名禁，當時避之，故曰省中，今宜改，後遂無復言之者。」此皆西漢故事，是避皇后、太子、后父諱的首見記錄。避諱的對象，到西漢時，已從御名、廟諱增至皇后、太子、后父。東漢避光武帝叔名良，晉避明帝穆皇后母諱茂，以及東晉避桓溫父、唐避朱全忠父、宋避蔡京父之名，雖爲一時之制，但畢竟說明避諱對象漸增。宋、金避孔子、老子、周公諱，避孔子諱一直延續到清末。說明自宋始，避諱對象，又從當時皇帝及高官延至古聖人。

### (五)避諱範圍的擴大

漢代以前，只避帝王與尊者之名的本字，即避正諱。三國以後，所避之字，擴大到正諱以外，甚至出於統治者的厭惡，而規定避某些字。

#### 1. 避名及字

如劉備叔父字子敬，蜀漢宜都太守孟達亦字「子敬」，達改字「子度」。避名兼避字，是三國時避諱特俗。

#### 2. 兼避嫌名

此俗也起於三國。東吳孫權時，避太子名和，改「禾興縣」爲「嘉興縣」。此後，兼避嫌名漸成風氣。到唐代，不僅避正諱的同音字，含有諱字的字也要敬避。如武則天祖父諱華，中書令崔曅（同曄），因「曅」字中含有「華」，乃改名玄暐。宋朝又規定了避諸帝嫌名的字數，多達幾十字。兼避嫌名終成定制。

### 3.二名遍諱

漢至兩晉，皇帝以單字為名，自然只諱一字；南北朝以後，皇帝以兩字為名者漸多，則遍諱出現。《舊唐書・太宗紀》：「武德九年（626）六月令曰：依禮，二名不遍諱。近代以來，兩字兼避，廢闕已多，率意而行，有違經典。其官號人名、公私文籍，有世民兩字不連續者，並不須諱。」據此可知，唐以前兩字兼避，已成風氣，唐太宗初即位即禁止。雖已有禁，然唐時仍諱二名，延至五代，後唐明宗天成元年（926）又令：「文書內二字不連稱，不得迴避。」但此制並未通行，宋、金以來二名無不遍諱。清朝帝名皆兩字，二名遍諱為定制，道光、咸豐以後，諱禁放寬，不再遍諱二名。

### 4.惡意避諱

此俗起於唐。唐肅宗惡安祿山，凡帶安字的郡縣名均改易。據《新唐書・地理志》載，至德元年（756）、二年，所改一州、十一郡、二十三縣之名，皆因其有安字。南宋帝、后，把「金」寫作「今」，因與完顏氏有世仇，不願稱其國號。明初貿易文契，吳元年、洪武元年，俱寫作「原年」，是民間追恨元人，不欲書其國號。

### 5.禁寓意僭竊

宋代禁人名寓意僭竊。《容齋續筆》卷4載：「政和（宋徽宗年號）中，禁中外不許以龍、天、君、玉、帝、上、聖、皇等為名字。」於是，名字中有此八字之一者，紛紛改名。如翰林學士毛友龍，改名友；御史中丞句龍如淵，改名句如淵；刑部侍郎程振，字伯玉，改曰伯起。又據《能改齋漫錄》卷13載：政和八年（1118），吏部左選，有徐大明為曹官、陳丕顯為教官。迪功郎

陸元佐上書，說「大明者文王之德，丕顯者文王之謨」，認爲徐、陳二人「有取王者之實，以寓其名」。陸元佐爲饒州浮梁縣丞，知本州樂平縣有叫孫權的，浮梁縣有叫劉項的，認爲二人「有取霸者之迹，以寓其名」。建議令改，徽宗親批：「陸元佐所言可行」，下達各處令改正禁止。此風，太平天國尤甚，不僅改人名，還改姓與普通文字，如改「皇」爲「黃」，改「上」爲「尙」，改「帝」爲「諦」，改「天」爲「添」，改「王」爲「狂」，改姓「王」者爲姓「黃」或姓「汪」。而自號天南遁叟的王畹（在粵省爲官，以同情太平軍去職，逃港後改名王韜）上書太平天國劉大人時，亦自改「王」爲「黃」。

6.清初避胡虜夷狄字

胡、虜、夷、狄，是我國古代中原各王朝對北方少數民族的貶稱，而清統治者恰是出自北方少數民族。所以，清初九十年間刊寫書籍，凡遇胡、虜、夷、狄等字，常空而不書，或改易形聲，如「虜」作「鹵」、「夷」作「彝」、「狄」作「敵」，以明敬愼。然夷狄等字，屢見於經史，改易，則背理犯義，故雍正、乾隆時，曾兩次嚴令不避。

## (六)避諱方法的改進

古籍中最早的避諱記錄是《尙書·金滕》，避周武王名發，稱某。儘管該篇眞僞難定，但尙可說明避諱之初，其法是以「某」代名。但「某」字，不易使人明其所指，便出現了改字法。最初的改字法，是以同義字代替諱字，如避秦始皇諱，改「正」爲「端」。到漢代，又規定了以某同義字代替某諱字，固定下來，成爲定制，如「邦」以「國」代，「盈」以「滿」代，「恆」以「常」代，「啓」以「開」代，「徹」以「通」代。似此固定同

義相代之字，使文義基本不變，又便於人們掌握，在避諱方法上是很大的改進。此法沿用至唐宋，但並非固定爲一字，如「淵」改爲「泉」、爲「深」、或爲「汪」，「匡」改爲「正」、爲「糾」、或爲「輔」，便於隨文而移以切意。

東漢許愼在《說文解字》中又創一避諱方法，注「上諱」，用於避帝名。此法雖較煩瑣，但尙可明其所諱何字。後來，僅書「諱」字，且不專避帝名，使人難明其所諱何字，易致訛誤，故此法唐代以後很少採用。

南朝梁蕭子顯著《南齊書》用空字避諱法，避蕭順之名，不是作空白，就是作空圍（□），不僅令人費解，難明其意，且於書籍不完整、不雅觀，故此法未能流傳。

唐代開創減筆法。《唐三藏聖教序》，爲唐太宗所作，當時由諫議大夫褚遂良書寫，其中有「重昏之夜」語，「昏」仍從「民」，說明太宗時尙無減筆之法。《舊唐書・高宗紀》載顯慶二年（657）十二月「庚午，改昏、葉字。」《十七史商榷》卷 70 釋曰：「必是以昏字之上民字、葉字之中世字犯諱，故改昏從氏，改葉從云。」即避太宗廟諱，改「昏」爲「昏」、「葉」爲「某」。可見，顯慶初年已有減筆之法。又《册府元龜》帝王部名諱門，載顯慶五年（660）正月詔曰：「比見鈔寫古典，至於朕名，或缺其點畫，或隨便改換，恐六籍雅言，會意多爽。」因抄寫古書，減筆處頗多，故發此詔禁止。由此可知，避諱減筆，實起於唐高宗之世。這又是一次避諱方法上的大改進。此法可以保存書籍原文，不失原義，故至明代仍延用。

明末避光宗名常洛，「常」作「嘗」、「洛」作「雒」，是改諱字爲異體字之法的首見。但此法不常用，清代僅見避道光、同治帝諱，「寧」改「甯」，「淳」改「湻」，別無他例。

另有避諱改字音始於南朝梁之說。陳垣先生經考證斷定：

「所謂因避諱而改字音，在唐以前者多非由諱改，在唐以後者，又多未實行，不過徒有其說而已。」（《史諱舉例》卷一《避諱改音例》）此處不再贅述。

## 七、避諱造成古籍混亂

歷代爲避諱擅改前朝人名、地名、官名、書名、年號、諡號等，甚至追改古書。我們今天可以看到古書中的文字，有的改了形體，有的缺了筆畫，有缺字作空圍的，特別是人名、物名等各種名稱，年號、封號等諸名號，以及詞語等，隨著各朝帝后、皇親、高官名字而多次更改的，更不在少數，從而造成古籍內容的混亂。舉例簡述如下：

### (一)造成人名混亂

#### 1. 一人在二史中異名

如《後漢書》的《靈帝紀》和《劉焉傳》中有張懿，而《三國志》的《蜀書・劉二牧傳》中卻說「並州殺刺史張益」，是西晉陳壽撰《三國志》時，避晉宣帝司馬懿諱，改「張懿」爲「張益」。一人二史異名，是前朝不避諱後朝避諱所致。

#### 2. 一人在一史中異名

如《後漢書・和帝紀》載：「永元九年（93），越騎校尉趙世」，而該書《西羌傳》和《趙熹傳》則寫「趙代」。這是唐朝章懷太子李賢注《後漢書》時避太宗諱改「世」爲「代」。《和帝紀》作「世」，是唐以後又改回本名。又如《金史》有《宗道傳》，而該史《交聘表》寫作「崇道」，是避金世宗父名宗堯改「宗」爲「崇」。一人一史前後異名，是避諱改前人姓名沒全改，或後人

回改未盡的緣故。

### 3.一人數名

如《隋書·經籍志》著錄：「《史記音義》12卷，宋中散大夫徐野民撰。」徐氏，本名「廣」，隋避煬帝諱，以字「野民」爲名，後又避唐太宗諱，再改爲「徐野人」。又如《宋史》中有《劉廷讓傳》，《太祖紀》稱其本名「劉光義」，曹彬、曹翰、劉福等傳中又稱其爲「劉光毅」，而在《新五代史·後蜀世家》中則以其字爲名，稱「劉光乂」，都是避宋太宗趙光義而改。一人數名，是因避諱多次改易造成的。

### 4.誤二人爲一人

如《新唐書·昭宗紀》載：「天復二年（902）九月，武定軍節度使拓跋思恭叛，附於王建。」王建是前蜀的君主。《新五代史·前蜀世家》作「拓跋思敬」。顯然，《昭宗紀》認爲「思恭」即「思敬」。據《新唐書·西域上·黨項傳》載：「思孝爲保大節度……，以老，薦弟思敬爲保大留後，俄爲節度使」，後調任武定軍，故武定軍節度使實是拓跋思敬。拓跋思恭一直鎮守夏州，後夏州改爲定難軍，故《黨項傳》載思恭爲定難節度使，「卒，弟思諫代爲節度使。」說明拓跋思恭從未任職武定軍。可見，「思恭」與「思敬」並非一人。「思恭」爲兄，「思敬」爲弟。《新唐書·昭宗紀》避宋太祖之祖父趙敬廟諱，改「敬」爲「恭」，遂與兄名同，誤致二人爲一人。

### 5.誤一人爲二人

如《宋史·侍其曙傳》載：「祥符二年，黎州夷人爲亂，詔曙乘驛往招撫，其酋首納款，殺牲爲誓。曙按行鹽井，夷人復叛。

曙率部兵百餘，生擒首領三人，斬首數十級。」又《蠻夷傳》載：「大中祥符元年（1008），瀘州言江安縣夷人殺傷內屬戶，害巡檢任賽，即不自安，遂爲亂，詔遣閣門祇侯侍其旭乘傳招撫。旭至，蠻人首罪，殺牲爲誓。未幾復叛，旭因追斬數十級，擒其首領三人。」顯然，二傳所載是一人一事，其不同點有三：

一是，「祥符」與「大中祥符」，宋代無「祥符」年號，「祥符」即「大中祥符」的省稱。

二是，「黎州」與「瀘州」，因「黎」、「瀘」二字音近而致訛。

三是，「侍其曙」與「侍其旭」，宋避英宗名曙，故「曙」字常以「旭」字代。

可見，兩個名字實爲一人。元末匆忙修《宋史》，不知避諱，對不同出處的兩條史料沒認眞審核，誤將一人一事作爲二人二事分載於兩傳中。

### (二)造成地名混亂

#### 1.誤一地爲二地

如《金史·地理志上·薊州》於「縣五」下有夾注曰：「舊又有永濟縣，大定二十七年（1187），以永濟務置，未詳何年廢。」據元末孫慶瑜撰《豐閏縣記》載：「金大定間改永濟務爲縣，大安初避東海郡侯諱，更名曰豐閏。」可知「永濟」、「豐閏」實爲一縣。而《金史》注家，以「豐閏」爲泰和年間設置，又說「永濟」不知廢於何年。因不知避諱，將一縣先後二名視爲兩縣。

#### 2.誤二地爲一地

如瑞州有二：一是遼、金的瑞州、州治在今遼寧綏中縣北；

二是宋江南西路的瑞州，原名筠州，宋末避理宗趙昀的嫌名，改「筠州」爲「瑞州」，州治在今江西高安縣。元朝常山王劉秉忠，被當作江西人物收入《雍正江西通志》，其根據是《元史·劉秉忠傳》載：「其先瑞州人」。其實，劉秉忠自其曾祖以後一直家居邢州，足迹從未到過江南。《元史》所載，是指劉秉忠曾祖以前世居關外金朝之瑞州，而那時江南宋朝的瑞州尙稱筠州。清人不知避諱改州名事，將金的瑞州誤作宋的瑞州，故收劉秉忠入《雍正江西通志》，確是誤二州爲一州所致。

　　3.脫漏原來地名

　　如《宋史·地理志一》載：「滑州，輔，靈河郡，太平興國初，改武成軍節度。」滑州，本爲義成軍節度，因北宋避太宗名光義，而改「義成軍」爲「武成軍」。《宋史·地理志》撰者，不考前史，漏寫義成軍，就直接說武成軍是由滑州所改。此即因避諱，而將原來地名「義成軍」脫漏。

## (三)造成書名混亂

　　如《宋史·藝文志》經解類有顏師古《刊謬正俗》8卷，儒家類又有顏師古《糾謬正俗》8卷。其實，兩名爲一書，即《匡謬正俗》，宋避太祖名，改「匡」爲「刊」或「糾」。《宋史·藝文志》撰者，不詳其源，誤作爲兩部書，分別著錄於兩類中。此種書名混亂，以《宋史》最多。

## (四)造成官名混亂

　　如《通典·職官》載：「大唐永徽初，高宗即位，以國諱改持書侍御史爲御史中丞。」《金石萃編·馬周碑跋》也說魏晉以後皆稱「持書侍御史」。其實，御史中丞非由持書侍御史而改。魏晉

以後，御史中丞統轄治書侍御史。因隋避文帝父楊忠諱，不置中丞，治書侍御史即升居御史中丞之任。唐避高宗名治，則又改治書侍御史爲持書侍御史。似此種把避諱所改官名移至避諱前，省略原來官名，便導致官名混亂。

## (五)改字而生訛疑

### 1. 回改而致舛誤

據《宋書》載：「陶潛字淵明，或云淵明字元亮。」因《南史》避唐高祖名，改「淵」爲「深」，若要恢復其原文，本應與《宋書》同。而後人校《南史》，不解其意，便把《南史・隱逸傳》校寫成：「陶潛字淵明，或云字深明，名元亮。」僅將上句「字深明」改回「字淵明」，而下句仍是「字深明」，又改「名元亮」。這樣，陶潛便有「淵明」和「深明」兩個表字，而「字元亮」又變成了「名元亮」，這正好同原文顛倒。

### 2. 旁注連入正文

如《史記・酈生傳》載：「王者以民人爲天，而民人以食爲天。」司馬遷原著本無「人」字，唐人注《史記》避太宗名，改「民」爲「人」，後人在「人」字旁邊注一「民」字，其後將「民」、「人」二字連寫，便成「民人」。

### 3. 改字致使原義不明

如《梁書・沈約傳》載：「貴則景魏蕭曹」。此指西漢四位名相：蕭，即蕭何，漢高祖時丞相；曹，即曹參，漢惠帝時丞相；魏，即魏相，漢宣帝時丞相；景，即丙吉，繼魏相之後爲宣帝時丞相。《梁書》撰者姚思廉是唐代人，避唐高祖父廟諱「昞」的嫌名，改「丙」爲「景」，在此句中則原義不明，並且僅列其姓，

又不以先後爲序，使人疑惑不解。

## (六)空字造成脫漏

如唐李延壽撰《南史》和《北史》，避唐高宗名，對官名「治書侍御史」、「治中從事」的「治」字，皆空而不書，後人連寫遂脫漏此字，變作「書侍御史」、「中從事」。今本有「治」字，爲後人增入，但仍有缺「治」字處。又如宋代洪邁撰《容齋三筆》卷 10 載：鄂州興唐寺鍾題志云：「唐天祐二年（905）三月十五日新鑄」。勒官階姓名者兩人，一曰金紫光祿大、檢校尚書左僕射，兼御史大陳知新，一曰銀青光祿大、檢校尚書右僕射，兼御史大楊琮。大字之下，皆當有夫字，而悉削去。楊行密父名佺，佺與夫同音。是時行密據淮南，方破杜洪於鄂而有其地，故將佐爲諱之。

## (七)書「諱」誤作他人

如《南齊書‧柳世隆傳》載：「輔國將軍驍騎將軍蕭諱。」該書汲古閣本在「諱」下注「鸞」字，即「蕭諱」爲「蕭鸞」。考《宋書‧沈攸之傳》，「蕭諱」應是梁武帝父蕭順之，非指齊明帝蕭鸞。注家對避諱考之不詳，故誤作他人。又如《北史‧周本紀》載「天和六年（571），春正月……丁卯，以大將軍王傑、譚公會、雁門公田弘、魏公李諱等並爲柱國」。而《周書》汲古閣本於天和六年「李諱」改爲「李虎」。考李虎佐周代魏有功，北周開國之君孝閔帝拜其爲柱國，不久死去。天和，是北周第三個君主武帝的年號。到天和六年，李虎已死去十六年，豈能授予柱國。此「李諱」，實指李虎之子、李淵之父李昞。校書者不查原文，遂妄改而誤作他人。

# 八、運用避諱知識解決古籍中的問題

因避諱而導致古籍文字混亂、謬誤、含義不清，使人眞僞難辨。如果不具備避諱知識，就無法解釋古文獻中的某些問題。了解歷代避諱情況，就等於多掌握了一把鑰匙，有利於古籍整理研究與教學工作。現代著名史學家陳垣，曾强調掌握古代避諱知識的重要性，他說，避諱「其流弊足以淆亂古文書，然反而利用之，則可以解釋古文書之疑滯，辨別古文書之眞僞及時代，識者便焉。」（《史諱舉例・序》）現僅就陳先生所說懂避諱有「三便」，以例簡述如下：

## (一)釋疑滯例

《北史・崔仲方傳》載：「謹案晉太康元年，歲在庚子，晉武帝平吳，至今開皇六年，歲次庚午，合三百七載。」晉武帝太康元年是 280 年，隋文帝開皇六年是 586 年，相距正是三百零七年；庚子年爲太康元年，庚午年是隋煬帝大業六年（610），而不是開皇六年，從庚子至庚午並非三百零七年，而是三百三十一年。即該傳所載帝王紀年同干支紀年不相吻合，令人致疑。如用避諱知識審核，便可知「庚午」應是「丙午」。唐人修《北史》避高祖之父李昞的嫌名，改天干中的「丙」爲「景」，而天干中本無「景」字，又「景」音近「庚」，校書者不知「景」由避「丙」而改，故疑「景」爲「庚」之誤，遂妄改「景午」爲「庚午」。

吳縝撰《新唐書糾謬》卷 11 指出：「《公主傳》明皇帝女常山公主下嫁薛譚，《薛稷傳》作恆山公主嫁薛談。」即對《新唐書》提出疑問：是「常山公主」還是「恆山公主」，是「薛譚」還是

「薛談」?吳縝,是宋代史學家,由於不甚了解唐代避諱而致疑。其實,《新唐書》所載「常山公主」即「恆山公主」,是避唐穆宗名恒而改;「薛譚」即「薛談」,以「談」字中「炎」與唐武宗名同,也由避諱而改。只是《公主傳》已改,《薛稷傳》未改而已。

《通鑑》唐大中二年(848)六月載:「(王)皞曰:『憲宗厭代之夕,事出曖昧。』」《後漢書‧王符傳》有「亂生於化」之語。「厭代」、「亂生於化」,是什麼意思?如今讀者未必盡曉。考察唐代避諱,便可知:「厭代」應為「厭世」,是避唐太宗諱改世為代;「亂生於化」本作「亂生於治」,是章懷太子李賢注《後漢書》時,避其父唐高宗名治而改。於是,疑滯便解決了。

### (二)辨偽撰例

洪邁撰《容齋隨筆》卷 14 載:「予觀李(陵)詩云『獨有盈觴酒,與子結綢繆。』」又王楙撰《野客叢書》卷 5 載:「僕觀《古文苑》所載枚乘《柳賦》,曰『盈玉縹之清酒』;《玉臺新詠》載枚乘新詩,曰『盈盈一水間』。」李陵、枚乘是漢代人,「盈」字正是漢惠帝廟諱。漢法,觸諱者有罪,李陵、枚乘豈敢用「盈」字!所以顧炎武《日知錄》卷 23 認為:「李陵、枚乘二人,皆在武、昭(漢武帝、昭帝)之世,而不避諱,可知其為後人擬作,而不出於西京。」顧氏運用避諱知識,辨別李陵、枚乘的詩賦為偽作,很是明白。

### (三)辨時代例

清錢大昕著《潛研堂文集》卷 25 載:「《寶刻類編》,不著撰人姓名,……考其編次,始周秦,訖唐五代。其為宋人所撰無

疑。宋寶慶初避理宗嫌名，改江南西路之筠州爲瑞州。此編載碑刻所在，有云瑞州者，又知其爲宋末人也。」此例說明，運用避諱知識可以辨別古書編撰的時代。

　　綜上所述，在我國封建社會，避諱之風愈演愈盛，避諱制度越來越嚴，不僅導致書籍文字混亂，而且給當時政治、經濟、文化等社會生活諸方面帶來麻煩，造成不良影響。因此，在避諱時代，就有反對避諱的人，如北宋太學博士胡安國、明代思想家李贄，都把「以諱易人姓者，易人名者」，斥之爲「愚者迷禮以爲孝，諂者獻佞以爲忠。」（見《理譚》）明清之際學者柴紹炳，以宋人徐積「拘忌太過」爲例，對避諱予以有力地抨擊。徐積，是北宋楚州教授，以孝子稱，死後，宋徽宗賜其謚號「節孝處士」。他以父名石，終身不踏石、不用石器。柴紹炳譏之曰：「使父名穀，將沒身不食穀；父名布，將沒身不衣布乎！」（見《翼望山人文鈔‧矯枉過正說》）此類批判，雖不徹底，但也算很有膽識了。

　　避諱習俗，起於避君主名，隨著君主專制的加强而興盛起來，也隨著君主專制的傾覆而廢止，人們才從避諱的桎梏下解脫出來。

# 九、歷代帝王諱字表

| 帝　號 | 所　出 | 名　諱 | 舉　　例 |
|---|---|---|---|
| 秦（嬴氏）始皇帝 | 秦莊襄王子。 | 政 | 正月改端月。 |
| 莊襄王 | | 子楚 | 楚改荆。《詩經》「楚舒是懲」作「荆舒是懲」。 |
| 二世 | 始皇次子。 | 胡亥 | |

| 楚霸王 | 項梁侄。 | 籍字羽 | 籍姓改姓席。 |
|---|---|---|---|
| 漢(劉氏)<br>高祖 | 秦泗上亭長，<br>起兵成帝業。 | 邦 | 邦用國字代。漢石經於《論語》、《尚書》中邦字多改爲國字。 |
| 惠帝 | 高祖太子。 | 盈 | 盈以滿字代。《史記》引《左傳》「萬，盈數也」作「滿數」。 |
| 呂太后 | 高祖皇后，惠<br>帝母。 | 雉 | 雉改稱野雞。《史記·封禪書》「野雞夜雊」。 |
| 文帝 | 高祖中子，封<br>代王。 | 恆 | 恆以常字代。《離騷》「余獨好修以爲常」的「常」原作「恆」。恆農縣改宏農。 |
| 景帝 | 文帝太子。 | 啓 | 啓以開字代。改微子啓爲微子開。啓母廟改開母廟。 |
| 武帝 | 景帝中子。 | 徹 | 徹以通字代。改蒯徹爲蒯通。徹侯改通侯。 |
| 昭帝 | 武帝少子。 | 弗　初名<br>　　弗陵 | 弗以不字代。 |
| 宣帝 | 武帝曾孫，戾<br>太子據孫。 | 詢　初名<br>　　病已<br>兼避<br>洵、荀 | 詢以謀字代。改荀卿爲孫卿。 |
| 元帝 | 宣帝太子。 | 奭 | 奭以盛字代。奭姓改姓盛。劉向《別錄》改鄒奭爲鄒赫。 |
| 成帝 | 元帝太子。 | 驁 | 驁以俊字代。 |
| 哀帝 | 元帝庶孫。定<br>陶恭王康子。 | 欣 | 欣以喜字代。 |
| 平帝 | 元帝庶孫，中<br>山孝王興子，<br>嗣封中山王。 | 衎　初名<br>　　箕子 | 衎以樂字代。平帝本名箕子。箕，爲用器。故即位後改名衎。 |
| 新<br>王莽 | 孝元皇后侄。 | 莽 | 孔莽改名孔均。 |
| 東漢<br>光武帝 | 高祖九世孫 | 秀 | 秀以茂字代。秀才改作茂才。 |

| 明帝 | 光武帝第四子。 | 莊 初名陽 | 莊以嚴字代。莊姓改姓嚴。改《莊子》爲《嚴子》。「老莊之術」作「老嚴之術」。 |
|---|---|---|---|
| 章帝 | 明帝第五子。 | 炟 | 炟以著字代。 |
| 和帝 | 章帝第四子。 | 肇 或誤作肇 兼避兆、照 | 肇以始字代。 |
| 殤帝 | 和帝少子。 | 隆 | 隆以盛字代。伏隆,《東觀記》作伏盛。隆慮侯改林慮侯。 |
| 安帝 | 章帝孫,廢太子慶子。 | 祜 | 祜以福字代。朱祜,《東觀記》作朱福。 |
| 父清河王 | | 慶 | 慶以賀字代。慶純改作賀純。 |
| 順帝 | 安帝太子。 | 保 | 保以守字代。 |
| 沖帝 | 順帝太子。 | 炳 | 炳以明字代。 |
| 質帝 | 章帝玄孫,渤海王鴻子。 | 纘 | 纘以繼字代。 |
| 桓帝 | 章帝曾孫,蠡吾侯翼子。 | 志 | 志以意字代。趙戒字志伯,孔廟守廟卒史碑作意伯。 |
| 靈帝 | 章帝玄孫,解瀆亭侯子。 | 宏 | 宏以大字代。 |
| 獻帝 | 靈帝中子,封陳留王。 | 協 | 協以合字代。 |
| 魏(曹氏)武帝 | 漢末丞相,追尊爲帝。 | 操 | 改杜操爲杜度。 |
| 文帝 | 武帝長子。 | 丕 | |
| 明帝 | 文帝太子。 | 叡 | |
| 齊王 | 明帝養子。 | 芳 | 芳林園改華林園。 |
| 高貴鄉公 | 文帝孫,東海定王霖子。 | 髦 | |
| 元帝(陳留王) | 武帝孫,燕王宇子。 | 奐 初名璜 | 初名璜,同物名,故改名奐。 |

| | | | |
|---|---|---|---|
| 蜀（劉氏）<br>昭烈帝 | 漢中山靖王勝之後 | 備 | |
| 後主<br>（安樂公） | 昭烈帝太子。 | 禪 | |
| 吳（孫氏）<br>大帝 | 武烈帝堅子，曹操封爲吳王。 | 權 | |
| 太子 | | 和 | 禾興縣改嘉興。 |
| 會稽王 | 大帝少子。 | 亮 | |
| 景帝 | 大帝第六子，封琅邪王。 | 休 | 休陽縣改海陽，晉滅吳又改海寧。 |
| 烏程侯 | 大帝孫，故太子和子。 | 皓　或皞，字元宗。一名彭祖，字皓宗。 | 吳令孟宗改孟仁。 |
| 晉（司馬氏）<br>宣帝 | 魏丞相。晉武帝祖父，追尊爲帝。 | 懿 | 懿字改益、或壹。《蜀志》稱張懿爲張益。《宋書》王懿稱字仲德。 |
| 景帝 | 魏長平鄉侯。宣帝長子，武帝伯父，追尊爲帝。 | 師 | 師姓改姓帥。太師改太宰。京師改京都，或改京邑。 |
| 文帝 | 魏大將軍，封晉王。景帝弟，武帝父、追尊爲帝。 | 昭 | 昭字改爲明。昭君改明君。《吳志》稱韋昭爲韋曜。昭陽縣改邵陽。張掖昭武縣改臨澤，建安昭武縣改邵武。 |
| 武帝 | 文帝長子，嗣爲晉王。 | 炎 | 炎字改爲盛。《魏志》稱孫炎字爲孫叔然。 |
| 惠帝 | 武帝次子。 | 衷 | |
| 懷帝 | 武帝第二十五子，封豫章王。 | 熾 | |
| 愍帝 | 武帝孫，吳孝王晏子。 | 鄴　一作業 | 改建業爲建康。鄴縣改臨漳。 |

| 東晉<br>元帝 | 宣帝曾孫，琅邪王覲子。 | 睿 | 《宋書》王叡，以字元德行。 |
|---|---|---|---|
| 明帝 | 元帝太子。 | 紹 | |
| 成帝 | 明帝太子。 | 衍 | 《晉書·杜皇后傳》稱王衍爲王夷甫。 |
| 康帝 | 成帝同母弟，封琅邪王。 | 岳 | 郗岳，改名嶽，後竟改名岱。 |
| 穆帝 | 康帝子。 | 聃 | |
| 哀帝 | 成帝長子。 | 丕 | |
| 廢帝 | 哀帝同母弟。 | 奕 | |
| 簡文帝 | 元帝少子，封會稽王。 | 昱 | 育陽縣改雲陽。 |
| 孝武帝 | 簡文帝第三子。 | 曜 | |
| 安帝 | 孝武帝太子。 | 德宗 | |
| 恭帝 | 安帝同母弟，封琅邪王。 | 德文 | |
| 南朝<br>宋(劉氏)<br>武帝 | 東晉下邳太守，封宋公。 | 裕 | 王敬弘名裕之，謝景仁、褚叔度、張茂度均名裕，皆以字行。 |
| 祖父 | | 靖 | 孔靖，以字季恭行。向靖，稱小字彌。 |
| 少帝<br>(營陽王) | 武帝太子。 | 義符 | |
| 文帝 | 武帝第三子，封宜都王。 | 義隆 | |
| 孝武帝 | 文帝第三子，封武陸王。 | 駿 | |
| 前廢帝 | 孝武帝太子。 | 子業 | |
| 明帝 | 文帝第十一子，封湘東王。 | 彧 | 王彧，以字景文行。 |

| | | | |
|---|---|---|---|
| 後廢帝<br>（蒼梧王） | 明帝子。 | 昱 | |
| 順帝 | 明帝第三子，<br>封安成王。 | 準 | 改平準令爲染署令。 |
| 南齊（蕭氏）<br>高帝 | 仕宋，封齊<br>王。 | 道成 | 薛道淵但名淵。蕭道先改名景<br>先。 |
| 父 | | 承之 | 《宋書》稱爲蕭諱。 |
| 武帝 | 高帝太子。 | 賾　或作<br>頤 | 《宋書・順帝紀》於其名書諱<br>字。 |
| 郁林王 | 武帝太孫。 | 昭業 | |
| 父文惠<br>太子 | 武帝長子。 | 長懋 | 《宋書》稱其蕭諱。 |
| 海陵王 | 郁林王弟。 | 昭文 | |
| 明帝 | 高帝兄蕭道生<br>子，入嗣高帝<br>爲第三子，封<br>西昌侯。 | 鸞 | |
| 東昏侯 | 明帝次子。 | 寶卷 | |
| 和帝 | 明帝第八子，<br>封南康王。 | 寶融 | 《梁書》柳惲、徐勉傳，於王融<br>皆稱字元長。 |
| 梁（蕭氏）<br>武帝 | 南齊同族，齊<br>大司馬。 | 衍　小名<br>　練兒 | 其國人呼「練」爲「絹」。 |
| 父 | | 順之 | 《南齊書》順字多改爲從。《梁<br>書》稱順陽郡爲南鄉郡。 |
| 簡文帝 | 武帝第三子。 | 綱 | |
| 豫章王 | 武帝曾孫，華<br>容公歡子。 | 棟 | |
| 元帝 | 武帝第七子，<br>封湘東王。 | 繹 | |
| 建安公 | 武帝從子，封<br>貞陽侯。 | 淵明 | |
| 敬帝 | 元帝第九子，<br>封晉安王。 | 方智 | |

| 永嘉王 | 元帝孫。立於郢州。 | 莊 | |
|---|---|---|---|
| 後梁<br>宣帝 | 武帝孫，昭明太子統子。 | 詧 | |
| 明帝 | 宣帝太子。 | 巋 | |
| 莒公 | 明帝太子。 | 琮 | |
| 陳(陳氏)<br>武帝 | 梁敬帝相國，封陳王。 | 霸先 | |
| 文帝 | 武帝兄道談長子，封臨川王。 | 蒨 | |
| 廢帝<br>(臨海王) | 文帝太子。 | 伯宗 | |
| 宣帝 | 文帝弟，封安成王。 | 頊 | |
| 後主 | 宣帝太子。 | 叔寶 | |
| 北魏<br>(拓跋氏)<br>道武帝 | 臣於晉，襲封代王 | 珪 | 上邽縣改上封。 |
| 明元帝 | 道武帝長子。 | 嗣 | |
| 太武帝 | 明元帝太子。 | 燾 | |
| 文成帝 | 太武帝孫，太子晃子。 | 濬 | |
| 父 | 太武帝太子。 | 晃 | 慕容皝，《魏書》稱其字元眞。 |
| 獻文帝 | 文成帝太子。 | 弘 | 弘農郡改恆農。《魏書》稱馮弘字文通，稱石弘字大雅。 |
| 孝文帝<br>(改姓元) | 獻文帝太子。 | 宏 | 《魏書》稱崔宏字玄伯、苻宏字永道、李宏仁字容仁。 |
| 宣武帝 | 孝文帝太子。 | 恪 | 慕容恪，《魏書》稱其字元恭。 |
| 孝明帝 | 宣武帝太子。 | 詡 | 尉詡改名羽。 |
| 孝莊帝 | 獻文帝孫，彭城王勰子。 | 子攸 | |

| 長廣王 | 太子晃之後。 | 曄 | |
|---|---|---|---|
| 節閔帝<br>(前廢帝) | 獻文帝孫，廣陵王羽子。 | 恭 | |
| 安定王<br>(後廢帝) | 太武帝五世孫，章武王融子。 | 朗 | |
| 孝武帝<br>(出帝) | 孝文帝孫，廣平王懷子，封平陽王。 | 修 或作循 | |
| 西魏<br>文帝 | 孝文帝孫，京兆王愉子，封南陽王。 | 寶炬 | |
| 廢帝 | 文帝太子。 | 欽 | |
| 恭帝 | 文帝子。 | 廓 | |
| 東魏<br>孝靜帝 | 孝文帝孫，清河王亶子。 | 善見 | |
| 北齊(高氏)<br>神武帝 | 北魏丞相，後仕東魏。尊爲帝。 | 歡 | 歡字改爲欣。《周書》文帝元後傳有張歡，《北齊書》張瓊傳作張忻。 |
| 六世祖 | | 隱 | 趙隱以字彥深行。 |
| 高祖 | | 泰 | 北齊人稱宇文泰小字曰黑獺。 |
| 父 | | 樹生 | 《北史・隋文帝紀》樹頹縣，《魏書・地理志》作殊頹。 |
| 文襄帝 | 神武帝長子。仕東魏爲大丞相。追尊爲帝。 | 澄 | |
| 文宣帝 | 神武帝次子。仕東魏封齊王。 | 洋 | |
| 廢帝<br>(濟南王) | 文宣帝太子。 | 殷 | 殷州改趙州。 |

| | | | |
|---|---|---|---|
| 孝昭帝 | 神武帝第六子，文宣帝同母弟，封常山王。 | 演 | |
| 武成帝 | 神武帝第九子，孝昭帝同母弟，封長廣王。 | 湛 | |
| 後主<br>（溫國公） | 武成帝太子。 | 緯 | |
| 幼主 | 後主太子。 | 恆 | |
| 北周<br>（宇文氏）<br>文帝 | 西魏太師，封周公。追尊爲帝。 | 泰　小名<br>黑獺 | 蕭泰，以字世怡行。黑水改烏水。 |
| 孝閔帝 | 文帝第三子。襲父職爲西魏太師，封周公。 | 覺 | |
| 明帝 | 文帝長子，封寧都公。 | 毓 | |
| 武帝 | 文帝第四子。 | 邕 | 《北史》鄭道邕，《周書》作鄭孝穆。 |
| 宣帝 | 武帝太子。 | 贇 | |
| 靜帝 | 宣帝太子。 | 闡　初名<br>衍 | |
| 隋（楊氏）<br>文帝 | 仕周封隋公。 | 堅 | 堅字改爲固。稱前秦苻堅爲苻永固。 |
| 祖父 | | 禎 | 李孝貞以字元操行。 |
| 父 | | 忠<br>兼避中 | 忠作誠，中作內。中書改內史。侍中改納言，再改侍內。中牟縣改內牟。 |
| 煬帝 | 文帝次子。 | 廣 | 廣字以大、博或長字代。廣梁郡，《隋書》作大梁。廣德縣改大德。廣樂縣改長樂。廣武縣改雁門。曹憲注《廣雅》，改《博雅》。 |

| 恭帝 | 煬帝孫，元德太子昭子，封代王。李淵克長安立之為帝。 | 侑 | |
|------|------|------|------|
| 越王 | 元德太子昭子。煬帝崩，即位於東京。 | 侗 | |
| 唐（李氏）高祖 | 仕隋為唐國公，自太原留守起兵入長安。 | 淵 | 淵字改為泉，或為深。改漢清淵縣為清泉，後又改臨清。改陶淵明為陶泉明。趙文淵改名文深。 |
| 祖父 | | 虎 | 虎字改為武、獸、豹、或彪。虎賁改武賁。韓虎改名豹，又改擒。改虎邱為武邱、或獸邱。 |
| 父 | | 昞 | 昞、炳、丙、秉，皆改為景。改蕭昞為蕭景。 |
| 太子 | | 建成 | 建城縣改高安。晉城縣改晉安。 |
| 太宗 | 高祖次子，封秦王。 | 世民 | 世改為代，或為系。從世之字改從云，或從曳。民改為人，或為氓。從民之字改從氏。世宗稱代宗。《世本》作《系本》。葉作萊，泄作洩，緤作緤。 |
| 高宗 | 太宗第九子，封晉王。 | 治 | 治改為持，為理，或為化。稚改為幼。治書侍御史改持書侍御史。《牟子·治惑論》作《理惑論》。諸州治中改司馬。 |
| 太子 | | 忠 | 中郎將改旅賁郎將。改中允為內允。 |
| 太子 | | 弘 | 弘氏改姓洪。弘靜縣改安靜。弘福寺改招提寺。 |
| 中宗 | 高宗第七子，封英王。 | 顯　中間曾改名哲 | 顯改為光，或為明。改顯慶年號為明慶。顯德殿改章德殿。 |
| 武后 | 高宗皇后。改國號曰周。 | 曌（照） | 詔改為制。鮑照改名昭。李重照改名重潤。 |

| 祖父 | | 華 | 改華州爲太州。華陰縣改仙掌。華亭縣改亭川。畢畢改名玄暐。 |
|---|---|---|---|
| 父 | | 士礮 | 韋仁約以字思謙行。 |
| 母 | | 眞 | 魏眞宰改名元忠。 |
| 殤帝 | 中宗少子，封溫王。 | 重茂 | |
| 睿宗 | 高宗第八子，封豫王。 | 旦　初名旭輪，又名輪 | 旦改爲明。張仁亶改名仁願。 |
| 玄宗 | 睿宗第三子。 | 隆基 | 隆改爲盛。基改爲其、爲木，或爲根。隆州改閬州。大基縣改河清。裴仁基但名仁。劉知幾以字子玄行。 |
| 肅宗 | 玄宗第三子。 | 亨　初名嗣昇 | 亨改爲通。亨，於經籍作享。 |
| 代宗 | 肅宗長子，封廣平王。 | 豫　初名俶 | 豫改爲樂，或爲康。豫州改蔡州。晉杜預，稱其字元凱。薯蕷改薯藥。 |
| 德宗 | 代宗太子。 | 適(括) | 括州改處州。括蒼改麗水。 |
| 順宗 | 德宗太子。 | 誦 | 誦改爲詠。鬥訟律改鬥競律。 |
| 憲宗 | 順宗太子。 | 純　初名淳 | 王純改名紹。韋純改名貫之。陸淳改名質。淳于氏改姓于。 |
| 穆宗 | 憲宗第三子。 | 恆　初名宥 | 恆改爲常。恆州改鎮州。恆農改宏農。恆岳改鎮岳。恆山改平山。 |
| 敬宗 | 穆宗長子。 | 湛 | 鄭茂湛改茂休。 |
| 文宗 | 穆宗次子，封江王。 | 昂　初名涵 | 鄭涵改名澣，《舊唐書》作鄭瀚。 |
| 武宗 | 穆宗第五子，封潁王。 | 炎　初名瀍 | 賈炎改名嵩。李躔字昭回，改名回字昭度。啖氏改姓澹。 |
| 宣宗 | 憲宗第十三子，封光王。 | 忱　初名怡 | |

| 懿宗 | 宣宗長子，封鄆王。 | 漼　初名溫 | |
| 僖宗 | 懿宗第五子，封晉王。 | 儇初名儼 | |
| 昭宗 | 懿宗第七子，封壽王。 | 曄　初名傑，又名敏 | |
| 哀帝 | 昭宗第九子，封輝王。 | 柷(祝)初名祚 | 樂器柷敔改曰肇敔。 |
| 五代後梁(朱氏)太祖 | 初從黃巢，後降唐，封梁王。 | 晃　本名溫，唐賜名全忠 | |
| 曾祖 | | 茂琳 | 改茂州爲汝州。慕化縣改歸化。天干「戊」改爲「武」。 |
| 祖父 | | 信 | 信改爲實。昭信軍改戎昭軍。信都縣改爲堯都。 |
| 父 | | 誠 | 誠改爲確。成德軍改武順軍。城隍廟改牆隍廟。城郭之城改牆，成全之成改作完。 |
| 末帝 | 太祖第三子，封均王。 | 瑱初名友貞 | |
| 後唐(唐賜李姓)莊宗 | 李克用子，嗣父爵爲唐末晉王 | 存勗　小名亞子 | |
| 祖父 | | 國昌 | 昌明縣改彰明。昌江縣改平江。延昌縣改延唐。 |
| 明宗 | 李克用養子。 | 亶　初名嗣源 | 楊檀，賜名光遠。 |
| 曾祖 | | 敖 | 鄭遨以字雲叟行。 |
| 閔帝 | 明宗第三子，封宋王。 | 從厚 | |
| 末帝 | 明宗養子，封潞王。 | 從珂 | |

| 後晉(石氏)高祖 | 以後唐北京留守起兵，爲契丹册立。 | 敬瑭 | 敬改爲恭。竟陵縣改景陵。錢唐縣改錢江。唐氏改姓陶。敬氏，改姓苟，或姓文。 |
|---|---|---|---|
| 父 | | 紹雍 | 改後唐雍陵爲伊陵。 |
| 出帝 | 高祖兄子，封齊王。 | 重貴 | |
| 後漢(劉氏)高祖 | 後晉太原王。 | 暠 本名知遠 | 魚崇遠改名崇諒。折從遠改名從阮。趙遠以字上交行。 |
| 隱帝 | 高祖次之，封周王。 | 承祐 | |
| 後周(郭氏)太祖 | 後漢鄴郡留守。 | 威 | 張彦威改名彦成。李洪威改名洪義。馬令威改名令琮。郭彦威改名彦欽。 |
| 高祖 | | 璟 | 南唐李璟改名景 |
| 父 | | 簡 | 孫方簡改名方諫。王易簡但名易。 |
| 世宗(柴姓) | 太祖養子。 | 榮 | 李榮改名筠。 |
| 恭帝 | 世宗第四子，封梁王。 | 宗訓 | 向訓改名拱。張從訓改名崇詁。 |
| 十國吳(楊氏)太祖 | 唐淮南節度使，封吳王。 | 行密 | 滁人呼荇溪爲菱溪。揚州人呼蜜曰蜂糖。 |
| 父 | | 怤 | 御史大夫改曰大憲，又作大卿。 |
| 前蜀(王氏)高祖 | 唐封蜀王。 | 建 | 黔南節度使王建肇，但名肇。 |
| 後蜀(孟氏)高祖 | 後唐封蜀王。 | 知祥 | |
| 祖父 | | 察 | 蜀石刻詩經殘本，察作詧。 |
| 吳越(錢氏)武肅王 | 後梁封吳越王。 | 鏐 | 元代名儒金履祥，其先世本姓劉，改姓金。吳越國人呼石榴爲金櫻。 |
| 忠獻王 | 武肅王孫。 | 弘佐 | 官名中左字皆改爲上。 |

| 閩(王氏)忠懿王 | 後梁封閩王。 | 審知 | 閩人沈姓去水爲尤。 |
|---|---|---|---|
| 宋(趙氏)太祖 | 後周殿前都點檢。 | 匡胤<br>匡兼避筐眶等十八字。胤兼避酳靷等十七字。 | 匡改爲正、輔、規、糾或爲光、康。胤改爲裔。匡城縣改鶴丘。太宗匡義改光義。胤山縣改平蜀。 |
| 始祖 | | 玄朗<br>玄兼避懸眩等二十字。朗兼避狼浪等二十字。 | 玄改爲元，或爲眞。朗改爲明。玄武縣改中江。玄鳥改曰鳦鳥。朗山縣改確山。楊延朗改名延昭。 |
| 高祖 | | 朓 兼避<br>眺洮祧。 | 謝朓改名朓，再改名眺。 |
| 曾祖 | | 珽 兼避<br>廷庭。 | 《唐書》姚珽，缺筆誤作姚班。 |
| 祖父 | | 敬 兼避<br>竟 境 鏡<br>警。 | 敬改爲恭、欽、嚴或爲景。鏡改爲鑒或爲照。改許敬宗爲恭宗。敬州改梅州。 |
| 父 | | 弘殷 | 弘改爲洪。殷改爲商，爲湯。改後魏殷紹爲商紹。商仲茂、商瑤、商文圭，皆本姓殷。殷城縣改商城。 |
| 太宗 | 太祖同母弟，封晉王。 | 炅 初名<br>匡義又改光義。兼避炯憬等十六字。 | 義改爲毅。義興縣改宜興。祁廷訓本名廷義。楊美本名光美。李克睿本名光睿。 |
| 真宗 | 太宗第三子，封壽王。 | 恆 初名<br>德昌，改元休，又改元侃。兼避姮恨等四字。 | 恆改爲常。恆農縣改虢略。改恆山爲鎮山。畢士元改名士安。 |

| 仁宗 | 眞宗第六子。 | 禎 初名受益。兼避貞偵等十三字。 | 禎改爲眞，或爲祥。貞改爲正。改唐貞觀、貞元年號爲正觀、正元。改牛僧孺謚號文貞爲文簡，其餘謚號文貞者皆改文正。禎州改惠州。 |
|---|---|---|---|
| 英宗 | 太宗曾孫，濮王允讓第十三子，入嗣仁宗。 | 曙 初名宗實。兼避署贖等二十六字。 | 曙改爲曉，或爲旭。樹改爲木。署改爲院。簽署改簽書。都部署改都總管。 |
| 父濮王 | | 允讓 | 讓改爲遜，或爲避。《孟子》「無辭讓之心」，改辭遜。 |
| 神宗 | 英宗太子。 | 頊 初名仲鍼。兼避勗旭等七字。 | 頊改爲玉。勗改爲勉。《天聖廣燈錄》，李遵勗撰，《宋史·藝文志》作李遵撰。旭川縣改榮德。 |
| 哲宗 | 神宗第六子。 | 煦 初名傭。兼避酗休等十三字。 | |
| 徽宗 | 神宗第十一子，封端王。 | 佶 兼避姞郆等十一字。 | 唐代包佶，稱其字幼正。 |
| 欽宗 | 徽宗太子。 | 桓 初名亶，又名烜。兼避丸狟皖等四十九字。 | 桓改爲亘，爲威，或爲魋。桓氏改姓亘。改齊桓公爲齊威公。桓魋改威魋。 |
| 南宋高宗 | 徽宗第九子，封康王。 | 構 兼避姤勾夠等五十五字。 | 姤改爲遘，勾當改干當。管勾改管干。李覯，稱其字泰伯。 |
| 孝宗 | 太祖七世孫，封建安郡王。 | 眘 初名伯琮。兼避愼蜃等九字。 | 愼改爲謹。改愼姓爲眞姓。愼縣改梁縣。 |

| 光宗 | 孝宗第三子。 | 惇　兼避敦鶉第二十四字。 | 惇改爲崇，或爲孝。《祖宗官制舊典》3卷，蔡惇撰，《宋史·藝文志》稱其字作蔡元道撰。 |
|---|---|---|---|
| 寧宗 | 光宗次子，封嘉王。 | 擴　兼避廓郭等十七字。 | |
| 理宗 | 太祖十世孫。 | 昀　初名貴誠。兼避勻筠等七字。 | 改筠州爲瑞州。 |
| 度宗 | 理宗弟榮王與芮子。 | 禥　初名孟啓，又賜名孜。 | |
| 恭宗 | 度宗子。 | 㬎 | |
| 端宗 | 度宗庶子，恭宗兄，封益王，立於硐州。 | 昰 | |
| 帝昺 | 度宗庶子，恭宗弟，封衞王，立於硐州。 | 昺 | |
| 遼(耶律氏)太祖 | 契丹酋長，被擁立爲王。 | 億　契丹名阿保機 | 宋慶曆三年（1043）八月，宋賀遼國主生辰使丁億，改名意。 |
| 太宗 | 太祖次子。 | 德光 | 改晉天雄軍節度范延光爲范延廣。改光祿大夫爲崇祿大夫。 |
| 世宗 | 太祖太子倍長子。 | 阮 | |
| 穆宗 | 太宗長子。 | 璟 | |
| 景宗 | 世宗次子。 | 賢 | 宋慶曆三年，宋賀遼國母正旦使李維賢，改名寶臣。 |
| 聖宗 | 景宗長子，封梁王。 | 隆緒 | |
| 興宗 | 聖宗長子。 | 宗眞 | 改女眞爲女直。 |

| 道宗 | 興宗長子。 | 洪基 | 宋明道元年（1032），宋賀遼國母生辰使王德基，《遼史》作王德本。 |
|---|---|---|---|
| 天祚帝 | 道宗太子濬子。 | 延禧 | 遼翰林學士姚景禧，改名景行。改興宗重熙年號爲重和。 |
| 金(完顏氏)大祖 | 女眞完顏部首領。 | 旻　初名阿骨打。 | 宋紹興十二年改岷州爲西和州。 |
| 太宗 | 太祖同母弟。 | 晟 | |
| 熙宗 | 太祖孫。 | 亶 | |
| 父 | | 宗峻 | 改濬州爲通州。 |
| 海陵王(廢帝) | 太祖孫，遼王宗干子。 | 亮 | |
| 太子 | | 光英 | 改鷹坊爲馴鷔坊。改應國爲杞國。南宋改光州爲蔣州，改光山縣爲期思。 |
| 世宗 | 太祖孫。 | 雍　初名褎 | 改雍丘縣爲杞縣。改雍國爲唐國。 |
| 父 | | 宗堯 | 宗氏改姓姬。宗州改瑞州。宗安縣改瑞安。宗國改萊國。大宗正府改爲大睦親府。 |
| 章宗 | 世宗嫡孫。 | 璟 | 張爆改名煒。改景州爲觀州。改景國爲鄒國。 |
| 父 | | 允恭 | 衛紹王允濟改名永濟。尹安石改姓師。恭改爲敬。白彥恭改名彥敬。改唐盧龍節度使仁恭爲仁敬。改武功縣爲武亭。 |
| 衛紹王 | 世宗第七子。 | 永濟 | 永興縣改德興。永濟縣改豐閏。改濟國爲遂國。元好問編《中州集》，閻詠改名長言。 |
| 宣宗 | 允恭長子，章宗庶兄。 | 珣 | 改郇國爲管國。梁詢誼改名詢勝。 |
| 太子 | | 守忠 | 張行忠改名行信。 |
| 哀宗 | 宣帝第三子。 | 守緒　初名守禮。 | 賈守謙改名益謙。 |

| 明(朱氏)<br>太祖 | 隨郭子興起義，後入南京稱帝。 | 元璋　字國瑞。 | 胡廷瑞改名胡美。 |
|---|---|---|---|
| 惠帝 | 太祖孫，懿文太子標次子。 | 允炆 | |
| 成祖<br>(初曰太宗) | 太祖第四子，封燕王。 | 棣 | 改滄州之無棣爲慶雲。改樂安州之無棣爲海豐。 |
| 仁宗 | 成祖太子。 | 高熾 | |
| 宣宗 | 仁宗太子。 | 瞻基 | |
| 英宗 | 宣宗太子。 | 祁鎭 | 正統二年（1437），山西鄉試經題「維周之楨」，觸諱，考官罰俸。 |
| 代宗 | 宣宗次子，英宗弟。 | 祁鈺 | |
| 憲宗 | 英宗太子。 | 見深　初名　見濬 | |
| 孝宗 | 憲宗第三子。 | 祐樘 | |
| 武宗 | 孝宗太子。 | 厚照 | |
| 世宗 | 憲宗孫，興獻王祐杬長子。 | 厚熜 | 華蓋殿大學士張璁，改名孚敬。 |
| 穆宗 | 世宗第三子，封裕王。 | 載垕 | |
| 神宗 | 穆宗第三子。 | 翊鈞 | 鈞州改禹州。 |
| 光宗 | 神宗太子。 | 常洛 | 常改爲嘗。洛改爲雒。洛陽作雒陽。 |
| 熹宗 | 光宗太子。 | 由校 | 校改爲較，校尉改官旗。 |
| 思宗 | 光宗第五子，封信王。 | 由檢 | 檢改爲簡。書籍以檢校爲簡較。 |
| 清<br>(愛新覺羅氏)<br>世祖 | 太宗第九子。入關，定都燕京。 | 福臨 | |
| 聖祖 | 世祖第三子。 | 玄燁 | 玄以元字代。燁以煜字代。稱范曄爲范蔚宗。 |

| 世宗 | 聖祖第四子。 | 胤禛 | 胤以允字代。進士張佳胤、申佳胤、堵胤錫，《明史》改胤作允。改清初刑部尚書王士禛爲士正，後改作士禎。 |
| 高宗 | 世宗第四子。 | 弘曆 | 弘以宏字代。曆以歷字代。改明弘治年號爲宏治。改《時憲曆》爲《時憲書》。 |
| 太子 | | 永璉 | 試場不得以《論語》「瑚璉也」命題。 |
| 仁宗 | 高宗第十五子。 | 顒琰 初名 永琰 | 《簡明目錄》改宋俞琰爲俞琬。 |
| 宣宗 | 仁宗次子。 | 旻寧 初名 綿寧 | 寧以甯字代。 |
| 文宗 | 宣宗第四子。 | 奕詝 | |
| 穆宗 | 文宗長子。 | 載淳 | 淳寫作湻。 |
| 德宗 | 文宗弟醇賢親王奕譞次子。 | 載湉 | |
| 末帝 | 宣宗曾孫，醇親王載灃長子。 | 溥儀 | 唐紹儀改名紹怡，後恢復原名。 |
| 附　吳三桂 | 於衡州（今湖南衡陽）稱吳帝。 | 三桂 | 三改爲參。桂改爲貴。改桂林爲建材府，改桂陽爲南平州。改桂東爲義昌縣。 |
| 父 | | 襄 | 襄改爲廂。遙改襄陽爲漢南府。 |

## ◎太平天國避諱：

| 王　號 | 姓　名 | 避　諱　舉　例 |
| --- | --- | --- |
| 天王（自稱真聖主） | 洪秀全 | 聖懷、聖慮、聖壽、聖顏、聖德、聖恩等都是天王、幼主、代代幼主的專用詞。 |
| 幼主 | 洪天貴福 | 福字以福代，或改爲復、複、馥等。 |

| 東王 | 楊秀清 | 秀改爲繡。 |
|---|---|---|
| 附：避上<br>帝諱 | 上帝亦稱天父<br>（天聖父）神<br>爺。 | 《天命詔旨書》規定：神、爺、上、帝、<br>聖，只能用於天父，不准世人僭稱。不<br>准呼稱左輔、右弼、前導、後護各軍師<br>爲王爺。除神爺外，凡神字改爲伸或<br>申。 |
| 避基督諱 | | 把官銜「提督水師軍務」中的「提督」<br>改爲「提理」、「提掌」或「提統」。 |

注：《歷代帝王諱字表》說明：

①秦以前避諱尙無定制，避諱制度實成於秦漢，故此表首列秦代避
諱。

②表中所列帝王名諱，有的因無例證，未能舉例。如蜀昭烈帝，《三
國志‧先主傳》載：「先主姓劉，諱備」，但古籍中查無實例，故
「舉例」空欄而不書。

③楚霸王曾一時號令天下，西漢呂太后曾臨朝稱制，故於表中同帝王
並列。

④某帝王的先人及太子諱例，見於古籍的，亦附帶記載，一般列於該
帝王之後，如秦莊襄王列於始皇之後；李虎、李昞、李建成列於唐
高祖之後。

⑤在前朝掌實權並爲後朝追尊帝號者，列於後朝開國君主之前，如曹
操列於魏文帝之前，司馬懿及其子司馬師、司馬昭列於晉武帝之
前。

⑥元朝不避諱，故表中不列。

⑦吳三桂反清建立政權，故將其諱例附於清後。

⑧太平天國雖未推翻清朝，但盛行避諱，且諱制與歷朝有別，故另爲
譜表。

# 十、避諱學主要參考書目

- 《容齋隨筆》 （南宋）洪邁撰 有上海古籍出版社 1978 年本。

- 《野客叢書》 （南宋）王楙撰 有《四庫全書》與《叢書集成初編》本。

- 《學林》（又名《學林新編》） （南宋）王觀國撰 有《四庫全書》與《武英殿聚珍版書》本。

- 《齊東野語》 （南宋）周密撰 有明刊《津逮祕書》本。

- 《戲瑕》 （明）錢希言撰 有《四庫全書》本。

  ❖上五書中有歷代避諱事實的記載。

- 《日知錄》 （明末清初）顧炎武撰 有《四部備要》等本。

- 《十駕齋養新錄》 （清）錢大昕撰 有商務印書館 1957 年本。

- 《陔餘叢考》 （清）趙翼撰 有商務印書館 1957 年本。

- 《十七史商榷》 （清）王鳴盛撰 有商務印書館 1959 年本。

- 《金石萃編》 （清）王昶撰 有清光緒十九年（1893）鴻寶齋石印本。

  ❖上五書中有對避諱的考證。

- 《歷代帝王廟謚年諱譜》1 卷 （清）陸費墀撰 有清道光間揚州阮氏刊本。

- 《避諱錄》5 卷 （清）黃本驥撰 有清刊《三長物齋叢書》本。

- 《廿二史諱略》1 卷 （清）周榘撰 有清刊《嘯園叢書》本。

- 《歷代諱名考》1 卷 （清）劉錫信撰 有清刊《畿輔叢書》本，還有《叢書集成初編》本。

- 《歷代諱字譜》2 卷《附家諱考》1 卷 （民國）張惟驤撰 有

1932 年張氏小雙寂庵刊本。

❖上五書爲避諱學專著，但記錄比較簡單，僅列出各代帝王名諱，謬誤頗多。

• 《史諱舉例》8 卷　陳垣撰　有北京科學出版社 1958 年本。

❖該書撰於 1928 年，約八萬餘字，徵引古籍 143 種，是一部關於避諱學的總結性著作，爲史學方面的重要工具書。

• 《論陳垣老師的歷史避諱學》　蔡尚思撰　載於中國歷史文獻研究會編《中國歷史文獻研究集刊》第五集（岳麓書社 1985 年版）

❖此篇論文是對陳垣《史諱舉例》的補充和部分條例的訂正。

（張玉彬）

# *11* 度量衡知識

　　古代稱男子爲「丈夫」，意思是常人身材有一丈高。《說文解字》釋夫：「周制八寸爲尺（咫），十尺（咫）爲丈，人長八尺，故曰丈夫。」《周禮・考工記・總序》亦言「人長八尺」。今天沒有八尺高的大漢，即或畸形也難找到。《漢書・食貨志上》載「食，人月一石半」，平均每天五升。三國時諸葛亮日食三、四升，司馬懿便以其食量減少，工作繁忙而預料他活不長了（《晉書・宣帝本紀》）。現在每日吃三升，也堪稱驚人的食量。《左傳・定公八年》載：「顏高之弓六鈞」。當時一鈞爲 30 斤，今日之特極大力士亦難挽 180 斤重的硬弓。難道今人之體長、食量、膂力不如古代人嗎？如果了解歷代度量衡制度，這些難題便可迎刃而解。周尺當今市尺 0.675，以八尺乘之，相當於 5.4 尺左右；漢升當今 0.2 升，五升爲今一升，實屬常人之食量；春秋到戰國間一斤當今半斤，180 斤相當於今 81 斤（馬衡《凡將齋金石叢稿》卷 4《度量衡制度》推算爲 60 斤，此據地下出土之春秋中期楚國銅環權計算），與今日之運動員無多大出入。所以，閱讀古文獻，研究歷代經濟，租賦、田畝、建築器物、服飾、農學、醫藥等都離不開度量衡制度。它是「百物制度的標準」。

## 一、度量衡概述

## (一)度量衡起源

度量衡是社會生產力發展到一定水平的產物,是伴隨著產品交換的發展而產生的。當初,人們只是為了滿足自身生活需要而進行生產活動,產品也只由本氏族所消費。隨著人類歷史的發展,出現兩次社會大分工,產品不僅有剩餘,而且出現了以交換為目的的生產活動,即以物易物。人們用一堆糧食(多少不分)換二隻羊(輕重不分),這種簡單、草率、粗略的交易方法,不符合交換者雙方的實際利益,所以,極需要確立一種標準,統一計量方法。因而在交換過程中,逐漸創造了用途不同的度量衡計量器具。大約在原始社會末期就出現了最原始的度量衡器具。《大戴禮記·五帝德》說,黃帝時期設置五量;《尚書·舜典》說舜時就有了度量衡;《史記·夏本紀》說禹「身為度,稱以出」,禹巡狩會稽,「乃審銓衡,平斗斛」(《越絕書》),使度量衡的標準逐漸趨向統一。以上說法雖未必是信史,但卻反映了當時度量衡的產生和發展情況。

生產力的發展,社會勞動分工的擴大,私有制的確立,使交換經濟有了較大發展。隨著商品貨幣關係的發展,對於等價交換的要求越來越迫切,從而也就要求計量方法的準確性。標準的計量器具在實踐過程中逐漸形成和日益完善,並為政權機構所承認而把它加以制度化。故《夏書》曰:「關石、和鈞,王府則有」(《國語·周語下》)。這就是所謂的標準器,由奴隸制國家所掌握,而製造過程也由粗糙漸趨精確。戰國時期進入封建制初期,由於經濟發展的要求和對勞動人民剝削的需要,為鞏固政權,秦孝公十二年(前 350),商鞅第二次變法時便頒布了統一度量衡的法令。

取何物為製造度量衡的標準,歷代說法不一,主要有以下幾

種：

第一，**取人體爲則**。《大戴禮記・主（一作王）言》說：「布指知寸，布手知尺，舒肘知尋，十而索，百步而堵（此爲畝之誤），三百步而里，……。」《小爾雅・廣度十一》釋長度單位命名的來源說：「跬，一舉足也。倍跬爲之步。四尺，爲之仞。倍仞謂之尋。尋，舒兩肱也。倍尋謂之常。五尺謂之墨。倍墨謂之丈。倍丈，謂之端，倍端，謂之兩。倍兩，謂之疋。」《說文解字》釋尺也說：「十寸也，人手卻十分動脈爲寸口，十寸爲尺。」「周制：寸、尺、咫、尋、常、仞諸度量，皆以人體爲法。」「咫，中婦人手長八寸謂之咫。」然而人體各有差異，其標準難於精確。但它反映了度量衡產生的原始狀態，是比較粗糙的度量衡制度。古代埃及以手爲準，故有一指、一手、一肘之別；英國也傳說「碼」是英皇亨利第一鼻端到大姆指尖之長。

第二，**取自然物作標準**。其一爲累黍法，「度者」：「本起黃鐘之長。以子穀秬黍中者，一黍之廣，度之九十分，黃鐘之長。」「量者」：「本起於黃鐘之龠，用度數審其容，以子穀秬黍中者千有二百實其龠。」「權者」：「本起於黃鐘之重。一龠容千二百黍，重十二銖，兩之爲兩。」（《漢書・律曆志上》）黃鐘以累黍爲基礎，故實際是以黍爲標準物。《說苑・辨物篇》也說「度量衡以黍生。」

第三，**取絲毛爲則**。「度之所起，起於忽，……蠶吐絲也。」（《孫子・算經》）《新書・六術篇》言：「數度之始，始於微細，有形之物，莫細於毫，是故立一毫以爲度始，十毫爲髮，十髮爲氂，十氂爲分。」《易通卦驗》說：「十馬尾爲分。」絲、髮、馬尾均有粗細之別，故亦難作爲度的標準，用以較驗亦不足取，只不過以其比擬細微而已。且公分諸名起於漢代，故其非爲標準物，屬後來附會。

度量衡知識

西歐取自然物爲標準，如英國以麥一粒重爲一克冷，法國的米突制是以地球子午線四分弧之一千分之一爲長度單位——公尺。

**第四，取人造器物爲標準。**

我國歷代統治者均提供古樂，所以對樂律理論絕對音高的確定極爲重視。黃鐘是古樂管，據說是十二律管之一，最低音爲「宮」。管子（竹、銅、玉）口徑相同，管長則音低，管短則音高。黃鐘之宮的音高是音之本，也叫黃鐘律，是最適中的音調。所以黃鐘管確定，其餘十一律也就隨之確定。據黃鐘律之管，徑長及其所容黍的容量與重，作爲度量衡器標準，雖屬歷代通說，然其畢竟爲以累黍爲據。

歷代又有以圭璧與貨幣爲則之說，如王莽新大泉徑一寸二分，重十二銖，累積可以得出尺長斤重。但圭璧與貨幣爲按一定度衡所造，故其不屬計量單位的最初標準，只能據其校驗度量衡器。

對此問題，從古至今歷來諸家看法不一。最初粗略的計量，人們可能是用簡便的方法，以手、舒肘、步爲單位計算，即或取中婦人手長，人與人之間亦有差別。發生到較精密的計算，就必然取客觀自然物爲標準，製造計量器。如以累黍法制定單位長度、重量、容積。後來爲了達到精確，復以人造物貨幣等爲參照物相互校驗。

## (二)度量衡變化趨勢及其原因

歷代度量衡變化的趨勢：一定單位長度由短變長，單位量器由小變大，單位的權衡由輕變重。總之，度量衡單位值是向增大的方向演變，從文獻記載尚無法推算堯舜禹時代（原始社會的崩潰時期）和夏代（奴隸社會開始）的度量衡單位，而目前又無實

物根據。商代尺度，已有地下出土實物，但從商到春秋發現實物很少，制度也比較紊亂，《左傳·昭公三年》記載「齊舊四量，豆、區、釜、鐘。四升爲豆，各自其四，以登於釜。釜十則鐘。陳氏三量皆登一焉，鐘乃大矣。以家量貸，而以公量收之。」陳氏是以五升爲豆，五豆爲區，五區爲釜，十釜爲鐘，可見在一個割據政權內部，爲了以小恩小惠收買人心達到奪取政權目的竟可以任意改變量度計算的進位制，其升以上的單位容量值，當然也隨之變化。這並不是個別現象，在楚國，白公勝發動政變，也採用「大斗斛以出，輕斤兩以納」的辦法，可見度量衡制度竟成爲政治競爭的手段。戰國時期的度量衡器實物，地下出土較多。秦孝公時商鞅變法，統一秦國度量衡，一直到秦始皇二十六年（前221）在全國範圍內頒布「度、衡、石、丈、尺」的詔令，基本上是沿著商鞅時的制度標準，來統一戰國時期各國度量衡的差異。這有利於田賦的徵收、商品交換和制度劃一，以鞏固中央集權統治。

「漢承秦制」，兩漢時期度量衡制度變動不大。王莽嘉量（標準量）是度量衡制發展到完備階段的標誌。此器形制與《漢書·律曆志上》所記「其上爲斛，其下爲斗，左耳爲升，右耳爲合龠」相符。確實達到了量者「用度數審其容」（同上）的原則。根據嘉量銘文所載的五量（龠、合、升、斗、斛）的徑、深、底面積和容積之值，及「其重二鈞」的相互關係，對此器作了精確的測量。推算出新莽時一尺長 23.08864 公分，一升容200.63492 毫升，一斤重 226.666 克（《新莽嘉量之校量及推算》），實際上構成一個空前完整的度量衡總體，而彼此間又存在著相成相通的內在聯繫。嘉量製作精巧，成爲後世歷代王朝修訂度量衡制度時的主要依據。

《漢書·律曆志》記載之計量制度，標誌著我國封建社會度量

衡制度的完備。故以莽嘉量制度爲基數，此後可分作三個時期來看中國度量衡增率之變化。

第一時期從王莽政權至西晉（三百年），度量衡總增約百分之三；第二時期以南北朝至隋（三百年），總增約百分之一百四十；第三時期從唐到淸（一千三百餘年），總增約百分之七十。

然三量的增率是不同的，「今代之大於古者，量爲最，權次，度又次之矣」（《日知錄》卷 11「權量」條）。量（升、斗、斛）的增率：第一期約百分之三，第二期則百分之百，以至百分之二百，第三期約百分之二百。整個增率約爲百分之四百。權（兩、斤、石）的增率：第一期不明顯，第二期則增百分之百至百分之二百，第三期幾乎無變化。整個增率約爲百分之二百。度（寸、尺、丈）的增率：第一期約百分之五，第二期約百分之二十五，第三期約百分之十，整個增率爲百分之四十。以上數據是根據近人吳承洛在《中國度量衡史》一書中考訂的，與其他諸家推算值互有差異。萬國鼎、汪達等論著均指出吳書錯誤甚多。這裡僅以吳書結論作爲探討度量衡不斷增值之大略趨勢。

度量衡增大的原因，是由於統治者企圖通過三量的增大，加重對人民的剝削，而統治階級越腐朽，乃至國家分裂，三量增率就越大。我國封建社會自給自足的自然經濟長期占統治地位，地方與中央的對立，度量衡制度比較紊亂也是其單位變化和增大的原因之一。三量各期的增率不同，其原因各異。

度的增率最小，因爲尺的長短，通過目測或布手即知，易於鑒別，在長度上就難以作弊。所以歷代雖有所增益，但變化不大。在三個時期中唯第二期增率較大，《隋書‧律曆志上》載：「魏及周、齊，貪布帛長度，故用土尺」。這是由於魏晉以後，政府以絹、布爲戶調，此期又連年戰爭，徭役繁重，欲多取於民，使尺度單位增大。無論是東晉南朝或十六國北朝政權，更迭

頻繁，前代制久失修，增損訛替，後世就以所增為定制，這樣尺度代有增益，北朝尤甚。在這個時期裡，絹、布實際上肩負流通手段的職能，尺度舞弊雖難，貪心的封建統治者也是千方百計增大其單位，達到其多取的目的，但不十分明顯，所以增率較之量衡器為低。

衡的增率在度、量之間，因為鑒定權衡輕重比鑒定尺度之長短較為困難，故其增率大於度。但權衡又不是取民粟米、布帛主要標準器具，故其總的增率又小於量。第一期變化不大。第二期由於政權更迭頻繁，社會秩序紊亂，故「魏、齊斗稱於古二而為一，周隋斗稱於古三而為一。」（唐孔穎達《左傳正義・定公八年》）「開皇以古稱三斤為一斤，大業中以復古稱。」（《隋書・律曆志》）民間亦用大稱，故至隋增率近三倍於新莽。第三階段，唐代「開元通寶」十枚為一兩，並以其審核重量。兩稅法推行以後，大多以實物折錢納稅，故權衡之量比較穩定。宋代租稅的徵收，官俸及對外貿易大抵以銀兩，或以銀兩折合銅、鐵幣。從唐宋以後銀兩逐漸取得流通貨幣的地位，對貴重金屬銀兩計重的要求比米粟要精確，它在重量上微小的增減也會影響到所有者的利益，因此社會對權衡的檢查也精細，因而從唐到清重量單位變化不顯著。

量的增率最大，因為量器的大小難於判定，不像尺度憑手就可以鑒別，故易於作弊。但最主要原因是我國封建社會的租賦一向徵收農作物，而且以量器單位取於民間。「開皇以古斗三升為一升」（《隋書・律曆志》），孔穎達說：北魏、北齊斗二倍於古斗，周、隋斗三倍於古。（《左傳正義・定公八年》）唐兩稅法後雖然以錢納稅代替了實物，但有時還以錢折合實物。統治階級除在比價上搞鬼之外，更不會放過在量器上作文章。所以顧炎武在考證宋元量衡後結論說：「宋時權、量又大於唐」，又說「元之

斗斛又大於宋也」（《日知錄》卷 11「大斗大兩」條）。至明清五倍於古。

### ㈢封建社會度量衡的特徵

從春秋到戰國時期社會分裂為多個互不統屬的政權，度量衡當然各異。從秦統一後至清雖然中間經過幾次分裂局面，然而統一的中央政權不僅時間長，而且也是主流。封建社會是以自給自足自然經濟占統治地位的社會，地方地主經濟特權及其勢力與中央集權制之間存在著矛盾，他們為達到共同瓜分生產者剩餘產品的目的，彼此之間不得不作一定程度上的妥協，因此形成了封建社會度量衡的如下特徵。

#### 1.國家制度和民用度量衡的對立和統一

每當改朝換代之際，新王朝必然頒布新制度，甚至同一朝代，同一皇帝也頒布新制度。變來變去，度量衡總是不斷增大，既加深了人民的痛苦，又助長了地方度量衡的混亂。官定的度量衡器用於政府收支方面，而地方或民間交易卻往往另有一套度量衡制。兩者各有自己的使用範圍，官定的不但不排斥民間的，而且它還往往以舊的民間標準轉化成為新的官制。所以兩者的關係是在橫的空間上相對立，但在縱的時間上又統一起來。如劉宋時民間所用的布尺（24.57 公分）後來成為齊、梁、陳三朝官尺；北周民間通行的市尺（29.58 公分），至隋初便定為開皇官尺（據劉復《中國歷代尺度考》推算數據）。這樣遞變，無非是要加長尺度，即把前朝的民間市尺來作為本朝的官尺。

#### 2.地方度量衡的紊亂

由於自然經濟占統治地位，與外界聯繫十分薄弱，因此各地

區間的度量衡參差紛亂，同一地區的不同行業所用度量衡標準也往往各異。顧炎武描述明代紊亂情形時說：「今北方之量鄉異而邑不同，至有以五斗爲一斗者，一關之市兩斗並行」（《日知錄》卷10「斗斛丈尺」條）。一些貴族、豪門、奸商酷吏爲實現榨取民脂民膏的罪惡目的，也常常亂造器具，小斗出，大斗入。《武進縣志》記載，明代所謂「毛給事中憲刻其家斛曰『出以是，入以是，子孫守之，永如是』，蓋不多取佃田者」。就被稱爲「鄉賢」，那些不是「鄉賢」的地主就可想而知了。可見其紊亂之一斑。就這個問題在封建社會的初期莊子就提出過要「剖斗折衡，而民無爭」的主張。度量衡的增率，以地方私造計量器先行，官定制也隨之增大。另一方面「上操度量，以割（制裁）其下。故度量之立，主之寶也。」（《韓非子・揚權》）這是君權的組成部分，是鞏固統一的手段，所以商鞅變法後，到秦始皇二十六年統一度量衡。以後歷代均由國家公布標準器量，有時還要進行檢查。同時政府徵收賦稅，以及諸如歲派、雜派、和買等項，必須依照國家計量標準，因而地方度量衡必然要受國家標準制約。

### 3. 度量衡制度的複雜性和多樣性

我國古代的度量衡沿著由小到大的方向演變，主要指官方收支和市場交易而言。此外還有手工製造，民用裁衣，量丈土地和禮制樂律等尺度亦各具其特殊性。

專門爲手工製造用的木工尺，在歷史上自成系統，稱魯班尺，營造尺。各地區的建築業中的木工、刻工、農具工、車工、船工所用尺度據明朱載堉《律呂精義》、韓邦奇《苑洛志樂》推斷，春秋末年公輸般所改定的魯班尺至明清營造尺變化甚微。它不受歷代官尺增長的影響，因爲我國古代的木工是師徒傳授，世代相

承，墨守成規，很少受改朝換代和政治混亂的影響，保存自己一套制度。但各地所用營造尺也存在差異。

明清之際均有法定量地尺標準器，然而各地實行亦有出入（見附：地積）。

裁縫工匠所用的尺，叫裁尺，亦稱衣工尺。其在歷史上的變化情況比較複雜。據《周禮・天官冢宰》記載：「縫人，掌王宮之縫線之事，以役女御，以縫王及后之衣服」，這不一定是周朝事實，然而說明衣工淵源極為久遠，但裁縫之事不是代代相承，故長期以來就無標準，往往民間通用之尺，就視為裁尺。這種尺更為紊亂參差，宋人已有：「持東家之尺，較之西鄰，如十指一樣之不齊」的看法。各地區差別較大，它往往大於量地尺、營造尺、樂律尺。

歷代封建王朝都十分重視制禮作樂，其目的在於維護封建社會等級和秩序，於是都提倡恢復古禮、古樂，以西周（儒家推其為理想社會制度的典型）為楷模。故秦漢後，歷代制樂者都標榜以西周的古黃鐘律為典範，來製造本朝樂律尺。有人主張這就是各代的官定尺度，有人不同意，以為是自成體系的樂律制度。

樂律尺確屬一種專門尺度，在曹魏以前就是官定常用尺。由於常用尺不斷增長，後代音高則與前代不同。《晉書・律曆志》載：「武帝太始九年，中書監荀勗校太樂，八音不和，始知後漢至魏，尺長於古四分有餘。」荀勗考校七種古器，復原了古尺，乃專以此調音律，史稱「晉前尺」（與新莽銅斛尺相等）。從此樂律尺便與常用尺分離。至清代均有專用的樂律尺。

禮制和傳統觀念對度量衡制度影響也是很大的。隋開皇年間依據北朝遞次增大的最後計量值，定為官制（通行制度）。大業年間又頒布復古制，但「開皇官尺，大業中人間或私用之」（《隋書・律曆志》），說明隋代度量衡分為大、小兩種制度。唐

承隋制，《唐六典》卷3記載唐代以一尺二寸爲大尺，三斗爲大斗，三兩爲大兩，亦是大、小兩種制度並行，「（小制）調鐘律，測晷景，合湯藥，及冠冕之制，則用之；內外官私悉用大者」。調鐘律即樂律，宮廷冠冕朝服用古尺是要求合於古禮制的。測晷景是天文科學繼承性的需要。合湯藥用古稱，因爲古藥方的劑量當然要用古稱，如果用增大幾倍的衡器就會出亂子。遠在西晉「元康（291～299）中，裴頠以爲醫方人命之急，而稱兩不與古同，爲害特重，宜因此改治權衡，不見省」（《晉書·律曆志上》），已提出問題的嚴重性，這就是唐代用小制配藥的緣故。

### 4.半封建半殖民地時代度量衡的紊亂

　　1840年以後繼續沿用清代前期的度量衡制。隨著社會性質的變化，咸豐八年（1858）根據中法《通商章程善後修約》規定，制定了「關平」、「關尺」，成爲特殊的度量衡系統，與原來度量衡器並行。由於換算複雜，致使各地的制度更加參差複雜，漫無準則。爲適應中國民族資本主義的發展，民族資本主義代表，從十九世紀末起迫切要求統一全國度量衡，並主張採用國際公制。1908年清政府擬訂《劃一度量衡制度》及《推行章程》，1915年北洋政府公布《權度法》，由於封建制度遺留下來的紊亂狀態沒有解決，加之外國侵略勢力在其「勢力範圍」內推行外國制度，又增添了新的混亂。

## 二、度量衡研究概況

　　探討古代度量衡制度，歷代不乏其人。唐李淳風《隋書·律曆志》以晉前尺爲基礎，把隋以前各代二十八種尺度，列爲十五

等，剖析釐毫，皆極精審，對其後的研究工作有極大的貢獻。

　　歷代對度量衡考究，多從黃鐘律入手，以累積秬黍爲標準。但地有肥瘠，年有豐歉，古今培植技術亦有差別，故黍之大小輕重無從獲得一定標準，所以僅能限於文獻記載之推測。然而結合古器物進行研究，早在西晉時已開始，例如泰始十年（274）荀勗造律尺（晉前尺），「所校古法有七品：一曰姑洗玉律，二曰小玉律，三曰西京銅望集，四曰金錯望集，五曰銅斛，六曰古錢，七曰建武銅尺。」（《晉書·律曆上》）宋代丁度曾以大泉、錯刀貨幣、貨泉參校以銅斛之尺；高若訥也用漢代貨泉推斷古尺度（《宋史·律曆志》）。淸代學者以器物研究度量衡制度者尤衆，其中成績卓著者一是錢塘，他以數學推算，並用傳世實物而著《律呂古誼》；一是吳大澂，他以所得之古玉律琯、古圭璧和古劍等，研究度量衡，著《權衡度量實驗考》（僅成權度二篇）。

　　近現代學者對存世古物進行實測，並根據古文獻記載來研究歷代度量衡的變化及其原因，作出突出成績的當首推王國維。但在研究上較爲全面的是吳承洛所著《中國度量衡史》（此書不大注意實例，多出之於推算，態度不夠嚴謹，往往相信二、三手文獻）。馬衡、劉復、劉體智、黃濬、郭沫若、楊樹達、唐蘭、楊寬、羅福頤、萬國鼎等先生均有一些專著和專論，對我國度量衡史的研究作出了一定的貢獻。但是關於一器斷代專論居多，而全面系統的分析綜合則較少。1984 年，國家計量總局編《中國古代度量衡圖集》，圖文並茂，以實測存世古物爲主，吸取了學術界的研究成果。

　　總的看來，關於度、量、衡三方面的研究不平衡。目前對尺度研究較充分，專著和文章較多。其原因有三：

　　(1)尺度本身比量衡簡單。

　　(2)歷代封建王朝注意禮制樂律，故歷代關於記述尺度的文獻

比量、衡爲多。

(3)傳世和地下出土文物尺度也比量、衡爲多，且尺度即使殘
存一寸即可推出一尺，而量、衡器殘損就難以測算。

特別是權如無鑄刻單位就難以推算，又因金屬鏽蝕，石器裂
散脫落等原因，儘管記有單位，測算誤差也無法避免。

# 三、歷代度量衡對照

## (一)歷代度量衡名稱的沿革和變化及其進位

### 1.度

#### ◙先秦

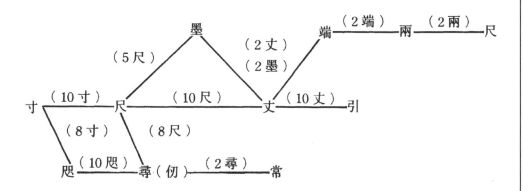

囲：常用長度單位：寸，呎，尺，尋，丈，常，引。

◙秦漢

| 分 | 寸 | 尺 | 丈 | 引 |
|---|---|---|---|---|
| $\frac{1}{100}$ 尺 | $\frac{1}{10}$ 尺 | 10寸 | 10尺 | 100尺 |

◙漢以後至清末

|  | 忽 | 秒 | 毫 | 釐 | 分 | 寸 | 尺 |  | 丈 |  |  |
|---|---|---|---|---|---|---|---|---|---|---|---|
| 漢以後至明 |  | （宋改稱絲10忽） | 10秒 | 10毫 | 10釐 | 10分 | 10寸 |  | 10尺 |  |  |
| 清 | 忽 | 絲 | 毫 | 釐 | 分 | 寸 | 尺 | 步(弓) | 丈 |  | 里 |
| 清 |  | 10忽 | 10絲 | 10毫 | 10釐 | 10分 | 10寸 | 5尺 | 10尺 |  | 360步 180丈 |
| 清末 |  |  | 毫 | 釐 | 分 | 寸 | 尺 | 步(弓) | 丈 | 引 | 里 |
| 清末 |  |  | 10毫 | 10釐 | 10分 | 10寸 | 5尺 | 10尺 | 10丈 | 10引 |  |

囲：宋以後秒改稱絲。

　　清代忽以下皆以十折，還有微纖，沙，塵，埃，渺，模，模糊，逡巡，須臾，瞬息，彈指，刹那，六德，虛圖，清靜。這些單位沒有實際意義，唯爲借用小數之名位，只是代表一種虛構數目系統。到清末止於毫。

　　步（弓）、里從古代就有，只是用於量土地之單位。清代始列入里法。

2.量

## ◙先秦

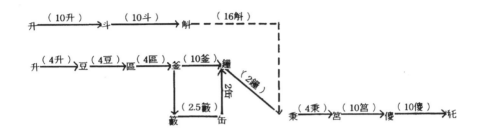

## ◙秦漢以後

| 秦漢 | | | | | 侖<br>1200<br>粟 | 合<br>2<br>侖 | 升<br>10<br>合 | 斗<br>10<br>升 | 斛<br>10<br>斗 | |
| --- | --- | --- | --- | --- | --- | --- | --- | --- | --- | --- |
| 漢以後至隋唐 | 粟 | 圭<br>6<br>粟 | 抄<br>10<br>圭 | 撮<br>10<br>抄 | 勺(侖)<br>5<br>撮 | 合<br>2<br>勺(侖) | 升<br>10<br>合 | 斗<br>10<br>升 | 斛<br>10<br>斗 | |
| 宋至明 | 粟 | 圭<br>6<br>粟 | 撮<br>10<br>圭 | 抄<br>10<br>撮 | 勺<br>10<br>抄 | 合<br>10<br>勺 | 升<br>10<br>合 | 斗<br>10<br>升 | 斛<br>5<br>斗 | 石<br>10<br>斗 |
| 清 | 粟 | 圭<br>6<br>粟 | 抄<br>10<br>圭 | 撮<br>10<br>抄 | 勺<br>10<br>撮 | 合<br>10<br>勺 | 升<br>10<br>合 | 斗<br>10<br>升 | 斛<br>5<br>斗 | 石<br>10<br>斗 |
| 清末 | 粟 | 圭<br>10<br>粟 | 撮<br>10<br>圭 | 抄<br>10<br>撮 | 勺<br>10<br>抄 | 合<br>10<br>勺 | 升<br>10<br>合 | 斗<br>10<br>升 | 斛<br>5<br>斗 | 石<br>10<br>斗 |

宋代對量之改制：

(1)唐以前均以十斗爲斛，屬五量最大者，宋改五斗爲斛，其

上加石爲十斗。石在以前雖也用爲量單位（與斛相等），然而其屬衡量最大單位。故宋「以權之極數，爲量之極數」。

(2)斛式上窄下廣，即口小底大，爲截頂方錐形。改變以往圓柱形，口大難於平準之弊病。

清末制度勺以下：抄、撮、圭、粟、顆、粒、黍、稷、禾、糠、粃，以上十進位遞降，其名沿用，但在量制本身已無實際意義。

#### 3.衡

宋代對權衡制有重大改革，隨商品貨幣經濟的發展，金銀地位越來越顯得重要，爲求計量精確，產生了釐毫進位法，即兩以下之錢、分、釐、毫、絲、忽皆以十遞折的小數名單位。同時宋仍保留前代遺留之絫黍進位法即兩、銖、絫、黍等單位（兩種進位法並存）。一兩爲二十四銖並十錢，就可以互相換算。後者逐漸被廢，爲前者所代替。

清代忽以下與度法之借用小數名位同。斤以上不名。清末定制，小數位止於毫。

隋以前步爲六尺，唐以後步均爲五尺。（古代步，亦爲弓，然多稱步。清代改步曰弓，實際仍是弓、步互用。）

我國計算土地面積，以畝爲單位，畝以平方步（弓）計量。用本朝代的尺長，即可推算出該朝代之畝量面積。但歷代王朝所記田畝數字，實爲稅地單位的數量。爲便於徵收租賦，往往結合收穫量估計畝數。

因土質瘠薄或其位置高下折合的畝數，稱折畝。顧炎武在論述明代折田和册報畝數的關係上指出：明初，南北各地許多州縣實行折畝，故有「小畝」，「大畝」之稱。凡以朝廷規定二百四十方步爲畝者名「小畝」，大於此量折合成一畝者均稱「大

| 單位 | 先秦 | 漢至南朝 | 隋唐 | 宋至明 | 清 | 晚清 |
|---|---|---|---|---|---|---|
| 引 | 引 200斤 | | | | | |
| 鼓 | 鼓 4石 | | | | | |
| 石 | | 石 4鈞 | 石 4鈞 | 石 4鈞 | | |
| 鈞 | 鈞 30斤 2稱 | 鈞 30斤 | 鈞 30斤 | 鈞 30斤 | | |
| 稱 | 稱 15斤 | | | 稱 15斤 | | |
| 衡 | 衡 16斤 | | | | | |
| 斤 | 斤 10兩 | 斤 16兩 | 斤 16兩 | 斤 16兩 | 斤 16兩 | 斤 16兩 |
| 鍰（鋝） | 鍰（鋝） 2鋝 | | | | | |
| 舉 | 舉 2捷 | | | | | |
| 捷 | 捷 1.5兩 | | | | | |
| 兩 | 兩 24銖 | 兩 24銖 | 兩 24銖 | 兩 10錢 24銖 | 兩 10錢 | 兩 10錢 |
| 銖 | 銖 10絫 | 銖 100黍 | 銖 100黍 | 銖 100黍 | | |
| 絫（圭分） | 絫（圭分） 10黍 | 絫 10黍 | 絫 10黍 | 絫 10黍 | | |
| 黍（粟） | 黍（粟） | | | | | |
| 錢 | | 錢（6銖＝25錢） | 錢 10分 | 錢 10分 | 錢 10分 | |
| 分 | | | 分 10釐 | 分 10釐 | 分 10釐 | |
| 釐 | | | 釐 10毫 | 釐 10毫 | 釐 10毫 | |
| 毫 | | | 毫 10絲 | 毫 10絲 | 毫 10絲 | |
| 絲 | | | 絲 10忽 | 絲 10忽 | | |
| 忽 | | 忽 | 忽 | | | |

「畝」。州縣上報戶部「則用大地（畝）以投黃冊」，而「下行徵派，則用小畝」從中漁利，故造成「各縣大地有以小地一畝八分折一畝，遞增之至八畝以上折一畝」。計算面積「有以下三百六

| 時期 | 方尺 | 方弓 | 方丈 | 毫 | 釐 | 分 | 畝 | 頃 | 方里 |
|---|---|---|---|---|---|---|---|---|---|
| 先秦 | | | | | | | 畝<br>100<br>方步 | | 方里<br>900<br>畝 |
| 秦至隋 | | | | | | | 畝<br>240<br>方步 | 頃<br>100<br>畝 | |
| 唐 | | | | | | | 畝<br>240方步<br>（步5尺） | 頃<br>100<br>畝 | |
| 宋至清 | | | | 毫 | 釐<br>10<br>毫 | 分<br>10<br>釐 | 畝<br>100分<br>240方步 | 頃<br>100<br>畝 | |
| 清末 | 方尺<br>100<br>方寸 | 方弓<br>25<br>方尺 | 方丈<br>4<br>方弓 | | | 分<br>6<br>方丈 | 畝<br>10分<br>240方弓 | 頃<br>100<br>畝 | 方里<br>540<br>畝 |

十步（實一畝五分）為畝者，有以七百二十步（實三畝）為畝者。」（《日知錄》卷10，「地畝大小」、「斗斛丈尺」條）甚至《大名府志》有「以一千二百步（實五畝）為一畝者。」（上書「原注」）由於官吏營私舞弊，更助長了各地「步尺參差，大小畝規劃不一」的嚴重程度。清代亦復如是。「清初，河北又自有三百六十步中畝，七百二十步大畝……。江南畝制又異，徽州平疇水田，畝積百九十步；斜水田積二百十步；高原田積二百六十步；山田積三百步……。」（《癸巳存稿》卷10「畝制」）有時以播種量和勞動力來估計，折合畝數。即或按規定五尺為步計

量，然而各地畝積出入亦很大，如清代江蘇、浙江、湖北、山東、山西等省，有以部尺、庫尺、營造尺、魯班尺之別（不按清之量地尺）。或按二百四十弓（步）爲一畝，則弓（步）有三尺二寸、四尺五寸、六尺五寸、七尺五寸之分。而畝制又有一百四十弓、二百弓、三百六十弓、六百九十弓之差。邊境地區各族計算土地面積單位更爲不一，東北滿族習慣以垧、單繩、雙繩爲單位；內蒙以「方」；雲南白族以雙牛耕一日田名「雙」；貴州部分地區以「臼」「緯」；而臺灣則用「甲」爲單位。往往由於時間不同，折合中原地區之畝數亦不同。故歷代地畝不是完全按著當時標準計算的，歷代地畝數字，並不能表明實際墾田面積，只能作爲大致參考。

## (二)歷代尺的長度對照表

| 時　代 | 尺　名 | 當今市尺 | 當今米 | 據文獻當今米 | 備　　注 |
|---|---|---|---|---|---|
| 商周 | 牙　尺<br>銅　尺 | 0.474<br>0.675 | 0.158<br>0.225 | | 上海博物館藏，美國人福開奇盜去 |
| 秦漢 | 南軟量尺 | 0.693 | 0.231 | | 據南京博物館藏商軟銅方升推算 |
| 新莽 | 劉歆銅斛尺 | 0.693 | 0.231 | | 據臺灣省藏新莽銅嘉量推算 |
| 東漢 | 鎏金銅尺 | 0.708 | 0.236 | | 中國歷史博物館 |
| 三國(吳) | 銀乳釘竹尺 | 0.726 | 0.242 | | 江西省博物館藏 |
| 西晉 | 骨尺 | 0.729 | 0.243 | | 洛陽博物館藏 |
| 東晉 | | | | 0.735 | 據《隋書·律曆志》記載推算 |
| 後涼 | 骨尺 | 0.726 | 0.242 | | 敦煌文物研究所藏 |
| 劉宋 | 骨尺 | 0.741 | 0.247 | | 中國歷史博物館藏 |

| 蕭梁 | 銅尺 | 0.759 | 0.2495 | | 中國歷史博物館藏 |
|------|------|-------|--------|------|------------|
| 北魏 | 銅尺 | 0.929 | 0.309 | | 中國歷史博物館藏 |
| 隋 | 人物花卉銅尺 | 0.89 | 0.2967 | | 故宮博物館藏 |
| 唐 | 鏤牙尺 | 0.907 | 0.3023 | | 上海博物館藏 |
| 宋 | 鎏金銅尺 | 0.952 | 0.3174 | | 中國歷史博物館藏 |
| 明 | 嘉靖牙尺（營造尺） | 0.96 | 0.32 | | 故宮博物館藏 |
| | 量地尺 | | | 0.981 | 據朱載堉《樂律全書·律學新說》推算 |
| | 木尺（裁衣尺） | 1.035 | 0.345 | | 上海博物館藏 |
| 清 | 康熙牙尺（營造尺） | 0.96 | 0.32 | | 中國歷史博物館藏 |
| | 牙嵌木尺（量地尺） | 1.065 | 0.3418 | | 故宮博物館藏 |
| | 牙尺（裁衣尺） | 1.025 | 0.3551 | | 中國歷史博物館藏 |
| 清末 | 關尺 | | | 1.067 | |

　　對歷代度量衡計算單位的推算，諸家結論不一。故以傳世器物爲標準，一代物器較多，選擇斷代確切中值與文獻記載相近者列入表內。有的時期只有一器未必準確，甚至尚無地下出土物，故據文獻列其推測值，並注明其出處。

## ◙歷代樂律用尺

| 朝　代 | 尺　名 | 當今市尺 | 當今米 |
|--------|--------|----------|--------|
| 周 | | 0.675 | 0.225 |
| 秦漢 | | 0.693 | 0.231 |

| | | | |
|---|---|---|---|
| 晉 | 晉前尺 | 0.693 | 0.231 |
| 蕭梁 | 梁法尺 | 0.697 | 0.2324 |
| 北魏、東西魏、北齊 | | 0.693 | 0.231 |
| 北周 | 玉尺<br>鐵尺 | 0.703<br>0.737 | 0.2675<br>0.2456 |
| 隋 | 鐵尺<br>水尺<br>梁表尺 | 0.734<br>0.822<br>0.708 | 0.2458<br>0.274<br>0.2361 |
| 唐<br>五代 | 鐵尺(小尺)<br>周律准尺(王朴尺) | 0.737<br>0.711 | 0.2458<br>0.237 |
| 宋 | 和峴尺<br>李照尺<br>阮逸・胡瑗尺<br>鄧保信尺 | 0.708<br>0.93<br>0.735<br>0.855 | 0.2359<br>0.31<br>0.245<br>0.2815 |
| 宋、元、明 | 大晟樂尺 | 0.893 | 0.2976 |
| 清 | 樂律用尺 | 0.777 | 0.259 |

## (三)歷代量器對照表

| 時　代 | 量　名 | 自名容量 | 容量<br>(毫升) | 一升合<br>今升 | 備　注 |
|---|---|---|---|---|---|
| 戰國(秦)<br>秦<br>西漢 | 商鞅銅古升<br>始皇詔銅方升<br>上林共府銅升 | | 202.15<br>210<br>200 | 0.202<br>0.21<br>0.2 | 上海博物館藏<br>中國歷史博物館藏<br>天津藝術博物館藏 |
| 新 | 新莽銅嘉量 | 龠<br>合<br>升<br>斗<br>斛 | 10.65<br>21.125<br>191.825<br>2012.5<br>20097.5 | 0.2006 | 在臺灣省 |
| 東漢 | 光和司農銅斛<br>銅合<br>銅龠<br>一分圭 | 64黍粟 | 20400<br>20<br>10<br>0.15 | 0.204<br>0.20<br>0.20 | 上海博物館藏<br>中國歷史博物館藏<br>故宮博物館藏<br>中國歷史博物館藏 |

| 時代 | 器物名稱 | 自名單位 | 原量(克) | 一合 | 推測 | 備 注 |
|---|---|---|---|---|---|---|
| 晉 | 太康銅釜 | 一斗 | 2562 | 0.256 | | 故宮博物院 |
| 北朝<br>(魏齊) | | | | | 0.401 | 據孔穎達《左傳·正義·定公八年》 |
| 隋唐 | | | | | 0.602（大斗）<br>0.2006（小斗） | 《唐六典·尚書戶部金部郎中》<br>推測 |
| 宋<br>元<br>明<br>清 | 成化兵子銅斗<br>戶部鐵方尺 | 倉升 | 9600<br>1043 | 0.96<br>1.043 | 0.6703<br>0.9577<br>10225<br>1035 | 據《夢溪筆談》推測<br>據《元史》<br>中國歷史博物館藏<br>故宮博物院藏 |

## （四）歷代衡器對照表

| 時代 | 器物名稱 | 自名單位 | 原重量<br>（克） | 一斤合<br>克數 | 一斤合市<br>斤數 | 據文獻<br>推測當<br>市斤數 | 備　注 |
|---|---|---|---|---|---|---|---|
| 春秋(齊) | 右伯君銅權 | | 198.4 | 198.4 | 0.397 | ① | |
| 春秋(楚) | 銅環權 | | | 224－<br>227.2 | 0.448－<br>0.454 | ② | 荊州地區博物館藏 |
| 戰國(楚) | 銅環權 | | | 250 | 0.5 | | 荊州地區博物館藏 |
| 戰國(秦) | 高奴禾石銅權 | 石 | 30750 | 256.3 | 0.513 | | 陝西省博物館藏 |
| 秦 | 始皇詔十六斤權 | 十六斤 | 4020.96 | 251.3 | 0.503 | | 旅順博物館藏 |
| 西漢 | 官枲銅權 | 重斤十兩 | 400 | 246.2 | 0.492 | | 上海博物館藏 |
| 新 | 新莽銅衡杆銅衡權 | 九斤權 | 2222.8 | 246.98 | 0.494 | | 中國歷史博物館藏 |
| | | | | | | 0.4533 | 據王莽嘉量推算 |
| 東漢 | 光和大司農銅權 | （以十二斤折合） | 2996 | 249.7 | 0.499 | | 中國歷史博物館藏 |
| 三　國、<br>晉、南朝 | | | | | | 同新莽 | 《隋書·律曆志》 |

| 北魏 | 鐵權 | （以二斤折） | 1031 | 515.5 | 1.031 | | 河南省博物館藏 |
|---|---|---|---|---|---|---|---|
| | | | | | | 二倍於新莽 | 孔穎達《左傳正義·定公八年》 |
| 隋 | 鐵權 | （以斤計） | 693.1 | 693.1 | 1.386 | | 中國歷史博物館藏 |
| | | | | | | 三倍於新莽 | 《左傳正義·定公八年》《隋書·律曆志》 |
| 唐 | 銀板 | | | 668 | 1.336 | | 陝西省博物館藏 |
| 宋 | 熙寧銅砣 | 百斤 | 62500 | 625 | 1.25 | | 瑞安縣文化館 |
| 金 | 壹百兩銅砝碼 | 壹佰兩 | 3962.58 | 634 | 1.268 | | 北京市文化管理處藏 |
| 元 | 二斤銅稱砣 | 二斤 | 1275 | 637.5 | 1.275 | | 中國歷史博物館藏 |
| 明 | 二十五兩銅砝碼 | 貳拾伍兩 | 928.4 | 594.2 | 1.198 | | 鄭州市博物館藏 |
| | 萬曆戥子 | | | 584 | 1.168 | | 中國歷史博物館藏 |
| 清 | 五百兩銅砝碼 | 伍百兩 | 18700 | 598.4 | 1.197 | | 故宮博物院藏 |

注：①此器估計為一斤權。

②此銅環權四枚分別為 0.8 克、1.5 克、3.5 克、7.1 克。環權第三與第四枚的重量成倍比關係，分別按六銖和十二銖折算，以 3.5 克環權計算每斤為 224 克；以 7.1 克環權計算則每斤為 227.2 克。

（張文喜）

文獻研究叢書・圖書文獻學叢刊 0901Z03

# 古籍知識手冊（三）文化知識

主　　編　高振鐸
責任編輯　吳家嘉

發 行 人　林慶彰
總 經 理　梁錦興
總 編 輯　張晏瑞
編 輯 所　萬卷樓圖書股份有限公司
　　　　　臺北市羅斯福路二段 41 號 6 樓之 3
　　　　　電話 (02)23216565
　　　　　傳真 (02)23218698

發　　行　萬卷樓圖書股份有限公司
　　　　　臺北市羅斯福路二段 41 號 6 樓之 3
　　　　　電話 (02)23216565
　　　　　傳真 (02)23218698
　　　　　電郵 SERVICE@WANJUAN.COM.TW
香港經銷　香港聯合書刊物流有限公司
　　　　　電話 (852)21502100
　　　　　傳真 (852)23560735

ISBN 978-986-478-622-0
2022 年 3 月再版一刷
定價：新臺幣 560 元

如何購買本書：

1. 劃撥購書，請透過以下郵政劃撥帳號：
　 帳號：15624015
　 戶名：萬卷樓圖書股份有限公司
2. 轉帳購書，請透過以下帳戶
　 合作金庫銀行 古亭分行
　 戶名：萬卷樓圖書股份有限公司
　 帳號：0877717092596
3. 網路購書，請透過萬卷樓網站
　 網址 WWW.WANJUAN.COM.TW

大量購書，請直接聯繫我們，將有專人為您
服務。客服：(02)23216565 分機 610

如有缺頁、破損或裝訂錯誤，請寄回更換

國家圖書館出版品預行編目資料

古籍知識手冊. 三, 文化知識/高振鐸主編. --
再版. -- 臺北市：萬卷樓圖書股份有限公司,
2022.03
　　面；　　公分. -- (文獻研究叢書. 圖書文獻學
叢刊 0901Z03)
ISBN 978-986-478-622-0(平裝)
1.CST: 漢學　2.CST: 古籍　3.CST: 中國文化

032　　　　　　　　　　　　　　111003089